ISBN 978-0-428-63811-5
PIBN 11274329

Beiträge

zur

Biologie der Pflanzen.

Herausgegeben

von

Dr. Ferdinand Cohn.

Vierter Band.

Mit siebzehn Tafeln.

Breslau 1887.
J. U. Kern's Verlag
(Max Müller).

Inhalt des vierten Bandes.

Register zum vierten Bande.

Beiträge

zur

Biologie der Pflanzen.

Herausgegeben

von

Dr. Ferdinand Cohn.

Vierter Band. Erstes Heft.

Mit vier Tafeln.

Breslau 1884.
J. U. Kern's Verlag
(Max Müller).

Inhalt von Band IV. Heft I.

Seite.

Ueber die Wasserbewegung in der Moospflanze und ihren Einfluss auf die Wasservertheilung im Boden.

Von

Friedrich Oltmanns.

Hierzu Tafel I. und II.

Der Einfluss der Laub- und Moosdecke des Waldbodens auf die Wasservertheilung in diesem ist seitens der Praktiker vielfach Gegenstand der Erörterung gewesen und kommt bei jeder grösseren Ueberschwemmung von neuem zur Sprache. An den Botaniker tritt daher jedesmal die Frage, wie sich der lebende Moosrasen bezüglich der Wasseraufnahme und Wasservertheilung verhält.

Eine Umschau in der Litteratur zeigt, dass diese Frage noch offen ist. Veranlasst durch eine von der mathematischen und naturwissenschaftlichen Facultät zu Strassburg gestellte Preisaufgabe unternahm ich daher die vorliegende Arbeit.

I. Historisches.

Naturgemäss interessirte den Forstmann vorzugsweise die Frage nach der Erhaltung der Nährkraft des Bodens durch die Streudecke. Wir finden daher diesen Punkt in allen Arbeiten über die Waldstreu mit Vorliebe behandelt; was über die physikalischen Eigenschaften der Streu, speciell der Moosstreu gesagt wird, beschränkt sich auf das, was a priori jedem klar war, der mit gesundem Blick die Sache betrachtet. Alle Forstleute waren darüber einig, dass die Moosdecke im Walde von hohem Werth sei. Angeregt durch Rettstadt entspann sich jedoch ein Streit[1]) um die Moosvegetation der Nadelholzbestände. Mit guten und schlechten Gründen wurde für und wider die Moose gestritten. Da jedoch keine Versuche angestellt wurden, mag der Hinweis auf diese Erörterungen genügen.

[1]) Alle darauf bezüglichen Schriften finden sich in der Monatsschrift für Forst- und Jagdwesen von Baur. Jahrg. 1868—1870.

Der erste, welcher die Frage nach der Bedeutung der Moosdecken für die Wasservertheilung experimentell behandelte, war Gerwig[1]). Derselbe nahm Rasen, welche theils aus einer einzigen Species von *Hypnum*, *Hylocomium*, *Dicranum* etc., theils aus verschiedenen, zusammenwachsenden Arten gebildet wurden, wusch sie, um sie von anhängender Erde zu befreien und legte sie auf ein etwa um 45° geneigtes Brett. Nach Verlauf von einer halben Stunde war das überschüssige Wasser abgelaufen. Die Rasenstücke, deren Grösse bekannt war, wurden gewogen und die Wägungen in bestimmten Zeitabschnitten wiederholt, bis sich die Moose ganz trocken anfühlten, was nach 12 Tagen der Fall war. Es zeigte sich, dass die eine Fläche von 1 qm überziehende Moosvegetation im Durchschnitt 5,66 kg wog, und dass das Gewicht nach 12 Tagen noch 21% des am Anfang des Versuches beobachteten betrug.

Daraus lässt sich berechnen, dass das aufgenommene Wasser einer Schicht von 4,5 mm Höhe entspricht.

Für dicke, vollkommen durchnässte Moosrasen, wie sie im Gebirge oft vorkommen, schätzt Gerwig die darin enthaltene Wassermenge auf eine Schicht von 10 mm Höhe.

Indem Gerwig weiter eine bestimmte Menge lufttrocknen Mooses eine Minute in Wasser hielt, dann vier Minuten abtropfen liess und wog, fand er, dass dasselbe etwa das Sechsfache seines Gewichts an Wasser aufgenommen hatte. Wenn die Rasen 10 Minuten im Wasser verweilten, fand keine erhebliche Gewichtszunahme mehr statt, ein Beweis, dass sie sich sehr rasch mit Wasser zu sättigen vermögen.

Aus den Resultaten seiner Beobachtungen zieht Gerwig dann den Schluss, das der Moosrasen im Stande ist, grosse Wassermengen am Abfliessen von den Abhängen zu verhindern.

Der Schluss ist berechtigt; zu bemerken ist jedoch, dass die aus ihrem Verbande losgelösten Rasenstücke offenbar viel rascher austrockneten, als das in Wirklichkeit der Fall ist; später zu erwähnende Versuche sprechen dafür. Bedenklich ist es ferner, durch das Gefühl die völlige Lufttrockenheit der Moose zu constatiren. Endlich ist es nicht sicher, dass nach einer halben Stunde im ersten, nach vier Minuten im zweiten Falle wirklich alles überschüssige Wasser abgetropft war, dass also die gefundenen Zahlen genau sind.

Ausgerüstet mit dem umfangreichen Beobachtungsmaterial der bayerischen Forststationen, das durch eigene Untersuchungen noch ver-

---

[1]) Gerwig, Ueber die Bedeutung der Moose für die Wasservertheilung auf der Erdoberfläche. Förster's Allgemeine Bauzeitung 1862, pag. 117—119.

mehrt wurde, lieferte Ebermayer[1]) einen weiteren Beitrag zur Erledigung unserer Frage.

Die Evaporationsapparate[2]), mit denen auf den Stationen gearbeitet wurde, bestanden aus einem Kasten von Zinkblech, welcher mit einem siebartig durchlöcherten Doppelboden versehen war. Mit diesem Kasten stand ein Gefäss in Verbindung, welches durch eine ähnliche Einrichtung, wie bei den sog. Flaschen- oder Sturzlampen, Wasser stets auf dem Niveau des Doppelbodens hielt. Es wurden zwei Kasten, mit Erde gefüllt, im Walde unter einem Dach neben einander aufgestellt und der eine mit derjenigen Streu bedeckt, welche sich in der betreffenden Waldung fand. Nachdem die Erde sich mit Wasser gesättigt hatte, wurde eine gemessene Wassermenge in das Gefäss gebracht, nach Ablauf von 14 Tagen das noch vorhandene Wasser abgelassen und gemessen; aus der Differenz berechnete man die Verdunstung. Die Beobachtungen wurden von April bis Ende September angestellt und während dieser Zeit an den Apparaten nichts geändert.

Das fünfjährige Mittel ergiebt[3]), dass der Wasserverlust des von Streu überlagerten sich zum Wasserverlust des streufreien Waldbodens verhält wie 22 : 47, d. h. während aus einer unbedeckten Fläche im Walde 100 Volumina Wasser verdunsten, verliert eine bedeckte nur 47 Vol. Dies ist das Mittel aus allen Beobachtungen, mögen sie sich auf Laubstreu oder auf Moosrasen beziehen. Auf der Station Altenfurth wurden die Beobachtungen mit den letzteren angestellt[4]). Nach Ebermayers Angaben[5]) berechnete ich, dass hier von einem mit Moosen bewachsenen Substrat 41 Vol. Wasser abgegeben wurden, wenn man die Verdunstung des moosfreien Waldbodens gleich 100 setzt.

Die Beobachtungen können, wie Ebermayer[6]) richtig ausführt, nur relative Zahlen geben, da die Erde in den Apparaten zusammensinkt und sich in Folge dessen Aufnahme und Abgabe von Wasser ändert. Der Wasserverlust nimmt mit der Zeit ab.

Aus meinen später zu besprechenden Beobachtungen geht hervor, dass, abgesehen von gewissen Ausnahmen, die Moose dem Substrat kein Wasser in nachweisbaren Mengen entziehen, dass daher, so lange sie feucht sind, die Verdunstung aus dem Boden eine äusserst geringe ist.

---

1) Ebermayer, Die physikalischen Einwirkungen des Waldes auf Luft und Boden. 1873. Ders.: Die gesammte Lehre der Waldstreu. 1876.

2) Ebermayer, Phys. Einw. p. 17.

3) Ebermayer, Waldstreu p. 185.

4) Ebermayer, Phys. Einw. pag. 9.

5) Ders.: Waldstreu, Tabelle VIIa.

6) Ders.: Waldstreu, pag. 185. Anmerk.

Nach Beschickung der Apparate musste das dazu verwandte Moos bald trocken werden oder war beim Beginn des Versuches schon trocken. Die gefundenen Zahlen, welche angeben, wieviel Wasser aus der mit diesem trocknen Material überdeckten Erde verdunstet, können richtig sein für Zeiten anhaltender Dürre. Die Wassermengen, welche während des Sommers aus einem Boden mit dichter Moosvegetation an die Luft abgegeben werden, bleiben in Wirklichkeit jedenfalls weit hinter den von Ebermayer angegebenen Zahlen zurück, da jeder Regen die Verdunstung für eine gewisse Zeit auf ein Minimum herabdrückt.

Um die wasserfassende Kraft, d. h. das Absorptionsvermögen der Streu zu ermitteln[1]), wurde dieselbe vollkommen lufttrocken in ein Blechgefäss eingedrückt und das Gewicht des Ganzen bestimmt. Die Streu wurde darauf in einen weitmaschigen Sack gebracht, blieb zwei Tage lang in Wasser völlig untergetaucht und wurde, nachdem das überschüssige Wasser abgetropft war, zur Wägung wieder in den früheren Behälter gebracht. Es stellte sich heraus, dass 100 Theile lufttrocknen Mooses in dieser Weise behandelt 282,7 Theile Wasser absorbiren.

Ebermayer constatirte[2]), dass Moos, welches in der beschriebenen Weise noch länger als zwei Tage im Wasser blieb, eine nicht unerhebliche Gewichtszunahme erfährt. Es ist anzunehmen, dass dasselbe, wenn es sich in natürlichen Verhältnissen befindet, nach mehr als zweitägigem Aufenthalt im Wasser gesättigt ist. Diese Thatsache, die auch nicht mit Gerwigs Beobachtungen übereinstimmt, ist nur dadurch erklärlich, dass die Pflänzchen in den Säcken verhältnissmässig dicht zusammengepresst waren.

Als ein Fehler muss es bezeichnet werden, wenn die Untersuchungsobjecte in das Gefäss eingedrückt und später in den Sack gestopft wurden; denn weil in jedem einzelnen Falle die Moospflänzchen verschieden dicht gelagert waren und ausserdem kreuz und quer durch einander geworfen wurden, war keine Garantie mehr dafür vorhanden, dass die Wasseraufnahme gerade so erfolgte als ob sich die Pflänzchen im natürlichen Zusammenhang des Rasens befänden.

Gerwigs Methode war kaum besser als Ebermayers, daher erklären sich die erheblichen Differenzen zwischen den Angaben beider.

Schliesslich wurde noch die Zeit bestimmt[3]), welche die Streu gebraucht, um lufttrocken zu werden. Die von mehrtägigem Regen

[1]) Ebermayer, Waldstreu p. 176.
[2]) Ebermayer, Waldstreu Tab. VIa.
[3]) Ebermayer, Waldstreu p. 181.

durchnässten Moose wurden in der oben erwähnten Weise in dem Gefässe gewogen, dann in einem Zimmer ausgebreitet und jeden Tag wieder zur Ausführung der Wägungen in das Gefäss gebracht. Nach etwa drei Wochen waren sie lufttrocken. Der Feuchtigkeitsgehalt betrug[1]) am Anfang 70% des Gewichts des nassen Materials. Dasselbe enthielt lufttrocken noch 14,5% Wasser.

Diese Versuche tragen den natürlichen Verhältnissen insofern nicht Rechnung, als durch das tägliche Ausbreiten bald diese, bald jene Theile an die Oberfläche kommen mussten und so die Verdunstung beschleunigt wurde. Andere Ungenauigkeiten, welche in der Methode liegen, wurden wohl durch die grossen Mengen ausgeglichen, mit denen man arbeitete.

In seinen Untersuchungen über Moosdecken erörtert Riegler[2]) zunächst die Durchlässigkeit derselben für Wasser. Das Wichtigste in den Auseinandersetzungen scheint mir Folgendes zu sein: Die *Sphagnum*-Rasen bilden im vollkommen gesättigten Zustande kaum ein Hinderniss für Wasser, dasselbe filtrirt einfach hindurch, z. B. waren 70% des auf einen solchen gespritzten Wassers schon nach 10 Minuten durchgetropft. Ist dagegen der Rasen trocken, oder unvollkommen gesättigt, so wird ein Theil des darauf fallenden Wassers von demselben aufgesogen. Um sich über diesen Vorgang eine Anschauung zu bilden, drückte Riegler lufttrocknes *Sphagnum* in ein cylindrisches Blechgefäss, das mit einem Siebboden versehen war. Jeden Tag wurde ein Quantum Wasser, welches einer Schicht von 1 cm Höhe entsprach, mit einer Spritzflasche darauf gebracht und die durchgesickerten Mengen bestimmt. Es zeigte sich, dass in den ersten drei Tagen ein grosser Theil zurückgehalten wurde (am dritten Tage am meisten), dass aber auch am achten Tage noch eine geringe Absorption von Wasser durch die Moose stattfand.

Bringt man das Wasser mittelst eines Zerstäubers auf die Rasen, so wird dasselbe anfänglich weit stärker absorbirt, als beim ersten Versuch.

Beide (wohl zu erwartenden) Resultate beweisen, dass es — gleiche Regenmengen vorausgesetzt — von der Form der Niederschläge abhängt, wieviel Wasser in den Boden gelangt und wieviel im Moosrasen zurückgehalten wird; natürlich nur so lange derselbe nicht gesättigt ist.

---

[1]) Ebermayer, Waldstreu, Tabelle VIb.

[2]) Riegler, Beiträge zur Lehre von den Moosdecken und von der Waldstreu. Mittheilungen aus dem forstl. Versuchswesen Oesterreichs, von v. Seckendorff. Band II. p. 200 und folg.

Zu den Versuchen über die wasserfassende Kraft der Streu bemerkt Riegler ganz richtig, dass es nicht gleichgültig sei, wie die einzelnen Theile gelagert sind, wendet aber doch das Ebermayer'sche Verfahren an, nur nimmt er statt des Sackes einen Cylinder aus feinem Drahtgewebe und lässt die Moose während des ganzen Versuches in demselben. Das Material, mit welchem gearbeitet wurde, hatte mehrere Monate trocken gelegen, die Moose waren also wahrscheinlich todt. *Leucobryum* absorbirte am meisten, *Polytrichum formosum* am wenigsten. 100 Theile von *Sphagnum acutifolium* enthielten 482 Theile Wasser. Frische, durch mehrtägigen Regen vollkommen getränkte *Sphagnum*-Rasen, welche vom Boden losgelöst und sofort gewogen wurden, ergaben einen Wassergehalt von 631%. Riegler folgert daraus, dass lebendes *Sphagnum* mehr Wasser aufnimmt als todtes. Das dürfte jedoch kein Beweis gegen meine, diesem widersprechenden Resultate sein, da die von Riegler angeführten Zahlen aus ganz verschiedenartigen Versuchen resultiren.

Wenn Riegler „gejätetes" *Polytrichum* in den Gittercylinder eindrückte, so lässt das die oben erwähnten Fehler der Untersuchungsmethode besonders klar hervortreten. Vergegenwärtigt man sich Habitus und Vorkommen unserer *Polytrichum*-Arten, so wird man kaum glauben, dass Riegler's Resultate auch nur annähernd der Wirklichkeit entsprechen.

Das von einer bestimmten Streufläche verdunstete Wasserquantum mass Riegler, indem er Krystallisirschalen mit verschiedenen Streusorten beschickte und mit Wasser stets gesättigt hielt. (Auf welche Weise das letztere geschah, wird nicht gesagt.) Die täglich ausgeführten Wägungen ergaben, dass ein *Sphagnum*-Rasen etwa doppelt so viel abgiebt, als eine Wasserfläche von gleicher Grösse. Ich fand dagegen, dass die Verdunstungsgrössen von *Sphagnum cymbifolium* und Wasser sich verhalten wie 5 : 1.

Später liess Riegler alles überflüssige Wasser aus den Schalen abtropfen, bestimmte darauf täglich die Verdunstung und fand, dass die 4 cm dicke Schicht nach 35 Tagen lufttrocken war, während Quarzsand nach 10 Tagen keinen Gewichtsverlust mehr erkennen liess.

Ausserdem wurden, um die Austrocknungszeit zu bestimmen, von verschiedenen Arten 500 g in Säckchen von feinmaschigem Netzstoff gebracht und mit Wasser vollkommen getränkt. Die Säckchen wurden neben einander aufgehängt und jeden Tag gewogen. Die Rasen von verschiedenen Moosarten sind bei gleichem Gewicht doch nicht gleich gross. Die Austrocknung muss aber um so langsamer vor sich gehen je grösser der Raum ist, welchen der zum Versuch verwandte Rasen einnimmt. Es handelt sich selbst für die Praxis auch nicht darum, wieviel ein Moosrasen von bestimmtem Gewicht, sondern darum, wieviel ein solcher von bestimmter Oberfläche und Dicke an Wasser abgiebt. Die von Riegler gewonnenen Resultate haben daher für uns weniger Interesse.

Die Frage nach der Wirkung der Streu auf das Substrat suchte Riegler auf folgende Weise zu beantworten: Cylindrische Gefässe[1]) von Zinkblech waren in bestimmten Höhen mit Röhrenansätzen versehen, welche mit einem Stopfen verschlossen werden konnten. Die Gefässe wurden mit gleichmässig körnigem Quarzsande gefüllt, dann wurden Moose darauf gelegt und festgedrückt. Die Feuchtigkeit des Sandes wurde in den verschiedenen Höhen untersucht, indem man aus den Gefässen mittelst eines Löffelbohrers Proben entnahm und deren Trockengewicht mit Hülfe des Thermostaten bestimmte. Diese Untersuchung wiederholte Riegler einmal in jedem Monate. In einem Gefäss blieb der Sand frei, in einem zweiten wurde er mit *Hypnum*, in einem dritten mit lufttrocknem und in einem vierten mit nassem *Sphagnum* bedeckt.

Die Versuche ergaben, dass die Austrocknung der Erde unter dem Moosrasen erheblich langsamer vor sich geht, als die Austrocknung des unbedeckten Bodens. Die Differenzen zwischen *Hypnum*- und lufttrocknem *Sphagnum*-Rasen sind unerheblich. Dagegen nahm die Feuchtigkeit in den obersten Schichten des Sandes, welcher mit lufttrocknem *Sphagnum* bedeckt war, nach zwei Monaten nicht mehr ab, während sich das Gleiche für das Gefäss mit nassem *Sphagnum* erst nach drei Monaten nachweisen liess.

Von dem gesammten, am Anfang des Versuchs vorhandenen Wasser hatte der Sand nach Ablauf von sieben Monaten abgegeben:

mit *Hypnum* bedeckt . . 57,3%
mit lufttrocknem *Sphagnum* 54,6%
mit nassem *Sphagnum* . . 44,5%

Aus diesen Versuchen folgert Riegler, dass die Moose dem Boden nicht gewaltsam Wasser entziehen, oder doch nur dann, wenn ein grosser Ueberschuss davon vorhanden ist.

Eine zweite Versuchsreihe wurde angestellt, mit dem einzigen Unterschiede, dass die Moosbedeckungen jeden zweiten oder dritten Tag mit Wasser bestäubt wurden.

Der Erfolg war, dass aus dem unter dem *Sphagnum*-Rasen befindlichen Sande wenig Wasser abdunstete, dass aber auch keine Feuchtigkeit

---

1) Abbildung bei Riegler, l. c. p. 223.

aus dem Rasen in den Boden gelangte. (Das letztere geschah offenbar, weil das von oben zugeführte Wasser zur Sättigung des Mooses nicht ausreichte.) Der mit *Hypnum* bedeckte Sand verlor 27,8%, der mit *Sphagnum* bedeckte 6,3% des anfänglich vorhandenen Wassers. Nach den Resultaten der ersten Versuchsreihe werden die der zweiten kaum überraschen. Nachdem einmal festgestellt war, dass die Moose dem Boden kein Wasser entziehen, bedurfte es wohl kaum dieses Nachweises, um zu zeigen, dass nasse Moosrasen die Verdunstung aus dem Substrat erheblich stärker herabdrücken, als trockne; es ging das ausserdem unmittelbar aus den Beobachtungen hervor, welche an den mit nassem und mit lufttrocknem *Sphagnum* beschickten Apparaten gemacht waren.

Im Uebrigen dürfte es nicht räthlich sein, zu Untersuchungen, durch welche die Bedeutung der Moosdecken für die Feuchthaltung des Waldbodens eruirt werden soll, *Sphagna* zu verwenden, da dieselben fast nur an Orten vorkommen, welche durch das Bodenwasser fortwährend nass gehalten werden.

Fast alle Versuche von Gerwig, Ebermayer und Riegler ergeben, wie ich mehrfach hervorgehoben habe, deswegen kein ganz vollkommenes Bild von dem Verhalten der Moosvegetation zum Wasser, weil in ihnen die natürliche Lage der Pflänzchen zu wenig berücksichtigt wurde.

Sehen wir uns in der botanischen Litteratur nach Arbeiten um, welche die Physiologie der Moose, speciell die uns hier interessirende Frage nach der Wasserleitung derselben berücksichtigen, so mag zunächst Neckers Physiologia muscorum erwähnt werden. Allerdings fasst Necker unter dem Namen Moos die Flechten, Lebermoose, Laubmoose und sogar Lycopodien zusammen, so dass man nicht behaupten darf, dass sich seine Angaben nur auf die Laubmoose beziehen. Er hatte aber offenbar annähernd richtige Anschauungen über das Verhalten derselben zum Wasser, unter anderem erwähnt er[1]), dass Moose mit dem unteren Theil in Wasser gestellt nur soweit turgescent bleiben, als sie sich im Wasser befinden.

Lesquereux[2]) stellte Untersuchungen über die Torfmoore an und äussert sich bei dieser Gelegenheit auch über die Biologie der *Sphagnen*.

---

[1]) Necker, Physiologia muscorum 1774, pag. 93.

[2]) Lesquereux, Untersuchungen über die Torfmoore im Allgemeinen. Mit Bemerkungen von Sprengel und Lasius übersetzt und herausgegeben von Lengerke 1847.

Trotz Mohl's Untersuchungen[1]) hat Lesquereux von dem anatomischen Bau der Torfmoose eine durchaus unrichtige Vorstellung. (Er spricht ihnen unter Anderem das Chlorophyll ab.) Nach unserem Autor sind die Torfmoose „mit einer äusserst merkwürdigen, hygroscopischen oder Wasser verschluckenden Eigenschaft ausgerüstet." Wenn man das untere oder obere Ende des trocknen Stammes in Wasser bringt, so werden alle feinen Röhren des Stammes und der Zweige, sowie die Zellen der Blätter sehr rasch mit demselben erfüllt. Die Erscheinung tritt bei alten und jungen, sogar bei abgestorbenen Theilen der Pflanze auf. Ganz richtig bemerkt er dazu, dass dies als eine einfache Capillarwirkung anzusehen sei. Die Erscheinung soll nur auf die *Sphagna* beschränkt sein. Die dicht an einander gedrängt wachsenden Stämme der Torfmoose bilden „ein Bündel von Capillar-Röhren", welche das zum Wachsthum nöthige Wasser an die Oberfläche leiten. Da diese absorbirende Eigenschaft auch von oben nach unten wirkt, so können sich die hier in Frage kommenden Moose auch mit atmosphärischer Feuchtigkeit sättigen. Um das zu beweisen, liess Lesquereux Wasserdämpfe in ein Gefäss steigen, in welches *Sphagnum*-Pflänzchen nur mit ihrem oberen Theile hineinragten und sah, „dass diese Dünste sich oben auf den Blättern verdichteten und die Feuchtigkeit der ganzen Pflanze mittheilten." (Wahrscheinlich bildete sich Thau, der von den Moosen eingesogen wurde.)

Später[2]) kommt Lesquereux noch einmal auf die Wasseranziehung zurück. Er unterscheidet zwischen einer Absorptionskraft, welche im Innern der Zellen ihren Sitz hat und einer äusseren Capillarkraft. Wenn die Torfmoospflanze lebt, soll die erstgenannte Kraft wirksam sein, wenn sie todt ist, die zweite, was nach meinen Versuchen durchaus unrichtig ist. Schliesslich führt er noch einige Experimente an: Ein lufttrockner Rasen absorbirte in einer nebligen Nacht $^1/_{12}$ seines Gewichts, während ein solcher in Berührung mit Wasser etwa das 17fache seines Gewichts in zwei Stunden aufnahm. Ferner giebt Lesquereux an, dass die Verdunstung bei heiterem Wetter geringer sei, als die Absorption durch den unteren Theil der Rasen, und dass bei Regen der Regenmesser 32 Unzen, ein *Sphagnum*-Rasen von gleicher Oberfläche in gleicher Zeit 39 Unzen aufnahm. Auf welche Weise der Verfasser zu diesen letztgenannten Resultaten gelangte, giebt er nicht an. Dass die Beobachtungen richtig seien, kann man

---

[1]) Mohl, Ueber die porösen Zellen von *Sphagnum* (1838). Vermischte Schriften pag. 294 u. folg.

[2]) l. c. pag. 228.

sich kaum vorstellen, und Zweifel sind um so mehr berechtigt, da nur je ein Versuch angestellt wurde.

Während Lesquereux früher behauptet hatte, dass die *Sphagnen* im Winter vom Schnee-, im Sommer von Regen- und Thauwasser leben, sagt er in einem besonderen Abschnitt [1]) über den Einfluss der Torfmoose auf die Bildung der Quellen wörtlich: „Das, was wir über das Wachsthum und die Vegetation der *Sphagnen* gesagt haben, bewies deutlich, wie diese Moose die Dünste aus der Luft einsaugen, um sich zu ernähren. . . . . Aber dies Einsaugen der hygroscopischen Moose ist stärker als nöthig, um das Wachsthum der Moore zu unterhalten (nach L. ist eine gewisse Wassermenge zur Torfbildung nöthig), denn man sieht aus allen Torflagern kleine Bäche hervorquellen." Wenn Lesquereux von dem Einsaugen der Wasserdämpfe spricht, so scheint darin auch das Absorbiren von Thautropfen einbegriffen zu sein. Die hygroscopische Attraktion von Wasser kommt hier doch wohl kaum in Frage; schwerlich fällt der Thau, der ja gewiss etwas für die Feuchtigkeit des Mooses leistet, in solchen Quantitäten, dass er im Stande wäre Quellen zu speisen, und warum soll nicht auch der Regen das seinige dazu thun? Davon sagt aber Lesquereux kein Wort. Ausserdem vergisst er, dass der Torf offenbar Wasser in grossen Mengen aufsaugt und nur langsam wieder abgiebt. Welche Rolle in diesem Falle die Moose spielen, wird weiter unten zu besprechen sein.

Die Unklarheiten und Widersprüche in Lesquereux' Erörterungen rühren daher, dass er die Anatomie der *Sphagnen* nicht kennt, dass er nicht unterscheidet zwischen Capillarität und hygroscopischen Eigenschaften.

Einzelheiten werden im Verlauf der Arbeit bestätigt resp. berichtigt werden, hier bemerke ich nur noch, dass die hygroscopischen Eigenschaften für die Biologie der *Sphagna* im Allgemeinen von grosser Bedeutung sein können, dass sie aber für die uns beschäftigende Frage kaum in Betracht kommen. Nach Lesquereux' eigenen Angaben ziehen ja die Torfmoose nur in sehr geringem Maasse Wasserdämpfe an.

Ich controlirte seine Beobachtungen, indem ich lufttrockne *Sphagnum*-Pflänzchen neben Wasser unter eine Glasglocke brachte. Dadurch, dass der Raum unter der Glocke nicht vollkommen luftdicht abgeschlossen war, wurde verhindert, dass sich Wasser in flüssiger Form niederschlug. Die *Sphagna* nahmen $^1/_4$—$^1/_3$ ihres eigenen Gewichts an Wasser auf. Es liegt auf der Hand, dass dies geringe Quantum für die Wasser-

[1]) l. c. pag. 224.

bewegung nicht ins Gewicht fallen kann, namentlich wenn man bedenkt, dass die Pflänzchen in Berührung mit Wasser mindestens das 50fache aufnehmen, und dass von dem hygroscopisch aufgenommenen Wasser nichts in die hyalinen Zellen gelangt, welche, wie später gezeigt werden wird, die Organe für Wasserleitung und Wasseraufnahme sind.

Auf der Naturforscherversammlung in Bonn[1]) machte Carl Schimper darauf aufmerksam, dass bei den Moosen die Wasserleitung nicht im Innern des Stämmchens vor sich gehe, sondern durch die Capillarräume bewirkt werde, welche die dem Stengel anliegenden Blätter bilden. Deswegen, meint C. Schimper, vertrockne auch *Mnium undulatum,* wenn man es in Wasser stelle. (Dass letzteres nicht unbedingt richtig ist, wird später gezeigt werden.) *Sphagnum* saugt das Wasser mittelst der dem Stamme anliegenden Aeste empor.

Hieran anknüpfend bemerkte W. Ph. Schimper auf derselben Versammlung[2]), dass diese Eigenschaft der Torfmoose für die Feuchthaltung eines Sumpfes von grosser Bedeutung sei; dass ausserdem der aufsteigende Wasserstrom eine stete Bewegung in der Tiefe hervorrufe und so die Fäulniss verhindere.

Etwas eingehender bespricht W. Ph. Schimper diese Verhältnisse in seiner Monographie der Torfmoose[3]). Danach vertreten die herabhängenden Aeste die Stelle von Luftwurzeln, indem die grossen flaschenförmigen Zellen[4]) eine Art Heber bilden. Diese Aeste stellen zusammen mit der spongiösen Hülle des Stammes ein hydraulisches Hebesystem dar. Taucht man ein trockenes Pflänzchen mit seinem unteren Theil in Wasser, so saugt es sich rasch bis oben hin voll, entfernt man aber die Aeste an irgend einer Stelle, so bleibt der darüber liegende Theil trocken.

Dass die *Sphagnum*-Rasen in den Mooren immer feucht bleiben, erklärt Schimper wie Lesquereux daher, dass die Moose Nachts aus der Luft sehr viel Feuchtigkeit anziehen.

Auch Sachs macht in seinem Lehrbuche[5]) darauf aufmerksam, dass die farblosen Zellen sowohl der Blätter als auch der Hautschicht des Stammes und der Zweige der Pflanze als Capillarapparate dienen, durch welche das Wasser der Sümpfe, auf denen die Pflanze wächst, den Gipfeltheilen zugeleitet wird.

---

1) Bot. Zeitung 1857, p. 769.

2) Daselbst.

3) W. Ph. Schimper, Versuch einer Entwickelungsgeschichte der Torfmoose, 1858 p. 19.

4) Cfr. Abbildung daselbst. Taf. V. Fig. 11.

5) 4. Auflage p. 375.

In neuester Zeit hat dann Haberlandt[1]) in einer Mittheilung über die physiologische Function des Centralstranges im Laubmoosstämmchen auf Grund von Versuchen mit *Mnium undulatum* und *Polytrichum* den Centralstrang als das wasserleitende Organ der Moose bezeichnet. Auf die Beobachtungen Haberlandt's an *Mnium* und *Polytrichum* werde ich später näher einzugehen haben, hier erwähne ich nur, dass mir Haberlandt's Notiz, dass Versuche, welche mit einigen anderen Laubmoosarten (z. B. *Hypnum splendens, Bartramia pomiformis*) angestellt wurden, die Verallgemeinerung der für *Mnium* und *Polytrichum* gewonnenen Resultate gestatten, unerklärlich geblieben ist, da *Hypnum splendens* keinen Centralstrang besitzt[2]).

Jedenfalls hätte Haberlandt streng unterscheiden müssen zwischen Moosen, die einen gut ausgebildeten Centralstrang besitzen und solchen, bei denen derselbe nicht vorhanden, oder doch so rudimentär ist, dass man wohl nicht ernstlich an eine Leitung von Wasser in demselben denken kann [z. B. bei *Dicranum Scoparium*[3]) und *Hylocomium triquetrum*[4])].

Indem ich zur Besprechung meiner eigenen Untersuchungen übergehe, bemerke ich, dass es mir weniger darauf ankam zu constatiren, wieviel Wasser eine Moosdecke aufsaugt, wieviel sie verdunstet etc. — die Resultate derartiger Bestimmungen werden je nach Wuchs und Dicke des Rasens sehr verschieden sein; vielmehr suchte ich durch einen Vergleich zwischen lebenden und todten Moosen und Moosrasen zu entscheiden, ob die Leistungen des ersteren bezüglich der Wasservertheilung derjenigen eines Schwammes gleichen, oder ob man sie mit den Wirkungen einer dichten Grasvegetation oder dergleichen in eine Linie zu stellen hat. Das erstere anzunehmen, lag ja nahe und ist als bewiesen zu betrachten, wenn gezeigt werden kann, dass todte und lebende Moose in ihrem Verhalten zum Wasser in allen wesentlichen Punkten übereinstimmen.

Der Erledigung dieser Frage musste ein Aufschluss über die Transpiration und die Wasserleitung im einzelnen Moospflänzchen vorangehen.

---

[1]) Ber. der deutschen botan. Gesellschaft, Band I. p. 263 u. folg.

[2]) Lorentz, Vergl. Anatomie der Laubmoose p. 27, p. 74 u. Taf. XXVII. Fig. 100 des Separatabdrucks aus Pringsheims Jahrb. für wissensch. Bot. VI.

[3]) Unger, Ueber den anatom. Bau des Moosstammes. Sitzungsber. d. k. k. Acad. der Wissensch. zu Wien, math. phys. Classe. Band XLIII. p. 507 Taf. I., Fig. 7.

[4]) Unger, l. c. p. 507. Taf. II., Fig. 11 bis 15.

II. Die Wasserbewegung in der Moospflanze.

1. Transpiration und Verdunstung.

Entfernt man am unteren Theile der Stämmchen von *Hylocomium*-Arten die Blätter, von *Dicranum*-Species den Wurzelfilz und stellt die Pflänzchen so in Wasser, dass die noch vorhandenen Blätter nicht mit demselben in Berührung kommen, so vertrocknet alles, was über das Wasser hervorragt. Dass in diesen Fällen keine merkliche Wasserabgabe, also auch keine dadurch veranlasste Wasserbewegung im Stamm stattfindet, wurde dadurch nachgewiesen, dass der entblätterte Theil der Pflanze, zwischen die Hälften eines Korkes eingeklemmt, in ein mit Wasser gefülltes Gläschen eingesetzt wurde. Kork und Glasrand erhielten einen Ueberzug von Lack (bestehend aus geschmolzenem Colophonium und Wachs). Nachdem das Ganze einige Stunden gestanden hatte, bis das den einzelnen Theilen oberflächlich anhaftende Wasser verdunstet war, wurden die Gläser mehrere Tage hintereinander gewogen. Schon bei der ersten Wägung hatten die Blätter ihre Turgescenz verloren. In den meisten Fällen ergab sich eine ganz geringe Gewichtsabnahme der Apparate, dieselbe wurde jedoch hervorgerufen durch undichten Verschluss der Gläschen, denn wenn das Moosstämmchen abgeschnitten und die Schnittfläche mit Lack überzogen wurde, so war mit ganz geringen Ausnahmen der Gewichtsverlust der gleiche. Versuche mit *Sphagnum*-Pflänzchen, welche der herabhängenden Aeste (bei *Sphagnum cymbifolium* auch der Stammrinde) beraubt waren, hatten denselben Erfolg.

Die Beobachtungen wurden in Zimmern angestellt, deren relative Feuchtigkeit zwischen 60% und 70% schwankte. Da diese innerhalb des Rasens offenbar grösser ist, so lag der Gedanke nahe, dass die Moospflänzchen vertrockneten, weil der Stamm den an seine Leistungsfähigkeit gestellten Ansprüchen nicht genügen konnte. Aber auch in einer stark wasserhaltigen Atmosphäre (95% relativer Feuchtigkeit) vertrockneten z. B. Stämmchen von *Dicranum undulatum,* welche ihres Wurzelfilzes theilweise beraubt waren.

Diese Versuche beweisen, dass im Stamme vieler Moose eine durch Transpiration hervorgerufene Wasserbewegung, wie wir sie bei den Gefässpflanzen finden, nicht vorhanden ist. Dass im turgescenten Stamme Wasser von Zelle zu Zelle auf osmotischem Wege wandert, soll nicht geläugnet werden, jedoch können dadurch selbst in fast dampfgesättigter Luft die zu einer andauernden Transpiration erforderlichen Wassermengen nicht herbeigeschafft werden.

Vergegenwärtigt man sich den anatomischen Aufbau der Moose, welche ich zu den eben besprochenen Untersuchungen benutzte, so findet man, dass bei den meisten ein Centralstrang, d. h. ein axiler aus engen, langgestreckten Zellen bestehender Gewebecomplex, auf welchen bei anderen Species später noch zurückzukommen sein wird, nicht vorhanden, oder doch nur schwach ausgebildet ist[1]). Verwendet man dagegen Arten, die mit einem wohlausgebildeten Centralstrang versehen sind, z. B. *Mnium undulatum* und Species der Gattung *Polytrichum*, so findet man etwas andere Verhältnisse. Stellt man ähnliche Experimente wie vorher in einem gewöhnlichen Zimmer an, so ist das Resultat bei Anwendung einzelner Pflänzchen kein anderes als im ersten Falle. Dagegen blieb schon bei einer relativen Feuchtigkeit von 80% ein etwa 1 Quadratdecimeter grosser Rasen von *Mnium undulatum* dauernd turgescent, als ich ihn auf einen flachen Glasteller brachte, dessen Boden mit einer 3—4 mm hohen Wasserschicht bedeckt war. Eine oberflächliche Benetzung fand sich nur an den in geringer Entfernung über dem Wasserspiegel befindlichen Theilen. Dadurch, dass die einzelnen Pflänzchen im Rasen nahe bei einander standen, wurde offenbar die Transpiration herabgedrückt, denn einzelne Pflänzchen, aus dem Rasen herausgenommen und in Wasser gestellt, vertrockneten. Der hieraus schon mit einiger Wahrscheinlichkeit zu ziehende Schluss, dass dies Moos in geringer Menge Wasser im Inneren seines Stammes leitet, dass die Leitungsfähigkeit des letzteren aber so gering ist, dass er selbst bei verhältnissmässig hoher Feuchtigkeit der Atmosphäre noch nicht im Stande ist, die für die Transpiration nöthige Wassermenge zu liefern, wurde auf folgende Weise bestätigt. Pflänzchen von *Mnium undulatum* und *Polytrichum gracile* wurden in der oben beschriebenen Weise in Gläser eingesetzt und in einen Keller gebracht, dessen relative Feuchtigkeit zwischen 94% und 96% schwankte. Die Blätter, welche während des Einsetzens in die Gläser vertrocknet waren, wurden hier nach einigen Stunden wieder turgescent. In einem so feuchten Raum schlug sich aber auf dem Glase bald Wasser nieder, es wurden daher die ersteren vor den Wägungen, die jeden Tag ausgeführt wurden, sorgfältig abgetrocknet. Im Durchschnitt aus drei gleichzeitig angestellten Versuchen transpirirte ein Pflänzchen von *Polytrichum gracile* pro Tag 0,043 g und ein Pflänzchen von *Mnium undulatum* 0,022 g. Ein Glas ohne Moospflänzchen, das auf dieselbe Weise verschlossen war wie die übrigen, verlor in der gleichen Zeit nur 0,005 g an Gewicht, wonach anzu-

---

[1]) Cf. Lorentz, Vergl. Anatomie der Laubmoose.

nehmen ist, dass durch das Beschlagen der Gläser mit Wasser kein erheblicher Fehler in die Beobachtungen hineingekommen ist. Ob die angegebenen Zahlen trotzdem genau sind, ist nicht zu sagen, da man nicht controliren kann, ob nicht die Moose Wasser aus der Luft absorbirten; einige Erscheinungen, die ich beobachtete, lassen das vermuthen. Im Uebrigen scheint es mir weniger auf die Ausgiebigkeit der Transpiration anzukommen, als auf die Constatirung der Thatsache, dass *Mnium undulatum* und die *Polytrichum*-Arten, denen sich noch andere Moose anschliessen dürften, eine allerdings schwache Transpiration und eine Wasserleitung im Innern des Stammes besitzen.

Fragen wir nach den Bahnen, welche das Wasser bei denjenigen Moosen einschlägt, für welche die Leitungsunfähigkeit des Stammes nachgewiesen wurde, so brauchen wir nur ein intactes Pflänzchen von *Dicranum undulatum* mit dem unteren Ende in Wasser zu stellen, um uns zu überzeugen, dass das Wasser in dem Wurzelfilz emporgesogen wird und dass so alle Theile turgescent bleiben.

Bei anderen Gattungen und Arten findet eine Wasserbewegung in den von den Blättern gebildeten capillaren Hohlräumen statt und bei *Sphagnum* vertreten die anliegenden Aeste den Wurzelfilz. Man kann dies als eine äussere Leitung bezeichnen gegenüber der inneren bei *Polytrichum* und *Mnium*, wird aber kaum von einer Transpiration, d. h. einer Wasserabgabe aus dem Innern lebender Gewebemassen, sondern nur von einer Verdunstung von Wasser reden dürfen, wie sie jeder Körper zeigt, der capillar damit gesättigt ist.

Will man die Verdunstungsgrösse eines Moospflänzchens bestimmeu, so wird es darauf ankommen, für die Gefässe, in welche die unteren Partien der Pflanzen eintauchen, einen Verschluss zu finden, welcher das Verdampfen des im Glase befindlichen Wassers, aber nicht die äussere Leitung verhindert.

Ich benutzte U förmig gebogene Glasröhren mit einem weiten und einem engen Schenkel. Der weite Schenkel wurde mit einem durchbohrten Kork verschlossen, durch die Oeffnung des letzteren ein 2—3 mm im Durchmesser haltendes Glasrohr geschoben, das etwas länger war als der Kork und bis auf das Lumen des Glasröhrchens alles mit Lack überzogen. Der Apparat wurde mit Wasser gefüllt und das betreffende Moosstämmchen mit seinem unteren Theile vorsichtig soweit durch das enge Röhrchen geschoben, bis es in das Wasser eintauchte. Unter dem Kork befindliche Luftblasen wurden durch Umkehren (wobei nur sehr wenig Wasser austrat) und darauf folgende entsprechende Neigung des Rohres in den engen Schenkel gebracht. Letzterer wurde bis zur Höhe des oberen Korkrandes mit

Wasser gefüllt und mit einem Stopfen verschlossen, welcher eine feine Durchbohrung erhielt. Das Ganze brachte ich auf ein Holzstativchen und wog täglich 2—3 mal; oder ich markirte den Wasserstand im engen Schenkel und liess in gleichen Zwischenräumen aus einer Quetschhahnbürette Wasser bis zur Marke zufliessen. Die Messung liess sich ganz sicher ausführen, da das Wasser im engen Schenkel 6—7 cm tiefer stehen konnte als im weiten, ohne dass Luft neben dem Moose durch das enge Glasrohr eintrat, ein Beweis, dass auch der Verschluss genügte.

War derselbe schlecht, so gab sich das durch das Auftreten von Luftblasen unter dem Kork sofort zu erkennen.

Die Grösse der Verdunstung muss abhängen von der Oberfläche der Pflänzchen, diese aber ist schwierig auch nur annähernd genau zu bestimmen.

Nach Beendigung der Beobachtungen wurde daher das Stämmchen am oberen Ende des Glasrohres abgeschnitten, sein Trockengewicht bei 100°—105° bestimmt und berechnet, wieviel Wasser ein Pflänzchen von 0,01 g Trockengewicht in einer Stunde abgiebt. Es wurden je zwei möglichst gleiche Exemplare ausgesucht und das eine davon mit absolutem Alcohol getödtet. Dann wurden fünf lebende und ebenso viel todte Pflänzchen in den eben beschriebenen Apparaten aufgestellt und die Beobachtungen mehrere Tage fortgesetzt. Das Mittel aus denselben geben die folgenden Tabellen:

Hylocomium loreum.				*Hylocomium triquetrum.*			
		lebend.	todt.			lebend.	todt.
19/6	Nachts	0,013 g.	0,0118 g.	28/6	Vm.	0,0185 g.	0,0167 g.
20/6	Vorm.	0,0152 g.	0,0134 g.	=	Nm.	0,0256 g.	0,0231 g.
=	Nm.	0,0152 g.	0,0141 g.	=	N.	0,0102 g.	0,0095 g.
=	Nachts	0,0126 g.	0,0148 g.	29/6	Vm.	0,0124 g.	0,0154 g.
21/6	Vm.	0,0133 g.	0,0122 g.	=	Nm.	0,0106 g.	0,0159 g.
=	Nm.	0,0105 g.	0,0118 g.	=	N.	0,0126 g.	0,0117 g.
=	N.	0,0120 g.	0,0114 g.	30/6	Vm.	0,0129 g.	0,0123 g.
22/6	Vm.	0,0201 g.	0,0193 g.	=	Nm.	0,0083 g.	0,0080 g.
=	Nm.	0,0147 g.	0,0156 g.	=	N.	0,0042 g.	0,0046 g.
=	N.	0,0104 g.	0,0116 g.	1/7	Vm.	0,0039 g.	0,0043 g.
23/6	Vm.	0,0120 g.	0,0119 g.				

Sphagnum cymbifolium.				Dicranum undulatum.			
		lebend.	todt.			lebend.	todt.
3/7	Vm.	0,217 g.	0,269 g.	15/6	Vm.	0,0649 g.	0,0660 g.
„	Nm.	0,183 g.	0,224 g.	„	Nm.	0,0641 g.	0,0656 g.
„	N.	0,135 g.	0,143 g.	„	N.	0,0297 g.	0,0295 g.
4/7	Vm.	0,218 g.	0,213 g.	16/6	Vm.	0,0385 g.	0,0365 g.
„	Nm.	0,272 g.	0,285 g.	„	Nm.	0,0381 g.	0,0372 g.
„	N.	0,097 g.	0,081 g.	„	N.	0,0376 g.	0,0358 g.
5/7	Vm.	0,096 g.	0,120 g.	17/6	Vm.	0,0391 g.	0,0376 g.
„	Nm.	0,116 g.	0,154 g.	„	Nm.	0,0303 g.	0,0292 g.
„	N.	0,064 g.	0,066 g.	„	N.	0,0264 g.	0,0266 g.
6/7	Vm.	0,088 g.	0,114 g.				
„	Nm.	0,109 g.	0,137 g.				
„	N.	0,046 g.	0,054 g.				
7/7	Vm.	0,064 g.	0,069 g.				

Es fällt auf, dass die für *Sphagnum* gefundenen Zahlen nicht unerhebliche Schwankungen zeigen. Die Thatsache erklärt sich daraus, dass die abstehenden Aeste der Pflänzchen zeitweilig trocken wurden, sich später aber wieder mit Wasser vollsogen.

Die Verdunstung wird mit der Zeit geringer, weil namentlich bei *Hylocomium loreum* und *triquetrum* das Wasser nur bis zu einer bestimmten Höhe emporsteigt, die darüber liegenden Theile stets trocken bleiben. Da wo die turgescenten Partien an die nicht turgescenten grenzen, vertrocknen leicht einzelne Blätter, werden aber später nicht wieder benetzt; dadurch wird die verdunstende Fläche natürlich verkleinert. Theilweise aus demselben Grunde konnten bei anderen Moosen z. B. *Hypnum Schreberi* diese Versuche überhaupt nicht angestellt werden, weil meistens schon am zweiten Tage die Pflänzchen völlig trocken waren, trotzdem sie unten in Wasser tauchten.

Aus todten Zellen und Zellcomplexen verdunstet das Wasser rascher als aus turgescenten. Dies dürfte, verbunden mit dem Umstande, dass durch das Tödten des Materials mit Alkohol und Auswaschen des letzteren durch Wasser erwiesener Maassen ein geringer Substanzverlust eintritt, zur Genüge erklären, weswegen die Verdunstungsgrösse der todten Pflänzchen etwas höher gefunden wurde als die der lebenden. Im Uebrigen liegt die Uebereinstimmung zwischen lebenden und todten Moosen auf der Hand.

2. Die Wasserwege.

a. Aeussere Leitung.

Den Grund für diese scheinbar auffällige Thatsache finden wir darin, dass die meisten Moose das Wasser in Capillarräumen leiten, welche an der Peripherie des Stammes gebildet werden durch die Blätter, den Wurzelfilz oder durch besondere Zellen in den Blättern und der Rinde der Stämme.

Diese Capillaren werden durch die Tödtung kaum verändert und wirken in Folge dessen ebenso wie bei lebenden Pflanzen.

Aus dem Gesagten folgt auch, weshalb die Versuche von Ebermayer und Riegler, trotzdem sie die natürliche Lage der Pflänzchen nicht berücksichtigten und offenbar häufig mit todtem Material arbeiteten, doch einigermassen der Wirklichkeit entsprechen.

Wie später des Näheren gezeigt werden soll, entziehen die Moose dem Boden kein Wasser; eine Thatsache, welche erklärlich wird, wenn man bedenkt, dass bei der Aufsaugung von Flüssigkeit durch die Moose allein die Capillarität wirkt, und dass der Boden das Wasser mit grosser Kraft festzuhalten im Stande ist. Die Verhältnisse liegen eben so, dass die Moose mit Ausnahme der *Sphagna* und der an ähnlichen Orten vorkommenden Arten anderer Gattungen die Hauptmengen des Wassers, dessen sie bedürfen, direkt durch Niederschläge erhalten. Sie saugen sich voll und vegetiren so lange, bis das Wasser wieder verdunstet ist; dann gehen sie durch Austrocknen in einen Ruhezustand[1]) über, um beim nächsten Regen oder Thau (falls ihr Standort Thaubildung zulässt) ihre Lebensfunktionen wieder aufzunehmen[2]).

Daraus ergiebt sich, dass bei Moosen, welche auf trocknem Boden vorkommen — abgesehen von *Polytrichum*, *Mnium undulatum*

---

1) Vergl. Pfeffer, Pflanzenphysiologie II. p. 453. De Candolle, Physiologie végétale p. 1032. Ich konnte constatiren, dass Pflänzchen von *Sphagnum acutifolium* und von *Dicranum Scoparium*, welche 4 Wochen lang völlig trocken gelegen hatten, neue Blätter bildeten, als sie wieder feucht gehalten wurden. Während einzelne ältere Blätter abstarben, war der Stammscheitel niemals zu Grunde gegangen, derselbe ist durch dichte Blattlagen besonders geschützt.

2) Im Sommer bleiben die Moose oft längere Zeit trocken, während in den übrigen Jahreszeiten die Feuchtigkeit länger anhält. Daraus dürfte sich der Umstand erklären, dass die meisten Moose im Frühjahr oder Herbst fructificiren.

und ähnlich gebauten — streng genommen von einer Wasserleitung nicht geredet werden darf, sobald man darunter die Bewegung des Wassers versteht, welches von den Wurzeln aufgenommen im Innern des Stammes emporsteigt und aus den Blättern wieder abgegeben wird. Vielmehr sind die durch Blätter, Wurzelfilz etc. gebildeten Capillarräume eine Anpassung an die Wasseraufnahme von oben, sie bilden Reservoire, welche das Wasser möglichst lange festhalten, um es für die verschiedenen Organe nutzbar zu machen. Andererseits bewirken diese Capillarsysteme auch eine Vertheilung des Wassers über das ganze Pflänzchen, wenn es an irgend einer Stelle auf dasselbe gelangt.

Das ist auch eine Wasserleitung und in diesem Sinne werde ich im Folgenden das Wort gebrauchen.

Zum Nachweis der Wege, welche das Wasser nimmt, wurde meistens mit einer Lösung von Anilinblau gearbeitet. Die Anwendung dieses Mittels ist hier ganz unbedenklich, weil man ja stets mit dem Mikroskop controliren kann, ob etwa Wasser weiter gewandert ist, als der Farbstoff. Es zeigte sich jedoch jedesmal, dass allerdings die aufgesogene Lösung weniger concentrirt war als die ursprünglich angewandte, dass aber die Färbung doch immer genau die Bahnen des capillar bewegten Wassers anzeigte.

Gehen wir näher auf die einzelnen Fälle ein, so finden wir wohl die einfachsten Verhältnisse bei den gewöhnlichen Laubmoosen, deren Stamm ausser Blättern und Zweigen keine Anhänge besitzt.

Stellt man ein trockenes Pflänzchen von *Hylocomium loreum* mit seinem unteren Ende in die Farbstofflösung, so sieht man, wie diese zwischen den Blättern hinaufgeleitet wird. Es geht das verhältnissmässig langsam, in vielen Fällen überhaupt nicht, wenn das Material vollkommen lufttrocken war, da die Blätter schwer benetzbar sind. Wurde dagegen die Pflanze vorher in Wasser gebracht und zwischen Filtrirpapier gut ausgedrückt, so dass die Blätter eben feucht waren, dann stieg die Lösung sehr rasch, oft in einigen Secunden. Bei allen Pflänzchen gelangt das Wasser bis zu einer gewissen Höhe, alle darüber liegenden Theile bleiben trocken.

Die Steighöhe hängt ab von der Weite der Capillarräume, muss daher für Individuen derselben Species annähernd gleich sein, was auch die Experimente ergeben.

Ein Tropfen der Lösung an das obere Ende eines Astes oder des Stammes gebracht, wird ebenfalls aufgesogen und zwar annähernd mit derselben Schnelligkeit wie in der umgekehrten Richtung. Auch wenn man die Pflanze mit ihrer Spitze in die Lösung eintaucht, bewegt sich die letztere aufwärts, jedoch nicht so weit, wie bei aufrechter Stellung des Stammes.

Die leitenden Capillarräume werden, wie schon hervorgehoben, durch die Blätter gebildet, welche vermöge ihrer eigenthümlichen Gestalt und der dichten gegenseitigen Berührung der Blattränder um den Stamm einen Hohlcylinder bilden, der in seinem Inneren aus einem System zusammenhängender Kammern besteht.

Das Wasser erfüllt den ganzen Raum zwischen Stamm und Blättern, sobald genügende Mengen vorhanden sind; steht aber wenig Flüssigkeit zur Verfügung, so kann man bei sehr regelmässiger Deckung der Blätter das Wasser dort circuliren sehen, wo die Ränder über einander liegen. Die Wasserbewegung erfolgt dann in einer Curve, welche der Blattstellung entspricht.

Diese Erscheinung tritt sehr auffällig ein bei *Hypnum purum*, dessen Blätter die genannten Verhältnisse in ausgeprägtester Weise zeigen. Im übrigen stimmt die Wasserleitung hier wie bei den meisten Arten vom Habitus des *Hylocomium loreum* mit den oben beschriebenen Vorgängen überein.

Bei *Muscineen* wie *Plagiothecium undulatum*, *Neckera crispa* und anderen wird die Leitung dadurch erreicht, dass die Blätter mit einem verhältnissmässig grossen Theil ihrer Flächen dachziegelartig über einander greifen. Das Wasser wird zwischen zwei sich deckenden Blättern festgehalten resp. aufgesogen, wie zwischen zwei sehr genäherten Glasplatten.

Ist auch die Lage der einzelnen Blätter zu einander nicht immer so regelmässig, wie in den angeführten Fällen, so wird dieser Mangel dadurch ersetzt, dass die Blätter kleiner sind und dichter stehen. Hier erfolgt die Wasserbewegung etwa wie in einem groben Filz. Die Capillarräume sind im Allgemeinen zahlreicher und enger, deshalb steigt die Lösung bei derartigen Formen höher, als bei den oben besprochenen, wie ein Vergleich von *Hylocomium loreum* mit *Hypnum crista castrensis* lehrt.

Das Einrollen oder das Aufrichten und Anlegen der Blätter an den Stamm, welches beim Austrocknen derselben erfolgt, hat eine Vermehrung und Verkleinerung der Capillarräume zur Folge. Es wird daher das Wasser in den ersten Augenblicken, in welchen es an das trockene Pflänzchen gelangt, um so leichter über die Oberfläche vertheilt.

Ebenfalls nicht ohne Bedeutung für die Wasserversorgung ist eine dichte Rasenbildung. Die augenfälligsten Erscheinungen derart finden sich bekanntlich bei solchen Species, die auf unbeschattetem Gestein vegetiren. Durch den dichten Wuchs wird das Aufsaugungsvermögen gesteigert, die Verdunstung aber erheblich herabgedrückt. Die Anpassung an die trocknen Standorte liegt auf der Hand. Einzelne

Pflänzchen, z. B. von *Grimmia pulvinata,* verhalten sich im Uebrigen ebenso, wie andere nicht so dicht wachsende Arten.

Einen zweiten Typus repräsentiren diejenigen Moose, bei welchen der Stamm durch Haarbildungen eine dichte Umhüllung erhält. Die Gattung *Dicranum* mag uns für diese Fälle als Beispiel dienen. Der Filz entsteht hier meistens durch Trichome, welche aus den Rindenzellen nahe den Blattachseln hervorgehen. Bei *Dicranum undulatum* ist er besonders stark entwickelt und reicht immer bis fast an die Spitze des Stammes, so dass die hier dicht zusammenliegenden Blätter leicht mit Wasser versorgt werden können. Dasselbe saugt sich in den Filzmantel wie in einem Stück Filtrirpapier hinauf. Eine bestimmte Steighöhe wie bei *Hylocomium loreum* ist nicht nachzuweisen, dagegen nehmen leicht benetzte Pflanzen das Wasser ebenfalls besser auf, als völlig trockne.

Von der Spitze zur Basis erfolgt die Leitung erklärlicher Weise ebenso leicht. Die Blätter sind in der Regel etwas zusammengefaltet, in Folge dessen sieht man häufig, dass sich Wasser diesen Rinnen entlang bewegt.

Die Blätter von *Dicranum undulatum* stehen fast in einem rechten Winkel vom Stamme ab, bei *Dicranum Scoparium* dagegen liegen sie mit ihren basalen Theilen demselben lose an und überdecken theilweise den weit weniger entwickelten Wurzelfilz. Die Leitung erfolgt wie bei der eben besprochenen Species, doch wirken hier die Blätter immerhin etwas mit. *Dicranum majus* schliesst sich an *D. scoparium* an, *Dicranum spurium,* das freilich nicht untersucht wurde, dürfte *Dicranum undulatum* näher stehen. In die Kategorie der *Dicrana* gehören Repräsentanten aus fast allen Familien. Mögen auch die Trichome, welche die Hülle des Stammes bilden, bald an bestimmten Stellen, bald am ganzen Stamme vertheilt ihren Ursprung nehmen, so ändert das an der Wasserleitung nichts. Die Uebereinstimmung in allen Punkten ist derartig, dass eine nähere Beschreibung analoger Einzelfälle nur das vorhin Gesagte wiederholen könnte.

Es scheint, dass vorzugsweise Moose, welche feuchte Standorte lieben, mit derartigen Leitungsorganen versehen sind, indess finden sich doch mannigfache Ausnahmen, z. B. *Dicranum spurium,* welches bekanntlich regelmässig auf sehr trocknem Boden vorkommt.

Climacium dendroides und *Hylocomium splendens* zeigen eine Combination der beiden bis jetzt beschriebenen Einrichtungen. *Climacium* besitzt einen dichten, aber nicht sehr langen Wurzelfilz. Die Trichome gehen hier aus peripherischen Zellen hervor, die in Vertikalreihen liegen, so dass auch die Wurzelhaare in regelmässigen Reihen am Stamme angeordnet sind. Die breit stengelumfassenden Blätter greifen namentlich an den astlosen Theilen mit ihren Rändern weit übereinander und decken den Wurzelfilz so vollständig, dass man denselben nicht wahrnehmen kann, ohne einige Blätter zu entfernen. Letztere liegen den Aesten nicht so dicht an, stehen aber nach den Zweigspitzen zu um so gedrängter und übernehmen hier die Leitung, weil der Wurzelfilz nicht bis an die äussersten Enden reicht. Setzt man ein *Climacium*-Pflänzchen in die Lösung, so sieht man sehr bald die Aeste bis fast zur Spitze hin blau gefärbt. Auch nach Entfernung der Blätter von den astlosen Theilen des Stammes tritt dieselbe Erscheinung fast mit gleicher Schnelligkeit ein. Die Bedeutung der dicht anliegenden Blätter dürfte in diesem Falle darauf beruhen, dass sie die Verdunstung von Wasser aus dem nur mässig dicken Wurzelfilz beschränken.

Da *Climacium* auf verhältnissmässig feuchtem Boden gefunden wird, ist nach dem Gesagten und mit Berücksichtigung des Habitus unserer Species anzunehmen, dass in diesem Falle auch eine Aufnahme von Wasser aus dem Substrat stattfindet.

Ganz ähnlich sind die Verhältnisse bei *Hylocomium splendens.* Auch hier findet sich ein dichter, kurzer Wurzelfilz, der ebenfalls von Stammblättern vollkommen bedeckt wird. Die Leitung geht ebenso vor sich und es ist zum Zweck der Wasservertheilung eine möglichst vollkommene Verbindung zwischen den verschiedenen verzweigten Theilen des Stammes erreicht.

Thuidium tamariscinum zeigt auch einen Wurzelfilz, der an den astlosen Theilen des Stammes besonders stark entwickelt ist. Indess ist hier die Deckung der Blätter nicht vorhanden, oder in einzelnen Fällen doch nur höchst unvollkommen.

Analoge Anpassungen dürften sich auch bei anderen Moosen von ähnlicher Wuchsform finden, indess beweist *Mnium undulatum*, dass man fehl gehen würde, wenn man dasselbe für alle bäumchenförmigen Species annehmen wollte.

Einen Uebergang zu *Sphagnum* und *Leucobryum* bildet in gewisser Weise *Philonotis fontana.* Der Stamm der *Philonotis*-Arten [1]) ist im Grossen und Ganzen gebaut wie derjenige der meisten Moose, doch wird die peripherische Zellenschicht nicht aus den gewöhnlichen verdickten und englumigen Elementen, sondern aus meistens fast farblosen Zellen gebildet, ähnlich wie die Rinde der *Sphagnum*-Arten. Die nach aussen gelegenen Wände dieser Zellen sind sehr dünn, Oeffnungen lassen sich aber nirgends nachweisen.

---

[1]) Lorentz, Bot. Zeitung 1868 p. 470. Taf. VIII. Fig. 14 u. 15.

An den unteren Stengeltheilen ist ein freilich schwach ausgebildeter Wurzelfilz vorhanden, der von den Blattbasen unvollkommen überdeckt wird. Die Wasserbewegung geschieht in der für *Dicranum Scoparium* angegebenen Weise. Entfernt man auf eine kurze Strecke Blätter und Wurzelfilz, so bleiben die oberhalb der entblössten Theile liegenden Blätter trocken. Man wird daher die weitlumigen Rindenzellen aufzufassen haben als Organe, welche bestimmt sind das Wasser aufzunehmen und festzuhalten, eine Erscheinung, der wir bei *Sphagnum* wieder begegnen werden. Auch die Blätter führen an der Unterseite der Blattnerven derartige Zellen, denen eine gleiche Bedeutung zuzuschreiben ist.

Die Funktion des Wurzelfilzes von *Dicranum undulatum* übernehmen bei *Sphagnum* die dem Stamm anliegenden Aeste. Diese reichen immer mindestens bis an das nächste, senkrecht unter ihnen entspringende Zweigbüschel und bilden, indem sie mit letzterem, sowie untereinander in Berührung stehen, einen dichten Mantel um den Stamm[1]). *Sphagnum cymbifolium*[2]) besitzt eine mehrschichtige Rinde, welche aus weiten, farb- und inhaltslosen, mit Verdickungsfasern und grossen Poren versehenen Zellen besteht. Die Aeste sind in ähnlicher Weise bekleidet. Der Bau der Blätter ist im Allgemeinen bekannt, ich verweise dieserhalb auf Mohl[3]) und Schimper[4]) und füge nur einiges über die Lage der Poren in den hyalinen Zellen hinzu.

Auf der Oberseite (Concavseite) der Blätter findet man in denjenigen hyalinen Zellen, welche dem Blattrande sehr nahe liegen, eine grosse Anzahl von Poren (Fig. 1) unregelmässig zerstreut, während die mittleren Zellen nur sehr wenige Oeffnungen zeigen, oder überhaupt keine besitzen (Fig. 2). Die Mehrzahl der Perforationen ist der Convexseite des Blattes (Fig. 3), wohin die farblosen Zellen stark vorragen, zugetheilt und liegt seitlich an den gewölbten Zellwänden mit ganz besonderer Bevorzugung derjenigen Stellen, an welchen drei grüne Zellen zusammenstossen. Hier ist die Spitze einer hyalinen Zelle gleichsam eingeklemmt zwischen zwei andere (Fig. 3e), und nun liegt eine Oeffnung gerade in dieser Spitze und je eine an der Seite der beiden anderen farblosen Zellen. Die Ebene, in welcher eine Oeffnung liegt, bildet mit der Blattfläche einen Winkel von 80° und

---

1) Schimper, Versuch einer Entwickelungsgeschichte der Torfmoose. Taf. VII. Fig. 1.

2) Schimper, l. c. Taf. IV. u. V.

3) Mohl, Ueber die porösen Zellen von *Sphagnum*. Vermischte Schriften p. 294 u. folg.

4) Schimper, l. c. p. 41 u. folg. Taf. XIX.

mehr, man sieht daher bei einer Einstellung des Mikroskops auf die hyalinen Zellen nur die nach aussen gelegenen Theile des die Oeffnungen umgebenden, etwas verdickten Ringes. Da die drei Poren unmittelbar zusammenliegen, entsteht annähernd die Gestalt eines sphärischen Dreiecks (Fig. 3e). Figur 3 zeigt ein Blattstück, in welchem diese Zeichnung besonders regelmässig hervortritt. Noch klarer wird die Lage der Poren, wenn man Querschnitte beobachtet. Wird ein Stück c d (Fig. 3) herausgeschnittten, so ergiebt sich, wenn man in der Richtung von d nach c darauf sieht, ein Bild wie Figur 4; in der Richtung von c nach d, wie Figur 5. In beiden Fällen sieht man bei äusserst geringer Veränderung der Einstellung die Perforation am Ende der Zelle A in ihrer ganzen Ausdehnung. Das Stück a b in Figur 3 zeigt die den Zellen B und C angehörigen Poren senkrecht durchschnitten (Fig. 7). Bei g sieht man den Verdickungsring, welcher die Löcher umrandet, im Querschnitt; bei wechselnder Einstellung kann man in etwas dicken Schnitten den Ring bis zur grünen Zelle verfolgen; f ist ein Theil der Membran der farblosen Zellen, welcher sich oft in der Richtung der Blattfläche über den Verdickungsring fortsetzt. Diese Membranen sind häufig soweit ausgedehnt, dass sie mit ihren Rändern zusammenstossen, wie das Figur 6 zeigt. Es ist klar, dass auf diese Weise der Uebertritt von Wasser aus der einen in die beiden anderen Zellen oder umgekehrt noch mehr erleichtert wird, als das ohnehin schon durch die eigenthümliche Lage der Poren geschieht. Nicht immer findet man in jeder der drei zusammenstossenden hyalinen Zellen eine Oeffnung. Die Spitze der einen Zelle entbehrt dann meistens dieselbe. Auch kommen viele Stellen vor, an welchen nur eine oder überhaupt keine Perforation zu finden ist (wie bei i Fig. 3). Unter allen Umständen steht aber jede Zelle an zwei Orten mit Nachbarzellen in Verbindung; nur an der Blattbasis wird die Communication in der Regel vermisst.

Zur Sichtbarmachung der Wasserwege wurde anfangs die erwähnte Farbstofflösung, später aber Carmin verwendet, welches im Wasser fein vertheilt war. Löst man einen Ast vom Stamme los und befestigt ihn mit seinem basalen Ende so in einem Korkstückchen, dass er eine horizontale Lage erhält, so kann man denselben resp. einzelne Theile selbst bei ziemlich starken Vergrösserungen bequem unter dem Mikroskop beobachten. Bringt man nun einen Tropfen Wasser mit Carmin an den Zweig, so sieht man, wie die Flüssigkeit in der Rinde ziemlich rasch nach der Spitze zu aufgesogen wird. Dabei wird an die Blätter kaum Wasser abgegeben, weil die Communication der unteren Blattzellen mit den übrigen mangelhaft ist. Gleichzeitig mit der Bewegung in der Rinde, aber etwas langsamer, geht eine solche durch die Blätter vor sich, indem ein Blatt dem anderen das Wasser mittheilt. In den einzelnen Blättern sieht man die Carminkörperchen durch die oben beschriebenen Poren aus der einen Zelle in die andere mit dem Wasser übergehen und kann deutlich verfolgen, wie sie vielfach um die grünen Zellen herumgleiten. Selbst wenn die Zellen, welche im Gesichtsfelde liegen, mit Wasser gefüllt sind, lässt sich doch ein Strom von Wasser, in welchem die Körner mitschwimmen, nach der Spitze hin so lange beobachten, bis der ganze Ast mit Wasser versorgt ist. Später sieht man nur das Wandern vereinzelter Carminpartikel.

Die grösste Bewegung findet sich immer an den Blatträndern. Die hier auf der Concavseite in Menge vorhandenen Perforationen lassen das Wasser in die Capillarräume austreten, welche durch die Berührung der Blattränder entstehen. Von dort wird das Wasser durch die Poren der Convexseite des höher inserirten Blattes aufgenommen, um in diesen in der bezeichneten Weise weiter befördert zu werden.

Das in der Rinde des Zweiges emporgesogene Wasser erreicht die Spitze des Astes früher als dasjenige, welches seinen Weg durch die Blätter nimmt. Die hier dicht zusammenliegenden Blätter und die Räume zwischen ihnen saugen sich voll, und es beginnt nun auch von hier aus eine Wasserbewegung durch die Blätter nach der Astbasis hin, so dass die Lösung, welche diesen Weg nahm, an einer beliebigen Stelle mit derjenigen zusammentrifft, welche sich direkt durch die Blätter bewegte. Dies war der bei weitem häufigere Fall. Nicht selten aber versagte, aus nicht immer bekannten Gründen, die Rinde den Dienst. Dann wanderte das Wasser durch die Blätter, und die Rinde wurde erst langsam von der Spitze und der Basis aus mit Wasser versorgt. Etwas Wasser gaben auch wohl einzelne Blätter direct an dieselbe ab.

Blätter, die auf irgend eine Weise die Fühlung mit ihren Nachbaren verloren hatten, wurden nur langsam, oft überhaupt nicht nass. Die Erklärung dafür giebt die bekannte Vertheilung der Poren in den Zellen der Blattbasis.

Sind die Zellen eines Astes mit Wasser gefüllt und lässt man dann eine Farbstofflösung an denselben treten, so sieht man eine ähnliche Bewegung des letzteren wie bei *Hypnum purum*. Durch weiteren Zusatz kann man schliesslich die sämmtlichen von den Blättern gebildeten Hohlräume füllen. Hier treten also die einzelnen Blattzellen nicht in Thätigkeit. An den Pflänzchen, welche ich aus natürlichen, wassererfüllten Rasen herausnahm, fand ich bei sofortiger Untersuchung nur die Blattzellen gefüllt, fast niemals Wasser zwischen den Blättern, woraus zu schliessen ist, dass die eben beschriebene Bewegung von

Flüssigkeit im Freien nur selten, nämlich bei sehr starker Wasserzufuhr eintritt.

Die Leitung von der Spitze des Zweiges zur Basis erfolgt mutatis mutandis ebenso wie in umgekehrter Richtung.

Anliegende und abstehende Aeste verhalten sich nicht wesentlich verschieden, doch kommen in den ersteren, weil die Blätter schmäler und länger sind und dichter auf einander liegen, diejenigen Capillaren etwas mehr zur Geltung, welche sich zwischen den einzelnen Blättern befinden.

Bringt man eine ganze Pflanze in die Lösung, so sieht man das Wasser in der Hülle anliegender Aeste aufsteigen, und sich von da in die abstehenden verbreiten.

Wenn einige Astbüschel entfernt wurden, so dass der Zusammenhang der Hülle rings um den Stamm unterbrochen war, so vertrockneten die oberen Theile des Pflänzchens in der Regel nicht, z. B. blieb ein so behandeltes Exemplar in Wasser gestellt länger als eine Woche frisch, ein Beweis, dass die Leitung auch durch die Rinde vermittelt wird, was bei dem bekannten Bau derselben nicht überraschend ist.

Die Wasserleitung gestaltet sich danach bei *Sphagnum cymbifolium* folgendermassen: Das Wasser wird theils von der Rinde, theils von den anliegenden Aesten emporgehoben und geht aus dieser wassergetränkten Hülle des Stammes in die abstehenden Zweige über, wobei die einzelnen hyalinen Zellen eine sehr wesentliche Rolle spielen.

Diese Anpassungen finden wir bei den übrigen von mir untersuchten Torfmoosarten nicht in derselben Vollkommenheit wieder.

Bei *Sphagnum squarrosum* ist die Deckung der Astblätter regelmässiger als bei *Sphagnum cymbifolium*, im übrigen werden durch die Blattlage ebenso Capillarräume hergestellt, wie bei *Hylocomium loreum*. An den abstehenden Zweigen liegen die Poren in weitaus überwiegender Menge auf der Convexseite der basalen Blatthälfte; oberhalb der Stelle jedoch, an welcher die Blätter die für *Sphagnum squarrosum* so charakteristische Knickung nach aussen zeigen, findet sich die Mehrzahl der Löcher auf der Concavseite. Bestimmte Einrichtungen zur Erleichterung des Uebertritts von Flüssigkeit aus einer hyalinen Zelle in die andere sind hier nicht vorhanden. Zwar liegen Poren an beliebigen Stellen einander gegenüber, doch wölben sich die Zellen nicht so weit vor, als bei *Sphagnum cymbifolium*, und ein Blick auf den Querschnitt (Fig. 8) zeigt, dass an solchen Stellen der Uebertritt von Wasser jedenfalls weit schwieriger ist.

Die Blätter der herabhängenden Aeste haben keine zurückgebogene Spitze und die Oeffnungen sind gleichmässiger über beide Seiten des Blattes vertheilt.

Die Rinde des Stammes, deren Zellen mit einander nicht communiciren, ist nur schwach entwickelt[1]). An den Zweigen finden sich zwischen den grossen farblosen Zellen noch grössere flaschenförmige[2]) eingestreut, welche an ihrem, der Spitze des Zweiges zugekehrten Ende mit einer Oeffnung nach aussen versehen sind. Auf Querschnitten erkennt man, namentlich nach Färbung der Membranen mit Fuchsin, dass vorzugsweise die Querwände der flaschenförmigen Zellen kleine Oeffnuugen besitzen, die nicht mit einem Verdickungsring umgeben und offenbar durch Resorption der Zellhaut entstanden sind. Nicht selten liegen mehrere derartige Oeffnungen unregelmässig und in ungleicher Grösse nebeneinander.

Beobachtet man nun Aeste in der bei *Sphagnum cymbifolium* beschriebenen Weise, so findet man, dass das Wasser sich nicht durch die einzelnen farblosen Zellen bewegt, wie im ersten Falle, sondern zwischen den sich deckenden Blatträndern aufgesogen wird und eine Curve beschreibt wie bei *Hypnum purum*.

Man kann mit Hülfe von Carmin leicht constatiren, dass innerhalb der hyalinen Zellen keine Flüssigkeit aufsteigt. Eine Bewegung ist in denselben nur in sofern vorhanden, als von den zuerst versorgten Blatträndern aus Wasser in die farblosen Zellen durch die Poren übertritt, häufig aber bleiben einzelne Theile, z. B. mit Vorliebe die Blattspitzen an den abstehenden Aesten trocken, was zur Genüge beweist, dass die Leitung von Zelle zu Zelle hier eine sehr beschränkte und für die Wasserversorgung der ganzen Pflanze ohne Bedeutung ist. Sobald man bei diesen Versuchen viel Wasser verwendet, werden die grossen Capillarräume ganz gefüllt, das Wasser eilt aber an den Berührungsstellen der Blattränder voraus.

Entfernt man einige Blätter rings um den Ast oder einige Zweigbüschel vom Stamm, so gelangt das Wasser nur bis an die entblösste Stelle.

Auch hier ist die Wasserbewegung in beiden Richtungen sowie in abstehenden und anliegenden Aesten nicht verschieden. Die hyalinen Zellen leisten bei dieser Species immerhin einiges für die Wasserleitung, haben aber im Wesentlichen die Rolle von Wasserreservoiren; dem gleichen Zweck dient die Rinde von Stamm und Ast. Die flaschenförmigen Zellen bilden noch besondere Organe für die Aufnahme von Wasser, welches sich in den Capillarräumen zwischen Stamm und Blättern sammelt. Das letztere kann man freilich nicht beobachten, aber ich glaube, es bedarf keines weiteren Beweises.

---

[1]) Schimper, l. c. Taf. XVII. Fig. 10.

[2]) Daselbst Taf. XVII. Fig. 11.

Sphagnum contortum verhält sich im Grossen und Ganzen dem *Sphagnum squarrosum* ähnlich. Die grobe Saugung kommt hier noch mehr zur Geltung. Poren liegen in grosser Menge auf der Convexseite einander gegenüber, aber ein Uebertritt von Wasser ist hier noch mehr erschwert, als bei der vorigen Species, wie man aus dem Querschnitt (Fig. 9) sieht. Das Wasser bewegt sich wie bei *Hylocomium loreum*, da aber die hyalinen Zellen auf der Concavseite nur wenige kleine Perforationen besitzen, sieht man häufig, dass sie noch mit Luft erfüllt sind, während das Wasser schon bis in die Spitzen der Zweige vorgedrungen ist.

Sphagnum fimbriatum hat so kleine und so dicht gestellte Blätter, dass hier eine Wasserbewegung zu Stande kommt, wie sie für kleinblättrige *Hypnaceen* angegeben wurde.

In allen Fällen geschah die Leitung von der Spitze zur Basis des Stammes mit gleicher Schnelligkeit, wie umgekehrt.

Die Torfmoose zerfallen bezüglich ihrer Wasserleitung in zwei Gruppen, die eine, repräsentirt durch *Sphagnum cymbifolium*, bewirkt das Aufsteigen in dem feinen Capillarsystem, welches durch Communication der hyalinen Zellen entsteht, die andere Gruppe erreicht die Versorgung mit Wasser durch Aufsaugung desselben in die gröberen von den ganzen Blättern gebildeten Capillaren. Der letzteren Gruppe dürften alle Arten angehören, bei welchen die charakteristischen flaschenförmigen Zellen in den Aesten vorkommen, für eine Species, welche in ihrem sonstigen Verhalten mit *Sphagnum cymbifolium* übereinstimmt, in diesem Punkte aber abweicht, würden diese Zellen nutzlos sein.

Was über die Bedeutung der hyalinen Zellen bei *Sphagnum squarrosum* gesagt wurde, gilt für die ganze zweite Gruppe und in gewissem Sinne auch für die erste.

Formen von *Sphagnum cuspidatum* [1]) finden sich häufig in Wasser untergetaucht und zeigen an diese Lebensweise eine vollkommene Anpassung, die sich aus dem soeben Mitgetheilten sehr einfach erklärt. In Torfgruben, ganz freischwimmend, beobachtet man nicht selten einzelne Pflanzen von *Sphagnum cuspidatum* var. *plumosum Russow*. Diese Varietät zeigt einen Wuchs, der von dem bekannten Habitus der *Sphagna* erheblich abweicht [2]). Sämmtliche Aeste eines Büschels sind ausgebreitet, von einer Umhüllung des Stammes durch dieselben

---

[1]) Herr C. Warnstorf in Neuruppin hatte die Freundlichkeit, mir die genannten Formen zu bestimmen, wofür ich ihm hier meinen verbindlichsten Dank ausspreche.

[2]) Russow, Beiträge zur Kenntniss der Torfmoose, p. 60.

ist also nicht mehr die Rede. Die Zweigblätter sind weit von einander entfernt, sehr verlängert und von dunkelgrüner Farbe. Bei vielen Exemplaren fand ich nur in den untersten Blättern eines Astes noch hyaline Zellen, im übrigen bestanden die ersteren aus fast gleichartigen grünen Elementen [1]), wie jedes andere Moosblatt auch, jedoch liess sich erkennen, dass diejenigen Zellen, welche im normalen Blatt farblos sind, etwas weniger Chlorophyll enthielten, als ihre Nachbarn. Daneben gab es Individuen, welche die hyalinen Zellen noch besser erkennen liessen, sie entbehrten jedoch der Verdickungsfasern und zeigten Protoplasma mit einigen Chlorophyllkörpern. Bei den am meisten abweichenden Formen sind die Rindenzellen des Stammes und der Aeste mit Protoplasma versehen, die flaschenförmigen Zellen lassen sich nur noch andeutungsweise erkennen, Oeffnungen sind in ihnen nicht mehr vorhanden, dagegen führen sie Chlorophyll. Exemplare, welche dem typischen *Sph. cuspidatum* näher stehen, hatten grüne Rindenzellen, während die flaschenförmigen ihre ursprüngliche Gestalt bewahrt hatten. Zwischen diesen und normalen Formen lassen sich alle Uebergänge leicht verfolgen. Häufig findet man Pflänzchen, welche unten die unveränderte *Sphagnum*-Struktur, oben dagegen die genannten Abweichungen zeigen. Die Grenze zwischen den verschieden gebauten Partien ist ganz scharf und es ist sehr wahrscheinlich, dass die Pflanzen dadurch, dass sie ins Wasser geriethen, sich anders ausbildeten.

Es braucht kaum noch hervorgehoben zu werden, dass die Rückbildung der Wasser leitenden resp. aufsaugenden Organe eine Folge des Nichtgebrauchs derselben ist.

Die beiden Gruppen der Torfmoose differiren betreffs ihrer Wasserleitung weit mehr als *Sphagnum cymbifolium* und *Leucobryum* nebst Verwandten. Dem Stamm von *Leucobryum glaucum* fehlt eine ausgezeichnete Rindenschicht. Die Blätter, deren Bau dem der Torfmoose sehr ähnlich ist [2]), bestehen aus mehreren Schichten farbloser Zellen, die durch Poren allseitig mit einander in Verbindung stehen. Zwischen diesen liegen die grünen eingeklemmt in der Mitte (Fig. 12).

Mohls Angabe, dass die Wände der hyalinen Zellen nach aussen geschlossen seien, ist nicht ganz richtig. Allerdings sind die Oeffnungen, welche die Aussenwände der farblosen Zellen durchbrechen, nicht mit einem verdickten Rande umgeben wie die übrigen, sondern ihre Begrenzungen sind so zart, dass dieselben bei Untersuchung der Objecte im Wasser kaum sichtbar sind. Verhältnissmässig leicht treten

---

[1]) Russow, Beiträge zur Kenntniss der Torfmoose, Taf. III. Fig. 17.

[2]) Mohl, Ueber die porösen Zellen von *Sphagnum* l. c. p. 310. Taf. VI. Fig. 14. 15. 18.

sie hervor, wenn man die Membranen durch Einlegen in alkoholische Fuchsinlösung färbt. Dann erkennt man Oeffnungen, wie sie in Figur 10 dargestellt sind. Dieselben entstehen durch Resorption der Membran und zeigen bald unregelmässig viereckige, bald rundliche Umrisse. Im Querschnitt des Blattes bieten sie ein Bild wie in Fig. 12. 13. 14. Diese Oeffnungen liegen nun vorzugsweise an den Blatträndern (Fig. 11), auf beide Flächen des Blattes gleichmässig vertheilt. Da wo der Rand einschichtig ist, sind nicht selten beide nach aussen gelegenen Wände einer Zelle resorbirt (Fig. 15o). Die Poren reichen nur von der Basis bis zur Mitte des Blattes, soweit als die Ränder eventuell mit benachbarten Blättern in Berührung kommen können; nach der Spitze zu verschwinden sie fast vollständig.

Ausserdem liegen Oeffnungen über die ganze Blattfläche zerstreut, bald sind vereinzelte, bald Gruppen von Zellen mit ihnen versehen (Fig. 10). Auch hier ist der basale Theil des Blattes, soweit er mehr als zwei Zellschichten besitzt, entschieden bevorzugt. An Stellen, wo im Allgemeinen das Blatt zweischichtig ist, tritt mit Vorliebe Resorption der Wandung derjenigen Zellen ein, welche sich parallel der Blattfläche noch einmal getheilt haben (Fig. 13o). Doch kommen auch Fälle wie in Fig. 12 vor. Die Lage der Blätter ist derartig, dass die Ränder sich decken und mit einander in inniger Berührung stehen, während die übrigen Theile zweier Blätter weniger dicht an einander liegen; davon kann man sich leicht überzeugen, wenn man vorsichtig durch das ganze Pflänzchen Querschnitte macht.

Allerdings kann man wegen der dichten Blattstellung und der Dicke der Blätter nicht alles so gut verfolgen, wie bei *Sphagnum*, allein nachdem man hier die Vorgänge kennt, lässt sich schon aus den anatomischen Befunden der Weg des Wassers construiren. Ausserdem lässt sich noch folgendes beobachten: Lässt man den unteren Theil eines Pflänzchens von *Leucobryum glaucum* nur kurze Zeit mit der Anilinlösung in Berührung, so dass es sich ganz vollsaugen kann, und untersucht dann die einzelnen Blätter, so zeigen diejenigen, welche annähernd an der Grenze der benetzten und unbenetzten Theile stehen, sich blau gerandet, während die übrigen Partien noch trocken sind. Selbst Punkte, welche sehr nahe der Ansatzstelle des Blattes, aber in der Mitte desselben liegen, sind ungefärbt, während der Rand bis zur Spitze blau erscheint. Blätter, welche oben über den blau gerandeten stehen, zeigen nur farbige Pünktchen an den Stellen, an welchen sie das nächst untere berührten. Weiter unten liegende Blätter sind, je weiter sie von der Spitze des Stammes entfernt stehen, auch um so mehr gefärbt, die Benetzung schreitet von den Blatträndern nach der

Mitte vor. Mit dem Mikroskop kann man bei sofortiger Untersuchung constatiren, dass die hyalinen Zellen, welche nicht gefärbt sind, auch keine Flüssigkeit enthalten. Lässt man Wasser mit Carmin in die Pflanzen eintreten, so kann man an einzelnen günstigen Stellen sehen, wie die Körnchen von einer Zelle zur anderen durch die Poren hindurch wandern. In die Räume zwischen den Blättern sah ich niemals Wasser eintreten. In umgekehrter Richtung saugen die Pflänzchen das Wasser nicht erheblich langsamer und in ganz analoger Weise auf. Dass sich andere, *Leucobryum* nahe verwandte Moose, ganz ähnlich verhalten würden, war vorauszusehen. Es wurde zum Vergleich herangezogen eine im Strassburger Herbarium als *Octoblepharum cylindricum* bezeichnete Species. Der anatomische Aufbau derselben unterscheidet sich von *Octoblepharum albidum* kaum.

Das linealische Blatt (Fig. 17) von *Octoblepharum cylindricum* ist an seinem basalen Theile durch breite Flügel ausgezeichnet, welche ihre grösste Flächenausdehnung oben haben und sich nach der Blattbasis zu stark verschmälern. Auf der Oberseite ist es abgeflacht und zeigt im flügellosen Theil einen länglichen (Fig. 18), im geflügelten einen halbmondförmigen Querschnitt (Fig. 20. 21. 23). Die hyalinen Zellen sind gebaut wie bei *Leucobryum*, doch ist das Blatt aus 4 bis 8 Schichten solcher Zellen zusammengesetzt, zwischen denen die grünen eingeschlossen sind, wie das zur Genüge aus den Figuren hervorgeht. Die Blattflügel bestehen nur aus einer einzigen Schicht hyaliner Zellen, welche an der Verbindungsstelle der ersteren mit dem Blatt schmal und langgestreckt (Fig. 21 u. 22), in der Mitte von erheblich grösserem Durchmesser sind, um am Aussenrande wieder enger zu werden.

Die bei *Leucobryum* für die Aussenwände der Zellen beschriebenen Oeffnungen finden sich auch hier, aber mehr localisirt. Eine oft unregelmässig unterbrochene Reihe von Zellen mit derartigen Poren liegt an der Rückseite des Blattes nahe dem Rande (Fig. 19a) und verläuft an beiden Rändern von der Spitze bis ungefähr zum oberen Anfang der Flügel. Ferner sind fast sämmtliche Aussenwände der Zellen in der basalen Flügelhälfte durchbrochen (Fig. 22). Die nach der Spitze zu gelegene Hälfte der Blattflügel besitzt sehr dünne Membranen aber keine Oeffnungen nach aussen.

Die Blattstellung ist ziemlich dicht, die Flügel greifen vollständig übereinander und decken meistens die ganze Basis ihrer Nachbarblätter. An Querschnitten, welche man mit Hülfe von Paraffin durch das ganze Pflänzchen anfertigt, sieht man, dass die zwischen zwei aufeinander liegenden Blattflügeln befindlichen Capillarräume sehr eng sind und so ein Uebertritt von Wasser aus den Oeffnungen des einen Blattflügels in die des anderen sehr erleichtert ist. Ungemein häufig aber liegen die Poren verschiedener Blätter einander gerade gegenüber und so nahe, dass das Wasser aus einem Blatt in das andere gelangen kann, ohne in die zwischen denselben befindlichen Räume zu gerathen. Dass das Wasser wirklich den angedeuteten Weg nimmt, wurde in derselben Weise, wie bei *Leucobryum* nachgewiesen. An den höchsten noch benetzten Blättern waren nur die Blattflügel gefärbt. Da todte und lebende Moose nicht differiren, hielt ich es in Ermangelung von lebendem Material für unbedenklich, diese Versuche auch an Herbariumexemplaren anzustellen, nachdem dieselben durch Aufweichen in Wasser wieder in ihre ursprüngliche Form gebracht waren.

Bei *Leucobryum* hat ebenso wenig wie bei *Octoblepharum* der Stamm an der Leitung irgend welchen Antheil, in diesen Gattungen sowie bei *Sphagnum* fehlt auch jede Spur eines Centralstranges.

b. Innere Leitung.

In allen bis jetzt behandelten Fällen war die einzige für die Wasserleitung in Frage kommende Kraft die Capillarität; es war mit Sicherheit zu zeigen, dass sie allein die Wasserbewegung und Wasservertheilung bewirkt. Nicht so klar liegt die Sache bei den mit einem Centralstrang ausgerüsteten Formen.

Während meines Aufenthaltes im Forsthause (s. unten) hatte ich Gelegenheit, zu beobachten, dass auch die *Polytrichum*-Arten und *Mnium undulatum* direkt von Niederschlägen abhängig sind, wie viele andere Moose ohne Centralstrang. Ich fand nämlich Rasen von *Mnium undulatum* und *Polytrichum gracile,* welche an feuchten, der Thaubildung zugänglichen Orten wuchsen, in der Regel des Morgens mit Thau bedeckt. Nach dem Verschwinden der oberflächlichen Benetzung (meistens noch vor 10 Uhr Vormittags) richteten sich die Blätter auf (*Polytrichum*) oder kräuselten sich (*Mnium*), woraus zu schliessen ist, dass sie trocken wurden, um gegen Abend, wenn die Luft mit Feuchtigkeit annähernd gesättigt war, wieder turgescent zu werden. Gleichzeitig blieben lockere *Polytrichum*-Rasen am trocknen Waldrande tagelang ohne Turgescenz. Häufig fand ich, dass Pflänzchen, welche lose zwischen den Rasen steckten, des Abends fast gleichzeitig mit den übrigen ihre Blätter ausbreiteten, ohne dass äusserlich irgendwie Flüssigkeit sichtbar war. Man könnte danach geneigt sein, diesen Moosen eine starke Hygroscopicität zuzuschreiben, allein da die Atmosphäre, wenn ich dies beobachtete, mit Dampf fast gesättigt war, so ist es wahrscheinlicher, dass Thaubildung eintrat, die nur deswegen nicht beobachtet werden konnte, weil das niedergeschlagene Wasser von der Pflanze sofort aufgesogen wurde.

Dass die Transpiration sehr gering ist, und dass nur bei sehr feuchter Atmosphäre das den Stamm passirende Wasser die Pflanzen frisch erhalten kann, wurde schon oben nachgewiesen.

Aus der Thatsache, dass nur die mit gut ausgebildetem Centralstrang versehenen Moose überhaupt eine innere Leitung erkennen lassen, ferner daraus, dass die Stiele der *Sporogonien*, in denen nur eine innere Leitung denkbar ist, immer einen solchen führen, auch wenn er dem Stämmchen fehlt (z. B. *Hylocomium splendens*), wird man schliessen dürfen, dass der Centralstrang das wasserleitende Organ ist. Haberlandt hat, wie schon Seite 12 erwähnt wurde, in dieser Richtung Untersuchungen angestellt. Er giebt an, dass im Centralstrang von *Mnium undulatum* nur Wasser resp. Luft zu finden sei. Ich konnte dagegen an Exemplaren, die im Herbst untersucht wurden, Oelmassen und Ballen von Protoplasma als Inhalt der langgestreckten Zellen nachweisen. Dass das Oel zu anderen Jahreszeiten ganz fehlen sollte, ist kaum anzunehmen.

Haberlandt tauchte ein abgeschnittenes Stämmchen von *Mnium undulatum* mit der Schnittfläche in eine Eosinlösung und fand, dass dieselbe nur im Centralstrang emporsteigt. Wenn er aus der Schnelligkeit, mit welcher die Färbung fortschreitet, auf die Geschwindigkeit der Wasserbewegung schliessen will, so hat er vergessen, dass Farbstofflösungen darüber im Allgemeinen keinen Aufschluss geben können[1]). Hier ist das Verfahren um so fehlerhafter, da ja die Pflanzen während des Versuchs schon austrockneten. Hätte Haberlandt dieselben in eine Atmosphäre gebracht, feucht genug, um sie turgescent zu erhalten, er hätte ganz andere Werthe gefunden. Dass es ausserdem unrichtig ist, die Wege, welche das Eosin nimmt, ohne weiteres als die Wasserbahnen zu bezeichnen, geht daraus hervor, dass in Haberlandts Versuchen die Eosinlösung aus dem Centralstrang von *Mnium undulatum* in die Blattnerven überging. Die letzteren stehen aber mit dem Centralstrang nicht direkt in Verbindung[2]). Die Lösung musste also erst mehrere Parenchymzellen passiren, ehe sie an die Blätter kommen konnte und dürfte die ersteren getödtet haben, da ja fast regelmässig mit dem Eindringen derartiger Farbstofflösungen der Tod der Zelle erfolgt. Für die Wasserbewegung lassen sich daher aus diesen Versuchen durchaus keine Schlüsse ziehen. Dass eine Farbstofflösung nur im Centralstrange emporsteigt, konnte ich ebenfalls constatiren, aber es gelang mir nicht, dieselbe eindringen zu sehen, wenn ich ein

1) Cf. Sachs, Arbeit. des botan. Instituts zu Würzburg 1878. II. p. 157.
2) Lorentz, Vergl. Anatomie p. 28 u. 65.

verwelktes Pflänzchen unter der Flüssigkeit durchschnitt, wie dies Haberlandt angiebt. Das Misslingen des Versuchs wird auch erklärlich, wenn man bedenkt, dass durch das Austrocknen des Stengels der Centralstrang derartig zusammenschrumpft, dass man auf Querschnitten die Zellwände kaum erkennt und vom Zelllumen meistens keine Spur mehr sieht.

Aus den Versuchen geht wohl soviel hervor, dass der Centralstrang für Wasser eine bevorzugte Leitung besitzt; dass auch die langgestreckten Zellen in den Blättern besser leiten als das umliegende Parenchym, wird man nicht bezweifeln. Der Blattnerv muss aber das nöthige Wasser aus dem Parenchym des Stammes entnehmen. Dass im gegebenen Fall auch Wasser, welches auf die Blätter gelangt, von diesen absorbirt und im Blattnerven dem Stamm zugeleitet wird, ist nicht unwahrscheinlich.

Bei *Polytrichum* [1]) besteht der Centralstrang aus sehr verlängerten, stark verdickten Zellen und ist umgeben von einem Ringe langer dünnwandiger Gewebselemente. Der Ring wird wieder von parenchymatischen Zellen umschlossen, die für uns weniger in Betracht kommen. Die Blattspuren setzen aussen an den Ring an.

Auch hier muss ich den Angaben Haberlandt's bezüglich des Inhalts der dickwandigen Zellen widersprechen. Die mir vorliegenden Exemplare von *Polytrichum commune* enthielten sowohl in den Zellen des Centralstranges, als auch in denen des Ringes Fetttröpfchen meistens in nicht unerheblichen Mengen, daneben in irgend einem Theil der Zelle Protoplasma in Klumpen zusammengeballt. Ein zusammenhängender protoplasmatischer Wandbeleg liess sich in keinem Falle nachweisen. Ich halte das in sämmtlichen langgestreckten Zellen vorhandene Protoplasma für todt; das Verhalten der Zellen gegen Farbstoffe lässt das Gleiche schliessen.

Haberlandt giebt an, die Farbstofflösung steige im Centralstrang schneller, als im Ring und meint, der Centralstrang sei das wasserleitende, der Ring das eiweissleitende Organ. Schon nach den anatomischen Befunden bin ich geneigt, den Centralstrang und den umgebenden Ring nicht als zwei verschiedene Gewebesysteme, sondern als ein Ganzes aufzufassen, da die sie zusammensetzenden Zellen nur durch die verschiedene Verdickung ihrer Membrane und ihre Weite differiren, sonst aber in einander übergehen. Wäre ausserdem der Ring, wie Haberlandt will, ein eiweissleitendes Gewebe, so würde man die eigenthümliche Thatsache haben, dass die Blattspuren nur mit den eiweissleitenden, nicht aber mit den wasserleitenden Organen in Verbindung stehen.

---

[1]) Lorentz, Moosstudien, p. 18. Taf. IV. Fig. 1.

Dass Centralstrang und Ring für Wasser leicht durchlässig sind, konnte dadurch nachgewiesen werden, dass ich ein etwa 3 cm langes Stück eines Stammes wasserdicht in das fein ausgezogene Ende eines U förmig gebogenen mit Wasser gefüllten Glasrohres einsetzte und die Schnittfläche mit einer entsprechenden Vergrösserung beobachtete. Wurde an dem offenen Schenkel geblasen, so sah man das Wasser aus dem Centralstrang und aus dem Ring austreten, wobei die Bewegung in letzterem nicht schwächer war; wurde gesogen, so ging das Wasser in die betreffenden Zellen zurück. Auf dem übrigen Theil der Schnittfläche, also auch in den Blattspuren, war keine Veränderung wahrnehmbar. Dieser Versuch weist ebenfalls darauf hin, dass der Ring nicht als specifischer Eiweissleiter anzusprechen ist.

Bei *Polytrichum* tritt durch das Eintrocknen des Stammes ein Zusammenschrumpfen des Ringes ein, während die dickwandigen Zellen des Centralstranges ihre Form behalten; es beweist also nichts, wenn bei trocknen Pflänzchen die Lösung nur im Centralstrang aufsteigt.

Die Beobachtungen Haberlandt's mit Farbstofflösungen stimmen mit den meinigen wenig überein. Jedenfalls ist die Eosinlösung mit grosser Vorsicht anzuwenden. In abgeschnittenen Pflanzen von *Polytrichum commune*, deren Schnittflächen über Nacht in einer Eosinlösung gestanden hatten, waren nämlich auch alle Parenchymzellen roth und wahrscheinlich getödtet. Exemplare, die gleichzeitig in der Lösung von Anilinblau gestanden hatten, zeigten die Färbung des Parenchyms nicht, nur der Centralstrang war gefärbt, deswegen dürfte diese Lösung, wenn man einmal genöthigt ist mit einer Farbstofflösung zu arbeiten, den Vorzug verdienen. Stellte ich Pflanzen von *Polytrichum commune* abgeschnitten in die Anilinlösung, so zeigte sich allemal bei der Untersuchung des Querschnitts in Oel, dass die Zellen des Ringes etwas schneller leiteten, als der Centralstrang, die Membranen wurden sehr bald blau, nur in den obersten Zellen, welche sich schon mit Flüssigkeit gefüllt hatten, besassen die Wände noch ihr ursprüngliches Braun. Die Blattspuren zeigten in den obersten Querschnitten, bis zu welchen die Lösung aufgestiegen war, meistens keine Färbung, tiefer unten, selbst in geringer Höhe über dem Flüssigkeitsniveau, liess sich, in der Regel nur in einzelnen Blattspuren, eine solche erkennen und zwar waren diejenigen Zellen erfüllt, welche Lorentz als Centralzellen [1]) bezeichnet. An einzelnen Blättern, welche mit der Lösung in Berührung kamen, waren auch die Centralzellen, aber immer nur

[1]) Lorentz, Moosstudien, Taf. IV. Fig. 2. 3. 7. Ders., Abhandlungen der Academ. der Wissenschaften zu Berlin 1867. Taf. XV. Fig. 1., Taf. XIV. Fig. 14 u. 15.

die geringere Anzahl gefärbt. Wenn **Haberlandt** fand, dass die Blattspuren sich schneller färben als der Centralstrang, so möchte ich das der Wirkung des Eosins zuschreiben. Fuchsin tödtet die Zellen noch leichter als Eosin und färbt dann die Wände derselben. Wendet man diesen Farbstoff an, so kann man ohne Schwierigkeit die von **Haberlandt** beschriebene Erscheinung hervorrufen, aber auch hier erfolgt die Färbung ungleichmässig. Auf Längsschnitten sieht man, dass die Centralzellen Protoplasma führen, ob dasselbe aber lebend oder todt ist, ist schwer zu entscheiden. Ich bin geneigt auch in den Fällen, wo eine Blaufärbung der Centralzellen eintrat, anzunehmen, dass der Farbstoff das Protoplasma tödtete. Danach würde man sich vorstellen müssen — und das scheint mir das wahrscheinlichste — dass das Wasser im Ring und Centralstrang emporgehoben und dann auf osmotischem Wege weiter geleitet wird.

Offenbar aber dient der Centralstrang nicht allein der Wasserbewegung, das beweisen zur Genüge die Oelmassen, welche oft eine ganze Zelle verstopfen. Immerhin wird man ihn als ein unvollkommenes Wasserleitungsorgan auffassen können. Wie man sich die Bewegung im einzelnen zu denken hat, welche Kräfte dabei thätig sind, ist sehr wenig klar und es dürfte darüber auch kein Aufschluss zu erwarten sein, so lange man nicht Analoga kennt, denen auf einem anderen, als dem hier mit den Farbstofflösungen eingeschlagenen und fast allein möglichen Wege besser beizukommen ist.

III. Verhalten der Moosrasen zum Wasser.

Nachdem wir die Wasserbewegung im einzelnen Moospflänzchen kennen gelernt haben, erübrigt die Erledigung der Frage: wie gestaltet sich die Aufnahme und Abgabe von Wasser im Rasen und welches ist die Wirkung des letzteren auf das Substrat?

1. Wasseraufnahme.

Wenn man die Bedeutung des Aufsaugungsvermögens der Moose für den Waldboden im Auge hat, ist es wünschenswerth zu wissen, wieviel Wasser die Rasen im **lufttrocknen** Zustande aufnehmen können. Allein die lufttrocknen Moose enthalten immer noch eine gewisse Wassermenge, welche in Folge ihrer hygroscopischen Eigenschaften mit dem Feuchtigkeitsgehalt der Luft schwankt. Ausserdem ist wahrscheinlich, dass die hygroscopischen Eigenschaften lebender und todter Moose etwas verschieden sind; aus Feuchtigkeitsbestimmungen scheint mir wenigstens hervorzugehen, dass die todten Pflänzchen lufttrocken etwas weniger Wasser enthalten als die lebenden

Mit Rücksicht auf die wünschenswerthe Genauigkeit und auf den beabsichtigten Vergleich lebender und todter Moosdecken zog ich es daher vor mit Hülfe des Thermostaten das Trockengewicht bei 100—105° zu bestimmen, nachdem ich mehrere nebeneinander stehende Pflänzchen aus dem zu untersuchenden Rasen mit der Pincette herausgezogen und im frischen Zustande in einem mit eingeschliffenen Stöpsel versehenen Rohr gewogen hatte. Ueberall wo der Feuchtigkeitsgehalt angegeben ist, wurde das Verfahren angewandt. Meine Zahlen lassen sich daher nicht direct mit den von Ebermayer, Gerwig und Riegler gefundenen vergleichen.

Die Tödtung erfolgte dadurch, dass das Material entweder einen Augenblick in siedendem Wasser oder längere Zeit in Alkohol verweilte. Das heisse Wasser oder dasjenige, mit welchem der Alkohol aus dem Rasen ausgewaschen wurde, entzieht den Zellen gewisse Substanzen, es tritt daher ein geringer Gewichtsverlust ein, der wenigstens theilweise die Thatsache erklären dürfte, dass die für die getödteten Moose gefundenen Procentzahlen etwas höher sind als die für die lebenden.

Um das Aufsaugungsvermögen zu bestimmen, schlug ich folgenden Weg ein: Es wurden Moosrasen von etwa ½ qdm Oberfläche in Hälften getheilt, die sich bezüglich der Dichtigkeit, Höhe u. s. w. möglichst gleich verhielten. Die eine Hälfte wurde getödtet, beide Hälften ausgewaschen und die in den Rasen befindlichen Steinchen, Aststückchen und Coniferen-Nadeln herausgelesen, soweit das möglich war, ohne den Zusammenhang des Rasens zu stören, wie überhaupt sorgfältig darauf geachtet wurde, dass die einzelnen Stämmchen in ihrer Lage und Entfernung von einander keine Verschiebung erlitten. Todte und lebende Rasen wurden zusammen in der Hand lose ausgedrückt und nun nebeneinander in ihrer natürlichen Lage in geradwandige Crystallisirschalen gesetzt, so dass das Gefäss durch die Rasen ausgefüllt war und dieser auch seine ursprüngliche Dichtigkeit behielt. Auf dem Boden der Schale befand sich ein ausreichender Vorrath von Wasser. Das Ganze wurde mit einer Glasglocke überdeckt und 24 Stunden sich selbst überlassen. Man darf annehmen, dass die Moose in dieser Zeit sich völlig mit Wasser sättigten, jedenfalls aber befanden sich todte und lebende unter völlig gleichen Bedingungen. Nach Ablauf der 24 Stunden wurde das im Rasen enthaltene Wasser bestimmt.

Wie aus den folgenden Tabellen hervorgeht, sind die Differenzen zwischen lebenden und todten Moosen durchaus unwesentlich.

Es absorbirten nämlich an Wasser, ausgedrückt in Procenten des Frischgewichts:

	lebend	todt	Durchschnitt aus
Sphagnum acutifolium .	94,8%	94,5%	5 Versuchen.
Dicranum undulatum . .	82,8%	81,1%	4 „
„ *Scoparium* . .	77,5%	81,2%	1 „
Hypnum Schreberi . . .	88,5%	89,1%	3 „
„ *cuspidatum* . . .	81,0%	86,2%	1 „
„ *rugosum* . . .	75,6%	77,2%	1 „
Hylocomium loreum . .	75,7%	80,6%	1 „

Die für *Hypnum Schreberi* angegebenen Zahlen wurden bei Gelegenheit der Versuche über Austrocknung der Moosrasen gefunden (siehe unten). Ist somit die Uebereinstimmung in dieser Beziehung vorhanden, so kann es auch keinem Zweifel unterliegen, dass die Moose, mögen sie nun lebendig oder todt sein, in gleicher Weise das Wasser aufsaugen, wenn es als Regen- oder Schneewasser von oben auf sie gelangt, und, wenn sie damit gesättigt sind, es gleichmässig durchlassen. Das letztere geht auch hervor aus einem Versuch Riegler's [1]), durch welchen nachgewiesen wurde, dass in derselben Zeit durch einen lebenden gesättigten *Sphagnum*rasen 69,1%, durch einen todten 70,3% des auf dieselben gebrachten Wassers durchsickerten.

2. Verdunstung.

Nach den Versuchen (Seite 16), welche das gleiche Verhalten lebender und todter Moospflänzchen bezüglich der äusseren Leitung und der Verdunstung darthun, war anzunehmen, dass die Verdunstung von gleichen Flächen bei constanter Wasserzufuhr sich ebenfalls als übereinstimmend erweisen würde.

Ich liess nun, um auch diesen Nachweis zu liefern, Kästchen ohne Deckel und Boden von quadratischem Querschnitt aus dünnem Holz, 5 cm hoch und 5 cm breit, anfertigen. Gleichzeitig wurden Korkscheiben von etwa 10 cm Durchmesser mit einer viereckigen Oeffnung versehen, welche dem Querschnitt der Kästchen entsprach und die letzteren in diese Oeffnung hineingeschoben.

Wenn die Scheiben auf Wasser gesetzt wurden, war bei allen Exemplaren die Entfernung vom oberen Rande des Kastens bis zur Wasserfläche gleich.

[1]) l. c. p. 204.

Damit nicht Wasser in den Kork oder das Holz eindrang, wurden alle Theile mit Lack überzogen. Jetzt wurden gleichmässig dichte Rasen von den zu untersuchenden Moosen ausgewählt, die abgestorbenen Partien nebst den fremden darin haftenden Bestandtheilen entfernt und zwei gleiche Stücke, genau von der Grösse des Kastens hergestellt. Nachdem ein Stück getödtet war, wurde jedes in einen der letzteren eingesetzt, so dass er möglichst vollkommen ausgefüllt war und die obere Fläche des Rasens sich mit der Holzwandung annähernd in gleicher Höhe befand. Um das Herausfallen der Rasen zu verhindern, wurde die untere Oeffnung des Kästchens mit Leinen überspannt und der Kork dann in entsprechend grossen, geradwandigen Crystallisirschalen auf Wasser zum Schwimmen gebracht. Die freie Wasserfläche wurde mit einer Oelschicht überdeckt. Auch wenn das Wasser sich verminderte, blieben auf diese Weise die Rasen stets bis zur selben Höhe in Wasser eingetaucht.

Es wurden drei Paare solcher Apparate mit Rasen von derselben Species beschickt, gewogen und aus dem Gewichtsverlust die Verdunstung berechnet. Ein Apparat wog etwa 500 g und konnten die Wägungen auf 0,01 g genau ausgeführt werden. Statt der Crystallisirschalen kamen später Gefässe von Weissblech in der entsprechenden Form zur Anwendung, dieselben waren überall gut gelöthet, so dass keine Oxydation eintrat.

Die Beobachtungen wurden fünf Tage lang, Morgens und Abends ausgeführt, dann wurde der noch lebende Rasen getödtet und wieder seine Verdunstung bestimmt. Da die Apparate immer in demselben Zimmer aufgestellt wurden, dessen Feuchtigkeitsgehalt nicht erheblich schwankte, gestatten die hieraus für die Verdunstungsgrösse resultirenden Zahlen ebenso gut einen direkten Vergleich mit den für lebende Rasen gefundenen Werthen, wie diejenigen, welche durch die mit der an den lebenden gleichzeitige Beobachtung todter Rasen gefunden wurden.

Unterschiede von einigen Procenten in der relativen Feuchtigkeit des Zimmers durften um so mehr vernachlässigt werden, als ein und derselbe Rasen bei völlig gleichem Wassergehalt der Luft oft Schwankungen der Verdunstung zeigte, die über die durch Feuchtigkeitsdifferenzen hervorgerufenen weit hinausgingen. Es durfte daher aus beiden nicht gleichzeitigen Beobachtungen todter Rasen das Mittel genommen werden.

Die Verdunstung von Wasser aus einem Rasen von 1 qdm Grösse betrug in einer Stunde:

	lebend	todt	relative Feuchtigkeit.
Hypnum Schreberi . . .	0,352 g.	0,352 g.	85%
Dicranum undulatum . .	0,816 g.	0,848 g.	60%
Sphagnum cymbifolium .	0,392 g.	0,364 g.	84%
Leucobryum glaucum . .	0,288 g.	0,300 g.	83%

Es muss in Betracht gezogen werden, dass die angegebenen Zahlen auch das Wasser einschliessen, welches seinen Weg aus dem Gefäss durch die Moosrasen in die Luft nahm, ohne mit dem Moose in Berührung zu kommen. Da jedoch nur verhältnissmässig dichte Rasen zur Verwendung kamen, ist diese Wassermenge jedenfalls äusserst gering.

Diese Beobachtungen hatten lediglich den Zweck, zu constatiren, dass auch im Rasenverbande todte und lebende Moose sich gleich verhalten. Wollte man etwa aus den gefundenen Zahlen noch weitere Schlüsse auf die Ausgiebigkeit der Verdunstung im Freien ziehen, so würden diese höchstens für *Sphagnum* richtig sein. Die untersuchten Arten kommen nicht an Localitäten vor, an welchen ihnen beliebig viel Wasser zur Verfügung steht, nur *Sphagnum* wächst da, wo es fast immer mit Wasser reichlich versorgt werden kann. Für letzteren Fall stimmen die Bedingungen, unter denen sich die Pflanzen während des Versuchs befanden, mit den natürlichen Verhältnissen annähernd überein.

Luftbewegung und Sonnenschein veranlassen aber draussen jedenfalls noch eine stärkere Verdunstung. Eine für die Wirksamkeit der *Sphagna* auf den Mooren nicht unwesentliche Thatsache geht aus Versuchen hervor, die mit denen an *Sphagnum* gleichzeitig angestellt wurden. Eine Wasserfläche von 1 qdm verdunstete nur 0,081 gr pro Stunde, also nur ⅕ von dem, was die Torfmoose an Wasser abgaben.

Für die Waldmoose weit wesentlicher ist die Frage, wie sich die Verdunstung bei mangelnder Wasserzufuhr gestaltet.

Da mir entsprechende Crystallisirschalen nicht zur Verfügung standen, liess ich runde Gefässe von Weissblech, 6 cm im Durchmesser, 6—7 cm hoch anfertigen und, um Rostbildung auszuschliessen, alle Schnittstellen gut verlöthen. In sechs derartige Gefässe wurden möglichst gleichmässige, gut gereinigte Rasen so eingesetzt, dass sie, ohne gepresst zu sein, an die Wände gut anschlossen, und die Hälfte der Blechdosen mit siedendem Wasser gefüllt, das jedoch nach etwa einer Minute durch kaltes ersetzt wurde. Auch in die Gefässe mit lebendem Rasen wurde Wasser gegossen. So blieben alle kurze Zeit stehen, wurden dann aber auf einem Haarsiebe umgekehrt und verharrten in dieser Stellung etwa 12 Stunden. In ihre natürliche Lage gebracht, wurden die Apparate gewogen und die Wägungen jeden Tag wiederholt, nachdem ich mich durch Feuchtigkeitsbestimmungen an einzelnen Pflänzchen, welche ich aus dem Rasen herauszog, überzeugt hatte, dass der Wassergehalt der Rasen in allen Gefässen annähernd gleich war.

Aus äusseren Gründen konnte ich die Versuche nicht fortführen bis alle Rasen lufttrocken waren. Als ich sie abbrechen musste, wurde der gesammte Inhalt der Gefässe im Thermostaten bei 100°—105° getrocknet und dann gewogen.

Auf diese Weise bestätigte sich, dass der Wassergehalt der lebenden und todten Rasen beim Beginn des Versuchs der gleiche gewesen war.

Als die Rasen aus den Gefässen herausgehoben wurden, waren dieselben an den oberen Theilen völlig lufttrocken, während an den unteren Theilen schon durch das Gefühl eine erhebliche Feuchtigkeit zu constatiren war.

Die Resultate der Beobachtungen sind folgende:

Aus 1 qdm der 6 cm hohen Rasen von *Dicranum scoparium* verdunstete in einer Stunde

in der Zeit vom	lebend	todt	Die relative Feuchtigkeit betrug:
15.—22. August . .	0,281 g.	0,251 g.	82,7%
22.—29. „ . .	0,168 g.	0,229 g.	81,3%
29. Aug.—5. Septbr.	0,339 g.	0,302 g.	78,6%
5.—12. Septbr. . .	0,125 g.	0,143 g.	83,5%
12.—19. „ . .	0,139 g.	0,205 g.	77,4%
19.—26. „ . .	0,081 g.	0,105 g.	79,6%
26. Septbr.—3. Oct.	0,055 g.	0,061 g.	82,3%
3.—10. Oct. . . .	0,056 g.	0,054 g.	78,7%
10.—13. „ . . .	0,058 g.	0,037 g.	80,7%

Wassergehalt

am Anfang . . .	88,3%	91,0%	
am Ende des Versuchs	28,8%	29,1%	

Aus 1 qdm des 7 cm dicken Rasens von *Hypnum Schreberi* verdnnstete pro Stunde

während der Zeit vom	lebend	todt	Relative Feuchtigkeit.
27. Aug.—3. Septbr.	0,462 g.	0,564 g.	80,1%
3.—10. Septbr. . .	0,261 g.	0,274 g.	81,5%
10.—17. „ . .	0,205 g.	0,183 g.	79,1%
17.—24. „ . .	0,150 g.	0,125 g.	78,5%
24. Septbr.—1. Oct.	0,102 g.	0,085 g.	81,3%
1.—8. Oct. . . .	0,079 g.	0,074 g.	79,4%
8.—13. „ . . .	0,091 g.	0,089 g.	80,1%
	Wassergehalt		
am Anfang . . .	88,5%	89,1%	
am Ende des Versuchs	53,2%	55,1%	

Mit zwei todten und zwei lebenden Rasen von *Dicranum undulatum* wurde ebenso experimentirt, die lebenden waren nach 38 Tagen lufttrocken, die todten aber viel später. Die Erklärung dafür lieferte die Bestimmung des Trockengewichts, welche zeigte, dass die beiden todten Rasen erheblich dichter gewesen waren, als die lebenden. Die Tabellen zeigen allerdings keine vollkommene Gleichmässigkeit der Verdunstung des Wassers, im Grossen und Ganzen ist aber eine Uebereinstimmung zwischen lebenden und todten Moosen nicht zu verkennen, namentlich wenn man berücksichtigt, dass am Anfang und Ende des Versuchs der Wassergehalt keine Differenzen zeigt.

Ueber die Zeit, welche ein Moosrasen von bestimmter Dicke im Walde zum Austrocknen gebraucht, sagen die Versuche wenig aus, da die Bewegung der Luft, in lichten Beständen auch wohl Sonnenstrahlen, diesen Vorgang beschleunigen.

3. Wirkung auf das Substrat.

Will man sich über das Verhalten der lebenden wie der todten Moosdecke unter natürlichen Verhältnissen klar werden, so bleibt als einziger Weg die Beobachtung im Walde selbst. Das sicherste Mittel schienen mir Feuchtigkeitsbestimmungen an den verschiedenen in Frage kommenden Gegenständen zu versprechen. Da solche in verhältnissmässig grosser Anzahl gleichzeitig nöthig sind, hat das für einen einzelnen Beobachter seine Schwierigkeit, indess wurde der Versuch von mir gemacht.

Ich quartierte mich in einem Forsthause ein, das für meine Zwecke günstig gelegen war. 80 m vom Hause entfernt lag ein etwa 50jähriger Fichtenbestand mit einer dichten circa 4 cm dicken Moosvegetation, die auf Flächen von mehreren Quadratmetern nur aus *Hypnum Schreberi* bestand, und in einer Entfernung von 500 m ein lichter 40 bis 45jähriger Kiefernwald, gleichfalls am Boden mit 5 cm hohem Rasen von *Hypnum Schreberi* bewachsen.

Da auch hier ein Vergleich zwischen lebenden und todten Moosrasen beabsichtigt war, handelte es sich zunächst darum, in beiden Rasen einen wenigstens annähernd gleichen Wassergehalt herzustellen. Zu dem Zwecke suchte ich eine Stelle von ½—¾ qm Grösse aus, auf welcher die Moosdecke gleichmässig dick und dicht war, las Aststücke, Nadeln etc. so gut es gehen wollte heraus und hob 4—5 qdm grosse Stücke ab. Die Hälfte der losgelösten Rasen übergoss ich mit siedendem Wasser und breitete, nachdem die lebenden Moose in kaltem Wasser untergetaucht waren, alles in natürlicher Lage auf Weidengeflecht (in Ermangelung von etwas Besserem) aus. Die Rasen blieben so die Nacht über liegen, das überschüssige Wasser tropfte ab. Am anderen Morgen entfernte ich an einer geeigneten Stelle im Walde den vorhandenen Moosüberzug und bedeckte ein etwa ¼ qm grosses Stück des Bodens mit lebendem, ein gleiches mit todtem Moosrasen. Wenn man die Moosdecken aufnimmt, bleibt an der unteren Fläche derselben eine Schicht von Humustheilen haften, mit welcher die unteren Partien der Moospflänzchen in inniger Berührung sind; legt man später den Rasen wieder auf den Boden und drückt ihn lose an, so berühren die dem Rasen anhaftenden Theile die Bodenpartikelchen überall, und es unterliegt keinem Zweifel, dass eine ungehinderte Wasserbewegung aus der Erde in den Moosrasen und umgekehrt stattfinden kann. Neben den beiden bedeckten Stellen des Bodens blieb eine dritte Fläche frei von Moos. Alle drei Flächen lagen nebeneinander, so dass alle äusseren Einflüsse gleichmässig auf sie wirken konnten. Besonders wurde bei der Wahl des Platzes darauf gesehen, dass nicht einzelne Theile einer direkten Bestrahlung durch die Sonne ausgesetzt waren.

Nachdem so im Fichten- und Kiefernbestand je eine Versuchsfläche hergestellt war, wurde sogleich der Wassergehalt des lebenden und des todten Moosrasens, der Erde unter jedem Rasen und des unbedeckten Bodens bestimmt. Zu dem Zwecke wurden von mehreren nebeneinander stehenden Moospflänzchen die obersten Theile etwa 1 cm lang abgeschnitten, 1—2 g von der Oberfläche des unbedeckten Bodens und eine gleiche Menge von dem bedeckten unmittelbar unter dem aufgelegten Moosrasen weggenommen, indem der Rasen an einer Stelle etwas gehoben wurde.

Jede Probe wurde sofort nach ihrer Entnahme zwischen zwei genau auf einander abgeschliffene Uhrgläser gebracht, welche durch eine Messingklammer auf einander gehalten wurden und alle fünf Proben zusammen nach dem Forsthause getragen, wo in einem Zimmer Waage und Thermostat aufgestellt waren. Der Transport aus dem Walde, namentlich aus dem Kiefernbestande nach dem Forsthause, und die Wägungen nahmen immerhin einige Zeit in Anspruch, doch zeigte sich, dass mehrere Uhrgläser, die eine halbe Stunde mit den Proben gefüllt im Zimmer gelegen hatten, nicht merklich an Gewicht abnahmen. Nachdem die Uhrgläser mit den Proben gewogen waren, wurden die letzteren in Papierstückchen, deren Trockengewicht vorher bestimmt war, eingeschlagen, im Thermostaten bei 100°—105° getrocknet und mit dem Papier in Glasröhren mit eingeschliffenem Stöpsel gewogen, bis ihr Gewicht constant war. Es zeigte sich jedoch, dass nach mehr als einstündigem Erhitzen im Thermostaten kein Gewichtsverlust mehr eintrat, welcher mit der von mir benutzten Waage (Wägungen bis auf 1—2 mg genau) hätte constatirt werden können. Deswegen liess ich später die Proben während der nöthigen Zeit im Thermostaten und wog dann nur einmal. Das Uebertragen der Proben aus den Uhrgläsern in das Papier ging ganz glatt und ohne Substanzverlust von Statten.

Die Fehler, welche dies Verfahren mit sich bringt, sind jedenfalls verschwindend klein gegen andere, welche durch das Material verursacht wurden, mit welchem gearbeitet werden musste. Da die beiden Versuche in den verschiedenen Beständen schon täglich zehn Wasserbestimmungen nöthig machten, war es unmöglich mehrere derartige Versuche nebeneinander anzustellen, aus denen man nachher das Mittel hätte nehmen können. Nun variirt aber der Wassergehalt im Moosrasen sowohl wie im Boden selbst an nahe zusammenliegenden Punkten nicht unerheblich. Noch grössere Fehler veranlasste der untersuchte Boden.

Derselbe bestand aus den Zersetzungsprodukten der darauf lagernden Moosvegetation und der *Coniferen*-Nadeln untermengt mit halbverwesten Gegenständen, grossen und kleinen Holzstücken etc. Dies alles war vermischt mit wechselnden Mengen Quarzsand. Je nachdem der eine oder andere Bestandtheil in den Proben vorwog, müssen die Resultate schwanken. Ich suchte das dadurch auszugleichen, dass ich die Proben möglichst an denselben Stellen des Bodens nahm, doch zeigen die folgenden Tabellen, die im übrigen ihre Erläuterung in dem eben Gesagten finden, dass auch damit die Schwankungen nicht völlig aufgehoben wurden.

1. Fichtenbestand.

	Wassergehalt				
	des lebenden	des todten	des Bodens		
	Moosrasens		unter dem lebenden Rasen.	unter dem todten Rasen.	ohne Bedeckung.
11. Sept.	72,3%	76,3%	63,9%	64,3%	60,0%
12. „	59,1%	61,5%	63,3%	64,9%	59,4%
13. „	51,8%	52,4%	61,1%	62,7%	55,5%
14. „	48,5%	46,5%	58,8%	63,7%	42,2%
15. „	33,7%	32,9%	58,9%	53,8%	34,4%
17. „	36,5%	28,8%	58,4%	61,0%	33,9%
19. „	25,0%	35,8%	57,0%	62,0%	29,9%
21. „	32,7%	28,0%	61,2%	59,3%	30,5%

2. Kiefernbestand.

	Wassergehalt				
	des lebenden	des todten	des Bodens		
	Moosrasens.		unter dem lebenden Rasen.	unter dem todten Rasen.	ohne Bedeckung.
14. Sept.	68,5%	70,2%	67,6%	68,5%	56,3%
15. „	37,8%	31,1%	63,0%	65,3%	56,2%
16. „	26,3%	25,2%	69,2%	64,6%	28,9%
17. „	38,0%	28,7%	59,6%	69,3%	30,2%
19. „	26,3%	14,7%	67,8%	66,3%	25,9%
21. „	28,3%	16,5%	64,8%	64,7%	23,9%

Die Beobachtungen konnten leider nicht fortgesetzt werden, da das Wetter sehr ungünstig wurde.

Erwähnen möchte ich noch einige Wasserbestimmungen, welche ich vor Beginn der angeführten Untersuchungen machte, um zu sehen, wie weit die für den Wassergehalt zweier benachbarter Stellen des Moosrasens oder des Bodens gefundenen Zahlen variiren können. Nach einem mehrstündigen, mässig starken Regen, der um fünf Uhr Morgens aufgehört hatte, prüfte ich um neun Uhr die Feuchtigkeit. Die Plätze, denen die Proben entnommen wurden, lagen kaum ½ m auseinander. Im Kiefernbestande ergab die eine Bestimmung für den Moosrasen 78,9%, die andere 80,4%, im Fichtenbestand die eine 78,7%, die andere 81,0%. Der Wassergehalt des Bodens unter diesem Rasen schwankte zwischen 64,7% und 70,5%, er betrug im Durchschnitt 66,9%; am Tage vorher an einer nur wenige Schritt davon entfernten Stelle 62,6% und am zweiten Tage darauf 68,0%. Auf der einen Seite geht daraus hervor, dass von dem Regen, wenn überhaupt, nur sehr wenig auf den Boden gelangt war, auf der anderen Seite ist klar, dass die Unterschiede, welche in den Tabellen zwischen den für lebende und todte Moose gefundenen Zahlen bestehen, durchaus unwesentlich sind.

Zur Controle für die Beobachtungen im Walde wurden drei Kübel mit feinkörniger Gartenerde angefüllt und in derselben Weise wie vorher der Waldboden halb mit lebendem, halb mit todtem 5 cm dicken Rasen von *Hypnum Schreberi* überdeckt. Durch das Auflegen der nassen Moose trat im Wassergehalt der Erde keine Erhöhung ein. Diese Kübel wurden in einem Zimmer aufgestellt und jeden dritten Tag Feuchtigkeitsbestimmungen in der bekannten Weise ausgeführt.

Es betrug der Wassergehalt

am	des lebenden	des todten	der Erde	
	Moosrasens.		unter dem lebenden Rasen.	unter dem todten Rasen.
25. Sept.	74,3%	67,8%	12,7%	13,6%
1. Oct.	39,7%	38,1%	11,8%	11,9%
7. „	23,7%	21,8%	12,6%	13,4%
13. „	26,3%	23,9%	11,4%	11,9%

Trotzdem aus drei Bestimmungen das Mittel genommen wurde, sieht man, dass noch Unregelmässigkeiten vorkamen, die offenbar nur im Material lagen. Aus den beiden Untersuchungen geht hervor:

1. Lebende und todte Moosrasen verhalten sich auch in ihrer Wirkung auf das Substrat völlig gleich.
2. Der Moosrasen verhindert die Verdunstung irgendwie erheblicher Wassermengen aus dem Boden, so lange er selbst noch ein bestimmtes Wasserquantum enthält, während unbedeckter Boden sehr rasch austrocknet.
3. Er entzieht einem mässig feuchten Boden kein Wasser.

Auch bei diesen Versuchen waren die oberen Theile des Rasens lufttrocken, die Blätter ohne jede Turgescenz, während die unteren Theile in ihren Capillarräumen noch soviel Wasser enthielten, dass ich es für überflüssig hielt, die Differenzen mit der Waage nachzuweisen.

Schlussfolgerungen.

Diese Thatsache allein weist schon darauf hin, dass die gesammte Moosvegetation des Waldes und der Moore ebenso wirkt, wie ein Schwamm, den man auf dem Boden ausbreitet. Im vollen Umfange wird das bewiesen durch die Uebereinstimmung im Verhalten lebender und todter Moosrasen. Der Unterschied der lebenden Moosvegetation von einem Schwamm oder Filz besteht nur darin, dass erstere sich stets verjüngt, während die letzteren äusseren Einflüssen sehr bald erliegen würden.

Betrachten wir die Thätigkeit dieses Schwammes auf dem Boden des Waldes etwas näher, so ist klar, dass derselbe die Verdunstung der Bodenfeuchtigkeit um so mehr hindern muss, je mehr er selbst mit Wasser erfüllt ist, dass er aber auch dann seine Dienste noch nicht vollkommen versagt, wenn er durchaus lufttrocken ist. Dass er dem Boden nur solche Niederschläge direkt zu Gute kommen lässt, welche ein bestimmtes Maass überschreiten, ist gleichfalls leicht einzusehen und von Ebermayer und Riegler als ein Nachtheil für den Boden öfter betont worden. Sie haben dabei vergessen, dass auch geringe Niederschläge dem Boden indirekt zu Gute kommen, weil ja für eine bestimmte nur in dem Moosrasen aufgenommene Wassermenge dem Boden eine entsprechende, wenn auch nicht gleiche Menge erhalten bleibt. Beim Beginn eines starken Regens lässt der lufttrockne Moosrasen sofort einen Theil des auffallenden Wassers durch [1]) und sättigt sich erst allmälig mit demselben; auf diese Weise kann das Wasser langsam in den Boden sickern. Aber selbst wenn der Rasen mit Wasser vollkommen getränkt ist, bleibt immer noch der Filtrationswiderstand, und die ganze zusammenhängende Moosdecke, die ja auch mit dem Boden in inniger Berührung steht, bietet, namentlich an Bergabhängen dem abfliessenden Wasser ein erhebliches Hinderniss und giebt dem moosbedeckten Waldboden einen sehr bedeutenden Vorzug vor dem, welcher einer Moosvegetation (oder anderer Decken) entbehrt.

Die Wirksamkeit der *Sphagna* ist eine etwas andere. Im Gegensatz zu den Moosen des Waldes wachsen sie nur da, wo der Boden mit Wasser stets übersättigt ist, ihnen steht dasselbe also fast immer

---

[1]) Cf. Riegler, l. c. pag. 206.

in beliebiger Menge zur Verfügung. Von diesem verdunstet aus einer Torfmoosdecke, ebenso wie aus einem Schwamm, mehr, als von einer gleich grossen Wasserfläche. Die Torfmoose verursachen also im gewissen Sinne eine Austrocknung der Moore. Ist die Verdunstung soweit vorgeschritten, dass der Boden kein Wasser mehr an die Moose abgiebt, was allerdings selten vorkommen dürfte, so schützt der *Sphagnum*-Ueberzug wiederum sein Substrat vor Austrocknung ebenso wie die Moosdecke den Waldboden.

Auch im Uebrigen gilt für die *Sphagnum*-Decke dasselbe, was eben für die Moosdecke des Waldbodens gesagt wurde, vielleicht noch mit der einzigen Ausnahme, dass die Torfmoose auch den Thau aufnehmen, was bei den Moosen des Waldes aus nahe liegenden Gründen nicht möglich ist.

Danach darf man passend die Moosvegetation bezüglich ihrer wasservertheilenden Leistungen sowohl auf dem Wald- wie auf dem Moorboden als einen, wenn auch unvollkommenen Regulator für die Feuchtigkeit des Bodens bezeichnen.

Erklärung der Figuren.

Tafel I. II.

Fig. 1—7. *Sphagnum cymbifolium.*
Fig. 1. Blattrand von der Concavseite gesehen (150/1).
Fig. 2. Zellen aus der Blattmitte, ebenfalls von der Concavseite (150/1).
Fig. 3. Stück eines Blattes von der Convexseite (150/1).
Fig. 4. Aus dem Querschnitt eines Blattes das Stück c d (Fig. 3) in der Richtung d c gesehen (235/1).
Fig. 5. Dasselbe in der Richtung c d gesehen (235/1).
Fig. 6. Aus dem Querschnitt eines Blattes das Stück a b (Fig. 3) (235/1).
Fig. 7. Ein ähnliches Stück des Querschnitts (235/1).
Fig. 8. *Sphagnum squarrosum.* Blattquerschnitt (235/1).
Fig. 9. *Sphagnum contortum.* Blattquerschnitt (235/1).
Fig. 10—16. *Leucobryum glaucum.*
Fig. 10. Zellen von der Oberfläche eines Blattes mit Oeffnungen (150/1).
Fig. 11. Blattrand mit Oeffnungen (145/1).
Fig. 12. | Fig. 13. | Fig. 14. } Blattquerschnitt, bei o Oeffnungen der hyalinen Zellen (150/1).
Fig. 15. | Fig. 16. } Querschnitt des Blattrandes (150/1).
Fig. 17—23. *Octoblepharum cylindricum.*
Fig. 17. Blatt (3/1).
Fig. 18. Querschnitt des flügellosen Theils des Blattes (35/1).
Fig. 19. Dasselbe (95/1).
Fig. 20. | Fig. 21. } Querschnitt des unteren geflügelten Theils des Blattes (150/1).
Fig. 22. Untere Hälfte des Blattflügels (150/1) (bei h. h. beginnt das Blatt).
Fig. 23. Querschnitt der oberen Flügelhälfte (95/1).

Ueber Stephanosphaera pluvialis Cohn.

Ein Beitrag zur Kenntniss der *Volvocineen*.

Von

Professor G. Hieronymus.

Mit Tafel III. IV.

Stephanosphaera pluvialis, einer der schönsten Repräsentanten der Algenfamilie der *Volvocineen* aus der nächsten Verwandtschaft der Gattung *Pandorina* ist schon wiederholt zum Gegenstande genauester Beobachtung und eingehendster Schilderung gemacht worden und hat bereits zwei verhältnissmässig umfangreiche Publikationen veranlasst, deren erste wir Ferdinand Cohn[1]), die zweite ihm und Max Wichura[2]) verdanken.

Dennoch wies der erforschte und in diesen Arbeiten geschilderte Entwickelungsgang der genannten *Volvocinea* einige Lücken auf, insbesondere war die morphologische und physiologische Bedeutung der sogenannten Mikrogonidien noch unerkannt geblieben.

Wenn nun auch nach der Entdeckung des Copulationsactes der Mikrozoosporen von *Pandorina Morum* durch Pringsheim[3]), der Feststellung derselben Thatsache bei der verwandten *Chlamydomonas multifilis* durch Rostafinski[4]), sowie einer entsprechenden Beobachtung, welche ich im Juli und August des Jahres 1871 an *Gonium*

1) F. Cohn: Ueber eine neue Gattung aus der Familie der *Volvocineen*: aus der Zeitschrift für wissenschaftliche Zoologie von C. Th. v. Siebold und Kölliker IV. Bd. 1. Heft 1852 mit Tafel VI. Auch Annals of natural history X. p. 321—47, 401—10. c. tab. VI.

2) F. Cohn und M. Wichura: Ueber *Stephanosphaera pluvialis* mit 2 Steindrucktafeln. Aus Acta Acad. Caes. Leop. Nat. Cur. vol. XXVI. P. 1. (Nachtrag) Juni 1857.

3) N. Pringsheim: Ueber Paarung von Schwärmsporen, die morphologische Grundform der Zeugung im Pflanzenreiche. Monatsberichte der kgl. Akademie der Wissenschaften zu Berlin von October 1869.

4) J. Rostafinski: Beobachtungen über Paarung von Schwärmsporen. Botan. Zeitung vol. XXIX. 1871. No. 46 p. 786.

pectorale in Halle a/S.[1]) machte, es kaum zweifelhaft war, dass die Mikrogonidien von *Stephanosphaera* einen Copulationsact ausüben möchten, entsprechend den geschlechtlichen Vorgängen bei den gonannten Algen, so erschien es doch zugleich unzweifelhaft, dass genaue, darauf bezügliche Beobachtungen von *Stephanosphaera* interessante Einzelheiten ans Licht fördern würden.

Ich war daher erfreut, als ich bei einem am 22. Juni dieses Jahres ausgeführten Besuche der Heuscheuer, des bekannten Aussichtspunktes unseres Glätzer Gebirges, von welcher auch Cohn schon sein Beobachtungsmaterial bezog, mir solches verschaffen konnte. Ich hatte Gelegenheit aus einer, dicht in der Nähe des Gasthauses befindlichen Vertiefung, welche halb im Schatten eines überhängenden Felsens verborgen ist, ein frischgrünes Wasser zu schöpfen, dessen Färbung einzig und allein durch unendlich zahlreiche herumschwärmende *Stephanosphaera*familien bewirkt wurde, während der Bodensatz der Vertiefung allerdings einige weitere Algen enthielt, die sich auch später in den zur Cultur verwendeten Flaschen wieder einfanden, aber auf die Beobachtung des Entwicklungsganges durchaus keinen störenden Einfluss ausübten. Es fehlte der sonst fast stete Begleiter von *Stephanosphaera* und leicht mit derselben in gewissen Lebenszuständen zu verwechselnde *Haematococcus pluvialis* Fw.[2]).

Einen Theil des gesammelten Materials schickte ich sogleich an Herrn Prof. Cohn zum Zwecke gleichzeitiger Beobachtung, während ich den Rest selbst behielt.

In Nachfolgendem sollen nun die Resultate meiner vom 22. Juni bis Mitte October d. J., zu welcher Zeit der Organismus fast vollständig

---

[1]) Vgl. J. Rostafinski: Quelques mots sur *L'Haematococcus lacustris* et sur les bases d'une classification naturelle des algues chlorosporées. Mém. de la Société nat. des Sciences nat. de Cherbourg 1875. Tome XIX. p. 146.

[2]) In Begleitung von *Haematococcus pluvialis* findet sich *Stephanosphaera* bekanntlich auch an dem klassischen Orte in der Nähe des Dorfes Grunau bei Hirschberg, wo Cohn sie zuerst entdeckte. Ich fand sie in geringer Individuenanzahl, ebenfalls vermischt mit zahlreichem *Haematococcus* in einer ausgehöhlten Granitplatte an einem Feldwege oberhalb des Schiesshauses bei Schmiedeberg unter der Schneekoppe, und sehr reichlich in einer Vertiefung auf dem mittleren Friesensteine. Wahrscheinlich ist sie nebst *Haematococcus* im Riesengebirge auch sonst noch verbreitet in den häufigen, Regenwasser führenden Vertiefungen, welche sich auf grösseren Felsmassen finden. So vermuthe ich sie auf den Dreisteinen, ferner auf den goldnen Schüsselsteinen oberhalb Hohenwiese bei Schmiedeberg. Letztere haben anscheinend den Namen von derartigen, mit den röthlich-gelben Ruhesporen der beiden Organismen bekleideten, schüsselartigen Vertiefungen erhalten.

zur Ruhe gekommen war, angestellten Beobachtungen und Untersuchungen gegeben werden und zwar, um möglichst eine zu weitläufige Schilderung zu vermeiden, in der Form eines aus einzelnen Bemerkungen bestehenden completirenden Commentares der Publikationen der oben genannten Forscher, im Besonderen der ersten von Cohn allein verfassten Schrift, da über die Wiedererstehung beweglicher Familien von *Stephanosphaera* aus dem Ruhezustande, — ein Kapitel, das in der zweiten von Cohn und Wichura publicirten Abhandlung zuerst und vorzugsweise behandelt worden ist, — mir zur Zeit noch keine eignen Beobachtungen zu Gebote stehen. Ich setze also die Kenntniss der Cohn'schen Resultate beim Leser voraus und muss ich demselben überlassen die nur bruchstückweisen Citate oder citirten Druckseiten der Cohn'schen Arbeit im Original in ihrem Zusammenhange nachzulesen.

§. 1.
Beschaffenheit der Hüllmembran.

Nach Seite 79 der citirten Arbeit Cohn's in der Zeitschrift für wissenschaftliche Zoologie ist die Membran der Hülle absolut starr und verändert ihre Gestalt niemals, ausser in Folge der gewöhnlichen Wachsthumsausdehnung und ist daher nicht nur durchaus ohne Contractilität, sondern es geht ihr selbst die Elasticität in hohem Grade ab.

Ich möchte der Membran doch wohl elastische Eigenschaften in höherem Grade zuschreiben. Der Nachweis, dass sie solche besitzt, lässt sich leicht dadurch führen, dass man ein Deckglas auf die Hülle legt. Bei wenig Wasser wird die Hülle durch das belastende Deckglas bis zu einer gewissen Grenze platt gedrückt, platzt, wenn man den Druck noch durch weitere Wasserverminderung verstärkt, nimmt aber ihre frühere Gestalt sogleich wieder an, wenn mehr Wasser zugefügt und dadurch der Druck des Deckglases beseitigt wird. Wäre die Hülle starr, so müsste sie doch wohl unter dem Deckglasdruck sogleich platzen oder zerspringen. Auch ist die Hülle in der Richtung der Peripherie dehnbar, denn sowohl bei der Mikrogonidien- (Mikrozoosporen- oder Gameten-), als bei der Makrogonidienbildung (vegetativen Vermehrung) bemerkt man eine Vergrösserung des kugeligen Umfanges, veranlasst durch Wasseraufnahme im Innern der Hülle. Dass dieser Vorgang keine Wachsthumserscheinung im gewöhnlichen Sinne ist, geht daraus hervor, dass derselbe den ersten Schritt zu Auflösung und völligen Vernichtung der Hülle darstellt. Warum diese Wasseraufnahme erfolgt, ist schwer zu ermitteln, doch kann man wohl annehmen, dass hier eine endosmotische Erscheinung vorliegt und zu dieser Zeit der wässerige Inhalt, vielleicht in Folge der bei der Contraction der Primordialzellen erfolgenden Saftausscheidung grössere Dichtigkeit besitzt, als das freie, die Hülle umgebende Regenwasser. Zur selben Zeit findet dabei zugleich schon eine Quellung der Hüllmembran als Vorbereitung zur schliesslichen Umwandlung in lösliche Gallerte statt. Ich schliesse letzteres daraus, dass keine Verminderung der Dicke der Hüllmembran nach der durch die Wasseraufnahme ins Innere bewirkten peripherischen Ausdehnung derselben zur Zeit nachweisbar ist.

Von der Gestalt der Hülle bemerkt schon Cohn, dass dieselbe bei ausgewachsenen Exemplaren eine Kugel darstellt, die von dem mathematischen Ideal vielleicht nur sehr wenig abweicht (l. c. 79), dass dagegen jüngere Exemplare eine Hülle von der Gestalt eines tafelförmigen Sphaeroids haben, sich daher in der Aequatorialansicht als Ellipse zeigen (l. c. pag. 102).

Ich fand auch bei manchen, sicher vollständig erwachsenen, normalen vier- oder achtzelligen Makrogonidienfamilien die Hülle deutlich, mehr oder weniger an den Polen abgeplattet. Unsere Figur 1 stellt eine solche achtzellige vor, die vorzugsweise am hinteren Pole abgeplattet ist. Ausnahmsweise findet sich auch eine quer-ovale Form; so besonders bei anormalen, nur aus drei Primordialzellen gebildeten Familien, bei welchen die eine Zelle grösser ist, als die beiden andern, wie eine solche in Fig. 5. abgebildet ist. Bei einer andern derartigen Familie, die drei vollkommen gleichmässig ausgebildete Primordialzellen enthielt, war die Hülle in der Polaransicht fast dreikantig, doch mit sehr abgerundeten Kanten. Bei nur zweizelligen Familien ist mitunter die Hülle in senkrechter Richtung auf die, die beiden Primordialzellen halbirende Ebene abgeplattet, so dass dann die Form des Aequators mehr zur Ellipse hinneigt. Eine langovale Form der Hülle, bei welcher der die Pole verbindende Durchmesser bedeutend länger ist, als die Aequatorialdurchmesser, findet sich bei den abnormen, nur durch eine Primordialzelle repräsentirten Familien, wie solche in Fig. 7 und Fig. 8 abgebildet sind.

Wir werden weiter unten noch Gelegenheit haben, auf die sonstige Beschaffenheit aller der Familien mit abnormer Zahl von Primordialzellen genauer einzugehen. Hier kam es nun vorerst nur auf die Form der Hülle an.

Die Hüllmembran besitzt, wie auch Cohn schon richtig annimmt (l. c. p. 81), für jeden der beiden Flimmerfäden einer vegetativen Primordialzelle einen besonderen Durchgang. An den erwähnten abnormen einzelligen Familien ist dies besonders deutlich mit guten Immersionssystemen zu sehen, dann aber auch gut, sowohl in denjenigen acht- als vierzelligen normalen Familien, deren Primordialzellen im Begriff stehen, sich zum Zweck der Mikrogonidienbildung abzurunden und sich von der Hülle loszutrennen, auf welchen Vorgang wir weiter unten noch zurückkommen werden. Diese Oeffnungen liegen gewöhnlich nicht im Aequator, sondern auf einer mehr oder weniger dem vorderen (oberen) Pol genäherten, dem Aequator parallelen Linie. Das Platzen der Hüllmembran beim Ausschwärmen junger Makrogonidienfamilien und der Mikrogonidien scheint in dieser Linie stattzufinden; und zwar scheinen sich dabei zuerst die je zwei zusammengehörenden, einander genäherten, den beiden Flimmerfäden einer Primordialzelle dienenden Oeffnungen zu einer grösseren zu vereinigen. Vielleicht spielt der von Cohn (l. c. pag. 101) bemerkte verdickte Rand der Löcher dabei eine Rolle, und beruht das Einreissen oder Platzen auch auf mechanischen Spannungsverhältnissen in der Beschaffenheit der an diesen Stellen befindlichen Membran selbst, und wird also nicht allein durch die Wasseraufnahme ins Innere bewirkt.

§ 2.
Die Stellung der vegetativen Primordialzellen (Makrogonidien) in der Hülle.

Gewöhnlich stehen die vegetativen Primordialzellen in einem Kranz geordnet, genau im Aequator, sowohl bei den normalen, vier- oder achtzelligen, als auch anderszahligen anormalen Familien. Nicht selten sind jedoch, wie auch Cohn schon beobachtet hat (l. c. pag. 82) dieselben in den beiden Hemisphären der Hüllzelle nicht gleichförmig entwickelt, sondern vorzugsweise nach der einen und zwar stets der hinteren (der Bewegungsrichtung entgegengesetzten) Halbkugel hingedrängt, und reichen dann oft bis an deren Pol heran, während die vordere Hälfte fast ganz frei von ihnen ist und dann farblos erscheint (vergl. hierzu Fig. 1). Oft sind auch einzelne Primordialzellen mehr oder weniger aus dem Kreise der andern herausgedrückt und dem einen oder dem anderen Pole mehr genähert.

Einmal beobachtete ich auch, dass eine der Zellen einer achtzelligen Familie am vorderen Pol in Querstellung sich befand, während die sieben anderen einen regelmässigen Kranz bildeten. Bei einem andern, ebenfalls achtzelligen Exemplar bildeten nur sechs Zellen den Kranz und von den beiden anderen befand sich je eine am vorderen und eine am hinteren Pole in Querstellung.

§ 3.

Beschaffenheit der vegetativen Primordialzellen.

Die Beschaffenheit der vegetativen Primordialzellen ist von Cohn (l. c. pag. 82 und 83) schon im Wesentlichen beschrieben worden. Ich habe Einiges seiner Schilderung zuzufügen. Das Vorhandensein von nur je zwei Amylonbläschen (Chlorophyllbläschen oder Pyrenoiden) ist zwar das normale, es kommt jedoch häufig vor, dass die Primordialzellen drei auch vier und sogar fünf und mehr solcher Bläschen enthalten, die dann meist von etwas verschiedener Grösse sind (vergl. hierzu u. A. die rechts liegende Zelle der Fig. 6 und die der Fig. 8). — Gewöhnlich bemerkt man zwar nur einen lichten Saftraum in jeder Primordialzelle, der häufig nicht in der Mitte derselben, sondern mehr nach dem einen, meist dem vorderen Pol zu liegt, in vielen Zellen ist jedoch mit grosser Deutlichkeit noch ein zweiter kleinerer Saftraum zu erkennen, der oft neben dem grösseren sich befindet und so bei bestimmten Stellungen von dem grösseren gedeckt wird und dann leicht übersehen werden kann. Auch kommen Primordialzellen vor, bei welchen diese beiden Safträume von gleicher Grösse sind, ferner auch solche, welche mehrere Safträume enthalten. In letzterem Falle hat der Inhalt dann ein schaumiges Aussehen. Vielleicht beruht das Erscheinen mehrerer Safträume jedoch auf einem krankhaften Zustande.

Die feinen Körnchen, welche ausser den Chlorophyllbläschen und den Safträumen noch im Protoplasma vorkommen, sind zweifellos Stärke. Dieselben sind bei älteren Exemplaren häufig in grosser Anzahl vorhanden, so dass dann leicht der übrige Inhalt durch sie verdeckt wird und schwer zu unterscheiden ist. In sehr grosser Anzahl, wobei auch einzelne von bedeutenderer Grösse, erscheinen sie, wenn man *Stephanosphaera* aus dem Regenwasser in Quellwasser setzt und darin einige Zeit cultivirt, zweifellos ist dies Erscheinen zahlreicher Stärkekörner eine Folge übermässiger Assimilation, bewirkt durch den grösseren Kohlensäuregehalt des Quellwassers. Doch befindet sich *Stephanosphaera* in diesem Zustande allem Anschein nach nicht wohl, obgleich sie sich wochenlang im Quellwasser erhalten lässt. Das frische Grün erscheint nach und nach fahler und verschwindet schliesslich fast ganz, die vegetative Vermehrung nimmt dabei ausserordentlich ab und der bewegliche Zustand geht vorzeitig in den Ruhezustand über.

Weder in der ersten noch in der zweiten über *Stephanosphaera* publicirten Abhandlung finde ich einen sogenannten rothen Augenfleck der vegetativen Primordialzellen erwähnt. Dennoch ist derselbe, wie es mir scheint, stets vorhanden. Es war mir in den meisten Fällen, wo ich ihn suchte, möglich denselben zu erkennen, allerdings gewöhnlich nur dann deutlich, wenn er genau in der Profillinie lag, und zwar konnte ich ihn stets bei mehrzelligen Familien nur an der Aussenseite der betreffenden Primordialzelle nachweisen, wo er im Aequator der Hüllzelle, oder doch wenig über demselben, zwischen ihm und den beiden Oeffnungen für die Flimmerfäden liegt. Zugleich konnte ich mit starken Immersionssystemen deutlich erkennen, dass er etwas über die Oberfläche der Primordialzellen hervorragt und von einem grösseren Körnchen von ölartiger starker Lichtbrechung gebildet wird. Höchst eigenthümlich ist es, dass bei einzelligen Familien, wie wir solche in Fig. 7 und 8 abgebildet haben, und auf deren Entstehung wir später noch genauer werden einzugehen haben, sich eine Ausnahme von der regelrechten Lage des rothen Augenfleckes findet. Hier ist er, wie es scheint, stets nach dem vorderen Pol gerichtet, liegt also an der entgegengesetzten Seite der Primordialzelle und scheint stets ganz besonders gut ausgebildet zu sein.

Wir wollen keine voreiligen Schlüsse aus diesen Thatsachen ziehen, dennoch geben dieselben Ursache, über die etwaige Function des rothen Körperchens nachzudenken und die Frage aufzustellen, ob nicht seine Deutung als Auge wenigstens eine annähernd richtige sei. — Schliesslich sei noch erwähnt, dass ich da, wo ich es versuchte, stets einen farblosen Fleck oder Spitze als den Anheftungspunkt der Flimmerfäden an die Primordialzelle zu sehen vermochte, freilich ist derselbe meist winzig klein und nur selten so deutlich, wie in der Zelle unserer Fig. 7. Dass die protoplasmatischen Haftfäden häufig auch ganz farblos sind, oder doch stets in farblose Spitzen auslaufen, ist schon durch Cohn's Forschungen bekannt.

§ 4.
Vegetative Vermehrung von Stephanosphaera.

Die Theilungsvorgänge bei der vegetativen Vermehrung von *Stephanosphaera* fand ich nicht so regelmässig, wie sie pg. 99 und 100 der citirten Abhandlung geschildert und in Fig. 21 auf Tafel VI. dargestellt sind.

Der Vorgang ist meines Erachtens nach folgender:

Die Primordialzellen ziehen meist im Laufe des Nachmittages alle ihre Fortsätze, welche ihnen als Haftorgane an der Hüllmembran dienten, ein und runden sich unter Contraction zu spitzkugeliger, eiförmiger oder auch Spindel-Form ab, bleiben jedoch in der Regel noch mit den Flimmerfäden, wenn solche zur Zeit noch vorhanden sind, oder doch mit der kleinen hyalinen Vorderspitze an der Membran haften, wobei sie aber häufig verschiedenartige gegenseitige Stellungsveränderungen erfahren. Haben die Zellen gegenwärtig noch nicht ihre Flimmerfäden verloren, so geschieht dies meist jetzt, indem dieselben wahrscheinlich abgeworfen werden. Nur selten konnte ich die Flimmerfäden noch an späteren Zuständen nachweisen.

Die nun im Innern der Mutterzelle erfolgenden Vorgänge, bei welchen sich der Inhalt in zwei Richtungen sondert, hat Cohn schon richtig beschrieben. Ich kann denselben auch kaum Neues hinzufügen, zumal ich nicht Gelegenheit hatte, homogene Immersionssysteme zu benützen. Nur möchte ich bemerken, dass bei der Zelltheilung die sogenannten Chlorophyllbläschen sich analog den Zellkernen verhalten. Was nun das Auftreten der ersten Theilungswand, oder besser gesagt, der Theilungsebene betrifft, so liegt dieselbe meines Erachtens nach stets senkrecht zu der den oberen Pol, an welchem die Flimmerfäden angewachsen sind, und den unteren diesem entgegengesetzten verbindenden Achse, und fällt dann der Regel nach in die Aequatorialebene oder liegt doch sehr nahe an derselben, so dass zwei möglichst gleiche Hälften entstehen. Wohl nur selten werden deutlich ungleiche Hälften gebildet, z. B. bei der Entstehung abnormer dreizelliger Familien, welche drei mehr oder weniger gleich grosse Primordialzellen enthalten. Verhältnissmässig selten bleibt es bei dieser ersten Theilung, so dass schon die erste Generation zur Dauergeneration wird und also zweizellige Familien entstehen, wie eine solche in Fig. 6 abgebildet ist. Die zweite in der Regel stattfindende Theilung wird vorbereitet durch eine Theilung des Chlorophyllbläschens, das sich also auch in dieser Beziehung wie ein Zellkern benimmt. Die Ebene derselben steht genau senkrecht auf der ersten Theilungsebene, so dass also die Polachse der Primordialmutterzelle in dieselbe fällt. Die so entstandenen vier Quadrantenzellen werden nun entweder zur Dauergeneration und dann entstehen die fast ebenso häufigen, ja, zu der Zeit, wenn der Organismus beginnt in den Ruhezustand überzugehen, fast häufiger auftretenden vierzelligen Familien, wie wir solche in Fig. 3 und 4 abgebildet haben, und die ja auch Cohn schon zahlreich gefunden und auch abgebildet hat (Fig. 7 seiner Tafel), oder aber die Quadrantenzellen theilen sich noch einmal, wodurch dann die achtzelligen Familien entstehen. Diese Theilung erfolgt nun meist in der Weise, dass die neuen Theilungsebenen senkrecht auf der zweiten stehen, parallel zur ersten. Es scheint jedoch auch vorzukommen, dass diese Theilungsebenen senkrecht auf der ersten, also parallel zur zweiten fallen. Das von Sachs gefundene Zelltheilungsgesetz würde sich also auch hier bewähren. Freilich muss ich gestehen, dass die Theilungsebene, durch welche die acht Zellen der dritten Generation gebildet werden, nicht immer genau senkrecht steht. Ich erkläre mir das durch das Vorkommen von Drehungen und Verschiebungen der einzelnen Protoplasmaportionen. Diese Drehungen und Verschiebungen sind allerdings hier nicht so leicht, wie bei der später zu schildernden Mikrogonidienbildung zu erkennen. Die Anordnung in einem Kranz, welche Cohn schon als durch die Theilungen bedingt darstellt, ist durchaus nicht immer gleich nach Vollendung der Octantentheilung vorhanden, sondern die Zellen liegen meist in zwei, häufig etwas gebogenen Reihen von je vier Zellen neben einander. Dieselben weichen dann erst später auseinander, um sich zum Kranze zu ordnen.

Die kranzförmige Anordnung mag vielleicht schon häufig in den erwähnten Drehungen und Verschiebungen der Protoplasmakörper ihren Ursprung finden und steht dann in unmittelbarem zeitlichen Zusammenhang mit den Theilungsvorgängen, ist meines Erachtens nach jedoch eine secundäre Erscheinung und entspricht ähnlichen Vorkommnissen bei *Scenedesmus*, wo sich die Zellen zu Bändern, bei *Hydrodictyon*, wo sie sich zu Netzen, etc. anordnen.

Cohn hat schon beobachtet, dass der Theilungsprocess nicht immer in allen acht Primordialzellen von *Stephanosphaera* gleichzeitig vor sich geht, und man nicht selten innerhalb derselben Hülle einige Primordialzellen noch ganz unverändert findet. Ich hatte Gelegenheit wiederholt Fälle zu beobachten, bei denen einzelne Zellen nicht nur zur Zeit, als sich die Theilungsvorgänge in den andern abspielen, noch unverändert waren, sondern die auch in diesem Sinne unverändert blieben, das heisst sich vorerst überhaupt nicht theilten. Diese Zellen benahmen sich jedoch ganz, als wenn sie im Begriff ständen sich zu theilen, zogen ihre Haftfäden ein, contrahirten sich und verloren ihre Flimmerfäden, umgaben sich jedoch dann mit einer eigenen Membran (Fig. 9 bei x), welche sich nach und nach vom protoplasmatischen Körper abhob, erhielten neue Flimmerfäden [1]) und wurden beim Zerreissen der Haupthüllmembran mit den vorhandenen jungen, mehrzelligen Familien frei und schwärmten dann als *Haematococcus*artige Individuen frei im Wasser herum. Dieselben sind jedoch sogleich von den beweglichen *Haematococcus*zellen zu unterscheiden, dadurch dass

[1]) Leider war es mir nicht möglich festzustellen, an welcher Stelle diese Flimmerfäden entstanden, ob am selben Pol der Zelle, wo die ersten sich befanden, oder vielleicht am entgegengesetzten.

die Flimmerfäden sich nicht an dem vorderen Pole ihrer gewöhnlich länglich eiförmigen Hülle befinden, sondern da die Primordialzelle überhaupt nicht bis zu demselben vorreicht, seitlich unterhalb desselben aus der Hüllmembran hervorragen. Ihre Bewegung im Wasser ist eine eigenthümliche hin- und herwackelnde.

Ich möchte diese *Haematococcus*artigen Individuen mit einem etwas paradoxen Ausdruck als einzellige Familien bezeichnen. Der Vorgang, bei welchem die Zelle eine neue Membran erhält, muss meines Erachtens nach als Verjüngung aufgefasst werden. Begründet wird die Auffassung dieser *Haematococcus*artigen Individuen als einzellige Familie einerseits dadurch, dass die Bewegungsrichtung derselben nicht in der Richtung des Poles der Primordialzelle liegt, an welchem die Flimmerfäden angewachsen sind, sondern in die längste Achse der Hüllmembran fällt, dann aber auch dadurch, dass der Inhalt der betreffenden Primordialzelle in der Regel mehr als zwei Chlorophyllbläschen zeigt, wodurch gewissermassen die unterbliebene Theilung angezeigt ist. Die in Fig. 8 dargestellte einzellige Familie besass fünf, die in Fig. 7. abgebildete jedoch nur zwei Chlorophyllbläschen. Solch eeinzellige Familien schwärmen oft noch Tage lang umher, und ihre Primordialzelle wächst auch wohl noch. Dann kommen sie jedoch, wie mir wiederholt gelang nachzuweisen, zur Ruhe, und verwandelten sich in den beobachteten Fällen in Mikrogonidien, doch glaube ich, dass sie wohl auch in vegetative Vermehrung eintreten können und vermuthlich dann eine mehrzellige Familie aus der Primordialzelle hervorgeht, wobei dann abermals eine neue Membran gebildet werden müsste.

Ein einziges Mal habe ich auch eine achtzellige, in Bewegung befindliche Familie beobachtet, bei welcher sieben Zellen noch ganz unverändert waren, die achte jedoch sich in zwei Hälften getheilt hatte und dann jede dieser Hälften sich zur einzelligen Familie umgewandelt hatte, indem sie eine bereits ziemlich weit abstehende Membran abgesondert hatten, so dass sie den Innenraum der Hüllmembran, innerhalb der sieben unveränderten Zellen und den früher von ihrer Mutterzelle eingenommenen Platz fast vollständig ausfüllten. Leider war es mir nicht möglich, die betreffende Familie mit der Camera lucida zu zeichnen, da dieselbe sich in sehr lebhafter Bewegung befand und mir, noch ehe ich sie mit Jod tödten konnte, in der grossen Anzahl anderer in dem Präparat schwimmender Familien verloren ging.

Nicht zu verwechseln mit dieser Bildung einzelliger Familien ist ein Vorgang, der verhältnissmässig häufiger zu beobachten ist. Derselbe besteht darin, dass eine oder einige Zellen einer vegetativen Familie unverändert bleiben oder doch nach erfolgter Einziehung der protoplasmatischen Haftfäden, Contraction und Abrundung vorerst ungetheilt bleiben, während der Rest sich in junge Makrogonidienfamilien verwandelt. In dem Falle nun, dass die Anzahl der letzteren grösser ist, als die der sich nicht theilenden Zellen, platzt häufig die Hüllmembran zur Zeit, da die jungen Familien reif sind, und mit ihnen werden dann auch die membranlosen Primordialzellen frei und schwärmen als solche im Wasser kurze Zeit herum, kommen jedoch gewöhnlich bald zur Ruhe, um sich meist schon in der nächsten Nacht auch in je eine vegetative Familie, oder aber durch den später zu schildernden Prozess in Mikrogonidien umzuwandeln. In dem Falle, dass die Anzahl der jungen Makrogonidienfamilien kleiner ist, z. B. wenn sich in einer vierzelligen Familie nur eine oder in einer achtzelligen eine, zwei oder drei Primordialzellen sich theilen und zu jungen Familien umwandeln, während der grössere Rest unverändert bleibt, in diesem Falle platzt die Hülle meist nicht, und es bleiben dann die jungen Familien auch nach ihrem Reifezustand in der Haupthüllmembran eingeschlossen und rotiren lustig in derselben herum, sofern sie nur genügend Platz dazu haben. Ist dann die Haupthülle dazu selbst noch in Bewegung, so bietet sich ein äusserst anziehendes Schauspiel dem Auge des Beobachters.

Wie ich schon oben bemerkt habe, sind die vierzelligen Familien fast ebenso häufig als die achtzelligen. Die Entstehungsfolge von acht- und vierzelligen Familien ist eine durchaus unregelmässige, indem sich bald alle Zellen einer achtzelligen Familie wieder in achtzellige Familien umwandeln, ein Fall, der vorzüglich bei den fetteren Familien häufig ist, bald ein Theil oder alle in nur vierzellige umwandeln, was bei Familien mit kleinen Primordialzellen vorkommt. Ebenso verhalten sich die vierzelligen Familien bei der Vermehrung.

Das seltene Vorkommen von nur zweizelligen Familien (Fig. 6 unserer Tafel) ist oben schon erwähnt. Ich beobachtete solche vorzüglich von Ende August an, wo schon die vegetative Vermehrungskraft des Organismus sich zu erschöpfen anfing. Auch die zur selben Zeit nicht seltenen dreizelligen Familien habe ich schon oben erwähnt, und ist eine solche auch schon von Cohn und Wichura (l. c. pag. 21) beobachtet worden. Ich fand sowohl solche, bei denen eine Zelle bedeutend grösser war (Fig. 5), als die beiden andern, und diese führte dann häufig mehrere Chlorophyllbläschen, als auch solche mit drei gleich grossen Primordialzellen. Auch aus sechs Primordialzellen, von denen zwei grösser waren, als die andern, gebildete Familien hat Cohn bereits beobachtet (Fig. 6 seiner Tafel), ebenso siebenzellige, bei welchen meist eine Zelle grösser war, als die sechs andern (l. c.

pag. 102). Ich konnte ausser diesen auch einmal eine Familie mit fünf fast gleich grossen Zellen beobachten. Es kommen mithin Familien mit allen Zahlen von eins bis acht Zellen vor. Eine mehr als acht Zellen enthaltende vegetative Familie konnte ich ebenfalls einmal beobachten. Ob dieselbe, wie die von Wichura in Lappland gesehene (l. c. p. 21 erwähnte), sechszehn Primordialzellen enthielt, kann ich jedoch leider nicht angeben, da ich die Zellen zu zählen vergass und mir das Exemplar vorzeitig verloren ging.

Auch monströse Formen von sogenannten verwachsenen Zellen, d. h. solchen, bei welchen die letzte Theilung nur zum Theil vollendet worden, habe ich öfters gesehen. Die Form dieser Missbildungen war stets derartig, dass die Zellen mit den hinteren Enden zusammenhingen, aber gut getrennte vordere Pole mit Flimmerfäden etc. besassen.

§ 5.

Mikrogonidienbildung.

Die Bildung der Mikrogonidien (Mikrozoosporen oder Gameten) von *Stephanosphaera* und deren Copulation beobachtete ich zum ersten Male wenige Tage nach deren Auffinden auf der Heuscheuer, von da an fast täglich bis Mitte September und noch in späterer Zeit an einzelnen Tagen, zuletzt am 17. October d. J., an welchem Tage sich nur noch eine sehr geringe Anzahl beweglicher Makrogonidienfamilien in den Culturflaschen vorfand. Dieselbe erfolgt durch wiederholte Zweitheilung die Nacht hindurch, nachdem vorbereitende Schritte bereits am Abend geschehen sind, wie wir weiter unten genauer beschreiben werden, und war meist in den frühen Morgenstunden bald nach Sonnenaufgang vollendet. An trüben Tagen bei bedecktem Himmel verzögerte sich der Prozess jedoch bei einzelnen Familien oft bis gegen Mittag. Durch Ueberdecken der Culturflaschen und Objectträgerculturen mit einer das Licht möglichst abhaltenden Papphülle vermochte ich auch die Vollendung der Mikrogonidienbildung bis in die späten Nachmittagsstunden hineinzuziehen; wurde die Papphülle jedoch dann nicht oder doch nur auf kurze Zeit zum Zweck der mikroscopischen Beobachtung entfernt und blieben die Objectträgerculturen auch noch bis zum nächsten Morgen bedeckt, so starben die betreffenden Familien ab, noch ehe der Bildungsprozess vollendet war und die Mikrogonidien kamen nicht zum Ausschwärmen. Letzterer findet demnach nur bei genügendem Lichtzufluss seinen Abschluss.

Sowohl die häufigen, vier- und achtzelligen, als auch die seltenen und anormalen, anderszahligen vegetativen Familien können sich in Mikrogonidien umwandeln. Die Primordialzellen magerer

Familien. zerfallen dabei selten in nur je vier[1]), wobei sich also schon die zweite Generation zur Dauergeneration umbildet, häufiger in je acht Mikrogonidien, wobei also die dritte Generation zur Dauergeneration wird. Die mittelgrossen Zellen, wie solche der Mehrzahl der vegetativen Familien eigenthümlich sind, zerfallen in je acht bis sechszehn Mikrogonidien, wobei zwischenliegende Zahlen, besonders aber die Zahl zwölf, häufig sind. Die verhältnissmässig grossen Primordialzellen endlich, welche fetteren Familien angehören, zerfallen in oft mehr als sechszehn Mikrogonidien, doch wird die Zahl 32, meinen Beobachtungen nach, nicht überschritten, in den meisten dieser Fälle auch nicht erreicht, und etwa nur zwanzig bis fünf und zwanzig Mikrogonidien aus jeder fetteren Primordialzelle gebildet. Im letzterwähnten Falle würden die Mikrogonidien also zum Theil der vierten, zum Theil aber auch der fünften Generation angehören. Die höchste Zahl, wenn also sämmtliche Zellen der vierten Generation noch einmal zur Theilung schreiten und die ganze fünfte Generation zur Dauergeneration wird, würde also meinen Beobachtungen nach in dem Fall die Mutterhülle acht Primordialzellen führte, 256, in dem Fall sie nur vier führte, 128 sein. Doch will ich die Möglichkeit des Vorkommens einer noch grösseren Zahl von Mikrogonidien in ein und derselben Hüllmembran, wobei also auch zur Bildung einer sechsten Generation geschritten wird, nicht bestreiten, zumal ich Gelegenheit hatte sowohl acht- als vierzellige vegetative Familien zu beobachten, bei welchen die Primordialzellen ausnahmsweise gross waren und fast die ganze Hüllmembran ausfüllten und wohl genug protoplasmatischen Inhalt zur Bildung einer noch grösseren Zahl von Mikrogonidien, als 32 besassen. Ueberhaupt scheint die Zahl der sich bildenden Mikrogonidien von dem Volumen, oder besser gesagt von dem Protoplasmagehalt der Mutterzellen abzuhängen.

Gewöhnlich bilden sich alle Zellen einer vegetativen Familie zu gleicher Zeit und gleichmässig in Mikrogonidien um. Doch giebt es mancherlei Ausnahmen von dieser Regel.

Cohn hat bereits einen Fall beobachtet (l. c. pag. 105), wo von den acht Primordialzellen in einer Hüllzelle sieben in Mikrogonidien

---

[1]) Ob es auch wohl vorkommt, dass schon die erste Generation sich zu Mikrogonidien umwandelt? Diese Frage ist mir unbeantwortet geblieben. Doch scheint es mir nicht unmöglich, dass sich aus manchen aussergewöhnlich mageren Makrogonidien nur je zwei Mikrogonidien bilden. In einer anscheinend unverletzten Hülle fand ich einmal nur acht Mikrogonidien vor, doch schon im Schwärmen und Copuliren begriffen. Möglich jedoch, dass doch in der Hülle irgend ein Loch war, durch welches eine weitere Anzahl entkommen war.

aufgelöst waren, während eine in acht Makrogonidien sich getheilt hatte und zu einer vegetativen Familie sich entwickelt hatte (Fig. 18 seiner Tafel). Derartige Fälle habe ich sehr häufig gefunden und in allen möglichen Zahlenveränderungen. Von besonderem Interesse war dabei der nicht seltene Fall, bei welchem sieben der acht (Fig. 10), oder von nur vierzelligen Familien drei sich in junge Makrogonidienfamilien verwandelt hatten und nur je eine in Mikrogonidien. Nicht weniger interessant waren auch die Fälle, wenn je zwei Primordialzellen einer Familie sich in Mikrogonidien umgewandelt hatten. Wir werden weiter unten noch auf dieselben zurückzukommen haben, und sei hier vorläufig nur ihr Vorkommen erwähnt.

Wie bei der Makrogonidienbildung, so kommt es auch bei der Mikrogonidienbildung vor, dass eine Anzahl der zu einer Familie gehörenden Primordialzellen sich vorerst nicht theilt, sondern unverändert bleibt. Auch diese Zellen werden häufig frei in dem Falle, dass die Hülle zeitig platzt, was dann erfolgt, wenn die grössere Hälfte der Primordialzellen sich in Mikrogonidien verwandelt hat. Ohne eine Membran zu erhalten, schwärmen sie oft noch eine kurze Zeit im Wasser herum, wobei ihre Bewegung jedoch nicht sehr lebhaft ist, kommen dann zur Ruhe und verwandelten sich in allen von mir genauer beobachteten Fällen in der nächsten Nacht in Mikrogonidien.

Ferner kommt es vor, dass eine Anzahl von Primordialzellen einer Familie in der Mikrogonidienbildung hinter den andern zurückbleibt, so dass die Derivate jener noch zu traubenartigen Haufen vereinigt sind, zur Zeit als die von den andern Primordialzellen stammenden Mikrogonidien bereits im Innern der Hülle herumschwärmen. Platzt die Hülle zeitig, was auch hier dann geschieht, wenn die schwärmenden Mikrogonidien von der grösseren Anzahl von Primordialzellen abstammen, so gelangen solche traubenartigen Mikrogonidienbündel ins freie Wasser, wo sie sogleich herumzuschwärmen beginnen und dann oft jungen Exemplaren von *Gonium pectorale* nicht unähnlich sehen, indem ihre Mikrogonidien, gewöhnlich in einer Ebene liegend, kleine Tafeln (a und b der Fig. 25) darstellen, seltener in gekrümmter oder fast Halbkugeloberfläche gelagert sind (c. der Fig. 25). Man kann an solchen freischwimmenden Bündeln meist deutlich erkennen, dass die Mikrogonidien sämmtlich die Köpfe zusammenstecken, d. h. den vorderen hyalinen Theil dem Centrum des Haufens zu gerichtet haben. In dem Fall der Lagerung in fast Halbkugeloberfläche finden sich dann die Flimmerfäden zu einem aus dem Centrum hervortretenden Büschel vereinigt. Die Schwimmbewegung dieser freien Mikrogonidientrauben ist oft eine etwas unregelmässige, beruht jedoch auf demselben Princip, als die der Makrogonidienfamilien.

Der Zelltheilungsprozess zum Zwecke der Mikrogonidienbildung wird ganz in derselben Weise, wie bei der Makrogonidienbildung dadurch vorbereitet, dass gegen Abend die Primordialzellen vegetativer Familien ihre protoplasmatischen Haftfäden einziehen, sich contrahiren und abrunden. Der oder die vorhandenen Safträume verschwinden dann ganz, oder werden doch auf eine geringere Grösse reducirt. In dem übrigens seltenen letzteren, wahrscheinlich krankhaften Falle, traten sie schliesslich an eine Seite, blieben von einer dünnen protoplasmatischen Schicht umschlossen, während die Hauptmasse des Protoplasmas in Mikrogonidienbildung eintrat, und scheinen schliesslich durch Platzen ihren wässerigen Inhalt nach Aussen entleert zu haben. Häufig lösen sich einzelne oder alle Primordialzellen von der Hüllmembran los, indem sie ihre Flimmerfäden durch die Löcher ziehen und treten dann als sich wackelnd hin und herbewegende Schwärmer nach dem Innern der Hüllmembran (Fig. 11, wo zwei Zellen bereits losgelöst sind). Hier kommen sie dann in den verschiedenartigsten Stellungen zu einander zur Ruhe, um sich in Mikrogonidien zu verwandeln (Fig. 18 und 19). Ebenso häufig, oder vielleicht häufiger noch ist es jedoch, dass die Mikrogonidienhaufen ihre Kranzstellung beibehalten (Fig. 16 und 17). Ich will hier noch erwähnen, dass ich auch mehrfach beobachtet habe, dass, nachdem sich sämmtliche Primordialzellen von der Hüllmembran losgelöst hatten und im Innern derselben sich hin- und herschiebend und wackelnd bewegten, die Hüllmembran platzte und die Zellen ins freie Wasser ausschwärmten, wo sie sich dann, nach kurzer Zeit zur Ruhe gekommen, in der Nacht in Mikrogonidien verwandelten. Wir werden auf diesen Vorgang weiter unten noch zurückzukommen haben.

Was nun den Vorgang der Zelltheilung selbst bei der Mikrogonidienbildung betrifft, so glaube ich, dass auch hier das Sachs'sche Zelltheilungsgesetz seine Anwendung findet und die successiven Theilungsebenen senkrecht auf einander stehen. Freilich ist hier der Vorgang, im Fall sich eine grössere Anzahl von Mikrogonidien bildet, bei dem Entstehen der letzten Uebergangs- und der schliesslichen Dauergeneration oft nicht deutlich, insofern als hier noch viel häufiger und deutlicher, als bei der vegetativen Vermehrung, Verschiebungen der abgetheilten Protoplasmaportionen zu einander und Drehungen derselben um ihre eigne Achse noch während der Theilungsvorgänge vorkommen. Allerdings sind diese Drehungs- und Verschiebungserscheinungen so langsam, dass sie nicht direct wahrnehmbar sind. Es scheint mir normal zu sein, dass die Theilebenen bei der Mikrogonidienbildung nur in zwei Raumesrichtungen fallen, so dass also, wenn man den Mikrogonidienhaufen als Ganzes auffasst, derselbe eine Zellfläche darstellt. Häufig ist dies jedoch nicht deutlich zu erkennen und zwar deswegen, weil diese Flächen sich krümmen, besonders wenn sich eine grössere Anzahl von Mikrogonidien aus einer Zelle bildet (vergl. Fig. 19 u. 18), was mitunter sogar zu einer Lagerung in einer fast Halbkugeloberfläche führt. Nachdem normal die Nacht über die Theilungsvorgänge stattgefunden haben, erfolgt an hellen Tagen oft schon bald nach Sonnenaufgang, meist bis etwa sieben Uhr früh, bei trübem Himmel oft auch noch bis gegen Mittag, das Ausschwärmen der Mikrogonidien aus ihrem Mutterzellverbande. Vorbereitet wird dasselbe dadurch, dass nach Vollendung der letzten Theilung die fast kugelrunden, oder an den Seiten, wo sie sich berühren, auch wohl etwas polyedrisch abgeplatteten Mikrogonidien beginnen spindelförmige Gestalt anzunehmen (vergl. Fig. 16, 19 u. 25 b). Zu gleicher Zeit oder vielleicht schon etwas vorher (vergl. hierzu den in Fig. 25 c dargestellten Mikrogonidienhaufen, der noch abgerundete Zellen enthält, an welchen sich jedoch schon die Flimmerfäden vorfanden) wachsen den Mikrogonidien die Flimmerfäden. Leider war es mir auch hier ebensowenig wie bei der Makrogonidienbildung möglich zu erforschen, in welcher Weise dieselben entstehen. Man bemerkt dann gleichzeitig, oder doch sehr bald darauf Bewegungserscheinungen. Die einzelnen Mikrogonidien beginnen hin und her zu wackeln. Ihr Verband wird loser und schliesslich löst sich eines nach dem andern von dem Haufen ab, bis derselbe ganz aufgelöst ist. In der Regel erfolgt die Auflösung der Mikrogonidienhaufen einer Hüllmembran ziemlich gleichzeitig und so entsteht dann bald im Innern der Hüllzelle jenes eigenthümliche Durcheinanderwimmeln der Mikrogonidien, das der Bewegung in einem aufgestörten Ameisenhaufen gleicht, oder dem Durcheinanderströmen einer Volksmenge auf einem beschränkten Platze verglichen werden kann.

Bevor wir nun die weiteren Vorgänge, den Copulationsact und die Bildung der Zygospore beleuchten, wollen wir erst noch einen Blick auf die Mikrogonidien selbst werfen.

§ 6.

Beschaffenheit der Mikrogonidien (Mikrozoosporen, Gameten).

Die Mikrogonidien sind membranlose Primordialzellen.

Die Gestalt derselben ist, wie wir schon erwähnt haben, spindelförmig. Die beiden Enden sind jedoch mehr oder weniger ausgezogen, so dass der Längendurchmesser bedeutend schwankt. Ich mass

Mikrogonidien von nur 0,009 mm, aber auch solche von 0,012 mm Länge. Wahrscheinlich kommen aber noch kleinere und auch noch grössere vor. Die Dicke scheint weniger verschieden zu sein und fand ich sie schwankend zwischen 0,0035 und 0,0045 mm. In der Mitte sind die Mikrogonidien mehr oder weniger intensiv grün gefärbt, doch ist die Farbe nur an der Oberfläche vorhanden, und in der Achse der Spindel liegt eine farblose Mittelsäule eingebettet, nach Aussen zu vom farbigen Protoplasmamantel rings umgeben. Es ist dieselbe zwar kein deutlich abgegrenzter Saftraum, wird aber wohl sicher von viel wasserreicherem Protoplasma gebildet, als der grüne Mantel und enthält auch nie Körnchen. Letztere finden sich im übrigen Körper gleichmässig vertheilt und sind anscheinend Stärke. An der vorderen Spitze sind die Mikrogonidien stets ungefärbt, hyalin. Dieser hyaline Vordertheil nimmt oft über ein Drittel der Länge des spindelförmigen Körpers ein. An der Spitze derselben befinden sich nur zwei Flimmerfäden, die fast so lang als der Körper sind, oder aber etwa nur drei Viertel seiner Länge gleichkommen mögen. Noch in dem hyalinen Vordertheil, wenn auch mitunter dicht an der Grenze, wo sich grüne Färbung zu zeigen beginnt, kann man fast immer an einer Seite ein grösseres Körnchen wahrnehmen, das dicht an der Oberfläche gelegen, meist etwas aus derselben deutlich heraustritt. Obgleich es mir nicht möglich war ein Schillern in rother Farbe an diesem Korn zu sehen, so möchte ich dasselbe doch als sogenannten Augenfleck auffassen. Das hintere Ende des spindelförmigen Körpers ist auch stets hyalin, wenn auch häufig nur auf kurze Strecke. Auch scheint dasselbe gewöhnlich etwas länger zugespitzt zu sein als das vordere Ende. Nicht selten habe ich Monstrositäten, sog. verwachsene Mikrogonidien beobachtet. Dieselben sind wie die der Makrogonidien stets mit dem hinteren Ende verwachsen und unterscheiden sich dadurch sogleich von den unten zu beschreibenden Copulationsprodukten. Soviel über die morphologische Beschaffenheit der Mikrogonidien. Als negatives Resultat sei schliesslich noch erwähnt, dass es mir nicht gelang, eine Verschiedenheit irgend welcher Art zweier in Copulation eintretender Mikrogonidien nachzuweisen, dass also von einer morphologischen Differenzirung in weibliches und männliches Geschlecht bei demselben nicht die Rede ist. Wir werden aber sogleich sehen, dass dennoch eine solche in etwas anderer Weise stattfindet, die allerdings nur auf physiologischen Eigenschaften der Mikrogonidien beruht und die wir als geschlechtliche Polarisirung bezeichnen wollen. Ich habe oben bereits erwähnt, dass mir vegetative Familien vorgekommen sind, bei welchen nur eine Primordialzelle sich in Mikrogonidien umgewandelt hatte, die übrigen entweder unverändert geblieben waren oder sich in Makrogonidien umgewandelt hatten, oder doch dazu im Begriff standen. Ich beobachtete nun stets, in dem Falle, dass die Hülle nicht zu zeitig platzte und die Mikrogonidien mit den Makrogonidienfamilien nicht sogleich nach dem Ausschwärmen aus dem Mutterzellverbande in's freie Wasser gelangten, dass die Derivate dieser einen Primordialzelle sich nicht paarten. Durch darauf besonders gerichtete Beobachtungen überzeugte ich mich dann auch, dass auch in den Hüllzellen, in welchen sich mehrere oder alle Primordialzellen zu Mikrogonidien umbildeten, stets nur je zwei Mikrogonidien, welche von je zwei verschiedenen Makrogonidien abstammten, sich paarten. Dodel hat bekanntlich Aehnliches auch bezüglich der Copulation der Mikrozoosporen von *Ulothrix zonata* beobachtet [1]).

Bei *Stephanosphaera* complicirt sich jedoch die Sache noch etwas. Es kam mir nämlich auch mehrfach der Fall vor, dass bei achtzelligen Familien sich zwei Zellen in Mikrogonidien umgewandelt hatten, die übrigen sechs unverändert geblieben waren, oder in vegetativer Vermehrung begriffen waren. In solchen Fällen war es mir häufig möglich festzustellen, besonders wenn das Ausschwärmen der Mikrogonidien aus den beiden Haufen nicht ganz gleichzeitig stattfand, dass je ein von der einen Zelle abstammendes Mikrogonidium mit einem solchen von der andern gebildeten copulirte. Ebenso oft konnte ich aber auch beobachten, dass überhaupt kein Paarungsact stattfand, und die Mikrogonidien einzeln zur Ruhe kamen und sich zur Kugelform abrundeten, wenn ihnen nicht noch rechtzeitig durch Platzen der Hülle der Weg ins freie Wasser geöffnet wurde.

Aus diesen Beobachtungen möchte ich nun folgende Schlüsse ziehen:

1. Dass die von einem Makrogonidium abstammenden Mikrogonidien stets in ein und derselben Art geschlechtlich polarisirt sind.

2. Dass aber auch die von verschiedenen Makrogonidien stammenden Mikrogonidien in derselben Art und Weise geschlechtlich polarisirt sein können.

Diese Schlussfolgerungen wurden mir nach und nach im Laufe meiner Untersuchungen durch Beobachtung von anderweitigen Thatsachen, welche sich nur durch dieselben erklären liessen, bestätigt.

Wie wir oben bereits erwähnt haben, lässt sich zur Zeit des Aus-

---

[1]) A. Dodel, *Ulothrix zonata*, ihre geschlechtliche und ungeschlechtliche Fortpflanzung etc., in Pringsheims Jahrbüchern X. Bd. pg. 502. *Pandorina Morum* scheint sich auch ähnlich zu verhalten. Bei *Gonium pectorale* dagegen und *Chlorogonium euchlorum* copuliren nach meinen Beobachtungen auch Mikrogonidien, welche von ein und derselben Primordialzelle abstammen.

schwärmens der Mikrogonidien der Beginn einer Wasseraufnahme in das Innere der Hülle und in Folge davon eine Ausdehnung der Membran verbunden mit gleichzeitiger Quellung derselben nachweisen.

Das Resultat der genannten Prozesse ist das Platzen der Hülle und schliesslich die Auflösung derselben in lösliche Gallerte. Dieses Platzen der Hülle verzögert sich nun aber bei bestimmten Mikrogonidienfamilien und zwar bei denjenigen, bei welchen man sämmtliche Mikrogonidien, oder doch fast alle, sobald sie sich nur aus ihrem Mutterzellverbande losgelöst haben, sogleich in Copulation begriffen sieht. Die copulirenden Paare runden sich auch noch in der Hülle zu den Zygosporen (oder Zygoten) ab, und diese platzt und löst sich in solchen Fällen häufig erst am nächsten Tage oder noch später auf. Man muss annehmen, dass die Derivate der halben Anzahl der Makrogonidien in der einen, die der andern halben Anzahl in der andern Richtung geschlechtlich polarisirt gewesen sind und so also die Möglichkeit der Paarung in der Hülle für sämmtliche Mikrogonidien derselben gegeben war. Dass es dabei hier und da vorkommt, dass ein und das andere Paar von Mikrogonidien sich nicht paart, ist nicht von Wichtigkeit, da die Erklärung, dass diese vereinzelten Mikrogonidien sich zufällig nicht finden konnten, sehr nahe liegt. Man findet solche nicht selten am nächsten Tage abgerundet zwischen den Zygosporen vor, doch stets schon missfarbig und todt (x und x in Fig. 22). Eigenthümlich ist es, dass man solche Familien, deren Mikrogonidien sich alle, oder fast alle, in der Hülle paaren, schon vorher erkennen kann. Es war mir möglich oft schon bald nach dem Ausschwärmen der Mikrogonidien aus dem Mutterzellverbande voraus bestimmen zu können, ob der Copulationsprozess sich gänzlich in der Hülle abspielen würde, oder nicht. Im ersteren Falle war das Gewimmel der Mikrogonidien nicht besonders lebhaft. Die zuerst ausschwärmenden Mikrogonidien begaben sich sogleich zu einem der andern Haufen hin, suchten sich in denselben hineinzudrängen und waren so bemüht, sich einen Paarungsgenossen loszulösen, ihm dabei durch Stossen behülflich, was ihnen in der Regel auch bald glückte, kurz der ganze Paarungsprozess ging ausserordentlich ruhig von Statten, und es war leicht den Paarungsact einzelner Paare von Anfang bis zu Ende zu verfolgen.

Ganz anders aber verhalten sich die Mikrogonidien derjenigen Hüllzellen, in welchen, wie ich hier gleich erwähnen will, meines Erachtens nach die grössere Anzahl von Primordialzellen sich zu solchen Mikrogonidien umgewandelt hatten, die in ein und derselben Richtung geschlechtlich polarisirt, die des kleinen Restes aber in entgegengesetzter

Richtung polarisirt waren. Hier ist das Gewimmel ein ausserordentlich lebhaftes. Man kann leicht einzelne etwa vorhandene copulirende Paare übersehen; den Paarungsact eines bestimmten Paares von Anfang bis Ende zu beobachten ist unmöglich, zumal die sich Paarenden fortwährend durch sich an sie ansetzende und sie stossende, die Paarung noch suchende Mikrogonidien gestört werden. Je mehr in ein und derselben Richtung geschlechtlich polarisirte Mikrogonidien in einer Hüllzelle vorhanden sind, desto lebhafter ist das Gewimmel in derselben, und desto eher platzt die Hüllmembran, wobei dann sowohl die etwa vorhandenen copulirenden Paare, als auch die noch nicht zur Paarung gelangten Einzelindividuen ins freie Wasser gelangen, wo letztere an bestimmten Stellen, welche einer eigenartigen Beleuchtung ausgesetzt sind, nebst aus anderen Hüllzellen stammenden Mikrogonidien sich anzusammeln pflegen und dort mit diesen den Copulationsact ausüben können. Beiläufig sei hier bemerkt, dass ich beobachtete, wie sich die Mikrogonidien sehr gern in der Nähe von durchsichtigen Quarzkörnern oder auch Glassplittern sammeln, wo also sowohl reflectirte, als auch gebrochene Lichtstrahlen vorhanden waren. Leider konnte ich jedoch Genaueres über dieses Verhalten nicht erforschen.

Unwillkürlich stösst uns hier noch die Frage auf, ob es wohl auch vorkommt, dass sämmtliche Makrogonidien einer Hüllzelle in Mikrogonidien umgewandelt sind, welche in ein und derselben Richtung geschlechtlich polarisirt sind. Ich möchte diese Frage bejahen. Ich hatte Gelegenheit, eine anscheinend von einer vierzelligen vegetativen Familie abstammende und nur verhältnissmässig wenig Mikrogonidien enthaltende Hüllzelle zu beobachten, bei welcher ich mit Sicherheit feststellen konnte, dass kein Copulationsact im Innern stattfand und beim zeitigen Platzen nur einzelne Mikrogonidien entleert wurden. Freilich kann man hier einwenden, dass, wenn die Hülle nicht so zeitig geplatzt wäre, vielleicht doch noch Copulationsacte stattgefunden hätten, und dass der Beweis für die Bejahung der aufgeworfenen Frage also nicht geführt sei. Immerhin bleibt aber doch die Wahrscheinlichkeit gross, dass solche Hüllzellen vorkommen, welche nur in ein und derselben Richtung geschlechtlich polarisirte Mikrogonidien enthalten. Ja ich möchte vermuthen, dass das oben erwähnte Ausschwärmen von Makrogonidien aus der Hüllmembran vielleicht nur deswegen stattfindet, weil diese sämmtlichen Zellen sich zu Mikrogonidien von gleicher geschlechtlicher Polarisation umbilden. Allzufern liegt der Beweis für diese Vermuthung vielleicht nicht, zumal zweifelsohne das zeitigere oder spätere Stattfinden des Platzens und der Auflösung der Hülle in einem Abhängigkeitsverhältniss steht von den physiologischen Eigenschaften der Mikrogonidien derselben, und es nicht unmöglich wäre, dass solche sich auch schon in den Mutterzellen der Mikrogonidien kund thun. Vielleicht wird auch diese Vermuthung dadurch einigermassen gestützt, dass dieses Ausschwärmen der Mikrogonidienmutterzellen in der Zeit der Höhe der Entwicklung von Mikrogonidien im Monat Juli und Anfang August vorkam und zu beobachten war, zur Zeit also, wo sich Mikrogonidien stets in genügender Anzahl im freien Wasser vorfanden, während schon Ende August ich trotz eifrigen Suchens den Vorgang nicht mehr zu Gesicht bekommen konnte.

§ 7.
Der Copulationsact und die Bildung der Zygoten (Zygosporen oder Isosporen).

Wir kommen nun zur Schilderung der Vorgänge beim Copulationsact.

Man sieht, wie zwei Mikrogonidien (Mikrozoosporen, Gameten) einander aufzusuchen, sich einander nähern und mit den Flimmerfäden sich verwickeln[1]). Einige wenige Augenblicke stossen sie dann auf einander los. Es ist dabei deutlich zu erkennen, dass sie sich dadurch noch mehr zu nähern bestreben. Dies gelingt ihnen meist auch sehr bald, so dass sie mit den vorderen Spitzen verkleben. Sobald dies stattgefunden, werden sie plötzlich weniger beweglich und legen sich langsam Seite an Seite an einander an, wobei das oben erwähnte als Augenfleck gedeutete Körnchen anscheinend immer nach Aussen zu liegen kommt. Will man die Seite, an welcher dieser Augenfleck liegt, als Rückenseite bezeichnen, so würde also die Seite, mit welcher sich die Mikrogonidien an einander anlegen, als Bauchseite zu bezeichnen sein. Sogleich beginnt auch das Verschmelzen, das bald schneller, bald langsamer von vorn nach hinten fortschreitend, (successive Zustände Fig. 26. b, c, d und e) von Statten geht, bis das copulirende Paar schliesslich einen ungetheilten spindelförmigen Körper darstellt, der den einzelnen Mikrogonidien sehr ähnlich sieht, aber am vorderen Ende vier Flimmerfäden trägt (f. der Fig. 26) und in einer bestimmten Lage eine deutlich markirte Mittellinie erkennen lässt, welche die Grenze der verschmolzenen Körper kennzeichnet und dadurch sichtbar wird, dass sie durch körnchenfreies Protoplasma gebildet wird. Sicherlich hat Cohn schon Copu-

[1]) Es kommt dies übrigens auch bei aus einer Makrogonidienmutterzelle stammenden, also gleichartig geschlechtlich polarisirten Mikrogonidien vor. In diesem Falle werden sie jedoch dann stets wieder frei, und zwar meist in sehr kurzer Zeit. Doch konnte ich auch einen solchen Fall beobachten, wo ein solches Paar erst nach einer vollen Stunde wieder auseinander kam.

lationsprodukte in diesem Zustande gesehen, da er den Mikrogonidien vier Flimmerfäden zuschreibt (l. c. pg. 105 und Taf. VI. Fig. 19).

Diese Copulationsprodukte sind dann auch in der That leicht mit noch vereinzelten Mikrogonidien zu verwechseln, zumal dieselben oft kaum grösser erscheinen, als eines der dazu verwendeten Mikrogonidien. Zweifelsohne erfolgt beim Verschmelzungsact gleichzeitig eine Contraction der protoplasmatischen Körper und damit verbundene Wasserausscheidung aus denselben. Während des Copulationsactes und nach demselben schwärmt das copulirende Paar häufig noch zeitweise herum, setzt sich bald hier, bald dort fest; besonders verlässt es leicht seinen Platz, wenn es von einem noch in lebhafter Bewegung befindlichen, und die Paarung suchenden Mikrogonidium, oder sonst zufällig, gestört wird. Der verschmolzene spindelförmige Körper erleidet bald eine Gestaltveränderung, wobei er auch meist noch zeitweise herumschwärmt. Die beiden spitzen Enden beginnen sich einzuziehen, und zugleich wird der Körper in der Mitte dicker (g der Fig. 26), schliesslich verschwinden die Spitzen ganz und er rundet sich vollständig zur Kugel ab (h der Fig. 26). In diesem Zustande sind jedoch gewöhnlich die beiden Hälften noch deutlich zu erkennen, die Flimmerfäden sind noch vorhanden, und eine hyaline Polarzone kennzeichnet das Verschmelzungsprodukt der vorderen Spitzen, während der entgegengesetzte, den hinteren Spitzen entsprechende Pol allerdings meist schon grün gefärbt erscheint. Die so entstandene Zygospore, oder Zygote, dreht sich wohl noch einige Male im Kreise herum, kommt dann jedoch gewöhnlich bald zur Ruhe, indem sie die Flimmerfäden verliert. Seit dem Verwickeln der Flimmerfäden am Anfange des Copulationsactes mag in der Regel etwa drei Viertel bis eine Stunde vergehen, doch ist es wahrscheinlich, dass bisweilen in noch kürzerer Zeit die Zygote zur Abrundung gelangt. Das Chlorophyllgrün vertheilt sich dann gleichzeitig in der Zygote, und die die beiden Hälften trennende Linie verschwindet als Zeichen davon, dass die Protoplasmamassen sich unter einander gemengt haben. So weit ist der Vorgang noch am selben Tage zu beobachten. Der Durchmesser der Zygote beträgt am Tage ihrer Entstehung etwa 0,005 bis 0,0075 mm. Die nächsten Tage scheinen jedoch eine mehr oder weniger deutliche weitere Contraction des protoplasmatischen Körpers zu bringen, die wohl auch mit Wasserausstossung verbunden ist. Zugleich tritt meist jetzt schon eine Verfärbung des Inhalts ein. Deutlich erkennt man eine sich um die Protoplasmamasse bildende Membran, die frischgrüne Farbe verschwindet und geht in ein gelblich Grün, später in Olivengrün (Fig. 23), und schliesslich, wenn die Zygospore im Wasser verbleibt, in Olivenbraun (Fig. 24) über. Der Inhalt wird bald sehr getrübt, später grosskörnig. Im Centrum der Zelle erscheint dann ein grösserer Körper, der allerdings nicht immer deutlich zu erkennen, aber doch wohl immer vorhanden ist, und den ich für ein Chlorophyllbläschen, nicht aber für einen Zellkern halten möchte. Zugleich wächst auch die Zygote bedeutend heran und ihre Membran wird dicker in dem Falle, dass sie im Wasser verbleibt. Nach etwa 2½ bis 3 Monate Verweilens in demselben mag sie ausgewachsen sein und ihre volle Grösse erreicht haben, und hat etwa 0,022 bis 0,028 mm. im Durchmesser. Lässt man diese Zygosporen austrocknen, so wird der Inhalt derselben roth, ölig, und sind sie dann den Ruhesporen von *Haematococcus* ausserordentlich ähnlich. Ich zweifle nicht, dass diese Zygosporen oder Zygoten von *Stephanosphaera* identisch sind mit den von Cohn und Wichura beobachteten Ruhezellen, aus welchen sich, wie von den genannten Beobachtern eingehend beschrieben worden ist, durch Uebergiessen derselben mit Wasser wieder bewegliche *Stephanosphaera*-familien hervorbringen lassen.

Ich bin ferner der vollen Ueberzeugung, dass diese durch den Paarungsact der Mikrogonidien erzeugten Ruhezustände von *Stephanosphaera* allein vorhanden sind, und dass kein, durch vegetative Zellen gebildeter Ruhezustand vorkommt, wie Cohn und Wichura annahmen. Trotz aller darauf gerichteten Bemühungen war es mir doch nicht möglich, einen derartigen vegetativen Bildungsprozess von Ruhesporen, der ja möglicherweise neben dem durch den Paarungsact dargestellten auch vorhanden sein könnte und ja auch zweifelsohne bei dem verwandten *Haematococcus pluvialis* vorhanden ist, aufzufinden.

Cohn und Wichura haben vermuthlich bereits den oben erwähnten Vorgang der Loslösung von Makrogonidien von der Hüllmembran und deren gelegentliches Ausschwärmen aus derselben, welches bisweilen der Mikrogonidienbildung vorausgeht, beobachtet und wie es scheint auch schon die Bildung der durch den Verjüngungsact erzeugten anormalen einzelligen Familien gesehen, haben aber beide Vorgänge, wie ich vermuthe, in einen zusammengeworfen und nahmen als wahrscheinlich an, dass die ruhenden Zellen von *Stephanosphaera* mit den genannten vereinzelten Zellen identisch seien.

Weiter wäre es möglich gewesen, dass die Mikrogonidien, welche sich nicht paaren, auch zu Ruhezellen würden, doch in dieser Beziehung angestellte Beobachtungen hatten ebenfalls ein negatives Resultat: Wie schon oben erwähnt ist, starben die nicht copulirten Mikrogonidien ab, nachdem sie nach vier bis fünf Stunden, nach dem Zeitpunkt des Ausschwärmens aus dem Mutterzellverband zur Ruhe gekommen waren. Ich konnte dies wiederholt bei Familien beobachten, bei welchen sich nur je eine Zelle in Mikrogonidien verwandelt hatte, die übrigen aber sich unverändert erhalten hatten. Und wenn sie auch noch einige Stunden Leben heuchelten, so fand ich sie doch stets sicher am nächsten Morgen missfarbig, bleich und todt, oder gar schon zersetzt und zerflossen vor.

Da die Ruhezellen von *Pandorina Morum* nach den Untersuchungen von Pringsheim auch sämmtlich Producte des Paarungsactes sind, so wird man wohl auch bei der mit derselben sehr nahe verwandten *Stephanosphaera* die Entstehung solcher einzig und allein auf denselben zurück zu führen haben.

§ 8.
Schlusswort.

Schliesslich noch ein Wort über den Werth, welchen *Stephanosphaera* als Demonstrationsobject hat. Es liegt mir fern hier die Wichtigkeit zu erörtern, welche die Beobachtung des Paarungsactes von Schwärmsporen, den Pringsheim als die morphologische Grundform der Zeugung im Pflanzenreiche bezeichnet, besitzt; ich will nur bemerken, dass sich wohl selten ein so günstiges Demonstrationsobject für die Beobachtung des genannten Paarungsprozesses findet, wie *Stephanosphaera* ist. Man kann, im Besitz des nöthigen Materials, mit Sicherheit darauf rechnen, an jedem Tage der Monate Juni, Juli und August (vielleicht auch schon Mai und April), den Copulationsact zu beobachten. Besonders leicht ist dies dann, wenn man am Tage vorher von den sich an der Lichtseite im Culturglase sammelnden schwärmenden Familien mit einer Glasröhre auffängt und Objectträgerculturen anlegt, in welche man, um die beweglichen Familien festzuhalten, einige in kürzere Stücken zerschnittene Baumwollenfasern einlegt, durch welche das Entweichen derselben nach dem dem Lichte zugeneigten Rande gehindert wird. Solche Objectträgerculturen müssen mit den nöthigen Vorsichtsmassregeln in der feuchten Kammer aufbewahrt werden, damit der Wassertropfen auf dem Objectträger nicht verdunstet. In denselben halten sich die Makrogonidienfamilien, sogar unter Deckglas vier bis fünf Tage lang lebendig, und sind täglich in jedem Präparat eine Anzahl von Mikrogonidien enthaltende Hüllzellen aufzufinden.

Wie ich oben schon erwähnt habe, ist es auch möglich das Ausschwärmen der Mikrogonidien und den Paarungsact künstlich durch Aufbewahren der Objectträgerculturen im Dunkeln auf eine beliebige Zeit des Tages zu verschieben und so den Schülern zu demonstriren.

Zur Cultur benütze ich Flaschen von weissem Glase mit enger Mündung, die durch einen leichten Baumwollenpfropf verschlossen werden, damit die Cultur möglichst rein und frei von anderen Organismen bleibe. Aus diesen Flaschen muss das Regenwasser Mitte October vorsichtig abgegossen werden, da es nicht verdampft, wenn es drin bleibt. Aus dem ausgetrockneten, die Ruhezellen enthaltenden Boden- und Wandbeleg kann man dann im nächsten Frühjahr durch Uebergiessen mit frischem Regenwasser leicht wieder den beweglichen Zustand erziehen. Keine der andern Isosporeen, bei denen bis jetzt ein Paarungsact von Schwärmsporen beobachtet ist, stellt ein gleich günstiges Beobachtungsmaterial für denselben vor, besonders aber nicht ein so zweckmässiges Demonstrationsmaterial auch für eine grössere Schüleranzahl. Weder bei *Ulothrix*arten noch bei *Hydrodictyon utriculatum,* noch auch bei den mit *Stephanosphaera* verwandten *Volvocineen: Gonium pectorale, Pandorina Morum, Chlamydomonas*arten und *Chlorogonium euchlorum* ist der Paarungact stets leicht zu beobachten. *Pandorina Morum* copulirt zwar besonders zwischen Froschlaich und kann in demselben leicht gefunden werden, aber doch nur zu bestimmten Zeiten. *Chlorogonium euchlorum* und die andern mistpfützenbewohnenden *Chlamydomonaden* sind zwar leicht zur Copulation dadurch zu bringen, dass man ihnen Nährstoff entzieht, d. h. destillirtes Wasser zur betreffenden Flüssigkeit zufügt, aber der Copulationsvorgang derselben findet im freien Wasser statt und ist es für den Anfänger schwer, die sehr beweglichen Mikrozoosporen im Gesichtsfeld festzuhalten. Nur *Botrydium granulatum,* über welches ich zur Zeit keine eigenen Beobachtungen gemacht habe, scheint nach Strassburger (botan. Prakticum pag. 380) ein der *Stephanosphaera* fast gleich günstiges Material zur sicheren Beobachtung des Copulationsactes zu bieten.

Figurenerklärung

zu Tafel III und IV.

(Fig. 1 bis 25 incl. sind 850 mal, Fig. 26 ist 2650 mal linear vergrössert.)

Fig. 1. Eine mittelstarke, achtzellige Familie in Aequatorialansicht. Die Primordialzellen besitzen nur wenige Haftfäden.

Fig. 2. Eine fette, achtzellige Familie in Aequatorialansicht. Die Primordialzellen haben zahlreiche Haftfäden.

Fig. 3. Eine mittelstarke, vierzellige Familie in Aequatorialansicht.

Fig. 4. Eine ebensolche, fast in Polaransicht.

Fig. 5. Eine dreizellige Familie in Aequatorialansicht. Die Hüllzelle ist keine vollkommene Kugel, sondern quer oval. Die vorn in der Mitte liegende Primordialzelle ist fast doppelt so gross, als die beiden andern.

Fig. 6. Eine zweizellige Familie in Aequatorialansicht. Die Form der Hülle war in der Richtung senkrecht auf die, die Zellen halbirende Ebene abgeplattet.

Fig. 7. Eine „einzellige“ Familie.

Fig. 8. Eine eben solche.

Fig. 9. Eine Familie in vegetativer Theilung. Die Zelle x, jedoch ungetheilt, hat sich mit einer eigenen Membran umgeben, um später als „einzellige“ Familie auszuschwärmen.

Fig. 10. Achtzellige Familie, sieben Zellen davon in vegetativer Theilung, eine in Mikrogonidien verwandelt, welche bereits ausschwärmen.

Fig. 11. Zustand einer achtzelligen Familie vor der Mikrogonidienbildung; die Primordialzellen contrahiren sich und runden sich ab, zwei haben sich bereits von der Hülle losgelöst und schwärmen im Innern der Hülle.

Fig. 12. Beginnende Theilung zum Zwecke der Mikrogonidienbildung in einer achtzelligen Familie. Zur Zeit sind nur Uebergangsgenerationen gebildet. Die Zellen a, a theilen sich zur ersten Uebergangsgeneration, die mit b bezeichneten haben bereits die zweite gebildet, c ist im Begriff die dritte zu bilden. Die übrigen haben die dritten Uebergangsgenerationen bereits gebildet, und sind im Begriff zur vierten Generationsbildung zu schreiten.

Fig. 13. Aehnliche, aber vierzellige Familie im Beginne der Theilung zur Mikrogonidienbildung.

Fig. 14. Dieselbe, $1/2$ Stunde später gezeichnet.

Fig. 15. Dieselbe nach dem Ausschwärmen der Mikrogonidien ins Innere der Hülle. Die 32 Mikrogonidien copulirten sämmtlich und vereinigten sich zu sechszehn Zygosporen.

Fig. 16. Vierzellige Familie, deren Primordialzellen zu je 16 bis 24 Mikrogonidien umgewandelt sind. Die Mikrogonidien nehmen spindelförmige Form an und befinden sich kurz vor dem Ausschwärmen. Die Form der Hülle war in diesem Zustand nicht kugelrund, sondern an den Polen abgeplattet, später rundete sie sich beim Ausschwärmen der Mikrogonidien ab. Die Mikrogonidienhaufen befinden sich in Kranzstellung.

Fig. 17. Achtzellige Familie. Aus jeder Zelle sind acht oder nur wenig mehr Mikrogonidien gebildet, die jedoch noch nicht die spindelförmige Form angenommen haben. Die Mikrogonidienhaufen liegen im Kranz.

Fig. 18. Aehnlicher Zustand einer achtzelligeu Familie. Aus den einzelnen Zellen haben sich je sechszehn, oder wenig mehr Mikrogonidien gebildet. Die Mikrogonidienhaufen liegen unregelmässig vertheilt.

Fig. 19. Aehnlicher Zustand einer achtzelligen Familie. Die Zellen haben sich zu circa zwanzig bis zweiundreissig Mikrogonidien umgebildet, welche zum Theil im Begriff sind Spindelform anzunehmen.

Fig. 20. Aehnlicher, etwas späterer Zustand einer früher achtzelligen Familie, die Mikrogonidien im Ausschwärmen nach dem Inneren der Hülle begriffen. Eine Anzahl Paare copulirten. Die Hülle platzte später und die Mikrogonidien und copulirenden Paare schwärmten ins freie Wasser aus.

Fig. 21. Aehnlicher Zustand einer früher achtzelligen Familie. Man sieht einige copulirende Paare, einige wenige sind schon zu Zygosporen abgerundet. Die Mikrogonidien copulirten schliesslich alle in der Hülle.

Fig. 22. Von achtzelliger Familie stammende Hülle mit Zygosporen einen Tag nach der Copulation, bei x und x zwei zur Ruhe gekommene Mikrogonidien, welche sich zufällig nicht gefunden und also nicht copulirt haben und missfarbig geworden sind.

Fig. 23. Mannigfache Alterszustände von Zygosporen.

Fig. 24. Eine solche ausgewachsen, welche circa 2½ Monat im Wasser gelegen hat.

Fig. 25. Mikrogonidienhaufen, welche als solche aus der Hüllzelle ausgeschwärmt, sich mitunter frei im Wasser finden oder von Primordialzellen stammen, welche aus der geplatzten Hülle ausgeschwärmt sind und dann im freien Wasser sich zu Mikrogonidien verwandelt haben. Bei a und b sind die Mikrogonidien zu kleinen Tafeln geordnet, bei c in einer Halbkugeloberfläche.

Fig. 26. Mikrogonidien, a ein noch ungepaartes. Die übrigen in verschiedenen Paarungszuständen begriffen.

Beitrag zur Entwicklungsgeschichte des pflanzlichen Zellkerns nach der Theilung.

Von

Dr. Frank Schwarz.

Bei der grossen Anzahl der Untersuchungen über den Zellkern ist es eigentlich zu verwundern, dass die meisten Forscher sich auf die ersten Stadien der Entwicklung, die Kerntheilung beschränken, während wir über das weitere Verhalten nur sehr ungenügend unterrichtet werden. Und doch wäre dies der erste Schritt zur Lösung der Frage, ob dem Kern während des späteren Zelllebens bestimmte physiologische Functionen zukommen und von welcher Art dieselben seien. Es schien mir daher nicht überflüssig zu untersuchen, welche Veränderungen der Kern in Zellen erleidet, die sich nicht mehr theilen, wohl aber sich strecken, sich vergrössern und differenziren, bis sie schliesslich den ausgewachsenen Zustand erreicht haben.

Die Lösung dieser Frage ist bei den Pflanzen leichter, als bei den Thieren, da wir an wachsenden Pflanzentheilen vom Vegetationspunkt ausgehend verschiedene Altersstadien der Zellen antreffen, denen selbstverständlich auch ungleich alte Zellkerne entsprechen. Ich untersuchte hauptsächlich Wurzeln und Stengel von Keimpflanzen. Abgesehen von dem an Cambialzonen gebundenen Dickenwachsthum finden wir Zelltheilungen nur am Vegetationspunkt jener Pflanzentheile, während die Zellen unterhalb desselben sich strecken, differenziren und allmählig in Ruhezustände übergehen, ohne dass neue Zelltheilungen zwischen die einzelnen Phasen eingeschoben würden, also allen Anforderungen entsprechen, die wir an sie in diesem Falle zu stellen haben.

Ich verwendete zu meinen Untersuchungen zumeist in Alkohol gehärtetes Material. Aus Wurzeln oder Stengeln wurden Serien von Längsschnitten gefertigt, deren Entfernung vom Vegetationspunkt genau bestimmt war. Die Schnitte wurden mit Bealecarmin gefärbt. Ausser

Alkohol verwendete ich noch Picrinsäure und die von Flemming[1]) angegebene Mischung (0,25% Chromsäure, 0,1% Essigsäure, 0,1% Osmiumsäure) als Fixirungsflüssigkeit, mit nachfolgender Carmin-, Haematoxylin- oder Saffraninfärbung.

Wie bekannt, ist die Struktur der Kerne wesentlich verschieden, je nachdem ob die Kerne im Begriffe stehen sich zu theilen, oder ob sie sich nicht mehr theilen. Im letzteren Falle hat man sie als ruhende Kerne bezeichnet, eine Bezeichnung, die insofern unrichtig ist, als sie die vegetativen Functionen des Kerns nach der Theilung vollständig ausser Acht lässt und, wie wir sehen werden, findet auch nach der Zelltheilung noch eine Wechselwirkung zwischen Kern und Zelle statt. Der Zellkern ist also auch nach der Theilung noch aktiv. Vor der Theilung und wohl auch noch kurze Zeit nach der Theilung bildet der Kern einen Knäuel von Fäden, in welche die einzelnen Microsomenscheiben eingelagert sind. Später an dem sich nicht mehr theilenden Kerne — wir ziehen die Bezeichnung als „fertiger" Kern anderen Benennungen vor — besteht, wie dies schon von Schmitz[2]) hervorgehoben worden ist, die Masse des Zellkerns aus einer Grundsubstanz, die nach dem Erhärten und Färben eine sehr feine Punktirung aufweist, sich nur wenig oder gar nicht färbt und als achromatische Substanz bezeichnet wird. In der Grundmasse des Kerns sind körnige und fadenförmige Gebilde vertheilt, die das Licht stärker brechen und mehr Farbstoff einlagern. Die letzteren sind jetzt allgemein nach dem Vorgange Flemming's als Chromatinkörper bezeichnet.

Ich fand nun, dass die Tinctionsfähigkeit der Kerne wesentlich differirt je nach ihrem Alter.

Nehmen wir verschieden alte Strecken eines Pflanzentheils, dessen Inhalt durch Alkohol fixirt ist und legen dieselben gleich lang in eine concentrirte Carminlösung (ungefähr 20 Minuten) und waschen kurze Zeit mit Wasser aus, so werden wir sehen, dass die jüngeren Kerne sehr stark gefärbt sind, dass die Färbung bis zu einer gewissen Entfernung vom Vegetationspunkte sich erhält, dann aber allmählig schwächer und schwächer wird. Der Unterschied in der Färbung ist verursacht sowohl durch den verschiedenen Gehalt an Chromatin, als durch die wechselnde Tingirung der Grundsubstanz. In der Intensität der Färbung von Chromatinkörnern und -fäden ist kein Unterschied wahrzunehmen,

---

[1]) Flemming, Zellsubstanz, Kern und Zelltheilung 1882 pag. 381. An Pflanzen hat sich diese Mischung, soweit meine Erfahrungen reichen, als ganz besonders gut und brauchbar bewährt.

[2]) Schmitz, Sitzungsber. der niederrheinischen Gesellschaft für Natur- und Heilkunde zu Bonn, 13. Juli 1880, pag. 14 des Separatabdruckes.

was jedoch schwer zu beurtheilen ist, wenn selbst eine ziemlich bedeutende Differenz vorhanden wäre. Dagegen sieht man deutlich, dass die Grösse und die Menge der Chromatinsubstanz in den älteren Stadien abnimmt. Was die Färbung der Grundsubstanz anbelangt, so wurde schon von **Schmitz** (l. c. p. 15 Anm. 2) hervorgehoben, dass sie nur bei bestimmten Tinctionsgraden farblos bleibt. Die Differenz zwischen jungen und alten Zellkernen liegt in der verschiedenen Fähigkeit den Farbstoff festzuhalten bei gleicher Concentration und Einwirkungsdauer der Färbeflüssigkeit. Schnitte von *Elodea* z. B. hatte ich mit Methylenblau gefärbt. Nach zweimonatlichem Liegen in Glycerin hatten die Kerne an der Spitze des Pflanzentheils ihre Farbe behalten, 2—3 mm unterhalb waren jedoch die Kerne entfärbt.

Ich glaube nicht, dass man berechtigt ist eine chemische Veränderung der Substanz hieraus zu folgern, es ist vielmehr wahrscheinlicher, dass die Substanz weniger dicht wird, und in Verbindung mit den folgenden Thatsachen müssen wir annehmen, dass Substanz aus dem Kern verschwindet. Um dies constatiren zu können, ist es nothwendig das Volumen des Zellkerns zu messen, denn auch bei Vergrösserung des Kernvolumens durch Wasseraufnahme würde die Kernsubstanz an Dichtigkeit und sonach an Tinctionsfähigkeit verlieren.

Dabei müssen wir die **Form des Kerns** berücksichtigen, die, wie **Schmitz** schon angedeutet (l. c. p. 33), mit der Entwickelung desselben veränderlich ist. In den jüngsten Zellen hat der Kern die Gestalt einer Kugel oder eines Ellipsoid's, dessen Axen in der Länge nur wenig von einander differiren. Vergrössert sich die Zelle, wächst der Zellkern ebenfalls. Selten behält er die Kugelgestalt bei, zumeist wird er nach und nach flacher und erhält hierdurch die Form eines Ellipsoid's, dessen eine Axe mehr und mehr verkürzt wird, bis er schliesslich eine scheiben- bis linsenförmige Gestalt annimmt. Die Form verliert dann etwas an Regelmässigkeit, es können Auszackungen und Biegungen auftreten. In diesem letzten Stadium liegt er zumeist in dem Plasma der Zelle der Wand angedrückt.

Zur Veranschaulichung der Veränderungen des Kerndurchmessers füge ich die Tabelle 1 bei, welche die an der Wurzel von *Zea Mays* gefundenen Werthe darstellt.

Wir sehen, wie hauptsächlich die Länge des Kerns zunimmt (von 8 μ auf 15 · 36 μ oder von 8 auf 24 μ), während die Dicke des Kerns mit dem Alter immer geringer wird. Die Breite des Kerns differirt in den einzelnen Stadien nur sehr wenig. Es spielt dabei wohl eine passive Dehnung des Kerns durch das Zellplasma eine Rolle, die hauptsächlich in der Richtung des Längenwachsthums der Zellen sich

Tabelle 1. Wurzel von Zea Mays.

Länge, Breite, Dicke der Zellkerne, ausgedrückt in μ.

Zone.	Entfernung vom Vegetationspunkt in mm.	Rindenparenchym.			Grosse Gefässzellen.			Axiles Gefässparenchym.			Pericambium.		
		L.	B.	D.	L.	B.	D.	L.	B.	D.	L.	B.	D.
I.	0	8	8	8	8	8	8	8	8	8	8	8	8
II.	0·4—0·5	—	—	—	10	9·78	8·75	—	—	—	—	—	—
III.	0·9—1	8·5	8·5	8·5	13·6	10·7	10·7	9·76	7·1	7·1	8·48	8·48	8·48
IV.	2·2—2·5	12·5	9·3	5·6	23·68	14·72	14·72	12	7·6	5·6	14·0	8·64	8·64
V.	2·5—4·5	14·9	9·6	4·7	20·8	15·36	8	16	6·62	4·1	13·7	8·48	8·48
VI.	4·5—9·5	12·8	9·8	4·2	22·88	14·18	8	16·22	7·47	3·84	14·0	9·4	6·28
VII.	9·5—14	15·1	8·5	4·2	22·4	14·56	8	16·16	7·72	3·94	13·71	8·44	6·4
VIII.	14—19	14·7	8·2	4	24·0	14·18	8	13·71	7·31	3·88	16·68	7·8	5·7
IX.	19—24	13·92	9·76	3·4	—	—	—	—	—	—	13·96	9·36	5·6
X.	24—29	15·36	8·88	3·24	19·2	12·8	7·2	—	—	—	—	—	—

bemerkbar macht. Sind die Kerne sehr inhaltsreich, vermag das Plasma sie noch nicht an die Wand anzudrücken, was aber leichter geschieht, wenn der Kern substanzärmer und dadurch weniger widerstandsfähig geworden ist.

Diese Gestaltung des Zellkerns finden wir in Zellen, bei denen der Form des Kerns durch die Ausdehnung der Zelle selbst kein Zwang auferlegt wird. In sehr langen und schmalen Zellen wird der Kern spindelig mit mehr oder weniger abgestumpften Ecken. Er wächst hier vorzüglich in die Länge, da seiner Seitenausdehnung durch die schmale Gestalt der Zelle Schranken gesetzt sind.

Bei dieser ungleichmässigen Gestalt wäre es unmöglich halbwegs brauchbare Werthe für das Kernvolumen zu erhalten, für das Grösser- oder Kleinerwerden des Kerns, wenn nicht die Differenzen in den einzelnen Stadien so bedeutende wären, dass die Fehler dagegen zurücktreten. Mit Ausnahme der kugeligen Kerne berechnete ich das Volumen des Kerns als Ellipsoid mit drei ungleichen Axen[1]), da sich die Form des Kerns einem derartigen Körper entschieden am meisten anschloss. Bei den alten sehr flachen Kernen hätte man vielleicht versucht sein können, den Kern als Cylinder von geringer Höhe und elliptischer Grundfläche zu berechnen. Die Ränder des Kerns sind jedoch immer etwas schmäler, in der Mitte ist er etwas dicker, so dass man hier entschieden zu grosse Werthe erhalten hätte, wenn man als Höhe des Cylinders die grösste Dicke des Kerns genommen hätte.

Die Kerndurchmesser wurden bei sehr starken Vergrösserungen (Zeiss $1/12$ und $1/18$ Oelimmersion), Länge und Breite an demselben Kern, die Dicke an Kernen, die an einer Seitenwand lagen, gemessen. Nach Bedarf wurden ausser an Längsschnitten noch an Querschnitten Messungen vorgenommen oder an (aus Schnitten) herauspräparirten Zellkernen die Gestalt controlirt. Jeder Werth ist das Mittel aus 10—12 Messungen. Der Werth für die Theilstriche des Ocularmikrometers wurde in Mikromillimeter umgerechnet und daraus der Inhalt des Kerns in Kubikmikromillimetern berechnet. Die Verwendung von fixirtem Material war nothwendig, da hier allein die Kerngrenzen mit genügender Schärfe hervortraten. Ich glaube nicht, dass hieraus eine Fehlerquelle resultirt, die Form an fixirtem und frischem Material ist ja gleich und eine Volumverkleinerung durch Wasserentziehung wäre ein für alle Messungen gleicher Fehler, der bei diesen relativen Werthen nicht in Betracht kommt.

---

[1]) Nach der Formel $\frac{4}{3}\, a\, b\, c\, \pi$, wobei a, b, c die halben Kerndurchmesser darstellen.

Ausser dem Kernvolumen wurde auch noch die Grösse des Kernkörperchens bestimmt, die, wie wir sehen werden, ebenfalls bedeutend variirt. Der Inhalt des Kernkörperchens wurde als Kugel bestimmt.

Den Schluss jeder Tabelle bildet das Verhältniss des Nucleolusvolumens zu der ganzen Kerngrösse, die gleich 100 gesetzt wurde. In den folgenden Tabellen bedeutet

K das Kernvolumen — N das Nucleolusvolumen

beide ausgedrückt in Kubikmikromillimeter.

Am Vegetationspunkt befinden sich wie bekannt gleichartige Meristemzellen, denselben entsprechen auch ziemlich gleich grosse Zellkerne. Bei der Theilung oder unmittelbar nach der Theilung nimmt der Zellkern Substanz auf und die Tochterkerne erreichen bald die Grösse des Mutterkernes. Würde diese Stoffaufnahme nicht so schnell vor sich gehen, so müssten wir schon am Vegetationspunkt grössere Differenzen im Volumen der Kerne beobachten, je nachdem seit der Theilung des Kerns kürzere oder längere Zeit verflossen ist. Wir finden jedoch keine erheblichen Differenzen.

Gewissermassen von gemeinschaftlicher Basis aus entwickeln sich nun die Zellen der verschiedenen Gewebe und mit ihnen die Kerne. Ein Blick auf Tabelle 2 und 3 genügt, um uns zu überzeugen, dass wir nur die Kerne ein und desselben Gewebes mit einander vergleichen dürfen, da die Grössenverhältnisse bei den einzelnen Geweben so bedeutend differiren.

Als wichtigste Thatsache finden wir dann, dass in allen Geweben die Grösse des Zellkerns anfangs zunimmt, um dann später wieder abzunehmen.

Wir sehen diese Zu- und Abnahme des Kernvolumens auf Seite 89 graphisch dargestellt. Die Curven a, b, c, d bedeuten die Kernvolumina des Rindenparenchyms, der grossen Gefässzellen, des axilen Gefässparenchyms und des Pericambiums in der Wurzel von *Zea Mays* und sind nach der Tabelle 2 entworfen.

Die Zunahme erfolgt rasch, wir sehen daher die Curve ziemlich steil ansteigen. Die Abnahme des Kernvolumens geschieht langsam, die Curve fällt weniger steil ab. Schneller tritt diese Abnahme bei Zellen ein, deren Inhalt schon früher zu Grunde geht. Dies findet statt bei den äussersten Zelllagen, den Spiralzellen der Luftwurzel von *Oncidium suave* (Tabelle 3). Acht mm nach dem Maximum ist der Kern schon auf die Hälfte seines Volumens reducirt.

Die Grösse des Kernwachsthums — als solches können wir diese Zunahme des Kernvolumens bezeichnen — ist nach den einzelnen Geweben verschieden. Im Allgemeinen fällt dies Wachsthum des Kerns bei klein bleibenden Zellen geringer aus als bei den grösseren.

Tabelle 2. Wurzel von Zea Mays.

Zone.	Entfernung vom Vegetationspunkt in mm.	Rindenparenchym.		Grosse Gefässzellen.		Axiles Gefässparenchym.		Pericambium.		Rinden-parenchym.	Gr. Gefäss-zellen.	Axil. Gefäss-parenchym.	Peri-cambium.
		K+N.	N.	K+N.	N.	K+N.	N.	K+N.	N.	K+N = 100; N =			
I.	0	268·2	11·3	268·2	11·3	268·2	11·3	268·2	11·3	4·21	4·21	4·21	4·21
II.	0·4—0·5	—	—	434·9	99·0	—	—	—	—	—	22·76	—	—
III.	0·9—1	322·2	38·0	815·5	156·6	257·7	20·0	319·7	38·2	11·79	19·20	7·76	11·95
IV.	2·2—2·5	349·8	14·7	2686·1	109·6	267·5	5·7	547·3	38·2	4·20	4·08(?)	2·13	6·98
V.	2·5—4·5	351·9	8·7	1338·6	82·9	235·9	4·9	515·9	40·3	2·47	6·19	2·08	7·81
VI.	4·5—9·5	275·7	5·3	1363·0	61·2	243·8	5·0	432·8	42·3	1·92	4·48	2·05	9·79
VII.	9·5—14	282·4	3·8	1365·9	47·9	257·4	4·8	387·5	39·0	1·34	3·51	1·87	10·07
VIII.	14—19	252·6	3·8	1407·8	47·3	204·4	3·0	388·4	38·1	1·50	?	1·47	9·81
IX.	19—24	239·8	3·0	—	—	—	—	383·2	41·5	1·25	—	—	10·82
X.	24—29	231·3	?	926·8	35·9	—	—	—	--	—	3·87	—	—

Tabelle . Luftwurzel von Oncidium suave.

Zone.	Entfernung vom Vegetationspunkt in mm.	Rindenparenchym.		Spiralzellen.		Axiles Parenchym.		Rinden-parenchym.	Spiralzellen.	Axiles Parenchym.
		K+N.	N.	K+N.	N.	K+N.	N.	K+N =		N =
I.	0		8·1		8·1		8·1			
II.	0·3—0·4	429·2	19·8				8·7			
III.	0·7—0·		19·7	(?)						
IV.		868·1	39·6							
V.	3—6	842		759·3	17·6	—	—			—
VI.	6—10	1008		449·6		624·3	19·6		0·76	
VII.		1347					8·1		0·31	
VIII.	14—19	1039	58·2	theilweise verschwunden	?	—	—		0	—
IX.		—	—	0	0	—	—	-	0	—
X.	25—30	977	44·3	0	0				0	—
XI.	30—36	717·9	43·2	0	0	348·3		6·02	0	0·72

Tabelle [illegible] Luftwurzel von Anthurium crassinervium.

Zone.	Entfernung vom Vegetationspunkt in mm.	Rindenparenchym.		
		K + N.	N.	K + N: [illegible]
I.	0	468·5	[illegible]	0·77
II.	0·6—0·[illegible]	704·5	[illegible]	[illegible]
III.	[illegible]	759·2	9·7	[illegible]
IV.	[illegible]	677·[illegible]	9·8	[illegible]
V.	[illegible]	650·4	[illegible]	[illegible]
VI.	9—14	[illegible]	[illegible]	[illegible]
VII.	14—20	—	—	—
VIII.	20—27	456·1	5·[illegible]	[illegible]
IX.	27—36	—	—	—
X.	36—48	[illegible]	[illegible]	0·77

Tabelle [illegible] Stengel von Pisum sativum.

Zone.	Entfernung vom Vegetationspunkt in mm.	Rindenparenchym.		
		K + N.	N.	K + N: [illegible]
[illegible]	0	—	—	—
II.	[illegible]	384·0	[illegible]	[illegible]
IIIa.	[illegible]	628·5	49·7	[illegible]
IIIb.	[illegible]	713·1	38·6	[illegible]
IV.	[illegible]	774·7	16·3	[illegible]
V.	[illegible]	819·1	[illegible]	[illegible]
VI.	[illegible]	783·1	[illegible]	[illegible]

Tabelle 6. Stengel von Fuchsia.

Zone.	Entfernung vom Vegetationspunkt in mm.	Markparenchym.		
		K + N.	N.	K + N = 100; N:
I.	0	185·3	8·2	4·32
II.	1—4	302·4	16·9	5·59
III.	4—18	481·4	16·9	3·52
IV.	18—40	300·0	4·6	1·53
V.	40—50	226·5	5 (?)	2·2 (?)

Tabelle 7. Stengel von Phaseolus multiflorus.

Internodium.	Länge des Internodiums in mm.	Markparenchym.		
		K + N.	N.	K + N = 100; N:
I.	2	305·8	18·8	6·15
II.	6	727·1	103·5	14·02
III.	35	905·7	21·9	2·41
IV.	75	1076·8	16·5	1·53

Ein bestimmtes Verhältniss zwischen Kerngrösse und Zellgrösse konnte ich nicht feststellen; hiezu reicht vielleicht die Zahl meiner Messungen nicht aus und es wäre trotzdem ein bestimmtes Verhältniss möglicherweise vorhanden.

Wie bedeutend die Zunahme in einzelnen Fällen ist, zeigen uns die Kerne in den Gefässzellen von *Zea Mays* (Tabelle 2). Hier vergrössert sich das Kernvolumen von 268·2 cbμ auf 2686·1 cbμ, also um das 10fache. Bei dem Rindenparenchym der Luftwurzel von *Oncidium suave* (Tabelle 3) ist der Kern später 7·6 mal grösser als am Vegetationspunkt. Diese Vergrösserung des Kerns würde noch bedeutender in die Augen fallen, wenn wir die Kerngrösse unmittelbar nach der Theilung in Rechnung ziehen könnten.

Bei Wurzeln verläuft die Zu- und Abnahme des Kernvolumens schneller als bei Stengeln. Das Maximum des Kernvolumens wurde bei den Wurzeln von *Zea Mays* und *Anthurium crassinervium* ungefähr 2½ mm, bei *Oncidium suave* ungefähr 12 mm hinter dem Vegetationspunkte erreicht, während bei den Stengeln von *Pisum* bei 20 mm, bei *Phaseolus* erst bei circa 80 mm Entfernung die stärkste Vergrösserung eintrat. Naturgemäss geht auch die Verkleinerung des

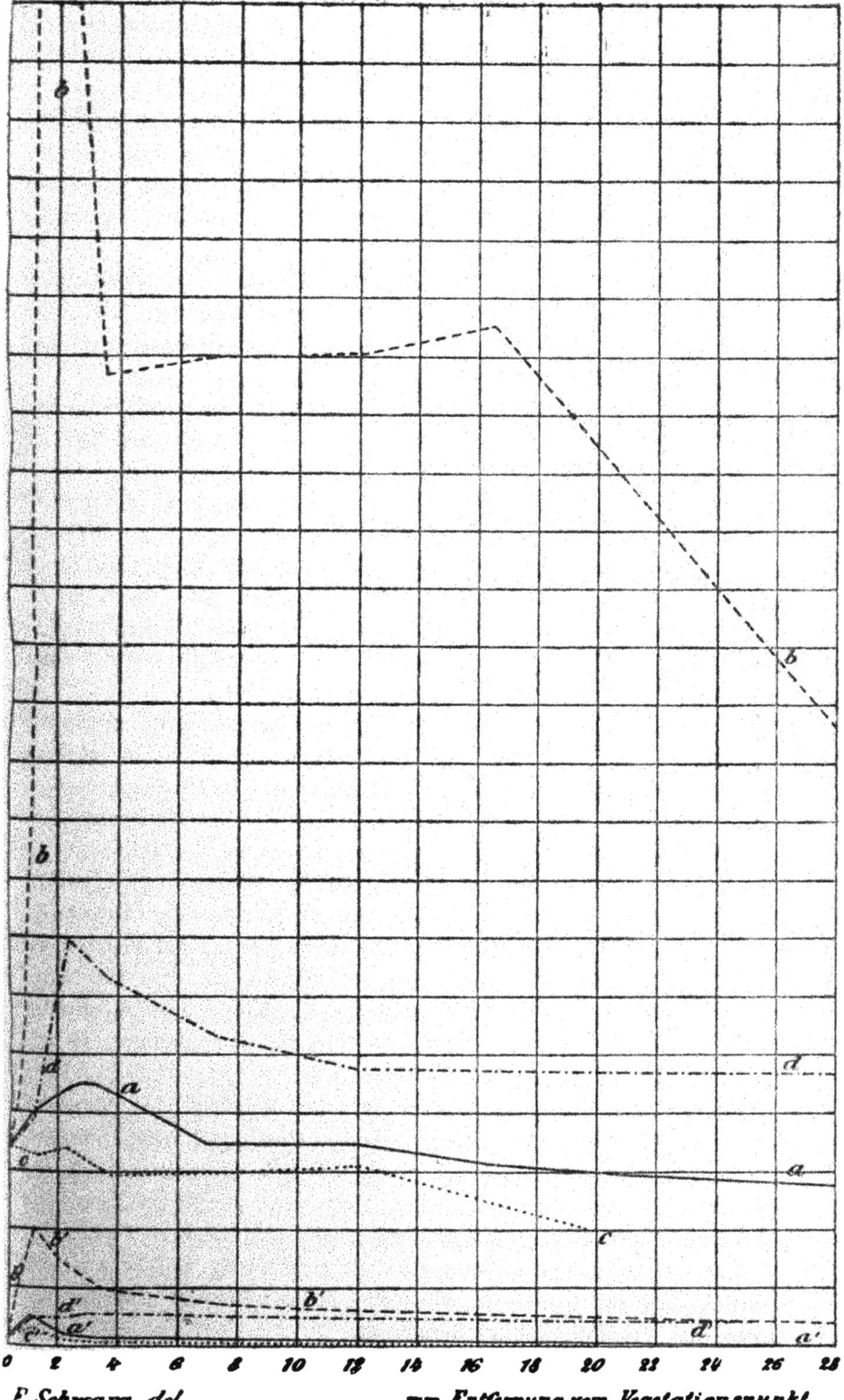

F. Schwarz del.

mm Entfernung vom Vegetationspunkt.

Zellkerns erst später vor sich. Es mag dies mit der Ausdehnung der wachsenden Zone zusammenhängen und der damit verbundenen Ausbildung der einzelnen Zellgewebe, wenn damit auch nicht gesagt sein soll, dass gerade das Maximum der Kerngrösse zusammenfällt mit bestimmten Stadien der Zellstreckung. Die wachsende Zone ist bei Wurzeln von *Zea Mays* ung. 10 mm, bei *Oncidium suave* nur 2 mm lang und doch trat das Maximum des Kernvolumens bei *Oncidium* erst später auf.

Wie verhalten sich nun die Kernkörperchen? Das Volumen derselben (als Kugel berechnet) zeigte eine analoge Zu- und Abnahme als der Kern, natürlich der geringeren Grösse entsprechend nur innerhalb engerer Grenzen.

Auch hier wächst der Nucleolus ziemlich rasch, um zuerst schneller, dann langsamer an Grösse abzunehmen. Auf Seite 89 sind für die Wurzel von *Zea Mays* diese Volumenveränderungen durch die Curven a' b' c' d' dargestellt. Dieselben entsprechen den durch die Curven a b c d ausgedrückten Kernen. Es mag schwer sein, diese Verhältnisse zu constatiren, wo die Kernkörperchen sehr klein sind, beim Mais, bei *Phaseolus* und *Pisum* sind dieselben hinreichend gross. Hierzu kommt noch, dass die Kernkörperchen eine ziemlich regelmässige, kugelige Gestalt haben, ihre Contouren sehr scharf hervortreten und dadurch die Messungsfehler herabgemindert werden.

Die stärkste Vergrösserung fand ich bei den grossen Gefässzellen von *Zea Mays* (Tabelle 2), wo der Nucleolus im Maximum stehend fast 14 mal so gross war als am Vegetationspunkt. Im Rindenparenchym von *Oncidium* (Tabelle 3) wurde er 10½ mal, beim Markparenchym von *Phaseolus* (Tabelle 7) 5 mal so gross, als er am Vegetationspunkte gewesen. Die Zunahme war geringer bei der Wurzel von *Anthurium* (Tabelle 4) und im Markparenchym des Fuchsiastengels (Tabelle 6), sie betrug hier das 3 resp. das 2 fache des Volumens am Vegetationspunkt. Ich erkläre mir diese geringe Zunahme aus dem Umstande, dass diese beiden letzten Pflanzentheile überhaupt sehr inhaltsarm waren und daher auch die Menge des für die Stoffaufnahme zu Gebote stehenden Materials eine geringere war.

Bei all' den relativen Werthen für das Volumen des Nucleolus darf man nicht vergessen, dass wahrscheinlich ein noch grösserer Theil der Nucleolussubstanz eingewandert ist, indem ja die ganzen Nucleolen erst nach der Sonderung der beiden Tochterkerne auftreten, wenn sie auch theilweise Substanz von Kernkörperchen des Mutterkernes enthalten.

Die Volumabnahme erfolgte ziemlich regelmässig und war so bedeutend, dass die Grösse des Nucleolus meist unter die ursprüngliche Grösse am Vegetationspunkt herabsank.

Wir bemerken keine Verdichtung der Kernkörperchensubstanz, also beweist diese Abnahme des Volumens an und für sich einen Austritt von Stoffen, wenn sie auch kein genaues Maass dafür bietet. Im Innern der Kernkörperchen können Vacuolen auftreten, d. h. weniger dichte Partien, die eine Verringerung der Nucleolussubstanz anzeigen und trotzdem kann die äussere Gestalt, die Grösse der Kernkörperchen unverändert bleiben. Im Rindenparenchym von *Oncidium suave* (Tabelle 3) sehen wir eine ausnahmsweise geringe Abnahme des Nucleolusvolumens und gerade hier traten in den älteren Stadien besonders grosse Vacuolen auf. Die Auswanderung von Stoffen hat also auch hier stattgefunden. Ich sah die Kernkörperchen immer erst in einiger Entfernung vom Vegetationspunkt vacuolig werden, während sie in unmittelbarer Nähe desselben compacte Körper darstellten.

Die Verminderung des Nucleolusvolumens findet nur dort nicht statt, wo die Zellen Theilungen zeigen, wie z. B. bei der Wurzel von *Zea Mays* (Tabelle 2) im Pericambium. Auch an Cambialzonen von Stengeln konnte ich diese Thatsache bemerken. Es handelt sich hier eben um jüngere Zellen, die noch nicht in Ruhezustände eintreten, was uns diese Ausnahme erklärt.

Die nächstliegende Frage ist wohl die, in welchem Verhältnisse steht die Volumveränderung des Kernkörperchens zur Volumänderung des ganzen Kernes? Setzen wir den Inhalt des ganzen Kerns gleich 100 und beziehen hierauf die Grösse des Kernkörperchens, wie dies am Schluss jeder Tabelle geschehen ist, so sehen wir Folgendes: Die Zahlen werden zuerst grösser, dann wieder kleiner, d. h. die Kernkörperchen vergrössern sich nicht in demselben Verhältnisse, wie die Kerne, sie wachsen vielmehr rascher und nehmen wieder rascher ab. Anfangs betrug z. B. bei dem Rindenparenchym der Maiswurzel (Tabelle 2) das Volumen des Nucleolus nur 4 · 21% des Volumens vom ganzen Kern, später 11 · 79%, um dann allmählig auf 1 · 25% herabzugehen. Als zweites Beispiel führe ich den Stengel von *Phaseolus* an (Tabelle 7), wo in den einzelnen aufeinander folgenden Internodien das Volumen des Nucleolus 6 · 15, 14 · 02, 2 · 41 und 1 · 53% des Volumens vom ganzen Kern beträgt. **Die Stoffaufnahme und die Stoffabgabe ist also nicht für Nucleus und Nucleolus gleich.**

Ich glaube, in den Kernkörperchen werden Stoffe abgelagert, die in späteren Stadien dem Kerne wieder zu Gute kommen. Hiermit stimmt die Thatsache überein, dass in den weitaus meisten Fällen das Maximum des Nucleolusvolumens vor der Zone liegt, in welcher der Kern sein Maximum erreicht. In vielen Fällen sehen wir gerade dann die bedeutendste Verkleinerung des Nucleolusvolumens einetrten, wenn der Kern sein Volumen am stärksten vergrössert. Am deutlichsten sehen wir dies an den untersuchten Stengeltheilen, ohne dass jedoch die an den Wurzeln gefundenen Zahlen dagegen sprechen würden. Die Substanz des Kernkörperchens wandert also nicht blos den Kern durchziehend in den übrigen Theil der Zelle, sondern wird zuerst zur Vergrösserung des Kernvolumens verwendet.

Es bleibt uns schliesslich noch übrig, die in Betreff des Chromatingehaltes gefundenen Resultate mit den Veränderungen des Kernvolumens zu vergleichen. Ich zeigte, dass der Chromatingehalt und die Tinctionsfähigkeit in jungen Kernen grösser ist als in den älteren. Die Tinctionsfähigkeit nimmt jedoch erst später ab und zwar erst in Stadien, wo der Kern sein grösstes Volumen schon erreicht hat und beginnt kleiner zu werden. Bei der Vergrösserung des Zellkerns handelt es sich demnach nicht blos um eine Vergrösserung durch Wasseraufnahme, es werden vielmehr direkt Stoffe im Kern aufgespeichert. Dasselbe gilt vom Kernkörperchen. Es vergrössert sich ebenfalls durch Aufnahme von Stoffen und nicht blos durch Wasseraufnahme. Abgesehen von den auftretenden Vacuolen bleibt seine Tinctionsfähigkeit dieselbe, seine Grösse dagegen nimmt bedeutend ab. Das Kernkörperchen tritt in Analogie mit dem Chromatingerüst des Zellkerns. Würde die chemische Zusammensetzung von Chromatingerüst und Nucleolen vollständig gleich sein, so wäre die Auffassung von Schmitz[1]) gerechtfertigt, die Nucleolen als blosse Chromatincomplexe anzusehen. Die chemische Identität ist jedoch nicht bewiesen. Viel eher können wir der Ansicht von Flemming[2]) beistimmen, der in den Nucleolen Reproductionsstellen des Chromatins sieht. Dies können sie auch bei chemischer Verschiedenheit von dem Chromatingerüst sein, indem bei der Ergänzung des Chromatingerüstes aus der Nucleolensubstanz noch chemische Veränderungen stattfinden können.

Der eigentliche Zweck meiner Arbeit war, zu zeigen, dass ein Stoffaustausch zwischen Kern und Zelle einerseits, zwischen Kernkörperchen und Kern andererseits stattfindet.

Ferner glaube ich durch die angeführten Zahlen ein gewisses Maass für diesen Stoffaustausch gegeben zu haben.

Wie diese Thatsachen zu deuten sind, kann vorläufig noch nicht entschieden werden.

Das Nächstliegende ist wohl, die in den Kern ein- und austretenden Substanzen als Nährstoffe aufzufassen, die in einer gewissen Ent-

---

[1]) Schmitz, Sitzungsberichte der niederrheinischen Gesellschaft für Natur- und Heilkunde zu Bonn. 1880 (13. Juli) p. 17 des Separatabdruckes.

[2]) W. Flemming, Zellsubstanz, Kern und Zelltheilung. 1882. p. 164.

wicklungsphase des Kerns angesammelt werden, um für das fernere Zellenleben als Reservestoffe zu dienen. Damit ist keineswegs gesagt, ob diese Stoffe in der Zelle gebildet sind und im Kern blos zeitweise abgelagert werden oder ob einfachere Körper, die in den Kern einwandern, dort zu complicirten Körpern verarbeitet werden, wie dies bei den Chlorophyllkörnern und Stärkebildnern der Fall ist. Wir sind also nicht berechtigt, in Analogie zu den Stärkebildnern den Kern einfach als Eiweissbildner anzusehen, wie dies vermuthungsweise von Schmitz[1]) und Strassburger[2]) ausgesprochen wurde. Ebenso wenig geben hierüber die Untersuchungen von A. Brass[3]) Aufschluss; derselbe fand, dass an hungernden Infusorien die Kerne homogen sind, während sie nach der Verdauung ein grobkörniges Aussehen erhalten, es bilden sich Knäuelfiguren, von denen Brass glaubt, sie wären mit dem Chromatin der Kerntheilungsfiguren identisch. Ferner sollen Amöben-, Infusorien- und Gregarinenkerne beim Hungern der Thiere Resorption des Chromatins zeigen. Ich selbst habe ebenfalls gefunden, dass bei sehr inhaltsreichen, gutgenährten Zellen der Kern mehr Chromatin enthält und meist auch relativ grössere Nucleolen aufweist, als bei inhaltsarmen Zellen.

Der Auffassung des Chromatins als Nährsubstanz steht die Hypothese von W. Roux[4]) entgegen, nach welcher die Mehrzahl erblicher Qualitäten im Kern ihren Sitz hat und speciell das Chromatin als Träger gewisser erblicher Eigenschaften angesehen wird. Roux stützt seine Hypothese in sehr geistreicher Weise durch Betrachtungen über die indirecte Kerntheilung und hebt wohl mit Recht hervor, dass ein so complicirter Vorgang wie die indirecte Kerntheilung, die ausserdem so allgemein verbreitet sei, einen speciellen Nutzen haben müsse, um überhaupt durch allmähliche Züchtung entstanden und erhalten worden zu sein. Dieser durch die indirecte Kerntheilung gewährte Vortheil bestünde in der gleichmässigen oder bestimmten Vertheilung gewisser Substanzen (Chromatin und andere Stoffe) und demnach der diesen Substanzen eigenthümlichen „Qualitäten". Ich glaube jedoch, meine Untersuchungen berühren die Roux'schen Ansichten gar nicht, indem sehr wohl in einem späteren Lebensstadium des Kerns Stoffe ein- und austreten können, ohne dass wir sagen können, diese ein- und austretenden Stoffe sind identisch mit den Stoffen, welche bei der Theilung die Träger der Qualitäten sind.

Breslau, den 3. November 1884.

---

[1]) l. c. p. 34; vgl. auch Die Chromatophoren der Algen. 1882. p. 167. ff.

[2]) Strassburger, Zellbildung und Zelltheilung. 3. Auflage. 1880. p. 371.

[3]) A. Brass, Zoologischer Anzeiger. VI. Jahrgang. 1883. No. 156. p. 682.

[4]) W. Roux, Ueber die Bedeutung der Kerntheilungsfiguren. 1883.

Beiträge

zur

Biologie der Pflanzen.

Herausgegeben

von

Dr. Ferdinand Cohn.

Vierter Band. Zweites Heft.
Mit acht Tafeln.

Breslau 1886.
J. U. Kern's Verlag
(Max Müller).

Inhalt von Band IV. Heft II.

Berichtigung.

Seite 125 Zeile 11 statt Nebenblatt lies Vorblatt

Untersuchungen über die Ranken der Cucurbitaceen.

Von

Dr. Otto Müller in Breslau.

Hierzu Tafel V—VII.

Einleitung. Unter den Rankenpflanzen, welche durch ihre Reizbarkeit ein hohes biologisches Interesse gewähren, sind die Cucurbitaceen in verschiedener Beziehung ausgezeichnet. Zunächst befindet sich unter ihnen eine Pflanze, von welcher ich mich überzeugte, dass sie alle bis jetzt beobachteten Rankenträger an Schnelligkeit und Lebhaftigkeit der Bewegungen bei Weitem übertrifft. Dann sind einzelne dieser Ranken auf die mannigfachste Weise befähigt, sich festzuhalten. Sie können klettern, dadurch, dass sie eine Stütze umwickeln, oder dass sie sich an ihr anhaken, oder dass sie sich in Ritzen einklemmen, oder endlich dadurch, dass sie einen Klebstoff aussondern, mit dem sich die Pflanze an glatten Flächen festhalten kann. Auch durch die Grösse zeichnen sich einzelne aus, welche gegen einen halben Meter lang werden. In der Knospe häufig schneckenförmig eingerollt, vollführen die Ranken auffallend schnelle und regelmässig rotirende Nutationen, um eine Stütze zu erfassen. Ihrer Aufgabe sind sie so vollkommen angepasst, dass sich bedeutende morphologische Veränderungen an ihnen vollzogen haben, infolge deren man im Zweifel war, als was für Organe man sie anzusehen habe.

Angeregt durch meinen Lehrer Prof. Ferdinand Cohn, habe ich mir in dieser Abhandlung, die im pflanzenphysiologischen Institut der Universität Breslau ausgeführt wurde, die Aufgabe gestellt, einerseits die biologischen Eigenthümlichkeiten der Cucurbitaceenranken, genauer als das bisher geschehen, zu untersuchen, dann aber durch anatomische und teratologische Beobachtungen die Entscheidung über den morphologischen Werth dieser Ranken zu begründen.

Literatur. Ausser den beiden grösseren Handbüchern der Pflanzenphysiologie von Pfeffer und Sachs habe ich vor allem Ch. Darwins berühmte Schrift über die Kletterpflanzen benützt. So eingehend von diesem Forscher auch die Kletterpflanzen beobachtet sind, so hat er doch von der grossen, an mannigfachen Formen reichen Familie der Cucurbitaceen nur zwei Pflanzen etwas eingehender untersucht und manche wichtige Eigenthümlichkeiten unbeobachtet gelassen. Anatomische und morphologische Beobachtungen aber fehlen fast gänzlich.

Durch Darwins Schrift angeregt, hat de Vries einige Arbeiten über Ranken veröffentlicht, von denen ich zwei benutzte. Die eine ist in den von Sachs herausgegebenen Arbeiten des botanischen Instituts in Würzburg 1871 erschienen und behandelt das verschiedene Längenwachsthum der concav und convex werdenden Seiten der Ranken, die andere ist in den landwirthschaftlichen Jahrbüchern, (Band IX, 1880) enthalten und untersucht das Verhalten abgeschnittener und in Salzwasser gelegter Ranken.

Diese Untersuchungen enthielten zwar einige wichtige Ergänzungen der Beobachtungen Darwins, doch hatte der Verfasser aus seinen Untersuchungen Schlüsse gezogen, deren Richtigkeit aus in Folgendem entwickelten Gründen bestritten werden muss.

Die beiden älteren, grösseren Arbeiten von Palm und Mohl über Ranken waren die einzigen, in welchen ich anatomische Untersuchungen vorfand. Doch waren Zeichnungen und Beschreibung nicht derart, dass man aus ihnen annähernd ein Bild des anatomischen Baues erlangen konnte. Das Ganze, was Mohl über die Cucurbitaceen bringt, ist die Beschreibung und Zeichnung eines Querschnittes durch den unempfindlichen Theil der Ranke von *Bryonia dioica*. Palm giebt zwar einige Schnitte mehr, aber nur in ungefähr zwanzigfacher Vergrösserung.

Die ausführliche Monographie der Cucurbitaceen von Alfred Cogniaux (Paris 1881) enthält nur sehr wenige Bemerkungen über die Ranken dieser Pflanzen.

Nachdem ich die anatomischen Untersuchungen bereits im wesentlichen abgeschlossen hatte, erhielt ich aus Lille durch Vermittlung des Herrn Professor Dr. Ferdinand Cohn eine sehr umfangreiche Schrift von Lotar, *Essai sur l'anatomie comparée des Cucurbitacées. Lille 1881*; jedoch sind gerade die Ranken von dem Verfasser am wenigsten eingehend untersucht. Er hat sich darauf beschränkt, eine Beschreibung der Querschnitte durch die Basis der Ranken einer kleinen Anzahl von Pflanzen zu geben; er lässt also den ganzen übrigen, d. h. gerade den wichtigsten Theil unbeachtet. Ausserdem leidet seine ganze Arbeit (so sehr man auch seine Geduld und seinen Fleiss bewundern muss) an dem Fehler, dass er viel zu schnell das Gefundene verallgemeinert. Denn da der anatomische Bau der Cucurbitaceen eine grosse Veränderlichkeit zeigt, so sind seine Schlüsse von der einzelnen Beobachtung auf ihre Allgemeingültigkeit in vielen Fällen Fehlschlüsse. Auf Physiologie und Morphologie der Ranken geht die Arbeit von Lotar nirgend ein.

Die letzte der benutzten Arbeiten, welche ich noch zu erwähnen habe, ist ein Schriftchen von M. G. Dutailly: *Recherches organogéniques sur les formations axillaires chez les Cucurbitacées.* Paris 1877. Es enthält einige wichtige entwicklungsgeschichtliche Untersuchungen über die Ranken der Cucurbitaceen und eine Reihe guter Zeichnungen. Aber abgesehen von der Möglichkeit, diese Zeichnungen doch auch anders zu deuten, ist das angeführte Material zu einer endgiltigen Entscheidung der Frage nach der morphologischen Natur nicht ausreichend.

Als die Arbeit bereits dem Druck übergeben werden sollte, erhielt ich eine Abhandlung von Herrn Prof. Pfeffer[1]), worin auch die Ranken einiger Cucurbitaceen berücksichtigt sind. Da dieselbe sich aber mit Fragen beschäftigt, welche in der vorliegenden Arbeit nur gestreift wurden, dagegen andere, welche ich behandelt, nicht berührt, so können beide Untersuchungen als wechselseitige Ergänzungen betrachtet werden.

A. Die Lebenserscheinungen der Ranken von Cyclanthera pedata.

Die auffallendsten Bewegungserscheinungen nicht nur aller Cucurbitaceen, sondern aller bis jetzt beobachteten Rankenträger überhaupt zeigt *Cyclanthera pedata*. Die Beobachtungen über diese Pflanze wurden an über 30 Exemplaren dieser Art, während der Monate Juni und Juli 1884 gemacht.

Cyclanthera pedata zeichnet sich vor den 38 Arten der Cucurbitaceen, die ich beobachtete, durch rasches Keimen und auffallend schnelles Wachsthum besonders in den ersten Monaten aus.

1. Stellung und Form der Ranken. Die erste Ranke entspringt bereits aus dem ersten Knoten des Stengels, zunächst über den Keimblättern, zuweilen sogar schon in den Achseln der Keimblätter selbst und weicht in dieser Beziehung von den übrigen Rankenpflanzen ab, bei denen die Ranken erst in den späteren Stengelknoten entspringen. Die ersten Ranken sind einfache Fäden, diejenigen, welche sich nach diesen entwickeln, sind gegabelt; die späteren aber sind grösstentheils dreifach, zuweilen auch vierfach doldig ausgezweigt, indem von einem Punkte des unteren Theiles drei oder vier Zweige entspringen. Den unteren Theil werde ich als Rankenstamm, die oberen doldigen Aeste als Rankenzweige bezeichnen. Selten

[1]) Unters. aus d. bot. Inst. zu Tübingen. B. I. H. 4. 1885.

beobachtet man, dass einer der Rankenzweige sich wieder in zwei oder drei Aeste auszweigt, oder, dass der eine dieser Aeste nochmals einen Zweig trägt.

Die Ranken entspringen an der Seite des Stengels den Blättern gegenüber. Diese sind im Allgemeinen wechselständig, einzelne zuweilen gegenständig. An Stelle einer Ranke entsprang einmal ein eigenthümlich geformtes Blatt. Während sonst die Blätter fussförmig sind, war dieses so lang und schmal, dass es sich der Form einer Ranke auffallend näherte.

Gewöhnlich steht in jedem Knoten nur eine Ranke, zuweilen finden sich auch deren zwei. Bei einer Pflanze aber entsprangen aus einem Knoten nicht weniger als fünf Ranken, ausserdem noch drei Blätter und fünf Seitensprosse. Da der Stengel dieser Pflanze bandförmig verbreitert war, so hatte man es hier unzweifelhaft mit einer Fasciation zu thun, wie ich sie auch bei *Cucumis sativus* beobachtet habe.

In der Achsel zwischen Ranke und Blatt entspringen ausser dem Seitenspross eine männliche Blüthe, eine männliche Blüthenrispe und eine weibliche Blüthe. Es wachsen also aus einem Knoten sechs verschiedene Gebilde hervor, zu denen, bei den Stengeln, welche auf der Erde liegen und Wurzeln entsenden, noch als siebentes eine Wurzel kommt. In der Achsel eines der Rankenzweige fand ich einmal ein Knöspchen, das einer Blüthenknospe auffallend glich.

In der Knospenlage ist die Ranke mit der Spitze einwärts gekrümmt, wie das ihr gegenüberliegende Blatt, und wie bei dem Blatte der mittelste und längste Theil nach aussen liegt, so liegt auch bei der Ranke der längste Zweig nach aussen und die kürzeren nach innen. Auch ist die Ranke nicht, wie bei vielen anderen Cucurbitaceen, spiralig eingerollt, sondern nur halbkreisförmig gebogen.

2. Längenwachsthum. Sobald die Ranke die Länge von drei bis vier cm erreicht hat, beginnt sie auffallend schnell zu wachsen und erreicht schon in zwei bis drei Tagen eine bedeutende Länge. Die längste, welche ich gemessen, war 35 cm lang. Aus Theilstrichen mit schwarzer Tusche, welche an mehreren Ranken gemacht wurden, ging hervor, dass ihr Wachsthum in der Mitte am stärksten, am Grunde am schwächsten und an der Spitze ein mittleres war. Die Ranken der *Cyclanthera pedata* gehören zu den längsten der Cucurbitaceen und werden, soweit ich wahrgenommen habe, nur von *Lagenaria vulgaris* übertroffen, an der ich eine Ranke beobachtete, welche eine Länge von 46 cm erreichte. Während des Wachsens geht die Ranke aus der bogenförmigen Gestalt in eine mehr gradlinige über, und ist viel früher gerade gestreckt, als ihr Wachsthum vollendet ist. In Folge ihres schnellen Wachsthums überragt die Ranke bald um eine bedeutende Länge die Endknospe des Stengels. Eine Ranke überragt oft bis fünf Internodien.

3. Circumnutation. Einige Zeit, nachdem die Ranke sich gestreckt hat, beginnt ihre Spitze sich im Kreise zu bewegen, sodass also die ganze Ranke einen Kegelmantel beschreibt. Um diese Bewegungen genau zu beobachten, wurden, in einer Abänderung der Darwin'schen Methode, über den Pflanzen horizontale Glastafeln befestigt. Auf diese Tafeln wurde ein Drahtgestell gesetzt, in welchem sich zwei genau senkrecht über einander liegende Spitzen befanden. Dieses Gestell konnte leicht so gerückt werden, dass der Endpunkt der Ranke in die Verlängerung der Verbindungslinie dieser beiden Spitzen kam, und so konnte man durch Punkte die Bewegungen der Ranke auf der Glastafel sicher aufzeichnen. Es wurden auf diese Weise 41 Umläufe von Ranken fixirt. Diese Bilder geben die Bewegung der Ranke um so genauer wieder, je näher die Axe des Kegelmantels, welchen die Ranke beschreibt, einer senkrechten Linie kommt. Die Figuren, welche die Spitze der Ranke beschreibt, sind meistens kreisähnlich; mehrere der aufgezeichneten Figuren kommen einem vollkommenen Kreise sehr nahe (Fig. 1.), andere sind mehr oder weniger elliptisch. Im Anfange

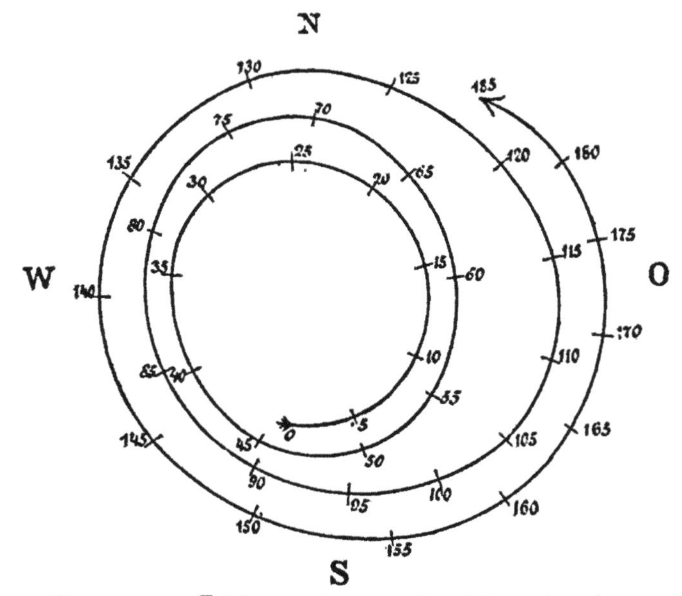

Fig. 1. Naturgetreue Zeichnung der von der Spitze einer jungen Ranke beschriebenen Bahn. Die Zahlen bedeuten Minuten. ½ der natürlichen Grösse.

ist der Durchmesser dieser Figuren klein und nimmt mit dem Wachsthum der Ranke zu, so, dass die späteren Figuren die früheren umschliessen und so deutliche Spirallinien entstehen. (Fig. 1.) Je mehr aber die Ranke ihrem vollendeten Wachsthum sich nähert, desto mehr fallen die Linien der aufeinander folgenden Windungen in einander.

Zuerst ragt die Spitze der Ranke steil in die Höhe; je länger diese aber wird, desto mehr neigt sich die Spitze zur Seite. Schneidet man aber den oberen Theil der Ranke ab, so schnellt der untere Stumpf meist sogleich in die Höhe. Der geringste Durchmesser der beobachteten Umläufe war 6, der grösste 44 Cm. Für die Zeit, in welcher ein Umlauf vollendet wurde, ergeben sich für 40 Umläufe folgende Minutenzahlen: 39, 40, 40, 43, 44, 45, 45, 45, 45, 46, 51, 51, 51, 53, 54, 55, 55, 56, 57, 57, 57, 58, 58, 58, 59, 59, 59, 60, 60, 60, 60, 61, 62, 62, 62, 63, 65, 66, 70, 75. Die geringste Anzahl war also 39, die grösste 75, der Durchschnitt 54 Minuten.

Ein Stumpf einer mit der Scheere abgeschnittenen Ranke begann sich merklich schneller zu bewegen, als sich die unverletzte Ranke vorher bewegt hatte.

Bei den meisten Umläufen war deutlich zu erkennen, dass die Ranke den dem Sonnenlichte abgekehrten Halbkreis mit weit grösserer Geschwindigkeit zurücklegte, als den ihm zugekehrten. So legte eine Ranke bei 3 aufeinanderfolgenden Umläufen, (Fig. 2.) von gegen

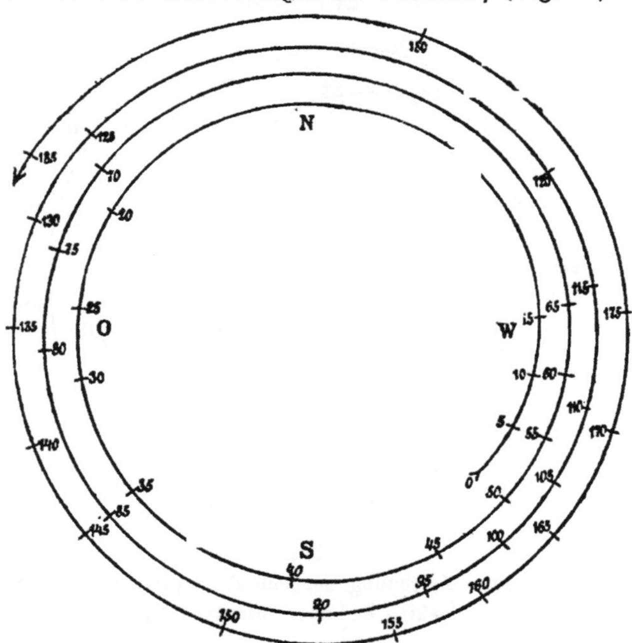

Fig. 2. Schematisirte Zeichnung der von der Spitze einer älteren Ranke beschriebenen Bahn. 1/4 der natürlichen Grösse.

30 cm Durchmesser, welche alle in ungefähr 50 Minuten vollendet wurden, den dem Lichte abgekehrten Halbkreis in 15, den dem Lichte

zugekehrten in 35 Minuten zurück, bewegte sich also auf jenem Theile der Bahn mehr als doppelt so schnell, als auf diesem. Da sich grosse Ranken streckenweise mit einer Geschwindigkeit von über 6 cm in der Minute bewegen, so ist diese Bewegung so auffällig, dass sie den flüchtig über die Pflanze streifenden Blick auf sich zieht. Die Bewegung scheint in der Jugend mehr gleichmässig zu sein und die Beschleunigung auf der dem Lichte abgewandten Seite erst mit zunehmendem Alter einzutreten.

Meistens bewegt sich die Ranke der Sonne entgegen und seltener in umgekehrter Richtung. Von 20 beobachteten Ranken bewegten sich 16 von Süden über Osten nach Norden und 4 von Süden über Westen nach Norden. Bei einer Pflanze bewegte sich eine Ranke an einem oberen Zweige in umgekehrter Richtung, als eine an einem darunter befindlichen, die erste mit der Sonne, die letztere gegen dieselbe. Eine Ranke, welche sich gegen die Sonne bewegt hatte, blieb plötzlich einige Minuten stehen und setzte dann ihren Weg in umgekehrter Richtung fort. Eine andere Ranke beschrieb mit der Spitze eine Bahn, ähnlich einer arabischen Acht. Mit zunehmendem Alter werden die Umläufe immer langsamer und hören endlich ganz auf.

Eine Reizung, durch Berührung mit einem Stabe, bringt keine Störung im Umlaufe hervor. Ranken, die während des Umlaufs gereizt wurden, bewegten sich mit derselben Geschwindigkeit vorwärts, als vor der Reizung. Jedoch blieb der eine Zweig einer Ranke stehen, als der andere eine Stütze erfasst hatte.

4. Das Einkrümmen durch Reizung. Noch weit auffälliger als die Umlaufsbewegungen sind die Bewegungen, welche die Rankenzweige auf mechanische Reize hin ausführen.

Eine einzige Berührung mit einem Stäbchen genügt, um nach wenigen Secunden eine deutliche Krümmung hervorzurufen. Diese ist meist so lebhaft, dass sie den Eindruck einer thierischen Bewegung macht und an das Winden eines Wurmes erinnert. Ich habe an über 30 Exemplaren von *Cyclanthera* mehrere Wochen hindurch täglich wiederholte Beobachtungen über die Reizbarkeit der Ranken gemacht; die gefundenen Ergebnisse sind folgende: Die Ranken in ihrem reizbarsten Zustande beginnen sich auf ein Berühren oder ein Streichen mit einem Stäbchen in der Regel nach 9 Secunden zu krümmen, zuweilen krümmten sie sich schon nach 7 Secunden und zweimal beobachtete ich eine deutliche Krümmung schon nach 5 Secunden. Vor und nach dem günstigsten Zustande bedarf es längere Zeit, ehe die Bewegung eintritt. Die Bewegung ist erst langsam, wird dann immer schneller, um darauf wieder langsamer zu werden. Oft schon 10 Secunden, nachdem die Bewegung eingetreten, bildet die Spitze einen Kreis von gegen 2 cm Durchmesser. Bereits unmittelbar durch leises Berühren, Drücken oder Streichen wird die Form der Ranke verändert; denn sie giebt dem Drucke nach, ohne nach Entfernung des drückenden Gegenstandes ihre alte Lage wieder einzunehmen. Die gewöhnliche Form, welche die Ranke durch die erfolgte Krümmung einnimmt, ist die eines Bischofstabes, mit mehr oder weniger Windungen. Oft jedoch krümmt sie sich zu einer Schleife oder einem einfachen Haken. Die leichter reizbaren krümmen sich meist auch zu mehr Windungen, als die weniger reizbaren. Bleibt der reizende Gegenstand in Berührung mit der Ranke, so wickelt sie sich, wenn derselbe nicht zu dick ist, langsam in mehreren Windungen fest um denselben. Der stärkste Stab, um den sich eine Ranke mit noch fast zwei Windungen legte, hatte 7 cm im Umfange. Ist die Stütze zu dick, oder ist die Ranke sonst wie verhindert, sie zu umfassen, so hakt sie sich an ihr fest oder gleitet ab. Ich sah Ranken, welche sich an einem 45 cm breiten und 1 cm dicken Brettchen dauernd fest gehakt hatten.

Liegt der gereizte Punkt weit von der Spitze der Ranke entfernt, sodass der obere freie Theil noch eine beträchtliche Länge hat, so kann die Spitze dieses Theiles eine neue Stütze erfassen und eine Ranke sich also an zwei ganz verschiedenen Gegenständen anhalten. So fanden sich Ranken, die eine Stütze in ihrem unteren, eine andere in ihrem oberen Theile umschlungen hatten, andere hatten sich mit dem unteren gereizten Theile nur angehakt, während der obere Theil die Stütze in mehreren Windungen umgab.

5. Das Geradestrecken. Wird der Gegenstand, mit dem die Pflanze gereizt wurde, wieder entfernt, so hört die Bewegung meist nach ein bis drei Minuten wieder auf. Sobald dies eingetreten, beginnt sich die Ranke wieder langsam gerade zu strecken und ist zuweilen schon in 15 Minuten, gewöhnlich aber erst in 20 Minuten wieder gerade. Bereits von dem Zeitpunkte an, in dem sie sich zu strecken beginnt, also lange, ehe sie völlig gestreckt ist, ist die Ranke wieder reizbar.

6. Grade und Art der Reizbarkeit. Reizbar ist nur die untere Seite der Ranke. Das ist diejenige, welche in der Knospenlage die äussere, also die convexe ist. Die Spitze ist stets nach der reizbaren Seite hin schwach gekrümmt. Die Reizbarkeit ist sehr verschieden. Die jungen Ranken sind gar nicht reizbar. Die Reizbarkeit beginnt erst einige Zeit, nachdem die Ranke sich gestreckt hat und die Endknospe des Stengels überragt. Dies ist auch für die Pflanze von grossem Nutzen; denn, wenn die Ranke schon in ihrer Jugend reizbar wäre, würde sich dieselbe frühzeitig einkrümmen und weder so entfernt liegende Gegenstände ergreifen, noch auch durch ihre Zusammenrollung die Pflanze emporziehen können. Die Reizbarkeit ist erst schwach, wird dann immer bedeutender und erreicht ihren höchsten Grad eher, als die Ranke ausgewachsen, um dann allmählich abzunehmen und völlig aufzuhören, einige Zeit, nachdem das Wachsthum beendet ist.

Die Reizbarkeit ist dicht unter der Spitze am grössten und nimmt nach der Basis hin stetig ab. Je kürzere Zeit erforderlich ist, um die Ranke zu reizen, zu desto mehr Windungen krümmt sie sich in der Regel. Die jüngsten und ältesten krümmen sich am spätesten und am wenigsten. Während aber die ersteren nach dem Aufhören des Reizes schnell wieder gestreckt sind, strecken sich die älteren nur sehr langsam, oder oft überhaupt gar nicht mehr.

Es wird allgemein angenommen, dass die Reizbarkeit von der Temperatur und dem Feuchtigkeitsgehalte der Luft abhängig sei. Doch konnte in den Temperaturgrenzen, zwischen denen die Ranken beobachtet wurden, d. h. von 17 bis 33° Celsius, ein merklicher Unterschied in der Reizbarkeit nicht wahrgenommen werden. Auch verhielten sich die Pflanzen hierin völlig gleich, ob sie sich in der trockenen Zimmerluft, oder der bedeutend feuchteren Luft der Gewächshäuser und besonders des Aquarium des Botanischen Gartens befanden. Dagegen waren diejenigen, welche an Stellen gestanden hatten, an denen sie den grössten Theil des Tages die Sonne traf, reizbarer als diejenigen, welche im Schatten gestanden. Deutlich war auch wahrzunehmen, dass diejenigen, welche der Erschütterung durch den Wind ausgesetzt waren, weit weniger reizbar waren, als diejenigen, welche davor geschützt waren.

Die Ranken an den jüngeren Pflanzen, besonders diejenigen der ersten Stengelknoten, waren im allgemeinen reizbarer, als diejenigen älterer Pflanzen. Die dünneren Ranken schienen mir reizbarer zu sein, als die dickeren, und diejenigen, welche an schmächtigen Exemplaren gewachsen, reizbarer, als die an gedrungenen Pflanzen gewachsenen.

Die Ranken werden nur durch feste Gegenstände, nicht durch Wasser gereizt. Höchst selten fand ich Ranken in einander verschlungen, obgleich doch die Zweige, welche Ranken trugen, dicht bei einander standen und die Ranken sich bei ihren Umläufen mehrfach berühren mussten.

7. Spiralige Aufrollung. Nachdem die Ranke eine Stütze erfasst hat, bleibt zunächst der Theil von dem Grunde bis zu der umfassten Stütze geradlinig. Nach ungefähr 5 Stunden beginnt sich der obere Theil langsam bogig zu krümmen. Diese Krümmung wird allmählich stärker und es bildet sich an beiden Seiten derselben je eine spiralige

Windung, von denen die eine nach rechts, die andere nach links gedreht ist. Zu der ersten Windung kommt bald auf jeder Seite eine neue hinzu, sodass jetzt auf jeder Seite des Wendepunktes 2, dann 3, 4 u. s. f. oft bis 25 entstehen. Diese Windungen sind zuerst weit und verengen sich allmählich. Wenn man die vollendete spiralige Aufrollung betrachtet, so könnte man leicht glauben, dass der Wendepunkt ein fester Punkt der Ranke ist, bis zu dem sich der eine Theil der Spirale nach rechts, der andere nach links gedreht hätte. Da er aber zuerst von der Stütze nur um eine Windung, zum Schluss um eine grosse Anzahl derselben entfernt ist, so ist ersichtlich, dass er von der Spitze nach der Basis der Ranke wandern muss; und dies erhält seine Bestätigung durch das Experiment; denn ein farbiger Punkt, den man auf die Mitte des Wendepunktes bringt, befindet sich nach kurzer Zeit auf einer der Windungen der oberen Hälfte. Acht bis zehn Stunden, nachdem die spiralige Aufrollung begonnen, ist sie gewöhnlich vollendet. Während im Anfang auf jeder Seite des Wendepunktes gleichviel Windungen sind, zeigte es sich bei allen Windungen, welche gezählt wurden, dass die untere Hälfte eine Windung mehr enthielt. Es waren folgende Zahlen: $\frac{12}{13}$, $\frac{12}{13}$, $\frac{13}{14}$, $\frac{13}{14}$, $\frac{14}{15}$, $\frac{15}{16}$, $\frac{15}{16}$, $\frac{17}{18}$, $\frac{17}{18}$, $\frac{18}{19}$, $\frac{20}{21}$, $\frac{24}{25}$.

Die Windungen sind meist sehr regelmässig, die der oberen Hälfte meist merklich kleiner, als die der unteren. Oft liegen die einzelnen Windungen so dicht auf einander, dass das Ganze den Eindruck eines zusammenhängenden Cylinders oder eines spitzen Kegels macht. An der Aufrollung nahmen nur die Rankenzweige, nie der Rankenstamm theil und ist die Ranke ungetheilt, so bleibt der untere Theil stets gerade. Die Rankenzweige rollen sich meist bis an ihre Basis völlig auf, zuweilen aber bleibt auch bei ihnen, wie bei einer unverzweigten Ranke, der untere Theil gerade.

Zuweilen finden sich auch statt eines Wendepunktes deren mehrere. Besonders häufig waren sie, wenn die Basis der Ranke, nachdem die Stütze erfasst war, durch äussere Ursachen genähert wurde.

Durch die spiralige Aufrollung wird die Basis der Ranke der Anheftungsstelle genähert und damit die ganze Pflanze in die Höhe gezogen.

Wird aber die Basis der Ranke verhindert, sich dem Punkte, in dem die Ranke die Stütze umschlingt, zu nähern, so unterbleibt die spiralige Aufrollung und es bilden sich nur ganz flache Bogen.

8. Die Veränderung nach dem Umwinden der Stütze. Die Spirale ist elastisch, besitzt eine gewisse Federkraft und ist dehnbar und biegsam. Derjenige Theil der Ranke aber, welcher die Stütze umschlungen hat, verdickt sich und zwar oft auf das Doppelte und Dreifache seines ursprünglichen Durchmessers und wird unelastisch, hart und spröde. Diese verschiedene Beschaffenheit der beiden Theile der Ranke ist für die Pflanze höchst nützlich; denn sobald die Pflanze heftigem Winde ausgesetzt ist, würde der obere Theil, wenn er nicht verhärtet, sondern biegsam wäre, leicht von der Stütze abgelöst werden, und der untere Theil, wenn er nicht biegsam, sondern verhärtet wäre, leicht abbrechen. Besonders deutlich tritt der Nutzen der Verhärtung an den Ranken zutage, welche eine Stütze nicht ganz umschlungen, sondern sich nur hakenförmig um dieselbe gelegt haben.

Die Anschwellung geschieht durch Wucherung der concaven Seite der Ranke. Diese Wucherungen wachsen nach dem Princip des locus minoris resistentiae, dringen in alle Vertiefungen der Stütze ein und umkleiden alle kleinen Erhöhungen derselben. Dies lässt sich besonders deutlich erkennen, wenn man einen dünnen Querschnitt durch die Spirale mit sammt der Stütze herstellt. Wie genau sich die Wucherungen der Form der Stütze anpassen, konnte man sehr gut an den Ranken sehen, welche sich um den Rankenstamm anderer Ranken gewunden hatten. Dieser Rankenstamm ist scharf sechskantig, sodass also sein Durchschnitt einen sechsstrahligen Stern darstellt. Genau diesen sechsstrahligen Stern zeigte die innere Seite einer Windung der Ranke, welche ihn umfasst hatte. Oft bilden sich aber auch an den gewucherten Stellen weisse, polsterartige Erhebungen. Dies beobachtete ich auch bei einem Theile einer Ranke, welche keine Stütze erfasst hatte, auf dem aber mehrere kleine Insekten sassen.

Darwin, der eine ähnliche Erscheinung bei *Hanburya mexicana* beobachtete, spricht sich zweifelnd über den Nutzen derselben aus. Dieser ist jedoch völlig klar, wenn man bedenkt, dass die Ranke sich durch die Wucherungen der Stütze viel fester anpasst, die Reibung erhöht und so das Hin- und Hergleiten an der Stütze verhindert wird. Da die Früchte der meisten Cucurbitaceen gross und schwer sind, so würden die Ranken, welche zu ihrem Halt dienen, weit leichter von ihren Stützen heruntergleiten, wenn die Wucherungen nicht vorhanden wären. Besonders würden die Ranken, welche, wie bei starken Stützen, nur wenige Windungen um dieselbe gemacht haben, und die, welche sich nur mit einem Haken an einer Stütze anhalten, ohne die Wucherungen sehr leicht abgleiten. In diesen beiden Fällen sind die Wucherungen auch besonders deutlich entwickelt. Vor allem aber ermöglichen es die Wucherungen, dass die Ranke nicht nur durch Umschlingen einer Stütze klettern kann, sondern auch dadurch, dass die Ranken in Löcher und Ritzen eindringen. Sobald dies nämlich geschehen und die Ranke in eine Ritze hineingewachsen ist, verhindert die eingetretene Wucherung das Zurückgleiten derselben und die Pflanze gewinnt hierdurch einen ebenso festen Halt, als durch Umschlingen einer Stütze. Diese Ranken ziehen sich ebenso spiralig zusammen, wie diejenigen, welche eine Stütze umwickelt haben. Einen Klebstoff, wie er bei anderen Cucurbitaceen vorkommt, sonderten die Wucherungen von *Cyclanthera pedata* nicht aus.

Diejenigen Ranken, welche keine Stütze erreicht haben, biegen sich allmählich abwärts. Sie rollen sich zwar auch ein, doch meist weit später als diejenigen, welche gefasst haben und gewöhnlich nicht zu Spiralen, sondern zu unregelmässigen Knäueln. Wenn sie sich aber zu Spiralen zusammenrollen, so sind dieselben weit lockerer und flacher, als diejenigen der Ranken, welche gefasst haben. Bei einigen lagen sogar sämmtliche Windungen in einer Ebene, sodass eine schöne regelmässige Schneckenwindung entstand.

9. Das Absterben. Die Ranken, welche keine Stütze erreicht haben, verdorren meist eher, als diejenigen, welche gefasst haben. Das Verwelken beginnt an der Spitze und schreitet nach der Basis fort, dabei schrumpfen sie zu ganz dünnen Fädchen zusammen. Aber auch die Ranken, welche eine Stütze umschlungen haben, verwelken oft noch eher als die Blätter, welche mit ihnen in denselben Stengelknoten entspringen.

10. Experimente mit abgeschnittenen Ranken. Wurden Ranken abgeschnitten, so traten sogleich aus dem Stumpf Tropfen einer klaren Flüssigkeit hervor. Wurden die abgeschnittenen Ranken in Wasser gestellt, so blieben sie einige Zeit lang noch reizbar und begannen sich nach der Reizung auch noch zu strecken, ohne jedoch die Geradestreckung zu vollenden. Nach mehreren Stunden begannen sie sich von der Schnittfläche aus nach der Spitze hin zu einer vollkommenen, regelmässigen schraubigen Spirale aufzurollen, die, abgesehen von dem fehlenden Wendepunkte, derjenigen glich, welche sich bildet, wenn die Ranke eine Stütze umfasst hat. Dasselbe Verhalten zeigte sich, wenn man die Ranke mit der Schnittfläche in schwache Salz- oder Zuckerlösung, oder in Kalkwasser stellte. In starker Zucker- und Salzlösung jedoch, in Lösungen von Jod, Kali und Essigsäure, in Glycerin und Alkohol, trat keine Einrollung ein, sondern nach ganz kurzer Zeit war die Ranke völlig welk.

Wurden Ranken nicht nur mit der Schnittfläche in eine Flüssigkeit gestellt, sondern ganz in dieselbe getaucht, so traten folgende Erscheinungen ein: In verdünnten Lösungen von Essigsäure, Kali und Jod trat sogleich eine Einrollung ein, mochten die Ranken vorher gestreckt oder gekrümmt, gereizt oder nicht gereizt gewesen sein. Die dadurch entstehenden spiraligen Einrollungen schritten nicht, wie bei der eben erwähnten, von der Basis nach der Spitze hin, sondern von der Spitze nach der Basis hin fort, und waren nicht schraubig, sondern lagen in einer Ebene. Sie waren meist höchst regelmässig und hatten weit mehr Windungen und ein zierlicheres Aussehen als diejenigen, welche durch Reizung einer unverletzten Ranke gebildet wurden. Die Schnelligkeit und Anzahl der Einrollungen war meist der Concentration der Lösung proportional, indem sie mit dem Wachsen des Prozentgehaltes der aufgelösten Substanz wuchs. Ebenso, wie in den oben angeführten Lösungen, verhielten sich Ranken in Salzlösungen; bei anderen aber trat zuweilen keine weitere Krümmung, sondern eine Streckung ein. Auch in Zuckerlösungen rollten sich einzelne proportional dem Zuckergehalt ein, andere aber streckten sich. Aehnlich, nur schwächer, wie bei Zuckerlösungen, waren die Erscheinungen bei Glycerin. In Alkohol trat meist keine merkliche Veränderung ein, nahm man jedoch Ranken, die längere Zeit in Alkohol gelegen hatten, heraus, so begannen sie sich beim Trocknen einzurollen und bewegten sich dabei auf ihrer Unterlage hin und her.

In reinem Wasser streckten sich häufig gekrümmte Ranken, andere wieder rollten sich ein, und noch andere zeigten überhaupt keine Veränderung.

11. Zusammenfassung. Wenn man die Beobachtungen über die Bewegungserscheinungen der Ranken von *Cyclanthera pedata* zusammenfasst, und sie mit den Beobachtungen, welche Darwin über die Ranken gemacht hat, vergleicht, so ergiebt es sich, dass die Ranken dieser Pflanze in der Schnelligkeit sowohl der Umläufe, als der Einkrümmung auf einen Reiz hin und der Streckung, als auch der spiraligen Einwickelung sämmtliche der von Darwin beobachteten Ranken meist um ein Bedeutendes übertreffen. Während nach Darwin das Minimum der Zeit, nach der die Einkrümmung eintritt, 25 Secunden ist (bei *Passiflora gracilis*), krümmen sich bei *Cyclanthera* die Ranken schon nach 5 Secunden; während das Minimum der Streckungszeit 50 Minuten beträgt (bei *Hanburya mexicana*), streckt sich *Cyclanthera* schon in 15 Minuten gerade; während das Minimum der Umlaufszeit 57 Minuten ist (bei *Passiflora gracilis*), ist es bei *Cyclanthera* 39 Minuten; während das Minimum der Zeit, nach der die spiralige Aufrollung beginnt, 7 Stunden ist (bei *Echinocystis lobata*), beginnt sich *Cyclanthera* nach noch nicht 5 Stunden aufzurollen. Wir haben es hier also mit einer Pflanze zu thun, welche, wie keine zweite der bis jetzt beobachteten Rankenträger, sich zu Beobachtungen und Versuchen über die merkwürdige Erscheinung der Rankenbewegung eignet.

B. Beobachtungen an anderen Cucurbitaceen.

1. Durch Klebstoff haftende Ranken. a. *Sicyos angulatus* Linn. Obgleich *Sicyos angulatus* diejenige Rankenpflanze ist, welche durch Asa Gray zuerst in Bezug auf die auffallend schnelle Einkrümmung der Ranken untersucht wurde und die Veranlassung zu Darwin's Untersuchungen über die Kletterpflanzen gab und obgleich de Vries auch wieder besonders die Ranken von *Sicyos* zu seinen Untersuchungen verwandte, hat Niemand beobachtet, dass die Ranken dieser Pflanze dadurch merkwürdig sind, dass sie nicht nur durch Umwinden und Anhaken oder durch Eindringen in Ritzen sich festhalten, sondern auch an glatten Flächen durch Ausscheidung eines Klebstoffes haften können. Darwin hat zwar beobachtet, dass die Ranken von *Hanburya mexicana* an der Stütze, welche sie umschlungen hatten, hafteten; nicht aber hat man meines Wissens eine Cucurbitacee beobachtet, die auf die Weise von *Sicyos* klettert. Stiessen nämlich die Ranken auf einen Gegenstand, den sie nicht umfassen konnten, so rollte sich die Spitze der Ranke in einen Knäuel zusammen, welcher sich an den Gegenstand anlegte. Dabei verdickte sich dieser zusammengerollte Theil der Ranke und sonderte einen bräunlichgelben, durchsichtigen, klebrigen Stoff aus, mit welchem die Ranke festhaftete. Dieser Stoff, der in so geringen Mengen an die Oberfläche trat, dass man ihn nur durch das Mikroskop wahrnehmen konnte, war in Alkohol gar nicht und in Aether nur schwer löslich. Ich hatte alle die mit Haftstellen versehenen Theile der Ranken, welche sich schon durch ihre braune Farbe von den übrigen im Alkohol völlig gebleichten Theile abhoben, in ein besonderes Gläschen gethan und bemerkte, dass der Inhalt dieses Gläschens sich durch einen besonders aromatischen Geruch auszeichnete. Die Ranken hafteten so fest, dass beim Abreissen derselben Theile der Gegenstände, an denen sie sich befestigt hatten, hängen blieben. So blieben an einer Ranke, welche an einer getünchten Wand haftete, Kalktheile hängen, und an einer anderen, welche an glatten Fenstervorhängen festklebte, Baumwollfäserchen haften. Auch die einzelnen Windungen der zusammengerollten Ranken hafteten oft so fest aneinander, dass sie oft eher zerrissen, als sich von einander loslösten.

Nachdem sich die Ranke auf diese Weise befestigt hat, rollt sich der freie Theil spiralig zusammen.

b. *Trichosanthes.* In derselben Weise wie *Sicyos* klettert auch *Trichosanthes anguina* Linn. Bei ihr zeigte sich aber noch folgende Erscheinung. Mehrere Ranken waren dadurch, dass sie sich spiralig zusammengezogen hatten, so dicht an eine Mauer gekommen, dass einzelne Windungen dieselbe berührten. Darauf schwollen alle diese Theile, welche an der Wand lagen, an, sonderten einen Klebstoff aus und so haftete die Ranke an einer ganzen Reihe von Punkten, eine Erscheinung, die meines Wissens noch bei keiner Ranke beobachtet wurde.

Auch bei *Trichosanthes Kirilowii* Maxim. (*Eopepon vitifolius* Naud.) hafteten kleine Theilchen eines Stäbchens an einer Ranke, welche sich daran gelegt hatte und dort eine Anschwellung zeigte. Es scheint, dass die Ranken dieser Pflanze weniger zum Umschlingen von Stützen, als vielmehr zum Festkleben geeignet sind. Denn die Ranken waren auffallend kurz und krümmten sich auf Reizungen hin fast gar nicht ein, so dass ich gezwungen war, die Pflanze durch Schnüre an der Stütze zu befestigen. Diese geringe Empfindlichkeit und das geringe Längenwachsthum konnte wohl nicht in der zurückgebliebenen Entwicklung liegen, da alle übrigen Organe ein gesundes Aussehen und kräftiges Wachsthum zeigten.

Darwin sagt: „Nachdem sich einmal eine Ranke fest um einen Stab herumgerollt hat, ist es schwierig, sich vorzustellen, von welchem Nutzen diese haftende Zellschicht sein kann. In Folge der spiraligen Zusammenziehung, welche bald eintritt, waren die Ranken niemals, mit Ausnahme eines einzigen Falles, im Stande, mit einem dicken Pfahl oder einer nahezu glatten Oberfläche in Berührung zu bleiben; wenn sie mit Hilfe der Haftschicht schnell angeheftet worden wären, würde dies offenbar für die Pflanze von Nutzen gewesen sein.“

Thatsächlich tritt nun dies, wie *Sicyos* und *Trichosanthes* zeigen, ein. Die Ranken dieser Cucurbitaceen haften wirklich an glatten Oberflächen. Aber der eine Fall, den Darwin selbst beobachtet, aber nicht näher beschrieben hat, würde ja allein schon den Nutzen der Haftschicht beweisen. Dass in den andern Fällen es den Ranken nicht gelang, sich festzuhalten, muss doch wohl in äusseren, ungünstigen Umständen gesucht werden. Aber auch dann, wenn die Haftschicht sich nur bei denjenigen Ranken zeigte, welche sich um eine Stütze gewunden haben, wäre sie von Nutzen, da sie das Abgleiten der Ranken wesentlich verhindert.

Bei andern Cucurbitaceen habe ich das Haften durch einen klebrigen Stoff nicht beobachten können. Bei allen Arten löste sich die Stütze glatt von der Ranke los und wenn ich die Ranke sammt der Stütze durchschnitt, so fiel jedesmal der Querschnitt der Stütze von selbst heraus.

2. Die Verdickung der Ranke. Bis jetzt war nur von zwei Cucurbitaceen, *Hanburya mexicana* und *Anguria Warscewiczii* durch Darwin bekannt, dass ihre Ranken an den Stellen, an welchen sie sich an eine Stütze anlegen, anschwellen. Diese Anschwellung ist aber keine Erscheinung, die nur diesen beiden Pflanzen zukäme, sondern zeigt sich auch bei unsern allbekannten Cucurbitaceen, wie *Cucumis, Cucurbita, Lagenaria, Bryonia* u. s. w. Ja, ich habe diese Erscheinung ausnahmslos bei allen von mir untersuchten 38 Arten gefunden, so, dass man sie wohl als allen rankentragenden Cucurbitaceen gemeinsam ansehen kann.

Die Verdickungen fallen meist wenig in die Augen und lassen sich gewöhnlich erst durch die Vergleichung von Querschnitten erkennen. Dies gilt besonders von den dünnen Ranken. Die Ranken wurden durch die Anschwellungen oft mehr als dreimal so dick, als sie ursprünglich waren. Die Wucherungen dehnten sich dann zu beiden Seiten aus und der Querschnitt gab eine dreilappige Figur, wobei jeder durch die Wucherung gebildete Lappen grösser, als der Querschnitt der ursprünglichen Ranke war. Gewöhnlich ist die Wucherung nur auf der Unterseite der Ranke vorhanden, also auf den Stellen, auf welche ein Reiz ausgeübt wird. Jedoch ist sie nicht allein auf diese Seite beschränkt. Bei *Sicyos angulatus, Trichosanthes anguina, Trichosanthes Kirilowii, Alobra tenuifolia* waren Wucherungen auf allen Seiten vorhanden. Bei einer Ranke von *Momordica involucrata*, welche durch eine enge Fensterritze gedrungen war, zeigten sich an dem ganzen Theile, der in der Ritze sich befand, Verdickungen auf allen Seiten der Ranken. Es ist daher anzunehmen, dass jeder Theil der Ranke, auf welchen ein Druck ausgeübt wird, anschwillt.

Der Theil, welcher sich um eine Stütze gewunden hatte, und die Wucherungen zeigte, war fast immer hart und spröde, während der freie Theil elastisch blieb.

3. Die Knospenlage der Ranke. Die spiralige Einrollung der Ranken in der Knospenlage, wie sie bei *Cucurbita, Bryonia, Sicyos* u. s. w. vorkommt und öfter beschrieben wurde, ist jedoch nicht die einzige Form, vielmehr hat man drei Formen zu unterscheiden: 1) ist die Ranke in einem halbkreisförmigen Bogen nach der Axe zu gekrümmt; 2) ist sie in derselben Richtung spiralig eingerollt und 3) ist der untere Theil, wie die beiden ersteren, gekrümmt; dann aber krümmt sich die Ranke nach der anderen Seite, sodass eine Sförmige Figur entsteht.

Zur ersteren Form gehören die untersuchten Arten von *Abobra, Bryonopsis, Citrullus, Cucurbitella, Cyclanthera, Lagenaria, Luffa, Melothria, Momordica* und *Trichosanthes.*

Zur zweiten *Bryonia, Coccinia, Cucurbita, Sicyos, Sicyosperma* und *Thladiantha.*

Zur dritten Form gehörten nur eine Anzahl der Gattung *Cucumis*, nämlich: *Cucumis sativus, Melo, minutissimus, perennis* und *odoratissimus.*

Die übrigen Arten *C. myriocarpus, metuliferus, Prophetarum, flexuosus,* zeigten die erste Form.

Bei den beiden ersten Formen wird die Seite, welche in der Knospe die concave war, bei der entwickelten Ranke die convexe. Bei der dritten Form wird nur der untere concave Theil zum convexen, der obere rollt sich nur auf, ohne in eine entgegengesetzte Krümmung überzugehen.

Von der Spirale streckt sich gewöhnlich zuerst der untere Theil, während der obere meist noch fest eingerollt bleibt. Die Streckung schreitet dann bis zur Spitze fort, wobei an der Spitze langer Ranken oft noch kleine, schneckenförmige Windungen zu sehen sind. Zuweilen lockert sich jedoch gleich anfangs die ganze Spirale.

Auch kommt es vor, dass sich die Ranken überhaupt nicht entwickeln. So war bei Exemplaren von *Cucurbita Pepo,* welche in kleinen Töpfen gewachsen, und in Folge der schlechten Ernährung im Wachsthum sehr zurückgeblieben waren, an der ganzen Pflanze keine Spur einer Ranke zu entdecken, obgleich Blätter und Blüthen vollständig entwickelt, wenn auch etwas klein waren.

4. Bewegungen der Ranken. a. *Reizbarkeit.* Reizbar waren die Ranken aller beobachteten Cucurbitaceen, mit Ausnahme des erwähnten Exemplares von *Trichosanthes Kirilowii.* Ein lebhaftes und schnelles Einkrümmen wurde bei *Coccinia cordifolia* Cogn. und *Momordica involucrata* E. Meyer beobachtet. Die Ranken von *Sicyos angulatus* L., der bis jetzt als die reizbarste Cucurbitacee galt, krümmten sich meist nach 30 Secunden. Je länger und dünner die Ranken waren, desto reizbarer waren sie im allgemeinen. Diese dünneren Ranken reizen sich untereinander wenig. Die dickeren und unempfindlicheren dagegen, wie die von *Cucurbita,* reizen sich fast regelmässig; ja, die Pflanzen klettern oft dadurch, dass von zwei Rankenzweigen der eine die Stütze von rechts, der andere von links umschlingt und dann sich beide Zweige um einander wickeln. Hierdurch kann die Ranke sich an verhältnissmässig starken Stützen anhalten. Oefter hatte auch eine Ranke, welche mit ihrem unteren Theile eine Stütze umfasst hielt, mit ihrem oberen eine neue Stütze ergriffen.

b. Spiralige Aufrollung. Alle die beobachteten Ranken rollten sich, nachdem sie gefasst hatten, zu einer Spirale auf. Der untere Theil blieb dabei gerade. Nur bei *Abobra tenuifolia* Cogn. rollten sich die Ranken oft bis zum äussersten Grunde auf. Bei *Coccinia cordifolia* Cogn. hatte sich eine lange Ranke bis auf den unteren, geraden Theil fast vollständig um eine als Stütze dienende gespannte Schnur gewickelt, und die spiralige Aufrollung bestand aus einer einzigen Windung. Häufig sind mehrere Umdrehungspunkte zu beobachten. Einmal zeigten sich an einer Ranke allein fünf. Auch beobachtete ich eine Ranke, bei der sich die Spirale, zu der sich der sonst freibleibende Theil aufrollte, selbst mit um die Stütze gewunden hatte, wobei in dem Theile, welcher die Stütze umwand, ein Wendepunkt vorhanden war.

c. *Physiologische Versuche.* Abgeschnittene und mit der Schnittfläche in Wasser gestellte Ranken von *Sicyos angulatus*, *Lagenaria vulgaris, Coccinia cordifolia, Melotria scabra* rollten sich von unten auf zu einer schraubigen Spirale ein.

In Essig-, Kali- und Jodlösungen rollten sie sich von der Spitze nach der Basis hin zu mehrfach gewundenen, ebenen Spiralen ein. In Salzwasser und auch in reinem Wasser trat meist eine Streckung der durch einen Reiz gekrümmten Ranken ein.

Mehrere Ranken von *Bryonia dioica,* welche ich in Wasser legte, rollten sich von der Spitze aus nach der Basis zu einer dichten Schneckenlinie ein, gleich der, welche die Ranken in der Knospenanlage zeigen.

Dehnte man die spiralig eingerollten Ranken von *Bryonia* aus, so traten längs der ganzen Oberseite kleine Tröpfchen hervor.

C. Was ist die Ursache der Bewegungen der Ranken?

1. Die Arten der Bewegung. Bei den Ranken treten acht Arten von Bewegungen auf, die bis jetzt nicht genau genug auseinandergehalten worden sind.

Es sind dies folgende: 1. Das Geradestrecken der Ranke beim Hervortreten aus der Knospe. 2. Die Circumnutation. 3. Das plötzliche Ergreifen der Stütze. 4. Das allmähliche Umwickeln der Stütze. 5. Das Geradestrecken nach Entfernung des reizenden Gegenstandes. 6. Die spiralige Aufrollung der Ranke. 7. Die knäulige Einrollung der Ranken, welche nicht gefasst haben. 8. Das Herabkrümmen dieser Ranken.

2. Die Hypothesen über die Ursache der Bewegungen. Die Antwort, welche die meisten Botaniker, vor allen Mohl, Sachs, Pfeffer, de Vries, auf die Frage nach der Ursache der Bewegung der Ranken geben, ist folgende: Die Ranken krümmen sich deshalb, weil die eine Seite schneller wächst, als die andere. Die erstere wird dadurch convex, die letztere concav. Die Richtigkeit dieser Behauptung wird von Darwin bestritten. Es tritt also an uns die Frage heran: Auf wessen Seite steht das Recht?

3. Der Längenunterschied der beiden Seiten. Zunächst steht soviel fest: Die Ranke ist ein dehnbarer, prismatischer Körper. Wenn ein solcher Körper gekrümmt wird, so muss ein Unterschied der Länge der concaven und convexen Seite eintreten. Während also vor der Krümmung diese beiden Seiten gleich lang waren, ist nach der Krümmung die convexe länger, als die concave.

Dieser Unterschied kann hervorgerufen sein entweder durch Zunahme der Länge der convexen Seite, oder durch Abnahme der Länge der concaven, oder durch beides zugleich. Zur Beantwortung der Frage ist also zunächst nothwendig, durch Messung festzustellen, welcher von diesen drei möglichen Fällen thatsächlich eintritt.

4. Das Mangelhafte der Messungen. Die Messung ist bis jetzt nur bei einer der erwähnten acht Arten der Rankenbewegung vorgenommen worden. Von den sieben übrigen Arten fehlt bis jetzt jeder Versuch einer Messung.

Die Art der Bewegung, bei welcher von Darwin und de Vries Messungen vorgenommen worden sind, ist das allmähliche Umwinden einer Stütze. Darwin hat an den gerade gestreckten Ranken von *Echinocystis lobata* Theilstriche angebracht und gefunden, dass sich diese Theilstriche nicht von einander entfernt hatten, nachdem sich die Ranke um eine Stütze gewunden hatte. In wie weit diese Messungen genau sind, ist nicht zu ersehen, da jede nähere Angabe darüber fehlt. Wenn sie aber richtig sind, so folgt aus ihnen nothwendig, dass die Einkrümmung nur durch Verkürzung der concaven Seite entstehen kann.

Ausführlichere Messungen hat de Vries vorgenommen. An einer geraden Ranke wurden Theilstriche, die je einen Millimeter von einander entfernt waren, gemacht, und einige Zeit, nachdem die Ranke sich um eine cylindrische Stütze mit bekanntem Umfange gewunden, wurde der äussere Umfang einer Windung der Ranke gemessen. Das Verhältniss der Millimeterzahl eines Umfanges der convexen Seite zu der Anzahl der Theilstriche giebt die Längenzunahme der convexen Seite an.

Die für die convexe Seite gewonnenen Messungsergebnisse wurden nun auf die concave Seite durch folgenden Schluss übertragen: Da die Ranke der cylindrischen Stütze anliegt, so ist der Umfang der Stütze gleich dem Umfange einer Windung der concaven Seite, man kennt also die Grösse der letzteren. Um nun zu bestimmen, wie sich diese Grösse zu der Grösse verhält, welche die jetzt concave Seite vor der Einkrümmung hatte, ist es nur nöthig, die Anzahl der Theilstriche auf der convexen Seite zu zählen. So viel Theilstriche die convexe Seite zeigt, so viel Millimeter mass die concave Seite vor der Einkrümmung.

Danach wird also angenommen, dass alle diejenigen Punkte der Ranke, welche vor der Krümmung in einer zur Achse der Ranke senkrechten Ebene lagen, nach der Krümmung in einer durch die Achse der Spirale gelegten Ebene liegen, oder, wenn man nur die entsprechenden den Durchschnittsebenen betrachtet, dass alle Punkte, welche bei der geraden Ranke auf einer zu der Achse der Ranke senkrechten Linie lagen, bei der gekrümmten Ranke auf demselben Radius des durch die äussere Seite gebildeten Kreises liegen. Es wird also stillschweigend vorausgesetzt, dass, wenn man einen dehnbaren Cylinder, der an beiden Enden senkrecht abgeschnitten ist, zu einem Ringe zusammenbiegt, die beiden Schnittflächen genau parallel sind und keinen Winkel mit einander bilden.

Dies ist aber durchaus nicht nothwendig, denn 1. ist der Fall, der als wirklich vorausgesetzt wird, nur ein Specialfall unter unendlich vielen möglichen. Nun ist aber gar nicht einzusehen, warum unter der unendlichen Zahl möglicher Fälle gerade der gewünschte eintreten sollte.

2. sind die Zellschichten, welche sich bei der Krümmung der Ranke ausdehnen oder zusammenziehen müssen, von ganz verschiedener Beschaffenheit. Es befinden sich darunter die verschiedenen Arten des Haut-, Leit- und Grundgewebes. Diese verschieden beschaffenen Zellschichten besitzen auch eine verschiedene Dehnbarkeit. Es ist daher nicht anzunehmen, dass alle diese Zellschichten bei der Krümmung der Ranke in gleichmässiger Weise ihr Volumen ändern werden.

3. Jede Ranke übt bekanntlich auf die Stütze einen Druck aus, was nur dadurch erklärt werden kann, dass die äusseren Zellschichten in stärkerem Maasse ausgedehnt sind, als die innere; denn wenn sie nur in demselben Maasse ausgedehnt wären, würden sie nur die Stütze gerade umfassen, aber keinen Druck auf sie ausüben.

4. Bei der Rechnung ist angenommen, dass die Dicke der Ranke vor und nach dem Umwinden einer Stütze sich gleich bleibt. Nun tritt aber bei allen Ranken, welche eine Stütze umschlingen, eine oft sehr beträchtliche Verdickung ein.

Aus dem Gesagten geht hervor, dass man zwar keinen Grund hat, die Richtigkeit der Messungen für die convexe Seite anzuzweifeln, dass aber die Angaben über die Ausdehnung und Verkürzung der concaven Seite nicht auf Beobachtungen von Thatsachen, sondern auf unsicheren Schlüssen beruhen.

Welcher Art der Längenunterschied der convexen und concaven Seite ist, ob also nach der Krümmung eine Verlängerung der convexen oder eine Verkürzung der concaven Seite, oder beides zugleich eingetreten ist, darüber wissen wir bis jetzt nichts Bestimmtes.

5. Das Unzulängliche der Hypothese des ungleichen Wachsthums. Noch weniger, als über die Art des Längenunterschiedes wissen wir etwas über die Ursache, welche diesen Längenunterschied hervorruft. Wenn behauptet wird, ungleichseitiges Wachsthum wäre die Ursache der Krümmung der Ranken, so ist diese Behauptung nicht nur willkürlich, sondern es lässt sich sogar nachweisen, dass sie aller Wahrscheinlichkeit nach falsch ist. Willkürlich ist sie; denn

1. könnte man nur dann Wachsthum als Ursache annehmen, wenn nachgewiesen wäre, dass der Längenunterschied durch Längenzunahme der convexen Seite und nicht durch Längenabnahme der concaven Seite entstände.

Wenn letzteres der Fall wäre, so wäre von vornherein bewiesen, dass das Wachsthum nicht die Ursache sein könnte, denn nur Volumenzunahme, nicht aber Volumenabnahme kann durch Wachsthum erklärt werden. Nun ist die Unmöglichkeit des letzteren Falls nicht nur nicht bewiesen, sondern de Vries sowohl, wie Darwin behaupten thatsächlich eine Verkürzung der concaven Seite beobachtet zu haben.

Wollte man aber behaupten, dass die Verkürzung der concaven Seite nur deshalb eintritt, weil die convexe Seite so stark wächst, dass sie die concave Seite zusammenpresst, so beruht dies auf der Voraussetzung, dass die Ursache der Krümmung allein in der Ausdehnung der convexen Seite liege, was ja erst bewiesen werden soll.

2. Selbst wenn es feststände, dass die Krümmung der Ranke stets durch eine Verlängerung der convexen Seite entsteht, wäre damit noch nicht bewiesen, dass diese Verlängerung durch das Wachsthum hervorgebracht würde. Denn das Wachsthum, d. h. bleibende durch Intussusception hervorgerufene Zunahme ist doch lange nicht die einzige Ursache der Volumenveränderungen, die am Pflanzenkörper sich zeigen. Es können Volumenveränderungen eintreten durch Flüssigkeitsaufnahme in Folge von Diffusion, Inbibition, Wurzeldruck oder aus anderen noch nicht hinreichend erforschten Gründen, wie zum Beispiel bei der Bewegung der Blätter von *Mimosa* und *Dionaea*.

Man hat nur dann ein Recht, das Wachsthum als Ursache der Bewegung der Ranken anzunehmen, wenn man nachweisen kann, dass alle diese andern Ursachen ausgeschlossen sind. So lange dies nicht geschehen ist, ist jene Annahme nicht einmal eine wissenschaftlich berechtigte Hypothese, vielweniger eine feststehende Thatsache.

6. Die Gegengründe gegen die Hypothese des ungleichseitigen Wachsthums. Es giebt aber nicht nur Gründe dafür, dass die Behauptung, die Ursache der Rankenbewegung sei Wachsthum, willkürlich ist, sondern auch dafür, dass sie falsch ist.

1. Alle Grössenveränderungen, welche durch Wachsthum hervorgebracht werden, vollziehen sich so langsam, dass auch die gespannteste Aufmerksamkeit nicht die geringste Bewegung wahrnehmen kann.

Nie ist die nachweislich durch Wachsthum hervorgebrachte Veränderung unmittelbar sinnlich wahrnehmbar. Man erkennt sie nicht durch direkte Beobachtung, sondern nur durch einen Schluss auf Grund von Vergleichungen einer Reihe von verschiedenen Entwicklungsstadien.

Die Bewegung der Ranke aber, vor allem die Einkrümmung auf einen Reiz hin und die Circumnutation auf der Schattenseite, ist so schnell, dass man sie nicht nur ganz deutlich wahrnimmt, sondern, dass sie sogar den flüchtig über die Pflanze hinstreifenden Blick auf sich zieht. Sie gehören zu den schnellsten Bewegungen, die man überhaupt an Pflanzen beobachtet hat.

2. Das Wachsthum bringt dauernde Formveränderung hervor. Die Einkrümmung der Ranke aber beginnt schon oft nach 4 bis 5 Minuten wieder zu schwinden.

3. Wie durch Versuche festgestellt wurde, treten bei abgeschnittenen Ranken Krümmungen und Streckungen theils durch Wasseraufnahme, theils durch chemische Reize ein, es ist daher höchst wahrscheinlich, dass dieselben oder sehr ähnliche Ursachen bei den lebenden Ranken thätig sind.

4. Durch Plasmolyse können nur Volumenveränderungen rückgängig gemacht werden, welche durch Turgor, nicht solche, welche durch Wachsthum hervorgebracht werden. Da nun durch Plasmolyse thatsächlich Volumenveränderungen von Ranken rückgängig gemacht sein sollen, so können dieselben nicht durch Wachsthum entstanden sein.

De Vries hat Ranken, welche sich gekrümmt hatten, abgeschnitten und in Salzwasser gelegt. Nach einiger Zeit hatten sie sich gestreckt. Ich habe nun zu wiederholten Malen Ranken in ganz reines Wasser gelegt und sie streckten sich ebenfalls. Daraus geht hervor, dass das Salz nicht die Ursache der Streckung gewesen sein kann, d. h., dass hier wahrscheinlich überhaupt keine Plasmolyse vorgelegen hat. Ich habe ausserdem sehr häufig gekrümmte Ranken in verschieden starke Salzlösungen gelegt und wahrgenommen, dass sie sich nicht nur nicht streckten, sondern zu mehreren Windungen einrollten, ohne sich auch später zu strecken.

Wenn man Ranken abschneidet und in verschiedene Flüssigkeiten legt, so zeigen sich ja, wie oben mitgetheilt, eine ganze Reihe höchst merkwürdiger Erscheinungen. Bald rollen sie sich ein, bald strecken sie sich. Bald schreitet die Bewegung von der Spitze nach der Basis, bald umgekehrt fort. Theils tritt die Bewegung unmittelbar, theils erst nach mehreren Stunden ein. Theils gleichen sich die Windungen wieder aus, theils bleiben sie auf die Dauer bestehen. Die Ranken sind für derartige Versuche höchst dankbare Objekte und liefern ein reiches Material interessanter Erscheinungen.

Es ist daher zu hoffen, dass man auf diesem Wege der Lösung der Frage nach der Ursache der Einkrümmung und Streckung der Ranken allmählich näher kommen wird. Augenblicklich aber sind die Erscheinungen noch viel zu verwickelt und zu wenig gesichtet, als dass es möglich wäre, ein Urtheil zu fällen, welches eine befriedigende Erklärung enthielte.

Allein schon die Thatsache, dass in reinem Wasser sowohl Einkrümmung als Streckung, sowohl ebene, als schraubige Spiralen, sowohl von der Spitze, als von der Basis ausgehende Bewegungen sich zeigten, muss uns davor warnen, voreilige Hypothesen aufzustellen.

In welcher Weise ferner die verschiedenen chemischen Stoffe gewirkt haben, ob sie Wasserentziehung, oder Absterben des Zellinhaltes, oder Quellung gewisser Theile, oder Erschlaffuug der Zellwände bewirkt haben, ob sie durch die Schnittfläche oder durch die Epidermis eingedrungen sind, das kann nur durch eine grosse Reihe sehr genau und vorsichtig angestellter Versuche erforscht werden.

Sicher scheint bis jetzt nur festzustehen, dass durch Stoffe, wie Jod, Kali und Essigsäure eine starke Einkrümmung eintritt, und dass diese Einkrümmung um so bedeutender ist und um so schneller vor sich geht, je grösser der Procentgehalt der in der Lösung enthaltenen Stoffe ist.

7. Die Beziehungen zwischen den Lebenserscheinungen und der Anatomie der Ranken. Es ist bis jetzt von Niemandem der Versuch gemacht worden, zur Erklärung der Lebenserscheinungen die Ergebnisse der anatomischen Untersuchungen heranzuziehen.

Dass der anatomische Bau eine wesentliche Bedingung der Lebenserscheinungen ist, bedarf erst keines Beweises. Es fragt sich nur, welche der verschiedenen anatomischen Thatsachen diese Bedingungen bilden, und in welcher Weise sie mit den physiologischen Erscheinungen zusammenhängen.

Die Untersuchungen von Palm und Mohl sind zu wenig eingehend, um zu brauchbaren Schlüssen verwandt zu werden, und von den übrigen Forschern haben die einen allein die physiologischen, die andern allein die anatomischen Erscheinungen untersucht. Und doch besteht eine Anzahl von Beziehungen zwischen diesen beiden Reihen von Thatsachen, welche geeignet sind, zur Erklärung der Bewegungserscheinungen beizutragen.

a. Beziehung zwischen dem Krümmungsvermögen und der Bilateralität der Ranken. Besonders deutlich treten diese Beziehungen bei den meisten einfachen Ranken zu Tage.

Während bei ihnen der obere Theil empfindlich ist, und sich später spiralig einrollt, ist der untere unempfindlich und bleibt stets gerade. Die Grenze zwischen diesen beiden Theilen lässt sich leicht feststellen.

Vergleicht man mit diesem Verhalten die Ergebnisse meiner anatomischen Untersuchungen, von denen das wichtigste auf Tafel II dargestellt ist, so findet man, dass auch der unempfindliche Theil einen durchgängig anderen Bau zeigt, als der empfindliche Theil. Jener ist deutlich central, dieser bilateral gebaut, in jenem ist der Sklerenchymring geschlossen, in diesem offen. In jenem sind die Gefässbündel nach allen Seiten gleichmässig vertheilt, in diesem rücken sie alle mehr und mehr auf eine Seite.

Soweit also die Ranke central gebaut ist, zeigt sie kein Krümmungsvermögen; soweit sie bilateral gebaut ist, soweit betheiligt sie sich an den Einkrümmungen.

Man ist daher zu der Hypothese berechtigt, dass die Bilateralität des anatomischen Baues eine Bedingung des Einkrümmungsvermögens ist.

Diese Hypothese erhält nun eine weitere Stütze durch folgende Betrachtung. Die Empfindlichkeit der Ranke nimmt nach der Spitze hin stetig zu. Dasselbe aber gilt von der Bilateralität des anatomischen Baues, denn jemehr man sich der Spitze nähert, desto mehr verbreitert sich die Form der Ranke, desto schmäler wird der Sklerenchymring und desto mehr treten die Gefässbündel auf eine Seite.

b. Beziehung zwischen der Reizbarkeit und Consistenz der Ranken. Eine weitere, beobachtete Thatsache war ferner die, dass die Ranken der jüngeren Pflanzen empfindlicher waren, als die der älteren Pflanzen. Diese jüngeren Ranken waren nun nicht nur erheblich schlanker, sondern die anatomische Untersuchung zeigte auch, dass sie vor allem dünnwandige Zellen und klaren Zellinhalt enthielten. Es liegt daher die Vermuthung nahe, dass die Schlankheit der Ranke, die Zartheit der Zellwände und die Durchsichtigkeit des Inhalts zu den Bedingungen der Empfindlichkeit gehören.

c. Beziehungen zwischen der concaven und convexen Seite der Ranke. Die obere Seite der Ranke wird bei der Krümmung convex, die untere concav; ihre rechte und linke Seite aber verhalten sich gleich. Dem entsprechend zeigt die obere und untere Seite einen verschiedenen, die rechte und linke aber einen gleichen anatomischen Bau.

Wichtig ist vor allem, dass alle leicht veränderlichen Bestandtheile sich nach der convex werdenden Seite concentriren, alle festeren dagegen nach der concav werdenden. Hier liegt vor allem der festeste Theil der ganzen Ranke, das Sklerenchym, während auf der anderen Seite keins vorhanden ist. Ebenso liegt auf der concavwerdenden unteren Seite der Ranke das grösste Gefässbündel, und auch die übrigen Gefässbündel treten nach der Spitze zu immer mehr auf diese Seite herüber. Ausserdem zieht sich an dieser Seite von der Basis bis zur Spitze ein breiter Collenchymstreifen hin. Die obere Hälfte der Ranke aber besteht der Hauptsache nach aus sehr grossen, dünnwandigen Parenchymzellen.

Dieser obere Theil ist also der am leichtesten veränderliche, er kann am leichtesten Flüssigkeiten aufnehmen und sich am leichtesten dehnen. Wenn eine Formveränderung eintritt, so wird diese wahrscheinlich von der Seite ihren Ursprung nehmen, welche für eine solche Veränderung am meisten geeignet ist, d. h. von der oberen Seite, und es ist unwahrscheinlich, dass die Veränderung von den festesten, unveränderlichsten Bestandtheilen der Ranke, nämlich von der unteren Seite ausgehen sollte. Bei der Veränderung durch die Krümmung wird die obere Seite convex; man ist also genöthigt anzunehmen, dass ihre Formveränderung eine Volumenzunahme ist.

Die anatomischen Ergebnisse machen es demnach wahrscheinlich, dass die Krümmung der Ranke durch Ausdehnung der oberen und nicht durch Zusammenziehung der unteren Seite entsteht.

Bei der Streckung der Ranke wird wohl auch von der oberen Seite die Bewegung ausgehen, dadurch, dass die Zellen jenes Theiles die Flüssigkeit wieder an jene Gewebe zurückgeben, aus denen sie ihnen zugeführt wurde.

d. Die Fortpflanzung des Reizes. Nur der Reiz, welcher auf die untere Seite der Ranke ausgeübt wird, bringt eine Bewegung hervor. Fast die ganze Breite der unteren Seite nimmt nun eine Collenchymschicht ein. Diese wird also zunächst die Leitung des Reizes übernehmen. Von hier muss er sich dem Parenchym mittheilen. Damit nun der Reiz bis zu der oberen Seite der Ranke gelangt, muss er entweder auf geradem Wege durch das Sklerenchym oder auf Umwegen sich rechts und links um dasselbe herum im Parenchym fortpflanzen. Da letzteres für den von aussen ausgeübten Druck am empfänglichsten ist, wird es auch wohl der Weiterleitung des Reizes dienen.

e. Die anatomischen Veränderungen im Verlauf der Thätigkeit der Ranke. 1. Die Verholzung des Sklerenchyms. Bei den weniger empfindlichen Ranken, wie z. B. bei denen von *Cucurbita* und *Bryonia* war der Sklerenchymring schon bei den unentwickelten, noch in der Knospe befindlichen Ranken vorhanden. Bei den mehrempfindlichen, wie z. B. bei *Cyclanthera, Sicyos,* begann er sich erst zu bilden in der Zeit, in welcher die Ranken anfingen Reizbarkeit zu zeigen. In den jungen Ranken ist noch keine Spur von Sklerenchym vorhanden.

So lange die Ranken für Reize empfindlich waren, war das Sklerenchym nicht verholzt. Es färbte sich durch schwefelsaures Anilin und Phloroglucin nicht.

Erst einige Zeit, nachdem die Ranke eine Stütze erfasst hat, begann das Sklerenchym zu verholzen. Die Verholzung zeigte sich zuerst in der Mitte der unteren Seite und schritt von hier aus nach rechts und links fort. Sehr häufig konnte man sehen, wie die mittelsten Sklerenchymzellen deutlich gefärbt waren, während die seitlichen ungefärbt blieben. (Fig. 3.) Oft war der untere Sklerenchymbogen völlig verholzt, während die oberen Sklerenchymstreifen noch keine Spur von Verholzung zeigten.

Bei denjenigen Ranken, welche keine Stütze erfasst hatten, trat auch eine Verholzung ein, aber sie erfolgte erstens später, und die Färbung war zweitens nicht so intensiv, wie bei denen, welche gefasst hatten.

Die Verholzung tritt erst dann ein, wenn die Ranke ihre Empfindlichkeit verliert. Man wird also es für wahrscheinlich ansehen müssen, dass eine Bedingung der Reizbarkeit der Ranke die ist, dass das Sklerenchym sich in unverholztem Zustande befindet.

Das Xylem der Gefässbündel begann stets vor dem Sklerenchym zu verholzen.

Bemerkenswerth ist ferner, dass das Sklerenchym der Ranke weit eher verholzt, als das des Stengeltheils, an welchem die Ranke steht. Während also die Ranke schon starr und fest ist, ist der Stengel noch leicht biegsam. Diese Eigenschaft ist der Pflanze von wesentlichem Nutzen, denn so kann durch die spiralige Einrollung der Ranke der Stengel leicht an die Stütze heran gezogen werden, während dies dann schwierig wäre, wenn sich in ihm bereits verholztes Sklerenchym gebildet hätte.

Bei der Umwandlung der Blattspindel zur Ranke hat besonders das Sklerenchym eine bedeutende Veränderung erfahren. Es ist in der Ranke in weit grösserer Menge vorhanden und von weit grösserer Stärke und Festigkeit, als in der Blattspindel.

Daher setzt die Ranke dem Zerreissen einen ungleich grösseren Widerstand entgegen, als der Blattstiel, obgleich dieser viel dicker ist. Erst durch die Entwicklung des Sklerenchyms kann die Ranke wirklich ihren Zweck erfüllen und der Pflanze jenen festen Halt gewähren, der ihr sonst wegen des geringen Dickenwachsthums des Stengels fehlen würde.

Die Bildung des Sklerenchyms ist daher ein deutliches Beispiel einer zweckmässigen Anpassung.

2. **Die anatomische Veränderung des Theiles, welcher die Stütze umfasst hat.** Der Theil der Ranke, welcher eine Stütze umfasst hat, schwillt, wie oben erwähnt ist, an und wird hart und spröde. Es fragt sich, mit was für anatomischen Veränderungen jene Erscheinungen zusammenhängen.

a. Die Anschwellung. Es zeigt sich, dass die Anschwellung nicht durch ein gleichmässiges Dickenwachsthum der Ranke erfolgt, sondern nur dadurch, dass die Zellschichten, welche zwischen der Peripherie und dem Sklerenchym liegen, zu wachsen beginnen.

Es betheiligen sich also an der Wucherung die Zellen der Epidermis, des Collenchyms und des Parenchyms, welches zwischen Collenchym und Sklerenchym liegt. Die Zunahme entsteht aber nicht durch Bildung neuer Zellen, d. h. durch Zelltheilung, sondern dadurch, dass die Zellen zu einer auffallenden Grösse heranwachsen. Sie erreichen dabei oft mehr, als das achtfache ihres ursprünglichen Durchmessers. Alle diese Zellen waren dünnwandig und der Unterschied in der Dicke der Wände, welcher bei den ursprünglichen Zellen deutlich hervortritt, verschwindet allmählich bei der Wucherung.

Die auffallendste Bildung zeigten die Epidermiszellen der leicht reizbaren Ranken und derjenigen, welche durch Klebstoff hafteten. (Fig. 2.) Hier waren die Epidermiszellen oft sehr unregelmässig gebildet: neben sehr kleinen standen sehr grosse, neben schmalen breite, neben kurzen lange Zellen. An einzelnen Stellen quollen die Zellen in solcher Menge hervor, dass sie wie brombeerartige Häufchen erschienen. Sie zeigten häufig auffallend grosse Zellkerne. Die jüngeren waren eiförmig, dann wurden sie birnförmig und endlich keulenförmig. Die äussere Seite war bei den älteren häufig nach innen gebogen, so dass an der Spitze napfförmige Gruben entstanden. Sehr häufig zerrissen die äussersten Ränder der Zellen und sie glichen dann oft aufgesprungenen Bovisten (Fig. 2). (Fig. 10 stellt Fig. 2 verkleinert dar zum Vergleich mit Fig. 9, welche einen analogen Schnitt vor der Wucherung zeigt.)

Am häufigsten zeigten sich die Wucherungen auf der Mitte der Unterseite der Ranke. (Fig. 6.) (Fig. 5 zeigt einen analogen Durchschnitt einer Ranke vor der Wucherung.) Jedoch auch nicht selten lagen sie mehr seitlich oder auch an anderen Stellen, besonders bei den Ranken, welche in Ritzen eingedrungen waren. Ja, bei einer Ranke von *Mormordica involucrata* waren sie gleichzeitig auf allen Seiten vorhanden. Merkwürdig ist es, dass auch der untere, unempfindliche Theil ebenfalls die Wucherungen zeigte. (Fig. 8.) (Fig. 7 zeigt einen gleichen Theil vor der Wucherung.) Vor allem häufig waren bei den Ranken von

Trichosanthes anguina und *Sicyos angulatus* die Wucherungen an allen Seiten vorhanden. Bei *Trichosanthes* waren bei einer Ranke die Ränder der Wucherungen rechts und links nach oben gewölbt, so, dass die Wucherung im Querschnitt wie eine auf der Ranke sitzende Haube erschien. (Fig. 4.) Ueber der Wucherung lag bei *Trichosanthes* und *Sicyos* eine dünne harzartige Schicht ausgebreitet. (Fig. 2.) Harztropfen fanden sich auch in den Gefässbündeln dieser Ranken. Da ich mehrfach beobachtete, dass von der äusseren Harzschicht ein Gang ins Innere der Ranke führte (Fig. 2) und zwar bis zu den Stellen, an denen sich auch dort Harz befand, so ist es höchst wahrscheinlich, dass der äussere Harzüberzug von dorther stammt. Auch bei andern Ranken, welche nicht durch Klebstoffe hafteten, wie z. B. bei *Cucurbita* und *Lagenaria* zeigte sich Harz in den Gefässbündeln. Eine eigenthümliche Wucherung zeigte sich an denjenigen Ranken von *Cyclanthera,* auf welchen kleine Insekten gesessen hatten. Hier hatten sich nur einzelne Theile der Oberfläche emporgewölbt. Sie erschienen im Querschnitt fast kreisförmig und wurden von einer dichten Schicht langgestreckter Epidermiszellen, welche fast radienartig angeordnet waren, umgeben. (Fig. 1.)

b. Die Verhärtung. In demjenigen Theile der Ranke, welcher sich spiralig zusammenzieht, verholzt nur der Sklerenchymstreifen auf der unteren Seite und das Xylem der Gefässbündel. Das Grundgewebe dagegen bleibt unverholzt. Dadurch bleibt die Ranke sehr biegsam. In dem Theile jedoch, welcher eine Stütze umschlingt und die oben beschriebenen Wucherungen zeigt, verholzt das ganze innere Parenchym. Der Sklerenchymstreifen vergrössert sich und wird zu einem vollkommen geschlossenen Ringe. Ja, oft ist seine obere Seite mehr verdickt, als die ursprüngliche untere Seite. Er bildet sich dadurch, dass von dem Grundgewebe eine Zelle nach der andern sich sklerenchymatisch verdickt und verholzt. Auf der unteren, der rechten und linken Seite wird der Ring durch das ursprüngliche Sklerenchym begrenzt. Auf der oberen Seite aber liegt er oft unmittelbar unter der Epidermis. Das von diesem Ringe umschlossene Gewebe verholzt dann mit Ausnahme des Phloems der Gefässbündel.

Die Epidermis, das Collenchym, das ausserhalb des Sklerenchyms liegende Parenchym und die durch Wucherung dieser Zellen gebildeten Gewebe verholzen in der Regel nicht. Bei älteren Ranken jedoch verholzen zuweilen einzelne Theile, oft nur einzelne Zellen der Epidermis. Selten beobachtete ich, dass auch einzelne Zellen der Wucherung verholzten. Noch seltener verholzten Collenchymzellen.

D. Als was für Organe sind die Ranken der Cucurbitaceen anzusehen?

Die Frage nach der morphologischen Deutung der Ranken der Cucurbitaceen hat zur Aufstellung zahlreicher Hypothesen geführt und viele Controversen hervorgerufen.

Folgende Hypothesen sind aufgestellt worden:

1. Die Ranke ist eine modificirte Adventivwurzel (Serigne).
2. Die Ranke ist ein modificirtes Blatt (Cauvet, Clos, Guillard, Lestiboudois, van Tieghem).
3. Die Ranke ist ein Theil des Blattes (Payer, Berkeley).
4. Die Ranke ist ein modificirtes Nebenblatt (Eichler).
5. Die Ranke ist ein modificirter Stengel (Tassi, Favre).
6. Die Ranke ist ein Zweig, dessen Blätter in Ranken verwandelt sind (Naudin, Lemaout, Warming, Cogniaux, Dutailly).
7. Die Ranke ist ein modificirter Blüthenstiel (Darwin).
8. Die Ranken sind bei verschiedenen Unterfamilien verschiedenen Ursprungs (De Candolle).

Hierzu liesse sich noch als neunte Hypothese die fügen, dass die Ranke weder Wurzel noch Blatt, noch Stengel, noch Zweig, noch Blüthenstiel sei, sondern ein eigenthümliches Gebilde, welches sich unter keinen jener Begriffe unterordnen liesse. Die Berechtigung dieser Hypothese ist zwar anzuerkennen, ihre Wahrscheinlichkeit aber sehr gering; denn bis jetzt ist es gelungen, bei näherer Prüfung alle Glieder der höher entwickelten Pflanzen unter die vier Formen: Wurzel, Stamm, Blatt, Haar, unterzuordnen, selbst solche, welche auf den ersten Anblick weit grössere Abweichungen von der typischen Form jener Organe zeigen und man hat Uebergänge zwischen den scheinbar heterogensten Organen gefunden. Vor allem ist man über die Natur fast aller Ranken aus anderen Pflanzenfamilien vollkommen im Klaren und Niemand zweifelt mehr, dass die Ranken der Vitaceen metamorphosirte Blüthenstände, und die der Vicieen modificirte Blattfiedern sind. Da die Natur mit vier Grundformen bei allen übrigen zahllosen Arten auskommt, wäre es wunderbar, dass sie nur bei einer einzigen Familie noch eine fünfte hätte hinzunehmen müssen. Man kann daher a priori annehmen, dass jedes neu zu untersuchende Organ sich unter eine der betreffenden Formen unterordnen lassen wird und man ist erst dann berechtigt, es zu leugnen, wenn alle unternommenen Versuche gescheitert sein sollten.

1. Cucurbita Pepo L.

a. Normale Formen.

I. Morphologisches.

Diejenige Cucurbitacee, bei welcher die angestellten Untersuchungen über die Natur der Ranken zu den bestimmtesten Ergebnissen geführt haben, ist der gemeine Kürbis, Cucurbita Pepo L.

Das Aeussere der normal entwickelten Ranke giebt wenig Aufschluss über ihre Natur. Sie besteht aus einem kürzeren, dickeren Stiele, an dessen oberem Ende gewöhnlich 3 bis 7 lange, dünne, fadenförmige Zweige entspringen. Den ersteren Theil kann man den Rankenstamm oder Rankenträger, die letzteren die Rankenzweige oder Ranken im engeren Sinne nennen, da sie allein es sind, welche die Kletterbewegungen ausführen. Der Stamm, wie die Zweige der Ranken sind mehr oder weniger rundliche, prismatische Körper. Man könnte sie daher sowohl als Stengel, wie als Blattspindel, d. h., als der aus Blattstiel und Blattmittelrippe bestehende Theil des Blattes ansehen.

Auch die Stellung und Verzweigung der Ranken giebt keinen Aufschluss über ihre morphologische Natur. Ein doldenartiger Stand, wie der der Rankenzweige, kommt bei *Cucurbita* weder bei Blättern, noch bei Axenorganen vor. Auch die Stellung der Ranken beweist nichts, da in demselben Knoten, in welchem die Ranken entspringen, Blätter, Seitensprosse, männliche und weibliche Blüthenstiele und zuweilen auch Adventivwurzeln entspringen können.

Gewöhnlich steht auf der einen Seite des Stengels Blatt und Ranke, in der Achsel des Blattes der Seitenspross und zwischen Seitenspross und Ranke der Blütenstiel. Liegt der Stamm auf der Erde, so kommt häufig noch eine Adventivwurzel hinzu. Der nächste Knoten zeigt das umgekehrte Bild. In jedem Knoten macht der Stengel einen Winkel, so dass er in seiner ganzen Länge eine Zickzacklinie bildet. Dies sieht man besonders deutlich an Stengeln, welche auf der Erde liegen.

II. Die Anatomie.

Da das Aeussere keinen Aufschluss über die Natur der Ranken giebt, sind wir zur Beantwortung der Frage zunächst auf die Untersuchung der Anatomie angewiesen. Es ist dazu nothwendig, die Anatomie der Ranken und der übrigen Organe, vor allem die der Blätter, Stengel und Blüthenstiele zu untersuchen, um auf Grund der Vergleichung der so gewonnenen Ergebnisse einen Schluss auf die morphologische Bedeutung der Ranken zu ziehen.

1. Der Rankenstamm.

Der Querschnitt des Rankenstammes zeigt folgendes Bild:

Der Umriss ist rund oder stumpfkantig polygonal. Unter der Epidermis befindet sich eine öfter unterbrochene Collenchymschicht. Auf diese folgt nach dem Inneren zu eine Schicht parenchymatischer Zellen, welche Chlorophyll enthalten; diese Schicht dehnt sich durch die Lücken, welche das Collenchym lässt, bis an die Epidermis aus. Die Stellen, an denen die Chlorophyllschicht die Epidermis berührt, kann man mit blossem Auge wahrnehmen. Sie erscheinen als dunkelgrüne Längsstriche auf hellgrünem Grunde.

Auf die Chlorophyllschicht folgt nach Innen ein Sklerenchymring. Dieser besteht aus starkverdickten Zellen, welche sich bei den entwickelten Ranken durch schwefelsaures Anilin intensiv gelb und durch Phoroglucin intensiv roth färben.

Der innere Theil ist mit Grundgewebe ausgefüllt. Die Mitte ist zuweilen hohl. Das Grundgewebe besteht aus grossen, dünnwandigen Zellen, zwischen denen sich dreieckige Intercellularräume befinden.

In dem Grundgewebe liegen die Gefässbündel. Der Umriss des Querschnittes der Gefässbündel ist gewöhnlich birn- oder bisquitförmig. In der Mitte jedes Gefässbündels befindet sich das Xylem, in welchem besonders grosse, oft schon mit blossem Auge sichtbare Gefässe auffallen. Nach aussen und innen liegt das Phloem und zwischen Xylem und Phloem eine bald mehr, bald weniger deutlich erkennbare Cambiumschicht. Das Xylem der entwickelten Ranken und vor allem die Gefässe desselben werden durch schwefelsaures Anilin gelb und durch Phloroglucin roth gefärbt, während Cambium und Phloem ungefärbt bleiben. Bei älteren Ranken jedoch war der äussere, dem Sklerenchym am nächsten liegende Rand der Gefässbündel ebenfalls stark verholzt. Die Gefässbündel sind stets radial gerichtet und liegen der Peripherie näher, als dem Centrum.

Die Zahl der Gefässbündel ist bei der normal entwickelten Ranke keine feste, wie Lotar behauptet. Die Zahl sechs, die er als constant annimmt, ist zwar eine häufige, aber eben so oft habe ich 7 und 8 Gefässbündel gefunden. Ja, ihre Zahl kann sich sogar bis zu 12 steigern. Zuweilen waren auch nur 5 vorhanden. War die Zahl nicht grösser, als 8, so waren sie gewöhnlich gleich gross und in gleichen Zwischenräumen angeordnet. Nicht selten jedoch waren sowohl die Grösse, als auch die Zwischenräume verschieden. War die Zahl grösser als 10, so trat regelmässig eine Verschiedenheit der Grösse der Gefässbündel ein. Häufig war die Zahl 12, dann waren gewöhnlich 6 grössere und 6 kleinere vorhanden, von denen erstere mit letzteren, welche mehr nach innen lagen, abwechselten. Zuweilen waren auch 10 Bündel (5 grössere und 5 kleinere) vorhanden, die ebenfalls abwechselnd angeordnet waren. Häufig jedoch war Grösse und Anordnung der Gefässbündel ganz irregulär.

2. Der Rankenzweig.

Die Anatomie des Rankenzweiges zeigt einen Bau, der bedeutend von dem des Rankenstammes abweicht. Während der Rankenstamm in seinem ganzen Verlauf fast genau denselben Bau zeigt, verändert sich das Aussehen der eigentlichen Ranke vom Grunde bis zur Spitze um ein Bedeutendes. Der gewöhnliche Verlauf ist folgender:

a. Der Umriss. Der Umriss der Ranke ist an der Basis kreisförmig (Fig. 11.), dann plattet sich eine Seite allmählich ab (Fig. 12.) und wölbt sich darauf nach innen. (Fig. 13). Diese Einbuchtung wird allmählich tiefer (Fig. 14). Zugleich mit dieser Einbuchtung nähert sich die Seite, welche diese Einbuchtung zeigt, der gegenüber liegenden, so, dass der Durchschnitt der Figur breit-nierenförmig wird. (Fig. 15.) Die Ecken am Rande der Einbuchtung treten allmählich schärfer hervor. (Fig. 16.) Die obere Einbuchtung verschwindet dann. (Fig. 17.) Dann beginnt sich die Mitte dieser Seite allmählich wieder nach aussen zu wölben (Fig. 18), wobei zugleich die beiden Ecken noch schärfer nach aussen hervortreten (Fig. 19).

b. Das Collenchym. Das Collenchym liegt unter der Epidermis. Es ist gewöhnlich an 3 Stellen unterbrochen, von denen die eine dort liegt, wo später die Einbuchtung entsteht, die beiden andern rechts und links davon, ungefähr um ein Achtel der Peripherie entfernt. (Fig. 11.) Die Lücken sind erst klein und vergrössern sich allmählich, besonders die mittlere. Die zwischen der mittleren und den beiden seitlichen Lücken liegenden Collenchymstreifen füllen die beiden hervorragenden Ecken aus.

c. Die Gefässbündel. Der Stelle gegenüber, an welcher die Einbuchtung entsteht, liegt ein Gefässbündel, welches sich durch seine Grösse vor den übrigen sechs auszeichnet. Von letzteren liegen je drei zu beiden Seiten des mittleren. Sie sind um so kleiner, je weiter sie vom mittelsten entfernt sind. Bezeichnet man sie der Reihe nach vom mittelsten aus mit A, B, C und A', B', C', so ist A, (A') von dem mittelsten weniger entfernt, als von B (B'). B und C (B' und C') liegen gewöhnlich näher bei einander und bilden nur einen sehr kleinen Winkel mit einander, während der von A und B (A' und B') ungefähr ein rechter ist. C und C' liegen in der Basis der Ranke nahe bei einander, je weiter die Einbuchtung sich ausbildet, desto mehr treten sie auseinander. Im oberen Theile der Ranke verschwinden sie meist ganz. Zugleich mit C und C' treten auch B und B' auseinander, wobei der Winkel, den sie mit A und A' bilden, immer kleiner wird. Auch sie verschwinden meist im oberen Theile der Ranke. Dicht unter der Spitze findet man daher häufig nur drei Gefässbündel. In der Spitze selbst lösen sich auch die letzten Gefässbündel in immer unbestimmtere Formen auf und gehen in das Grundgewebe über. Die mittleren Gefässbündel gleichen im wesentlichen denen des Rankenstammes. Die seitlichen sind dagegen mehr rundlich; je kleiner sie sind, desto geringer ist auch die Anzahl der Holzgefässe. Bei den kleineren ist oft nur ein einziges entwickelt und bei den kleinsten fehlt auch dies oft. Die kleinsten Gefässbündel bestehen oft nur aus 4 Gefässen, die sich durch ihre Kleinheit von dem Grundgewebe abheben.

d. Das Sklerenchym. Das Sklerenchym bildet an der Basis einen Ring, der dem mittleren Gefässbündel gegenüber eine Lücke hat. (Fig. 11.) Diese wird allmählich breiter (Fig. 12.); dann bilden sich zwischen den Gefässen A und B (A' und B') neue Lücken. (Fig. 13.) Auch diese werden breiter. Dann verschwinden zunächst die Theile, welche sich an die Gefässbündel C und C' anlegen, dann diejenigen, welche sich an B und B' anlegen. Der letzte Theil des Sklerenchyms wird immer schmäler, bis er in der Spitze zuletzt ganz verschwindet.

e. Das Grundgewebe. Das Grundgewebe, welches dieselbe Beschaffenheit wie das des Rankenstammes zeigt, füllt den übrigen Theil der Ranke aus. Der äussere Theil desselben enthält Chlorophyll, und zwar um so mehr, je näher er der Epidermis liegt. Vor allem chlorophyllreich sind die Lücken im Collenchym.

f. Abweichungen. Von dem im obigen beschriebenen Bau finden sich nicht selten Abweichungen. Der Umriss an der Basis ist häufig nicht kreisförmig, sondern elliptisch. Zuweilen verbreitert sich der obere Theil der Ranke bandförmig. Das Collenchym zeigt öfter mehr, seltener weniger Lücken.

Die Spaltung des Sklerenchyms ist auch nicht selten eine unregelmässige. Die Lücken treten manchmal früher, manchmal später auf und sind auch hin und wieder unsymmetrisch. Selten ist der Sklerenchymring am Grunde völlig geschlossen.

Auch die Gefässbündel zeigen bemerkenswerthe Abweichungen. Ihre Form und Stellung zeigt wenige Abweichungen, dagegen fehlen häufig die Gefässbündel C und C' ganz, und umgekehrt treten zwischen C und C' noch zwei neue, D und D' auf, so dass also die Zahl der

Gefässbündel hierbei auf 9 steigt. Hin und wieder zeigte sich auch ein kleines Gefässbündel dem mittelsten gegenüber, das jedoch in geringer Höhe wieder verschwand. Hierdurch wurde also die sonst ungerade Zahl der Gefässbündel gerade.

Besonders veränderlich ist die Form und Lage der Gefässbündel in dem äussersten Theile der Spitze. Hier verschmelzen häufig 2 oder 3 kleinere Gefässbündel zu einem grösseren.

Trotz dieser einzelnen Abweichungen bleiben die Grundzüge der Anatomie doch so constant, dass sie bei jeder Ranke sogleich in die Augen fallen.

3. Die Blattspindel.

Der Umriss der Basis des Blattstieles ist ungefähr kreisförmig. Auf der Unterseite liegt das grösste Gefässbündel, rechts und links von ihm je 4 bis 6 kleinere, welche um so kleiner werden, je weiter sie sich vom mittelsten entfernen. Die Zahl 6 ist nicht constant, wie Lotar behauptet. Das Sklerenchym bildet keinen Ring, sondern jedes einzelne Gefässbündel wird nach aussen zu von einem kleinen, halbkreisförmigen Bogen von Sklerenchym umgeben. Die Zellen desselben sind jedoch nur wenig verdickt und verholzen nur selten. Im übrigen gleichen die Gefässbündel denen der Rankenzweige, nur sind sie meist grösser.

Das Collenchym befindet sich stets in kleinen, im Querschnitt ovalen Gruppen über den Gefässbündeln. Die Lücken zwischen dem Collenchym sind mit Parenchymzellen ausgefüllt, welche reich an Chlorophyll sind. Das Grundgewebe füllt den übrigen Raum aus. Es enthält in seinen äusseren Schichten etwas Chlorophyll, das um so reicher ist, je näher die Zellen der Peripherie liegen. Das Innere der älteren Blattstiele ist ausnahmslos hohl.

Weiter nach der Blattspreite zu zeigt sich auf der oberen Seite des Blattstiels eine Vertiefung, die um so tiefer wird, je mehr man der Blattfläche sich nähert. Die Ränder dieser Einbuchtung werden immer schärfer und gehen allmählich in die Blattfläche über. Die Ausbuchtung flacht sich weiterhin gewöhnlich wieder ab und wölbt sich im weiteren Verlaufe nach aussen.

Die Gefässbündel verzweigen sich nun mehrfach, wobei die in der Spindel bleibende Zahl immer geringer wird, bis schliesslich nur noch eins übrig bleibt.

Der die Gefässbündel umgebende Sklerenchymbogen verschwindet um so mehr, je mehr sich dieselben der Spitze des Blattes nähern.

Das **Collenchym** tritt gewöhnlich in dem oberen Theile immer mehr aneinander, so dass die Lücken immer kleiner werden und besonders diejenigen neben dem mittelsten Gefässbündel völlig verschwinden.

4. Der Stengel.

Die bei weitem häufigste Form des Stengels ist folgende: Der Umriss ist stumpf fünfkantig. Unter der Epidermis liegt eine mehrfach regellos unterbrochene Collenchymschicht. Auf diese folgt eine Chlorophyllschicht und darauf ein Sklerenchymring. In jeder der 5 Ecken liegt ein längliches Gefässbündel. In den Zwischenräumen zwischen diesen äusseren liegen mehr nach dem Centrum zu 5 innere Gefässbündel, welche grösser und breiter als die äusseren sind. Ihre Holzgefässe sind vor allem gross, bedeutend grösser als die der äusseren. Sonst kann man an beiden Arten von Gefässbündeln, ebenso, wie an denen des Rankenstammes Xylem, Cambium und Phloem unterscheiden. Das Grundgewebe füllt bei jüngeren Stengeln den übrigen Raum aus, bei älteren ist der innerste Theil des Stengels hohl und zwar erstreckt sich dieser Hohlraum bis in die Zwischenräume der inneren Gefässbündel, so dass sein Querschnitt einen fünfstrahligen Stern bildet. Dies ist die häufigste Form, von der Abweichungen verhältnissmässig selten sind. Sie bestehen aber nicht nur (wie Lotar angiebt) darin, dass an stelle eines der äusseren Gefässbündel 2 auftreten, sondern die Zahl der Gefässbündel kann bis auf 15, 7 äussere und 8 innere, steigen. Soviel äussere Gefässbündel vorhanden sind, so viel Kanten zeigt auch gewöhnlich der Stengel. Von den 5 inneren sind besonders häufig einzelne erheblich kleiner, oder es stehen an Stelle eines grösseren zwei kleinere.

5. Die Blüthenstiele.

Der anatomische Bau des männlichen und weiblichen Blüthenstiels zeigt sich sehr veränderlich, doch lässt sich bei allen Formen der Typus des Stengels erkennen, und zuweilen stimmt der Bau mit dem des Stengels vollkommen überein.

III. Vergleichung der Anatomie.

1. Rankenstamm und Rankenzweig. Der Rankenstamm unterscheidet sich vom Rankenzweig in folgender Weise:

Erstens ist der Rankenstamm in seiner ganzen Länge gleich gebaut, der Rankenzweig verändert sich stetig von der Basis bis zur Spitze.

Zweitens ist der Rankenstamm central, der Rankenzweig bilateral gebaut.

Dies zeigt sich:

1. im Umriss, der beim Stamme der Ranke nach allen Seiten gleichmässig ausgebildet ist, während beim Zweige sich wohl die rechte und linke Seite, nicht aber die obere und untere gleichen.

2. in der Vertheilung des Collenchyms, welches beim Stamme an allen Seiten durchbrochen ist, während beim Zweige es nur in der oberen Hälfte symmetrisch vertheilte Unterbrechungen zeigt.

3. in dem Bau des Sklerenchyms. Dies bildet im Stamme einen vollkommen geschlossenen Ring, im Zweige einen nach der oberen Seite offenen Bogen, von dem sich mehrere symmetrische Streifen abzweigen.

4. in der Grösse und Lage der Gefässbündel. Während die des Stammes für gewöhnlich gleich gross sind, werden die des Zweiges von einem mittelsten aus nach beiden Seiten immer kleiner, und während die Zwischenräume zwischen den Gefässbündeln des Stammes sich gleich bleiben, sind die des Zweiges verschieden; vor allem ist der dem mittelsten Gefässbündel gegenüberliegende Zwischenraum weit grösser, als alle übrigen.

2. Stengel und Blüthenstiel. Stengel und Blüthenstiele können zwar bedeutende Abweichungen von einander zeigen. Aber einerseits stimmen sie in allem Wesentlichen stets überein und andererseits giebt es zwischen beiden Formen alle Arten von Zwischengliedern, so dass sich ein wirklich durchgreifender Unterschied zwischen beiden nicht aufstellen lässt.

3. Stengel und Blattspindel. Fast genau in derselben Weise, wie sich Rankenstamm und Rankenzweig von einander unterscheiden, unterscheiden sich auch Stengel und Blattspindel. Denn der Stengel ist im Verlauf vieler Internodien gleich gebaut, während der Bau der Blattspindel sich von der Basis bis zur Spitze fortwährend ändert, und zweitens ist der Stengel central, die Blattspindel bilateral gebaut. Auch dies zeigt sich:

1. im Umriss,
2. im Collenchym,
3. im Sklerenchym,
4. in den Gefässbündeln.

4. Rankenstamm und Stengel. Rankenstamm und Stengel zeigen eine sehr grosse Uebereinstimmung. Umriss, Collenchym und Sklerenchym sind meistens bei beiden vollkommen gleich gebildet.

Nur in Bezug auf die Gefässbündel weichen sie von einander ab. Während der Rankenstamm gewöhnlich 6 bis 8 Gefässbündel enthält, enthält der Stengel gewöhnlich 10, und während jene sich untereinander gleichen, sondern diese sich deutlich in eine Reihe äusserer und eine Reihe innerer. Aber einzelne Abweichungen des Rankenstammes, besonders diejenigen, bei welchem zehn Gefässbündel vorhanden waren, zeigten sehr grosse Aehnlichkeit mit dem Stengel. Nur dadurch, dass die inneren Gefässbündel in dem Rankenstamm nicht grösser, wie bei dem Stengel, sondern kleiner, als die äusseren waren, unterschieden sich die beiden Gebilde.

5. Rankenzweig und Blattspindel. Auch zwischen Rankenzweig und Blattspindel zeigt sich eine grosse Verwandtschaft. Beide sind bilateral gebaut. Vor allem ist der Umriss beider fast vollkommen gleich. Bei beiden liegt ferner in der Mitte der Unterseite ein grosses Gefässbündel und rechts und links davon eine Reihe solcher, welche immer kleiner werden. Die Zahl der Gefässbündel ist freilich bei der Blattspindel gewöhnlich eine viel grössere, aber sie kann, wie einzelne Abänderungen zeigen, doch hin und wieder übereinstimmen. Auch das Collenchym zeigt eine gewisse Aehnlichkeit, wenn auch die Unterbrechungen bei der Blattspindel zahlreicher sind, als bei dem Rankenzweige.

Am meisten unterscheiden sich die beiden Organe durch das Sklerenchym, das im unteren Theile des Rankenzweiges aus einem einzigen Bogen besteht, während bei der Blattspindel oft 13 einzelne kleine Bogen vorhanden sind.

Aber abgesehen von dieser Verschiedenheit ist die Aehnlichkeit des ganzen Baues eine sofort in die Augen springende.

6. Ergebniss der Vergleichungen. Das Ergebniss der Vergleichungen ist zunächst folgendes: Die untersuchten Organe lassen sich in zwei Klassen theilen, und zwar erstens in solche, welche central gebaut sind und in ihrem Verlaufe sich gleich bleiben und zweitens in solche, welche bilateral gebaut sind und in ihrem Verlaufe sich ändern; zu den ersten gehören: Stengel, Blüthenstiel und Rankenstamm; zu den letzteren Blattspindel und Rankenzweig.

Der Rankenstamm zeigt also grosse Aehnlichkeit mit den Axenorganen und grosse Verschiedenheit von den Appendiculärorganen, und umgekehrt verhält es sich mit dem Rankenzweige.

Es ist daher wahrscheinlich, dass der Rankenstamm seiner Natur nach ein Stengel und der Rankenzweig eine Blattspindel ist.

Diese Annahme bedarf freilich, um sich unbedingte Anerkennung zu verschaffen, noch weiterer Bestätigung. Denn wenn auch die anatomische Aehnlichkeit des Stengels mit dem Rankenstamm und die der Blattspindel mit der Ranke eine grosse ist, so ist doch keine vollkommene Uebereinstimmung vorhanden.

b. Abnormitäten.

1. Morphologisches. Die Bestätigung dafür, dass der Rankenstamm ein Stengel, der Rankenzweig eine Blattspindel ist, ist durch eine Reihe von Abnormitäten, die ich im Sommer 1884 an verschiedenen Exemplaren von *Cucurbita Pepo* im botanischen Garten zu Breslau zu beobachten Gelegenheit hatte, geliefert worden.

Es gelang mir eine grosse Anzahl von diesen Abnormitäten zu sammeln. Bei einer Pflanze zeigten sämmtliche Ranken einen abnormen Bau.

Es fanden sich zunächst Formen, die von der normalen nur dadurch abwichen, dass statt der doldenförmigen Verzweigung sich der Rankenstamm erst selbst mehrfach verzweigte, und dass die eigentlichen Ranken nicht nur am Ende, sondern auch an den Seiten des Rankenstammes entsprangen. Ich habe so bis 13 Rankenzweige, die aus einem einzigen Rankenstamme entsprangen, gefunden.

Bei besonders kräftig entwickelten Exemplaren dieser vielfach verzweigten Ranken aber findet sich an Stelle des untersten Rankenzweiges ein vollständiges Blatt. (Fig. 45 und 48.)

In seiner Axe findet sich zuweilen eine Blüthenknospe (Fig. 48), die meistens abstirbt, aber zuweilen sich zur Blüthe entfaltet.

Seine Verwandtschaft mit einer Ranke zeigt jenes Blatt nun zunächst durch einen unverhältnissmässig langen, schmächtigen und meist gewundenen Stiel. Ja, dieser Stiel umschlingt zuweilen ganz einer Ranke gleich eine Stütze (Fig. 48).

Noch deutlicher aber zeigt sich die Uebereinstimmung des Blattes mit der Ranke dadurch, dass einzelne Blattrippen über den Rand des Blattes hinaus verlängert und in vollkommen reguläre Ranken, welche sich zuweilen an dünnen Zweigen festhalten, (Fig. 45.) verwandelt sind. Theils ist die Mittelrippe allein verlängert (Fig. 39, 45, 46, 49), theils ist es die eine oder auch mehrere der Seitenrippen. (Fig. 38, 42, 48.)

Je grösser und kräftiger die eigentliche Ranke ist, desto mehr schwindet die Blattfläche. Oft ist sie zwischen den einzelnen Rippen völlig verschwunden und es stehen zur Seite der Mittelrippe nur einzelne eigenthümlich geformte Lappen (Fig. 38, 41, 44); häufig fehlt die eine Hälfte der Blattfläche ganz. (Fig. 50.)

Endlich verschwindet sie fast gänzlich und zeigt sich nur als schwacher, flügelartiger Ansatz an der zur Ranke entwickelten Mittelrippe. (Fig. 37, 42, 43)

Man sieht unter diesen Uebergangsformen oft abenteuerliche Gestalten, die sich unter die gewöhnlichen Blattformen gar nicht unterordnen lassen und eigene Namen zu ihrer Bezeichnung verlangen würden. Das Ende jener Zwitterwesen gleicht oft einer mehrzehigen Kralle. (Fig. 51.)

In der Knospenlage waren diese rankenartigen Blätter gleich einem Farnwedel spiralig eingerollt.

Diese Rankenblätter nun, wenn sie gefasst oder auch nicht gefasst hatten, rollten sich öfter auch spiralig zusammen (Fig. 40, 47, 49), wobei nicht nur die hervorstehenden Blattrippen, sondern sogar die Blattflächen an der Einrollung theilnahmen, so dass tütenähnliche Gebilde entstanden.

Man findet also alle Uebergänge von einem fehlerlosen Blatt bis zu einer fehlerlosen Ranke. Normales Blatt, rankenartiges Blatt, blattartige Ranke, normale Ranke bilden eine lückenlose Reihe.

2. Die Anatomie. *a. Rankenzweig und Blattstiel.* Dieselbe lückenlose Reihe, welche das Aeussere der Abnormitäten aufwies, zeigte sich nun auch in dem anatomischen Baue.

Der bedeutendste Unterschied zwischen der normalen Ranke und der normalen Blattspindel lag im Bau des Sklerenchyms.

In dem unteren Theile der Ranke bildet es ein zusammenhängendes kreisähnliches Band, im Blattstiel jedoch eine Reihe kleiner, isolirter Bogen.

Diejenigen Ranken nun, welche eine einfache Verlängerung der Blattspindel waren, zeigten genau denselben Bau, wie die normale Blattspindel.

Aber sogar einzelne derjenigen Ranken, die äusserlich genau mit den normalen übereinstimmten, stimmten oft in ihrem anatomischen Baue mit dem der normalen Blattspindel überein. Auch in ihnen umgab das Sklerenchym in einzelnen Bogen die Gefässbündel.

Umgekehrt fanden sich auch einzelne unter denjenigen Blättern, welche an dem Rankenstamm gewachsen waren, bei denen die unteren Gefässe von einem gemeinsamen Sklerenchymring umgeben wurden. Zwischen diesen Formen fanden sich ausserdem noch alle möglichen Uebergangsformen.

Ebenso wie beim Sklerenchym zeigten sich auch die verschiedensten

Uebergänge beim Collenchym, das ja schon bei den normalen Formen weit weniger verschieden gebildet ist. Es fanden sich Ranken, bei denen es dieselbe Bildung wie bei der Blattspindel, und Blattspindeln, bei denen es dieselbe Form, wie bei den Ranken zeigte.

Einen eigenthümlichen Bau zeigten die verbreiterten Spitzen der blattartigen Ranken. In ihnen war eine grössere Anzahl Gefässbündel vorhanden, welche in einer Reihe aufgestellt waren, und unter denen grössere und kleinere abwechselten.

b. Rankenstamm und Stengel. Ebenso wie der anatomische Bau der abnormen Formen der Ranken und Blattspindeln eine lückenlose Reihe von Bildern zeigte, welche von dem Bau des normalen Rankenzweiges zu dem der normalen Blattspindel überführten, fanden sich zahlreiche Formen unter den abnormen Rankenstämmen, welche sämmtliche Uebergänge zu dem normalen Stengel aufwiesen.

Einzelne der Rankenstämme stimmten vollkommen mit dem Baue des normalen Stengels überein. Die Uebergangsformen waren sehr zahlreich und zeigten die mannigfaltigsten Formen. Fast immer waren sie unsymmetrisch gebaut. Die Zahl der Gefässe schwankte zwischen 5 und 15. Sie verzweigten sich oft und zwar so, dass sie sich nach oben hin zwei bis dreimal spalteten, so dass im oberen Theile gewöhnlich mehr Gefässbündel vorhanden waren, als im unteren, obgleich dieser meist erheblich stärker war, als jener.

c. Zusammenfassung.

Durch die vergleichende Anatomie der normalen Organe von *Cucurbita Pepo* wurde es höchst wahrscheinlich, dass der Rankenstamm ein Stengel, die Rankenzweige Blattspindeln sind.

Diese Ansicht wurde nun in deutlicher Weise durch die abnormen Bildungen bestätigt, und diese Bestätigung wieder durch die Ergebnisse der Untersuchungen der Anatomie dieser Abnormitäten gestützt.

Dazu kommt nun, dass Dutailly und Warming durch entwickelungsgeschichtliche Untersuchungen zu derselben Ueberzeugung gekommen sind.

Da also die verschiedensten Forschungsmethoden zu dem nämlichen Resultate geführt haben, muss man es als gesichert ansehen.

Es würde sich nun noch darum handeln, ob man den Rankenstamm als Stengel oder Blüthenstiel anzusehen habe.

Nun trugen die abnormen Rankenstämme Blätter und Blüthen, womit sie sich als eigentliche Stengel erwiesen. Aus den Achseln der Blätter, die auf ihnen wuchsen, gingen erst die Blüthenstiele hervor.

Jene waren also selbst noch keine Blüthenstiele. Dann muss man doch die Ranken als Spindeln von Laubblättern ansehen. Der Blüthenstiel von *Cucurbita* trägt aber keine Laubblätter. Es spricht also alles dafür, dass der Rankenstamm kein Blüthenstiel, sondern ein Stengel ist.

Cucurbita Pepo bietet uns also in auffälliger Weise Aufschluss über die Streitfrage, als was die Ranken der Cucurbitaceen anzusehen sind.

Aber die Pflanze ist auch noch in anderer Beziehung merkwürdig. Sie lehrt, dass die Eintheilung der Rankenpflanzen in Rankenkletterer, Blattstielkletterer und Blattspitzenkletterer hier völlig hinfällig wird.

Vor allem aber ist durch die zahlreichen Abnormitäten ein neuer Beitrag zur Descendenztheorie geliefert. Nicht nur fällt die grosse Variabilität sofort auf, sondern wir haben hier den Fall greifbar vor uns, dass sich ein Organ in ein anderes, welches einem von jenem völlig verschiedenen Zwecke dient, verwandelt.

2. Andere Cucurbitaceen mit verzweigten Ranken.

Ausser *Cucurbita Pepo* hatten verschiedene andere Arten dieser Gattung verzweigte Ranken, ferner Arten von *Citrullus, Lagenaria* und *Sicyos*. Auch von diesen Arten wurde die Anatomie des Rankenstammes, der Rankenzweige, des Stengels, der Blattspindel und des männlichen und weiblichen Blüthenstiels untersucht. Das Ergebniss dieser Untersuchungen, welche aus Mangel an Raum hier im Einzelnen nicht näher mitgetheilt werden können, war das, dass die Ranken dieser Pflanzen morphologisch ebenso zu deuten sind, wie die von *Cucurbita Pepo*, da sie in allem Wesentlichen mit ihr übereinstimmten.

3. Cyclanthera pedata.

Bei *Cyclanthera pedata* sind nicht alle Ranken verzweigt, sondern die Ranken, welche in den ersten Internodien und zuweilen schon in den Achseln der Keimblätter entspringen, sind einfach.

a. Die verzweigte Ranke.

1. Der Rankenstamm. Der Rankenstamm von *Cyclanthera pedata* war meist sechsrippig. Er ist jedoch nicht vollkommen central gebaut und die Bilateralität, die sich schon bei *Citrullus* und *Lagenaria* zuweilen zeigte, tritt hier deutlicher hervor, insofern er nur durch einen Schnitt in zwei symmetrische Hälften gespalten werden kann, da zwei der sechs Rippen bedeutend kleiner sind, als die übrigen vier.

Das Collenchym lag regelmässig in den äusseren Kanten der Rippen.

Die darunter liegende chlorophyllführende Schicht enthält besonders viel davon in den Streifen zwischen dem Collenchym.

Das Sklerenchym zeigte dem äusseren Umfange entsprechend sechs nach aussen gewölbte Bogen.

In jedem dieser Bogen lag ein Gefässbündel, von denen diejenigen beiden, welche in den beiden kleinsten Bogen lagen, auch ihrerseits kleiner, als die vier anderen waren.

Diese vier grösseren waren meist in rechtwinkliger Kreuzform angeordnet. Von den kleineren Gefässbündeln kann das eine oder auch beide fehlen.

Zwischen diesen sechs Gefässbündeln lagen nun in dem unteren Theile von kräftig entwickelten Ranken sechs sehr kleine und meist nur durch wenig Zellen gebildete Gefässbündel. Nach oben zu verschwanden sie meist eins nach dem andern. Lotar hat sie bei seinen Untersuchungen völlig übersehen und doch sind sie gerade sehr bemerkenswerth, da sie eine Analogie zu einzelnen Formen von *Cucurbita* und besonders von *Citrullus* bilden.

Bei *Cyclanthera pedata* kam, wie bereits im ersten Theile erwähnt, bisweilen der Fall vor, dass der Stengel bandartig verbreitet war, und dass dann in einem Knoten sich auffallend viel Gebilde abzweigten. Die Rankenstämme, die in diesem Knoten entsprangen, waren ebenfalls verbreitert. Sie zeigten meistens zehn Rippen und zehn Gefässbündel.

2. Der Rankenzweig. Der Rankenzweig ist am Grunde fünfrippig. Die unterste Rippe ist gewöhnlich unter den fünf Rippen die grösste. (Fig. 23.) In den Rippen liegen die Collenchymstreifen.

Das Sklerenchym bildet einen nach oben geöffneten Bogen, der sich aus fünf kleineren Bogen, welche den fünf Rippen entsprechen, zusammensetzt.

Gewöhnlich sind auch fünf Gefässbündel vorhanden, welche in den fünf Bogen des Sklerenchyms liegen. In der oberen Lücke desselben liegt zuweilen noch ein sechstes Bündel von geringer Länge.

Die Veränderungen nach der Spitze zu sind fast immer folgende: Die unterste Rippe flacht sich mehr und mehr ab. Der Umriss wird fast viereckig. Die obere Einbuchtung verschwindet. Die oberen Ecken treten mehr hervor, die untersten stumpfen sich ab und endlich wölbt sich die Mitte der oberen Seite nach aussen.

Das Collenchym bleibt bis ziemlich hoch hinauf in fünf Streifen getrennt, und erst im oberen Theile verschmelzen die drei unteren zu einem einzigen.

Im Sklerenchym bildet sich bald zwischen den beiden seitlichen Bogen eine Lücke. Sie ist jedoch zuweilen schon in der Basis vorhanden. Die obere ursprüngliche Lücke wird immer grösser und die Bogen über den beiden oberen Gefässbündeln werden immer kleiner, bis sie endlich ganz verschwinden.

Der mittlere Bogen umgiebt bis dicht unter der Spitze die drei unteren Gefässbündel.

Der Winkel, den die drei unteren Gefässbündel mit einander bilden, vermindert sich. Die oberen treten mehr auseinander und verschwinden unter der Spitze meist gänzlich. (Fig. 23 bis 28.)

b. Die einfache Ranke.

Die Ranken, welche in den ersten Internodien und zuweilen schon in der Achsel der Keimblätter entspringen, sind einfach. Es lässt sich also bei ihnen der Unterschied von Rankenstamm und Rankenzweig nicht machen.

Der anatomische Bau war nun folgender:

Der Umriss eines Querschnittes der Basis war stumpfvierkantig. (Fig. 20.) In den vier Ecken befand sich das Collenchym. Darauf folgte nach innen zu eine Schicht parenchymatischer, chlorophyllführender Zellen, und auf diese folgte ein geschlossener Sklerenchymring, der wie der Umriss stumpfviereckig war. In den vier Ecken lagen vier Gefässbündel, welche in rechtwinkliger Kreuzform angeordnet waren. Sie waren in der Grösse meist wenig von einander verschieden, jedoch war hin und wieder das unterste etwas grösser und das oberste etwas kleiner, als die übrigen. Manchmal zeigte sich noch ein fünftes und auch ein sechstes kleines Gefässbündel.

Die Querschnitte, welche etwas weiter oben gemacht wurden, glichen dem ersten, aber nur in dem Theile, der bei der spiraligen Einrollung der Ranke gerade blieb. Von dem Punkte an, bis zu dem die spiralige Einrollung sich erstreckte, begann eine bedeutende, anatomische Veränderung.

Das oberste Gefässbündel verbreitert sich, wird herzförmig (Fig. 21.) und löst sich endlich in zwei auf. (Fig. 23.) Diese liegen erst dicht bei einander und entfernen sich dann allmählich gegenseitig. (Fig. 23.)

Sobald das Gefässbündel sich zu spalten beginnt, verbreitert sich auch die Ecke, in welcher es liegt.

Das Collenchym löst sich in zwei Theile auf. Zwischen ihnen bildet sich eine allmählich tiefer und breiter werdende Einbuchtung, so dass der Umfang aus einem Viereck zu einem Fünfecke wird. Zugleich mit dieser Veränderung spaltet sich auch der Sklerenchymring zwischen den Gefässbündeln, welche sich durch Theilung gebildet haben. Dann bilden sich auch Lücken zwischen den oberen und seitlichen Gefässbündeln. Jetzt gleicht der Querschnitt dem durch die Basis des Rankenzweiges gelegten.

Der weitere Verlauf stimmt mit dem des Rankenzweiges überein.

Zuweilen theilt sich das Sklerenchym in anderer Weise. Es bilden sich dann nicht zuerst die Lücken zwischen den durch Spaltung entstandenen Gefässbündeln, sondern rechts und links von ihnen. Es zerfällt dann also das Sklerenchym in einen oberen und unteren Bogen. Der obere theilt sich dann bald darauf auch, und so entsteht dann auch bei dieser Form das Bild der Basis des Rankenzweiges.

c. Stengel, Blattspindel und Blüthenstiele.

Die Anatomie der übrigen Organe zeigte neben einzelnen Eigenthümlichkeiten doch deutlich das Grundgepräge der oben erwähnten Cucurbitaceen.

d. Vergleichung der Anatomie.

Die verzweigten Ranken von *Cyclanthera pedata* stimmen in den Grundzügen mit den vorherbeschriebenen überein, weshalb man sie morphologisch ebenso auffassen muss, wie jene.

Eigenthümlich ist aber die Form der einfachen Ranke. Man könnte sie ihrem Aeusseren nach entweder als einen Rankenzweig, oder als eine aus Stamm und Zweig bestehende Ranke ansehen, bei der nur ein Zweig ausgebildet ist. Dass die letztere Annahme die richtigere ist, geht schon daraus hervor, dass bei Ranken mit zwei Zweigen der eine häufig verkümmert. Oft bestand er in einem äusserst feinen, nur wenig Millimeter langen Fädchen und zuweilen erschien er nur als kleine, warzenähnliche Erhebung. Bei einzelnen traten an dieser Stelle nur kleine Unebenheiten hervor.

Bei den meisten einfachen Ranken aber zeigte sich keine Spur eines zweiten Zweiges, sondern die ganze Ranke trug ein durchaus einheitliches Gepräge.

Die anatomischen Untersuchungen bestätigten nun die Ansicht, dass der untere Theil der Ranke bis zu dem Punkte, in welchem die spiralige Aufrollung beginnt, ein Stengel, und der obere eine Blattspindel ist.

Der obere Theil der einfachen Ranke stimmt in allen Einzelheiten mit dem Bau des Rankenzweiges überein, und der untere glich in vielen Fällen genau dem Rankenstamme.

Bei denjenigen Ranken, die einen Ansatz zu einem Zweige oder an dieser Stelle Unebenheiten zeigten, ging die Anatomie des Stengels an diesem Punkte plötzlich in die der Blattspindel über, bei den übrigen aber ganz allmählich. Obgleich also die unverzweigte Ranke als ein einfaches Organ erscheint, ist sie doch aus zwei völlig verschiedenen Organen: einem Axenorgan und einem Appendiculärorgan zusammengesetzt.

Diese Ranke ist dadurch eine für die Morphologie höchst merkwürdige Bildung; denn erstens gehen hier Stengel und Blatt, die sonst bei den Phanerogamen streng gesondert sind und sich leicht von einander unterscheiden lassen, so allmählich in einander über, dass man nicht bestimmen kann, in welchem Punkte die Ranke aufhört Stengel zu sein und anfängt Blatt zu werden; und zweitens haben wir in dieser Ranke ein regelrechtes endständiges Blatt vor uns, wie es in ähnlicher Weise gewiss unter den Phanerorgamen selten vorkommt. Das Blatt tritt hier als die direkte, unmittelbare Verlängerung des Stengels auf und sämmtliche Gefässbündel des Stengels verlaufen in das Blatt, ohne auch nur eine Spur einer seitlichen Verzweigung.

Mag die ursprüngliche Anlage auch die gewesen sein, dass der Rankenzweig seitlich von dem Scheitel des Rankenstammes entsprungen ist, an der entwickelten Ranke ist dieses Verhältniss vollkommen geschwunden, hier steht unleugbar das Blatt auf dem Scheitel des Stengels.

4. Andere Cucurbitaceen mit einfachen und verzweigten Ranken.

Zugleich einfache und verzweigte Ranken trugen unter den untersuchten Pflanzen *Cyclanthera explodens,* 2 Arten von *Luffa, Bryonopsis laciniosa, Abobra tenuifolia, Sicyosperma gracile, Thladiantha dubia, Trichosanthes anguina* und *T. Kirilowii.*

Ich habe bei allen diesen Pflanzen eingehende anatomische Untersuchungen angestellt und im Grossen und Ganzen eine Uebereinstimmung mit *Cyclanthera pedata* gefunden.

5. Cucurbitaceen mit nur einfachen Ranken.

Die Ranken der Gattungen *Bryonia, Coccinia* und *Momordica* waren stets einfach und zeigten die Grundzüge der einfachen Ranken der oben erwähnten Pflanzen. Als Beispiel des Baues der einfachen Ranken diene der von *Bryonia dioica,* welche auf Tafel II. Fig. 29—35 dargestellt ist. Auch einzelne Ranken von *Cucumis Melo* zeigten eine analoge Struktur. Andere Ranken dieser Art aber zeigten schon an der Basis denjenigen anatomischen Bau, der sonst erst in dem Punkte bemerkbar war, in welchem sich das oberste Gefässbündel gespalten hatte. Bei anderen Arten der Gattung *Cucumis* sowie bei *Cucurbitella* und *Melotria* war diese Form die Regel, am ausgeprägtesten aber trat sie bei *Cucumis satims* hervor, wo die Basis der Ranken in fast allen Zügen mit der Blattbasis übereinstimmte.

6. Zusammenfassung.

Die im Vorhergehenden gemachten anatomischen Angaben stützen sich auf die eingehende Untersuchung von 38 Cucurbitaceenarten. Von ihnen wurde die Anatomie der Ranken, der Stengel und Blattspindel untersucht, ausserdem von den meisten die Anatomie der Blüthenstiele. Ich habe über 3000 Schnitte mikroskopisch untersucht, von denen ich gegen 800 durch Zeichnungen fixirte. Aus Mangel an Raum konnte nur das Allerwichtigste Erwähnung finden, und es musste von einer Mittheilung alles Uebrigen abgesehen werden.

Die aufgefundenen Thatsachen nöthigen uns bei den Cucurbitaceen vier Gruppen von Rankenpflanzen zu unterscheiden. Zu der ersten gehören diejenigen, welche verzweigte Ranken tragen. Durch die Vergleichung der Anatomie, durch Beobachtung von Abnormitäten und deren Anatomie, und durch entwicklungsgeschichtliche Untersuchungen ergab sich für diese Arten, dass der Rankenstamm als Stengel, der Rankenzweig als Blattspindel anzusehen sei.

Die zweite Gruppe besteht aus den Pflanzen, welche verzweigte und daneben einfache Ranken tragen. Von den verzweigten gilt dasselbe, wie von den Ranken der ersten Gruppe. Die einfachen, bei denen man nicht mehr von Rankenstamm und Rankenzweig sprechen kann, muss man aber ebenfalls aus einem Stengel und einer Blattspindel bestehend ansehen, da der untere Theil mit der Anatomie des Rankenstammes, der obere mit dem des Rankenzweiges übereinstimmt.

Die dritte Gruppe bilden diejenigen, welche nur einfache Ranken tragen, und zwar solche, welche den einfachen Ranken der vorigen Gruppen gleichen und die man deshalb ebenso wie jene zu deuten hat.

In eine vierte Gruppe endlich muss man diejenigen bringen, bei denen die Ranken schon von der Basis an das Gepräge einer Blattspindel tragen, wie dies deutlich bei *Cucumis sativus* hervortritt.

Diese Gruppe ist am schwierigsten zu deuten. Zunächst sind zwei Auffassungen möglich: Entweder sieht man diese Ranken nach Analogie aller übrigen auch als aus Stengel und Blattspindel bestehend an, oder man hält sich streng an die anatomischen Befunde und fasst die Ranke als Blattspindel auf, da ihr Bau in fast allen Punkten mit dem der Blattspindel übereinstimmt, von dem Stengel aber durchgreifende Verschiedenheiten aufweist.

Wahrscheinlich aber trifft weder die eine, noch die andere dieser beiden Ansichten das Richtige, sondern die Wahrheit wird, wie so häufig, in der Mitte liegen.

Nach den anatomischen Befunden ist man allerdings nicht berechtigt, das wirkliche Vorhandensein eines Stengels zu behaupten. Nun finden sich aber in der Gattung *Cucumis* und zwar bei *Cucumis Melo* Formen, die jenen Ranken, welche man berechtigter Weise als aus Stengel und Blattspindel bestehend ansehen muss, vollkommen gleichen und die man daher auch, wie jene, deuten muss. Nun widerspricht es aller Erfahrung, bei zwei nahe verwandten Arten einer Gattung annehmen zu wollen, dass ein Organ, das sich bei beiden vorfindet und in seiner Funktion, seiner Stellung, seinem Aussehen und seiner Entwickelung übereinstimmt, ganz verschieden zu deuten sei. Es ist vielmehr anzunehmen, dass auch die Ranke von *Cucumis sativus* aus Stengel und Blattspindel bestanden hat, dass aber das Stengelglied nicht zur Entwicklung gekommen ist, sondern dass nur die Blattspindel sich entfaltet hat. Wir sind zu dieser Annahme um so mehr berechtigt, da wir einen gleichen Fall bei allen den verzweigten Ranken annehmen müssen, bei welchen mehrere Rankenzweige in einem Punkte des Rankenstammes entspringen. Da bei den Cucurbitaceen in jedem Stengelknoten nur ein Blatt entspringt, so kann man sich die Thatsache, dass in einem Punkte mehrere Blattspindeln entspringen, nur dadurch erklären, dass die betreffenden Internodien sich nicht weiter entwickelt haben. Man wird daher wohl der einen Ansicht in soweit Recht geben müssen, als man annimmt, dass die Ranke von *Cucumis sativus* aus Stengel und Blattspindel entstanden ist, und der andern zugestehen, dass die für uns wahrnehmbare Ranke nur noch aus einer Blattspindel besteht. Wie sich aber auch hiermit die Sache verhält, so kann doch der Satz mit Sicherheit ausgesprochen werden:

„Der Theil der Cucurbitaceenranke, welcher reizbar ist und sich spiralig aufrollt, d. h. die eigentliche Ranke der Cucurbitaceen ist eine Blattspindel."

Erklärung der Abbildungen.

Tafel V.

Fig. 1. Querschnitt einer Ranke von *Cyclanthera pedata*, an deren beiden oberen Kanten sich Wucherungen zeigen. Die verholzten Theile sind durch Phloroglucin roth, das Collenchym durch Jod dunkelgelb gefärbt. Vergr. 80.

Fig. 3. Querschnitt einer Ranke von *Cyclanthera pedata*, bei welcher das Sklerenchym erst in der Mitte des unteren Bogens verholzt ist. Von den Farben bedeutet: Dunkelgelb das Collenchym, Grün die Chlorophyllschicht, Roth das verholzte, Weiss das unverholzte Sklerenchym, Hellgelb das Grundgewebe, Braun die Gefässbündel. Vergr. 25.

Fig. 2. Querschnitt eines durch Klebstoff haftenden Theiles einer Ranke von *Trichosanthes anguina*, welcher auf allen Seiten Wucherungen zeigt. Das verholzte Sklerenchym hat sich durch Phloroglucin dunkelroth, das verholzte Parenchym hellroth gefärbt. Vergr. 80.

Fig. 9 und 10. Zwei entsprechende Querschnitte durch Ranken von *Trichosanthes anguina*, der erste vor, der zweite nach der Wucherung. Vergr. 15.

Fig. 4. Querschnitt einer Ranke von *Trichosanthes anguina*, dessen untere Seite eine haubenartige Wucherung zeigt. Vergr. 25.

Fig. 5 und 6. Zwei entsprechende Querschnitte durch den oberen Theil zweier Ranken von *Momordica involucrata*. Der zweite zeigt auf der unteren Seite eine bedeutende Wucherung. Vergr. 15.

Fig. 7 und 8. Zwei entsprechende Querschnitte durch den unteren Theil zweier Ranken von *Momordica involucrata*. Der zweite zeigt eine allseitige Wucherung. Vergr. 10.

Tafel VI.

Fig. 11 bis 19. Eine Reihe Querschnitte durch eine Ranke von *Cucurbita Pepo*. Der erste ist durch die Basis, die folgenden durch weiter oben liegende Theile, der letzte dicht unter der Spitze geführt. Die Farben sind wie in Fig. 3, Tafel V. gewählt. Vergr. 20.

Fig. 20 bis 28. Analoge Schnitte durch eine Ranke von *Cyclanthera pedata*. Vergr. 30.

Fig. 29 bis 35. Analoge Schnitte durch eine Ranke von *Bryonia dioica*. Vergr. 35.

Tafel VII.

Fig. 36 bis 52. Uebergangsformen von Ranken zu Blättern von *Cucurbita Pepo*. 1/2 der natürlichen Grösse.

Untersuchungen über Flagellaten.

Von

Dr. Arthur Seligo.

Mit Tafel VIII.

Die im Folgenden zu schildernden Untersuchungen über Körperform, Entwicklung und Lebensweise einiger Flagellaten sind grösstentheils im pflanzenphysiologischen Institut der Universität Breslau vom März 1885 bis Februar 1886 ausgeführt worden. Ich benutze diese Gelegenheit, um dem Director des Instituts, Herrn Professor Dr. Ferdinand Cohn, für seinen stets hilfsbereiten Rath und die ausgiebige Unterstützung mit Material und Literatur meinen Dank auszudrücken.

Die Untersuchungen erstrecken sich auf folgende Flagellaten, welche ich nach einem eigenen System ordne:

I. Amoebomastigoda (Monadina).

1. Monomastigoda:
   - *Cercomonas longicauda* Duj. (Fig. 8—10).
   - *Mastigamoeba aspera* Fr. E. Sch. (Fig. 32).
2. Heteromastigoda:
   - *Bodo lacertae* (Fig. 7).
   - *Bodo limbatus* (Fig. 11—15).
3. Polymastigoda:
   - *Hexamitus intestinalis* Duj. (Fig. 1—3).
   - *Trichomonas batrachorum* P. (Fig. 4—6).
   - *Gyromonas ambulans* (Fig. 46—50).

II. Choanomastigoda.

- *Salpingoeca ampulla* S. K. (Fig. 16—17).

III. Phytomastigoda (Volvocina im weitesten Sinne).

- *Pteromonas alata* (Fig. 42—45).

IV. Ochetomastigoda (Arthrodela).

Peridinicae:

- *Glenodinium Cohnii* (Fig. 22—27).

V. Stomatomastigoda (Euglenoidina).

1. Astasieae:

   Astasiopsis distorta Duj. (Fig. 33—37).
   (*Rhabdomonas incurva* Fres.) (Fig. 38.)
   Menoidium pellucidum P.
   Heteronema acus E. (Fig. 39).
   Petalomonas abscissa Duj. (Fig. 40. 41).

2. Anisonemina:

   Entosiphon sulcatum St. (Fig. 18—21).
   Ploeotia vitrea Duj. (Fig. 28—31).

I. Die Lebensverhältnisse einiger parasitischer Flagellaten.

Die eingehenden Studien Grassis[1]), deren Schilderung mich bei meiner Untersuchung zunächst geleitet hat, zeigen im Vergleich mit Blochmanns[2]) und meinen Untersuchungen, dass das Vorkommen parasitischer Flagellaten zwar sehr häufig, aber auch sehr unregelmässig ist.

Während *Hexamitus intestinalis* von mir im östlichen Deutschland (bei Breslau, Posen und Nakel) fast ausnahmslos in allen Amphibien und ausserdem auch in andern Wasservertebraten gefunden ist, nennt Grassi ihn (seine *Dicercomonas intestinalis*) für Rovellasca (Como) und Pavia selten. Während Grassi ferner die *Trichomonas batrachorum* (*Cimaenomonas batrachorum* Gr.) in Batrachiern aller Art, in *Rana temporaria*, *R. esculenta*, *Bufo vulgaris* und *Hyla arborea* gefunden hat, hat Blochmann sie (bei Heidelberg) in *Rana esculenta* nicht gefunden, sondern nur in *Rana temporaria*, und ich habe sie ebenfalls noch in keinem andern Thiere als in *R. oxyrrhinos* (*R. temporaria*) gefunden.

Trichomonas lacertae scheint bisher nur in der Gegend von Heidelberg gesehen zu sein; Grassi erwähnt nirgend eine entsprechende Form aus Lacerta, ich selbst habe sie nie gefunden.

So ist es erklärlich, dass auch *Trichomonas vaginalis* von Grassi vermisst wurde, während sie in Deutschland nach zahlreichen Angaben durchaus nicht selten ist. Die Existenz- und Fortpflanzungsbedingungen dieser Parasiten scheinen weitgreifend genug zu sein, um in ganzen Gebieten ihr Vorkommen auszuschliessen, und verdienen darum grade wegen ihres Einflusses auf das räthselhafte Vorkommen des menschlichen Parasiten ein besonderes Interesse.

---

[1]) Ltv. No. 10. [2]) Ltv. No. 14.

Die parasitischen Flagellaten scheinen trotz ihrer grossen Zahl ihren Wirthen nicht sonderliche Beschwerden zu bereiten, da sich die von mir beobachteten Formen mehr raumparasitisch zwischen den Kothmassen finden, welche den absorbirenden Theil des Darmtraktus schon passirt haben. Sie leben übrigens auch im frisch abgelegten Koth so lange weiter, bis derselbe eintrocknet.

Bodo lacertae nimmt dann einen Ruhezustand an, aus welchem er nicht wieder durch Feuchtigkeit erweckt werden konnte. Wahrscheinlich ist zur Wiederbelebung die Anwesenheit im Darm seines Wirthes nöthig. Kunstler[1]) beschreibt übrigens aus *Orycter sp.* einen Flagellaten, welcher mit dem *Bodo lacertae* identisch sein könnte.

Wird der frisch abgelegte oder dem Rectum resp. der Kloake entnommene Koth mit einprozentiger Kochsalzlösung oder mit verdünntem Urin verdünnt, so leben die Flagellaten darin über eine Woche lang weiter. Doch entwickeln sich so viele Bakterien, auch Amoeben und Bodonen, dass sichere Beobachtungen an älteren Kulturen nur schwierig zu machen sind.

Unter dem verschlossenen Deckglase leben die Flagellaten eben falls tagelang weiter, auch ohne Luft, indem sie sich mit dem in der Flüssigkeit gelösten Sauerstoff begnügen.

Frei wurde noch keine Form gefunden. Die parasitischen Flagellaten haben keine contractile Vacuole. Sie nehmen wohl auch keine feste Nahrung auf, denn sie zeigen im Innern selten Körnchen, welche man als Nahrungskörper deuten könnte. Auch gelang Karminfütterung nie.

Ausser den im Folgenden näher zu schildernden parasitischen Formen habe ich auch *Monocercomonas insectorum* Gr. aus dem Darm der Larve von *Melolontha vulgaris* vorübergehend untersucht. Der Körper ist birnförmig und sehr contractil. Genauere Untersuchungen habe ich nicht angestellt, weil es mir an Material gebrach.

Auch nach der von Fisch[2]) beschriebenen *Grassia ranarum*, welche Fisch im Magenschleim von *Rana esculenta* fand und die er für identisch mit der von Grassi im Blut von *Hyla arborea* gefundenen „*Monere delle Raganelle*“[3]) hält, habe ich gesucht. Ich habe auch vielfach im Magenschleim von *Rana esculenta* sowohl als *R. oxyrrhinos* Körper gefunden, auf welche die Beschreibungen von Grassi und Fisch sich zu beziehen schienen: rundliche, oft auch längliche Körper mit zahlreichen Geisselfäden, welche allerdings nie über die ganze Oberfläche vertheilt waren, son-

---

1) Ltv. No. 19. 2) Ltv. No. 15.
3) Ltv. No. 10 p. 197 u. pl. II f. 39.

dern nur von einem Theil der Oberfläche ausgingen (Fig. 51 u. 52). Die Geisseln schlagen alle nach einer Richtung und bewirken dadurch eine langsame Rotation des Körpers. Eine dadurch bewirkte Vorwärtsbewegung konnte dagegen nicht wahrgenommen werden. Gleich denen der Flagellaten sind diese Geisseln cylindrisch und nehmen schwer Farbstoffe auf.

Allein als ich darauf aufmerksam wurde, dass sehr häufig mehrere solche Körper dicht mit einander verbunden schienen, und schliesslich Stücke fand, in denen eine grosse Anzahl solcher wimpertragenden und flimmernden Zellen epithelartig mit einander verbunden war, gelangte ich zu der Ueberzeugung, dass ich es mit dem Flimmerepithel der Wandung des Magens resp. Oesophagus [1]) oder mit zahlreichen einzelnen Flimmerzellen zu thun hatte, welche durch den Druck des Deckglases oder auf andere Weise aus dem Epithelverbande losgelöst waren und theilweise die Wimpern nicht eingezogen hatten, sondern eine Zeit lang selbständig weiter lebten, wie das ja auch in andern Fällen bei Zellen, die unverletzt aus ihrem Gewebeverbande losgelöst sind, zu beobachten ist. Dass auch Fisch und Grassi nur solche selbständig gewordenen Flimmerzellen gesehen haben, kann ich natürlich nicht behaupten. Da indessen auch im Herzbeutel des Frosches Flimmerzellen vorkommen [2]), so liesse sich auch der Fund Grassis auf solche zurückführen. Vielleicht handelt es sich aber doch um Parasiten, möglicherweise um einen Flagellaten der Gattung *Lophomonas*. Die Vermuthung, dass ein heliozoenähnliches Wesen vorläge, welche Fisch aufstellt, scheint mir dagegen unbegründet.

2. Hexamitus intestinalis Duj.

(Fig. 1—3.)

Hexamitus intestinalis Duj. scheint einer der verbreitetsten Parasiten der Wasservertebraten zu sein. Er fand sich nicht nur in fast allen (cr. 70) untersuchten Fällen bei *Rana esculenta* und *R. oxyrrhinos*, sondern ebenso ständig auch in *Bufo vulgaris*, *Triton taeniatus*, *Emys europaea* und in dem Fisch *Leucaspius delineatus*. In der Regel lebt er in Schaaren zwischen den Kothmassen der Kloake, doch auch in anderen Theilen des Darmes, selbst im Magen. In der Schildkröte, welche vielleicht eine eigene Spezies beherbergt, fand er sich ausschliesslich in der Harnblase.

---

1) Man sehe auch Ltv. No. 17 p. 141.

2) Ltv. No. 16 p. 40.

Der Körper ist metabol und zeigt alle Uebergänge von langgestreckt-spindliger bis zu fast kugliger Gestalt. Meist ist er birnförmig, seine Länge beträgt dann 10—13μ, die Breite 4—6μ. Das Vorderende ist abgerundet, das Hinterende läuft spitz zu und ist zuweilen etwas abgesetzt. Am Vorderende entspringen 4, am Hinterende 2 Geisseln. Bei seitlicher Ansicht hat es den Schein, als wenn die Vordergeisseln paarweise seitlich am Vordertheil inserirt wären, allein die Ansicht von oben überzeugt, dass die 4 Geisseln von einem Punkte, dem Vorderpol des Körpers, ausgehen und ein X bilden. Dabei legen sie sich mit ihrem unteren Theil in der Regel steif und eng an die Oberfläche des Vorderendes an und heben sich erst weiterhin vom Körper ab. Die hinteren Geisseln entspringen ebenfalls aus einem Punkte. Zuweilen hat es auch hier den Anschein, als wenn die Insertionsstelle der Geisseln weiter nach vorn am Körper gelegen sei, oder als wenn jede Geissel seitlich an dem abgestumpften Hinterende entspränge. Das hat seinen Grund darin, dass der Flagellat oft zusammengekrümmt liegt, sodass der Hinterpol weiter hinaufgerückt erscheint.

Die Vordergeisseln bewegen sich, indem sie aus der horizontalen Lage nach rückwärts schlagen. Zuweilen sieht man ein Paar Geisseln in nach vorn gebogener Stellung ruhen, während nur das andere Paar schlägt und dadurch eine träge Vorwärtsbewegung bewirkt. Sonst ist, besonders bei frisch aus dem Darm entnommenen Individuen, die Bewegung eine sehr rasche, und das Auge kann der Geisselbewegung nicht folgen. Die Hintergeisseln kleben mit der Spitze oft fest und sind dann zuweilen, indem der ganze Körper durch das lebhafte Spiel der Vordergeisseln hin und her gedreht wird, um einander geschlungen. Häufig zeigt sich lebhafte Metabolie, indem die Contouren eine wellenförmige Bewegung zeigen. Aber nie sah ich dabei die regelmässigen zahlreichen Zacken im Contour, welche Stein[1]) abbildet und welche wohl stark schematisch gemeint sind. Diese Bewegung ist nicht immer auf den Druck des Deckglases zurückzuführen. Ich sah in einer älteren Kultur grosse, sehr bewegliche Hexamiten in der leeren, nicht gedrückten Cuticula einer Nematodenleiche hin- und her schwimmen, während sich gleichzeitig die erwähnte wellenförmige Contourbewegung zeigte.

Die peripherische Körperschicht ist durch hyaline, körnchenlose Beschaffenheit als Ectosark von dem körnigen Entosark zu unterscheiden. Der Nucleus ist bläschenförmig, mit einem Nucleolus versehen, und liegt etwa in der Mitte des Körpers oder dem Vorderende genähert. Eine contractile Vacuole wurde nicht wahrgenommen. Zuweilen fanden

---

[1]) Ltv. No. 2, I, T. 3.

sich einige kleine Vacuolen, an denen aber keine Contractionen bemerkt wurden.

Ueber die Fortpflanzung ist bisher nichts ermittelt worden, selbst ein Theilungszustand ist weder von mir gesehen, noch von Andern angegeben worden.

Ob vielleicht doch Anfänge eines solchen in den häufig beobachteten Formen mit 6 Vordergeisseln vorliegen, ist zweifelhaft. Sie fanden sich besonders häufig in der Harnblase der Schildkröte, doch konnte bei der geringen Grösse der Objekte und bei der oft verwirrten Lage der Geisseln nicht in allen Fällen die Zahl der Geisseln sicher konstatirt werden. Stein [1]) bildet junge Exemplare mit 2 Vordergeisseln und 2 Hintergeisseln ab.

Bütschli [2]) fand bei *H. inflatus* zuweilen 2 etwa in der Körpermitte entspringende und senkrecht zu den Vordergeisseln gestellte Mittelgeisseln. Ein analoges Vorkommen bei *Hexamitus intestinalis* ist mir nicht bekannt. Dagegen beobachtete ich mehrfach in Seewasser mit faulenden Algen (aus der Adria) eine Form, welche im Allgemeinen dem *Hexamitus inflatus* entsprach, am Vorderende aber 6 strahlenförmig vom Vorderpol ausgehende Geisseln besass.

3. Trichomonas batrachorum Perty.

(Fig. 4—6.)

Trichomonas batrachorum fand sich in der Cloake von *Rana oxyrrhinos,* und zwar in fast allen Fällen in grosser Menge. In anderen Batrachiern, auch in *Rana esculenta,* habe ich sie dagegen ebensowenig gefunden, wie Blochmann [3]). Der Organismus hat einen etwa umgekehrt eiförmigen, hinten spitz ausgezogenen Körper, doch ist die Ursprungsstelle der Geisseln und damit das Vorderende des Körpers etwas seitlich verschoben. Der hintere Theil des Körpers ist oft gegen den vorderen durch eine ringförmige Einschnürung abgesetzt und läuft in einen spitzen, feinen Schwanzfortsatz aus.

Trichomonas batrachorum ist viel grösser als der an gleichem Orte mit ihr vorkommende *Hexamitus intestinalis,* ihre Länge beträgt bis 20 μ, ihre Breite bis 14 μ. Am Vorderende trägt sie 3 cylindrische Geisseln, welche die Körperlänge nicht erreichen.

Ausserdem zieht sich vom Geisselursprung etwas spiralig nach dem Schwanz eine schmale Region, in welcher man ein höchst eigenthümliches Schauspiel sieht. Es ist, als laufe durch den Körper das Band einer Kreissäge, deren Zähne man in steter Folge an der Peripherie

---

[1]) Ltv. No. 2, I, T. 3, Abt. 6, Fig. 7. [2]) Ltv. No. 9. [3]) Ltv. No. 14.

des Körpers hinauf (in andern Fällen hinab) ziehen sieht. Diese Zähnchen, nach aussen durch eine feine Leiste begrenzt, sind dünne Protoplasmapartien. Man nennt ihre Gesammtheit „undulirende Membran."

Ueber die Beschaffenheit dieser undulirenden Stelle stehen sich die Ansichten von Stein einerseits [1]) und Blochmann und Bütschli [2]) andererseits gegenüber. Bütschli und Blochmann halten sie für eine wirkliche Membran, während Stein annimmt, dass die Erscheinung auf der Eigenschaft des Trichomonaskörpers beruhe, rasch hintereinander Plasmapartien vorzustossen und zurückzuziehen, und indem dies in einer gewissen Regelmässigkeit an dieser Stelle verlaufe, werde der Contour in undulirende Bewegung versetzt.

In der That dürfte ein bestimmter Theil des Plasmas die Fähigkeit haben, rasch hintereinander sich in dünnen streifenartigen Partien zu erheben, die dann weiter abwärts gleiten, — so, wie Stein es bereits im Wesentlichen angenommen hat.

Dass der Rand dieser zarten, (nicht so massiven, wie Stein zeichnet) Vorsprünge verdickt ist, wovon ich mich an gefärbten Präparaten überzeugt habe, spricht durchaus nicht gegen diese Ansicht. Ich halte diese Verdickung für eine Leiste, welche am Körper hinabläuft. Diese Leiste trifft in der Schwanzgegend mit andern, vielleicht gelegentlich dem gleichen Zwecke dienenden Leisten zusammen, und in derselben Gegend entspringt eine vierte, nicht lange Geissel.

Abgesehen von andern Gründen scheint mir eine besondere, schon von Grassi und Blochmann gesehene Undulationsweise des Plasma für die Richtigkeit der Stein'schen Ansicht zu sprechen. Diese Erscheinung vollzieht sich viel langsamer, sodass das Auge der Bewegung bequem folgen kann und man daher durch direkte Beobachtung die Art der Bewegung feststellen kann. Unter gewissen, nicht näher festgestellten ungünstigen Existenzverhältnissen zieht die Trichomonas die Geisseln ein und die Undulation der sogenannten Membran macht einer undulirenden Bewegung einer ganzen Körperseite oder des ganzen Körpers Platz. Der Organismus rundet sich dabei mehr oder weniger ab, oder er setzt sich, wie auch unter gewöhnlichen Verhältnissen oft, mit dem breit und stumpf gewordenen Schwanzende fest. Nun tritt an einer beliebigen Stelle ein pseudopodienartiger Fortsatz am Körper auf, welcher, ohne seine Form und seine Richtung wesentlich zu ändern, längs des Körpercontour gleitet und dann wieder eingezogen wird. Zuweilen gleitet er auch eine Weile hin und

---

[1]) Ltv. No. 2, I, p. 79 u. T. 3, Abt. 2.

[2]) l. c. u. Ltv. No. 1 p. 674.

her, oder er wendet sich, wie der Vordertheil eines Wurms, wie schnüffelnd und tastend bald hierher, bald dorthin. Ihm folgen mehr oder minder rasch ähnliche Fortsätze, welche immer am Körper hingleiten und dann wieder eingezogen werden. Dass sie sich loslösen und zu selbständigen Individuen werden, wie Grassi anzunehmen scheint, habe ich nie in den zahlreichen Fällen gesehen. Allmählich werden die Fortsätze kürzer und langsamer, endlich stirbt der Organismus ab. Es liegt daher in der geschilderten Plasmabewegung wohl eine pathologische Erscheinung vor, welche aber einen Rückschluss auf die normalen Verhältnisse nahelegt. Wie in dem pathologischen Zustande langsamer und höher, so laufen im normalen Zustande schneller und niedriger Contractionswellen über den Körper, welche auf schmale Partien des Plasmas beschränkt bleiben. Es scheint übrigens, dass Kunstler[1]) mit seiner *Giardia agilis,* welche er zwischen die Schizomyceten und die Monadinen stellen will, nichts anderes als den eben geschilderten Zustand der *Trichomonas batrachorum* meint.

Die Vorwärtsbewegung ist bei frischen Exemplaren lebhaft, zitternd, bald in engen Kreisen, bald in unregelmässig wechselnden graden Richtungen, selten mit einer erheblichen raschen Ortsveränderung verbunden.

Die Ernährung ist saprophag. Eine contractile Vacuole wurde nicht gesehen. Der Kern ist bläschenförmig, ziemlich gross. Von Fortpflanzungszuständen wurden Längstheilungen gesehen.

4. Bodo lacertae Grassi sp.

(Fig. 7.)

Bodo lacertae (*Heteromita lacertae* Grassi)[2]) wurde in der Kloake der erwachsenen *Lacerta agilis* gefunden, deren Kothballen von diesen Organismen wimmeln. In allen im September untersuchten jungen Eidechsen (bei Posen) fand sich keine Spur von ihm. Erwähnt sei auch, dass *Trichomastix lacertae* Blochmann, in den von Blochmann untersuchten Fällen ein steter Begleiter des *Bodo lacertae,* von mir bisher nicht gefunden wurde.

Frisch dem Darm entnommen ist die Gestalt des Bodo lang spindelförmig, gleichmässig rund, hinten lang zugespitzt, vorn abgerundet. Allein in der einprozentigen Kochsalzlösung kontrahiren sich die Organismen bald etwas, sie sind dann abgeplattet, rübenförmig bis breit birnförmig. Ihre Länge beträgt in diesem Zustande 12—14,5 μ, die

[1]) Ltv. No. 19. [2]) Ltv. No. 10 p. 34 und pl. I f. 19—28.

Breite der breiteren Seite 7 μ, die der schmaleren Seite, welche man die Höhe nennen kann, 3,5 μ. Das Hinterende ist in der Ruhe meist etwas eingekrümmt und mehr oder minder spitz ausgezogen; übrigens neigt es zu amoeboider Beweglichkeit und kann daher die verschiedensten Formen annehmen. In konzentrirten Salzlösungen sendet es viele feine strahlenförmige Pseudopodien aus, oder spaltet sich in 2 bis 3 Strahlenbündel, während es abstirbt.

Am Vorderende entspringen aus einem Punkte zwei ungleiche Geisseln. Die eine ist nach vorn gerichtet und bewirkt die Vorwärtsbewegung, sie ist dicker, konisch mit abgestumpftem Ende, und geht allmählich in den Körper über. Die andere dünnere Geissel wird wie die entsprechende Geissel anderer Bodoarten nachgeschleppt und dient bei Richtungsveränderungen als Steuer, zuweilen heftet sie sich auch mit der Spitze fest.

Beide Geisseln degeneriren blasig.

Bei der Bewegung wendet sich der Organismus zitternd hin und her, indem er rotirt.

Der Vordertheil des Körpers ist körniger als der Hintertheil, er enthält auch den bläschenförmigen Kern.

Eine contractile Vacuole wurde nicht gesehen. Zuweilen heften sich die Organismen mit den Schwänzen aneinander, wie es Bütschli[1]) auch von der Herpetomonas des Trilobus erwähnt. Doch wurden auch sichere Zweitheilungen angetroffen. In verschlossenen Tropfenculturen contrahiren sich die Organismen nach 2—3 Tagen, indem sie die Geisseln einziehen und homogene Kugeln bilden. Doch konnte dieser Ruhezustand nicht wieder in den beweglichen Zustand verwandelt werden.

5. Cercomonas longicauda Duj.

(Fig. 8—10.)

Cercomonas longicauda[2]) wurde in Menge in einer Heuinfusion gefunden. Sie ist ziemlich langgestreckt, auf einer Seite, welche Bauchseite genannt werden kann, abgeplattet, und ohne Geissel und Schwanz 12—14 μ lang. Die Breite beträgt ein Drittel bis ein Fünftel der Länge. Am Vorderende entspringt die cylindrische Geissel, welche, wie die meisten Geisseln der Flagellaten, deutlich gegen den Körper abgesetzt ist und einem kleinen seitlichen Vorsprung des Vorderendes aufsitzt. Das Hinterende geht allmählich in einen geisselartigen Fortsatz über, welcher ganz wie eine Geissel gebraucht wird.

---

[1]) Ltv. No. 9. [2]) Ltv. No. 6, pl. IV f. 19.

Oft sieht man etwa in der Mitte dieses Schwanzes einen kleinen Absatz, von dem ab der Schwanz in eine lange feine Spitze ausläuft.

Die ectoplasmatische Schicht ist sehr dünn und hyalin. Das Endoplasma ist körnig und oft ganz durchsetzt von zahlreichen sehr kleinen, Nahrungskörperchen einschliessenden Vacuolen. Die contractile Vacuole liegt an der Basis der Vordergeissel und contrahirt sich in ziemlich raschem Rhythmus. Der Kern erscheint als helle, schwach lichtbrechende Stelle, und ist ziemlich gross. Er liegt fast in der Mitte des Körpers, mehr im Vordertheil. Die Fortpflanzung wurde in einer Reihe von Tropfenkulturen an Material beobachtet, welches durch fractionirte Kultur soweit rein geworden war, dass ausser Bakterien nur noch die in Untersuchung stehende Cercomonas darin vorhanden war.

Haben die Individuen eine gewisse Grösse erreicht, so theilen sie sich. Stein[1]) zeichnet als Anfangsstadien der Theilung Exemplare mit doppelter Geissel und doppeltem Schwanz. Dies Vorkommen habe ich so deutlich nicht beobachten können. Vor und während der Theilung bleibt die Cercomonas zwar auf einer Stelle liegen, macht aber die heftigsten, den ganzen Körper unaufhörlich verzerrenden Contractionsbewegungen. Dies dauert 4—5 Minuten. Darauf wird eine Einschnürung sichtbar, welche, soviel ich erkennen konnte, senkrecht zur Längsachse gerichtet ist, und welche in ca. 1 Minute den Körper in 2 Theilindividuen trennt. Es kommt also in der That — was schon Dallinger und Drysdale[2]) angegeben haben, aber von Bütschli[3]) im Hinblick auf den sonst bei Flagellaten gewöhnlichen Modus der Längstheilung bezweifelt worden ist — bei Cercomonas Quertheilung vor, nur verläuft dieselbe nicht so ruhig, wie man nach den Zeichnungen der genannten englischen Forscher annehmen könnte.

Ein besonderer Fall, welchen ich von Anfang der Theilung an und noch eine Weile nach ihrer Beendigung verfolgt habe, und welcher ebenfalls für Quertheilung spricht, war folgender. Ein sehr grosses Individuum begann sich in der erwähnten Weise metabolisch zu bewegen. Darauf zeigten sich die Anfänge einer Längstheilung, durch welche der sehr grosse Körper in 2 ungleich grosse Hälften zerfallen zu wollen schien. Gleichzeitig schied sich aber die kleinere Hälfte durch Quertheilung in 2 Partien, welche, unter einander getrennt, mit dem grossen Körper in Verbindung blieben und sich dann auch von diesem, aber nacheinander, loslösten und davon schwammen.

---

[1]) Ltv. No. 2, I, T. 1 Abt. 5. [2]) Ltv. No. 7.
[3]) Ltv. No. 1, p. 746.

Die genaueren Vorgänge besonders der Geisselbildung konnte ich bei den heftigen Bewegungen des immerhin sehr kleinen Organismus nicht sehen. Die jungen Individuen sind birnförmig mit kurzem Schwanz und von dem Bau der alten.

Ist das Wasser an Nährstoffen für die Cercomonas erschöpft, so geht dieselbe in einen eigenthümlichen Ruhezustand über. Der Körper kommt zur Ruhe, Geissel und Schwanz werden eingezogen, der Körper wird kugelig und zieht sich, offenbar unter Wasserverlust, mehr und mehr zusammen, während sein Plasma mehr und mehr lichtbrechend wird. Schliesslich sieht man nur noch ein Kügelchen von stark lichtbrechender Beschaffenheit, dessen Durchmesser nicht mehr als 2,8—3,6 μ beträgt. Diese Dauerkugel erträgt, wenigstens für kürzere Zeit, das Eintrocknen, ohne ihre Lebensfähigkeit zu verlieren. Setzt man Nährlösung (sterilisirtes Heudecoct) zu dem Tropfen, in welchem sich die Dauerkugeln befinden, so entwickeln sich aus ihnen wieder die Cercomonaden, indem die Kugel anschwillt, zuerst schwache metabolische Bewegung bekommt, und dann Geissel und Schwanz entwickelt, worauf der geschilderte Lebenslauf von Neuem beginnt. Das Eigenthümlichste bei diesen Ruhezuständen ist, dass sie Nichts von einer besonderen Hülle ausscheiden, welche sie beim Wiedererwachen zurücklassen müssten. Vielmehr geht die ganze Masse der Kugel wieder in die Cercomonas über. In destillirtem Wasser erfolgt das Wiedererwachen nur sehr spärlich, sodass also ein Einfluss der Nährlösung und damit auch eine theilweise saprophage Ernährung der Cercomonas anzunehmen ist.

6. Bodo limbatus n. sp.

(Fig. 11—15.)

Bodo limbatus ist wahrscheinlich identisch mit Kent's *Trimastix marina*[1]), da ich indessen an meinen Organismen nur 2 wie bei den Bodonen gestellte Geisseln fand und sich der Organismus überhaupt, bis auf den Saum, wie ein Bodo verhält, so schlage ich als vorläufige Bezeichnung den angeführten Namen für ihn vor an Stelle des Kent'schen.

Der Organismus tritt zu einer gewissen Zeit in faulenden Seealgenculturen in grosser Zahl auf und verschwindet dann wieder fast ganz. Seine Gestalt ist concav-convex, eirund, vorn spitz. Am rechten oder linken Rand tritt oft ein hyaliner Saum hervor, welcher wieder eingezogen werden kann. An ihm bewegt sich schlängelnd die längere

[1]) Ltv. 3, 1, p. 312 u. t. 19 Fig. 23—25.

Geissel, wenn der Organismus im Uebrigen ruht, und strudelt Nahrungskörper herbei. Die Länge des Körpers beträgt 10—12 μ. Er enthält grössere und kleinere Vacuolen, und am Hinterende einen Kern.

Der Ruhezustand, in den er, wie erwähnt, leicht übergeht, gleicht genau dem geschilderten der *Cercomonas longicauda:* der Körper contrahirt sich zu einer kleinen Kugel, aus welcher beim Wiedererwachen, z. B. nach Zutritt von neuer sterilisirter Nährlösung zu der ihn enthaltenden Tropfencultur, der Flagellat, ohne eine sichtbare Hülle zu hinterlassen, sich wieder entwickelt. In einer Cultur, mit welcher ich diesen Versuch machte, waren die Ruhezustände 1½ Wochen alt.

7. Salpingoeca ampulla S. K.

(Fig. 16 u. 17.)

Salpingoeca ampulla S. K.[1]) fand sich mit *S. gracilis, S. curvipes* und andern Choanoflagellaten häufig an der Oberfläche des Seewassers in älteren Culturen. Die Form ist von der von Kent beschriebenen nicht verschieden, auch die zierliche Varietät mit längsgestreifter Hülle wurde beobachtet. An vielen Exemplaren zog sich der Kragen von oben her zusammen, indem er in seinem oberen Theile immer dicker und stärker lichtbrechend wurde, sodass dieser zuweilen, wie ohne Zusammenhang mit dem Körper, über diesem zu schweben schien. Die Bildung der Hülle ist sehr räthselhaft, sie entsteht offenbar durch selbständiges Wachsthum und kann nicht wie eine Cuticula ausgeschieden sein. Einen Entwicklungszustand, wie der von Kent gezeichnete, habe ich auch gesehen. Die Hülle ist schwer zu färben und resistent gegen Reagentien und Fäulniss.

8. Glenodinium Cohnii sp. n.

(Fig. 22—27.)

Herr Professor Cohn machte mich im Juli v. J. auf cystenartige Gebilde aufmerksam, welche sich in der Kahmhaut von fauligem Seewasser fanden. Dies Seewasser war für das Seeaquarium des Instituts aus Hamburg bezogen worden, aber faulig angekommen und vorläufig, bis zur Vollendung des Fäulnissprozesses, in einen grossen Aquarienbehälter gegossen worden. An der Oberfläche hatte sich die erwähnte Kahmhaut gebildet, welche zwischen zahllosen Bacterien auch viele Cysten von verschiedenen Formen enthielt. Die hier zu besprechende Cystenform, welcher die Mehrzahl dieser Cysten angehörte, fiel durch ihre eigenthümliche Beschaffenheit auf.

---

1) Ltv. No. 3 p. 349 u. t. 3. Fig. 17—21.

Die Cysten sind von sehr verschiedener Grösse, ihr Durchmesser schwankt zwischen 8,6 μ und 25 μ. Die Form ist meist etwas oval, aber, solange ihr Inhalt noch keine Theilung zeigt, nur wenig von der Kugelform abweichend. Sie besitzen eine feine, völlig durchsichtige, farblose oder leicht bräunlich gefärbte Hülle. Nicht selten füllt der Inhalt die Membran nicht aus, dann liegt er nicht central, sondern mehr oder minder einer Seite genähert, und man sieht die Membran in unregelmässigen Abständen gestreift, und zwar auch nicht concentrisch, sondern so, dass der Mittelpunkt des Inhaltskörpers auch ungefähr das Centrum der in weiten Kreisbögen verlaufenden Streifen ist. Die Streifen sind Falten der Membran. Die Membran wird durch Eau de Javelle, verdünnte Kalilauge und Mineralsäuren nicht angegriffen, in concentrirter Kalilauge und in Eisessig quillt sie etwas, aber ohne sich zu lösen. Jod wird kaum aufgenommen. Jod und Schwefelsäure rufen ebenfalls nur eine geringe Bräunung hervor. Auch anderen färbenden Stoffen gegenüber, selbst die Alles bewältigenden Anilinfarben nicht ausgeschlossen, erweist sich die Membran als wenig tingirbar. Am besten wird auch hier Methylviolett aufgenommen. Der plasmatische Inhalt wird, wenn die äussere Membran ihm nicht dicht anliegt, noch von einer zweiten, stets dicht anliegenden Membran umschlossen, welche im Wesentlichen dieselben Eigenschaften zeigt, wie die erste.

Der Inhalt enthält ferner einen grossen Kern und eine grosse nicht contractile Vacuole, welche ziemlich central gelegen ist.

Am auffallendsten aber erscheinen unter den Inhaltsbestandtheilen des Körpers kuglige Gebilde, welche in verschiedener und anscheinend regelloser Grösse die äussere Schicht des Körpers erfüllen und durchsetzen. In kleineren und jüngeren Cysten sind sie oft kleiner und zahlreicher, in grösseren sind oft nur wenige grosse vorhanden. Zuweilen hatte es im letzteren Falle den Anschein, als wäre nur ein einziger grosser gewundener Körper vorhanden, doch konnte ich mich von der Richtigkeit dieser Ansicht nicht vollkommen überzeugen. Drückt man diese Kugeln aus dem Plasma heraus, indem man die Cysten zerquetscht, so erscheinen sie als unregelmässig rundliche, strukturlose, weiche Körner, welche weder das starke Lichtbrechungsvermögen von Oelkugeln besitzen, noch zusammenfliessen, also keine Oeltropfen sind. Sie sind, auch herausgedrückt, durch Kalilauge nur nach längerer Einwirkung zu lösen, ebenso sind sie in Säuren, in Alkohol und Aether unlöslich. Jod nehmen sie fast gar nicht auf, mit Osmiumsäure nehmen sie dieselbe mehr oder minder braune Farbe an, wie das Plasma, in welchem sie liegen. Drückt man den mit

Osmiumsäure getödteten und gefärbten Inhalt heraus, so erscheint derselbe als braune, homogene Masse. Auch Alkannatinktur färbt alle Inhaltskörper gleichmässig. Die Bedeutung dieser Kugeln, welche auch sonst für Peridinieen angegeben werden, ist noch unaufgeklärt. Der Annahme von Klebs[1]), dass diese Kugeln Parasiten oder gar endogene Keime seien, kann ich zwar keine positive Widerlegung entgegensetzen, muss aber hervorheben, dass ich niemals irgend etwas gesehen habe, das zu dieser Annahme berechtigte. Die optische Strukturlosigkeit scheint vielmehr dagegen zu sprechen.

Endlich finden sich zwischen den besprochenen grossen kugeligen Körpern zerstreut kleine Körnchen oder Tröpfchen, welche durch Jod und Osmiumsäure tief braun werden und durch Aether und Kalilauge gelöst werden. Ich halte sie daher für Fett.

Behandelt man die Cysten mit Jod, so färben sich Medium und Cysteninhalt mehr oder minder gelbbraun, während die grossen kugligen Körper ungefärbt bleiben und die kleinen Körnchen sich, wie gesagt, tiefbraun färben. In Folge optischer Reflexerscheinung sieht man aber einen bläulich-grünlichen Schimmer an den ungefärbten Kugeln, um so stärker, je länger man das Bild auf das Auge wirken lässt. In keinem Falle bekam ich aber distincte Blaufärbungen, weder nach vorausgegangener Anwendung quellender Mittel, noch nach Anwendung verdünnter Jodlösungen. Die Anwesenheit von jodbläuenden Assimilationsproducten ist also ausgeschlossen. Chromatophoren, überhaupt Färbungen im lebenden Zustande sind ebenfalls nicht vorhanden.

Die Cysten vermehren sich constant durch Theilung, und zwar werden 2—4 Theilproducte in jeder Hülle gebildet. Dabei wächst die Cyste beträchtlich. Die kleinsten Cysten haben einen Durchmesser von 8—9 μ, die Membran liegt dann noch eng dem Plasmakörper an. Im Wachsthum streckt sich der Körper etwas, die Membran hebt sich ab, und wenn der Inhalt 14 μ, die Hülle 19 μ Durchmesser hat, beginnt die Theilung. Cysten mit 2 getrennten Inhaltskörpern (deren jeder noch von einer eignen Membran umhüllt ist), haben einen Durchmesser von 23 μ (die Inhaltskörper jeder ca. 10 μ), und bei weiterem Wachsthum bis zu 25—26 μ erscheinen 4 Theilkörper. Nun treten die Theilkörper aus. Es scheint, dass die durch die so mächtig gewachsenen Theilkörper, vielleicht auch durch einen quellenden Schleim stark gespannte Cystenhaut platzt und die Theilproducte durch das elastische Zusammenschnellen der Membran hinausgetrieben werden, wenigstens sieht man selten die Theilsprösslinge in unmittelbarer Nähe

[1]) Ltv. No. 20, p. 730.

der Muttercyste, meist mehr oder minder weit von derselben entfernt. Aber nicht immer werden alle Theilproducte hinausgeschleudert; ist die Spannung genügend aufgehoben, so ist keine Kraft mehr vorhanden, welche die letzten bewegt, und deshalb bleibt in der Muttermembran meist eine Tochtercyste zurück. Die Membran ist nicht elastisch genug, wieder auf ihre ursprüngliche geringe Ausdehnung zurückzugehen, und legt sich daher in Falten um den zurückgebliebenen Körper. Dadurch entsteht das anfangs geschilderte Bild weiter, faltiger Hüllen um einzelne kleinere Inhaltskörper.

So pflanzt sich der Organismus palmellenartig fort, ohne in einen anderen Zustand überzugehen, wenn seine Existenzverhältnisse nicht verändert werden. Ein Analogon zu dieser algenartigen Vegetationsweise eines hyalinen Organismus finde ich nur in der von Klebs[1]) geschilderten Fortpflanzung der *Euglena hyalina* im Ruhezustande.

Man braucht aber nur die Cysten mit einer Quantität Seewasser in ein anderes Gefäss zu bringen, um nach wenigen Stunden mit Sicherheit Schwärmzustände zu finden. In destillirtem und in süssem Wasser geht diese Entwicklung nicht vor sich, die Cysten degeneriren vielmehr darin nach einiger Zeit. Am besten ging die Entwickelung in einer 2—3 procentigen Seesalzlösung vor sich, welche dem Seewasser, in welchem die Organismen sich befanden, am besten zu entsprechen scheint, also in einem schwach brakigen Seewasser. In stärkeren oder schwächeren Seesalzlösungen entwickelten sich die Schwärmer nur sehr spärlich und zeigten verzerrte Formen.

Gewöhnlich sind die Schwärmer eiförmig und etwas abgeplattet. Ihre Länge beträgt 13 μ, ihre Breite 8—10 μ. Um den Körper, der von einer feinen Membran umgeben ist und dessen Inhaltsbestandtheile nicht von denen der Cysten abweichen, zieht sich eine Furche, welche, wenn ich der Orientirungsweise von Klebs[2]) folge, an der Bauchfläche rechts hinten beginnt, nach rechts zum Rande läuft, auf die Rückenseite übertritt, dieselbe schräg nach links aufsteigend durchläuft und vorn wieder auf die Bauchseite tritt, in deren Mittellinie sie scharf umbiegt und gerade nach hinten geht.

Wie man bei einer Vergleichung sehen wird, ist die Abweichung der Form des vorliegenden Organismus von der des durch Stein[3]) und Klebs[4]) geschilderten *Glenodinium cinctum* nicht bedeutend. Gleichwohl bestimmt mich die völlige Abwesenheit einer sichtbaren Structur der Hülle und die Thatsache, dass die Ruhezustände sich im

---

1) Ltv. No. 12 p. 290. 2) Ltv. No. 12 p. 348.
3) Ltv. No. 2, II, T. 3, Fig. 18—21. 4) Ltv. No. 12 p. 349 u. T. 2, Fig. 29.

Süsswasser nicht entwickeln, dazu, ihn in eine neue Art zu verweisen, welche ich nach Herrn Professor Ferdinand Cohn, dem Entdecker der Cysten, benannt habe. Der Furchenverlauf variirt übrigens, indem der Körper ziemlich starke Contractionen zeigt, die hin und wieder so rasch verlaufen, dass man von Metabolie sprechen kann.

Tödtet man die Schwärmer mit Osmiumsäure oder Jod, so findet man sie mit 2 ungleich langen Geisseln bewaffnet, welche in der Gegend der scharfen Furchenbiegung auf der Bauchseite entspringen. Ich fand hierdurch die schöne Entdeckung von Klebs, dass die Perdinieen gar keine „Cilioflagellaten" sind, um so mehr bestätigt, als ich bei den ersten Untersuchungen des Organismus wegen der Abwesenheit jedes Chromatophors gar nicht daran dachte, dass ich es mit einer Peridiniee zu thun habe, und von der Klebs'schen Entdeckung noch nicht Kenntniss genommen hatte. Später sah ich die längere Geissel in dem querverlaufenden Theil der Furche vibriren und sich schlängelnd bewegen. Die kürzere Geissel durchläuft den nach hinten gehenden Theil der Furche und tritt dann frei hervor. Sie scheint nach Art der Anisonemageissel als Steuer benutzt zu werden, während die andere Geissel die rotirende Vorwärtsbewegung bewirkt. Eine Oeffnung in der Membran zum Durchtritt der Geisseln aus dem Plasmakörper habe ich nicht bemerkt. Die Membran ist, wie die Hülle der Cysten, völlig structurlos und auch nach Entfernung des Körpers gegen Quellung sehr resistent, sodass man in den Culturen zahlreiche leere Membranen sieht. Häutungen der Schwärmer habe ich nicht gesehen.

Die Schwärmer trifft man, wenn einmal entwickelt, noch wochenlang in den Culturen. Bei Luftabschluss, z. B. in Culturen unter dem Deckglase, werden sie nach 1—1½ Stunden unbeweglich und sterben ab, gleichviel ob Luft das Wasser berührt oder nicht. Die Furche scheint durch eine entsprechende Contraction zu entstehen und durch das Aufhören derselben wieder zu verschwinden.

In freien Tropfenculturen habe ich in der Regel den Uebergang aus dem Schwärmstadium in den Ruhe- und Theilungs-Zustand bald eintreten sehen. Die Theilungen der Cysten kann man auch in Culturen im hängenden Tropfen verfolgen.

Der Organismus fand sich unter entsprechenden Verhältnissen auch in Culturen mit Algen aus Triest, deren Seewasser durch Auflösen von Seesalz hergestellt war. Auch ein anderer, ebenfalls hyaliner, aber etwas verschieden geformter und kleinerer Organismus aus der Gruppe der Peridinieen fand sich in diesen Wässern.

9. Entosiphon sulcatum St.

(Fig. 18—21.)

Entosiphon sulcatum wurde zuerst von Dujardin[1]) als *Anisonema sulcatum* beschrieben, aber schon Dujardin wies darauf hin, dass es wohl in eine besondere Gattung gehöre. Die Aufstellung der Gattung Entosiphon geschah durch Stein und rechtfertigt sich durch die Körperform und durch den vorstülpbaren Stab am Cytostom. Klebs[2]) will den Organismus als *Anisonema entosiphon* bei Anisonema belassen.

Die Gestalt erscheint im optischen Querschnitt etwas dorsiventral abgeplattet, aber rundlich und bei weitem nicht so flach wie die von Anisonema.

Die Länge beträgt 20—25 μ, die Breite 10—15 μ. Der Körper ist von einer festen, dünnen Cuticula umgeben, welche beim Eintrocknen ihre Form behält, während das Plasma sich von ihr abhebt. Die Körperoberfläche ist von 8—10 tiefen Längsrinnen gefurcht.

Am Vorderende ist der Körper in der Weise schief abgestutzt, dass, auf die Rückenseite gesehen, die rechte Hälfte höher reicht als die linke und einen stumpfen kleinen Vorsprung bildet. Neben diesem Vorsprung in der Mitte des Vorderendes, aber etwas ventral, liegt das Cytostom, mit einem nicht sehr tief eindringenden breiten Schlund, welcher sich, wie man bei Färbungsversuchen im lebenden Zustand sieht, nach der Hauptvacuole hin fortsetzt. Rechts vom Schlund und unter ihm liegt ein langer flacher Stab, welcher etwas schräg nach oben und nach der Mitte bis in die Nähe des Hinterendes geht; hier läuft er, wie an fixirten Exemplaren deutlich erkennbar ist, spitz zu, er bildet also einen geschlossenen Körper. Dieser Stab ist unter dem Cytostom ziemlich weit vorschiebbar. An lebenden Exemplaren sah ich ihn dabei stets von der Körpermembran bedeckt, während er bei todten Exemplaren ziemlich weit über dieselbe hinausragt.

Während die rechte Seite des vorderen Körpertheils diesen Stab enthält, liegt links, hinter dem Schlunde, eine Hauptvacuole mit Nebenvacuolen. Es kommt vor, dass 2 Nebenvacuolen, von der Hauptvacuole aus gerechnet, hinter einander liegen. Dann ergiesst die entfernter liegende ihren Inhalt zunächst in die näherliegende und diese giebt dann ihren ganzen Inhalt an die Hauptvacuole. Stein[3]) zeichnet eine Hauptvacuole mit einem Kranz von Nebenvacuolen, er hat also wohl auch schon die Analogie mit den Euglenavacuolen erkannt.

[1]) Ltv. No. 6 p. 344. [2]) Ltv. No. 12 p. 328. [3]) Ltv. No. 2, I, T. 24. Fig. 18.

Hinter dem Vacuolensystem liegt, ebenfalls links, der ziemlich grosse, bläschenförmige Kern. An dem Hinterende befindet sich eine Cytopyge, oft mit einer Vacuole, wie Stein auch bei *Anisonema*[1]) zeichnet. Ich habe den Austritt einer körnigen Masse an dieser Stelle mehrfach beobachtet.

In der Tiefe des Schlundes entspringen die 2 ungleich langen cylindrischen Geisseln, von denen die längere bei der Vorwärtsbewegung meist nachgeschleppt, aber auch nicht selten lebhaft nach vorn geschlängelt wird.

Die Nahrungsaufnahme habe ich weder direct sehen noch durch Carminfütterung nachweisen können, doch halte ich die krümlichen Massen des vorderen Körpertheils, unter denen man oft längliche bacillusähnliche Körper unterscheidet, für aufgenommene Nahrungspartikel. Im Hintertheile des Körpers finden sich dagegen grössere, lichtbrechende, mehr oder weniger gleichmässige kuglige Körper, welche Bütschli[2]) als Secretkörnchen bezeichnet und welche sich nur in concentrirter Essigsäure, nicht in schwachen Säuren lösen.

Die Bewegung ist meist ziemlich langsam, etwas oscillirend, häufig bleiben die Organismen auch lange Zeit auf einem Fleck.

Entosiphon fand sich zwischen Oscillarien und Beggiatoen, zuweilen in grosser Anzahl, in Gesellschaft von *Cyathomonas truncata* Fres.

In einer Tropfencultur vermehrte es sich stark und blieb gegen vier Wochen am Leben, in der vierten Woche starben die Individuen allmählich ab, ohne Ruhezustände zu bilden.

10. Ploeotia vitrea Duj.

(Fig. 28—31.)

Ploeotia vitrea Duj.[3]) (vielleicht identisch mit *Tropidoscyphus octocostatus* St.[4]), der von Kent[5]) als *Sphenomonas octocostata* aufgeführt wird) fand sich in einer alten Cultur von Seewasserkahmhaut in ziemlich grosser Menge. Der schöne Organismus, den ich zu beschreiben habe, erinnerte sofort an Dujardin's Abbildung. Er ist von 8 scharfen, nach innen breit und allmählich verlaufenden, etwas spiraligen Kielen besetzt und sehr durchsichtig, besonders an den Kanten. Im Ganzen ist die Gestalt oval, ca. 30 μ lang und fast ebenso breit, und etwas seitlich comprimirt. In der Nähe des Vorderendes auf der schmaleren Bauchseite liegt in der starren Körpercuticula

---

1) Ltv. No. 2, I, T. 24, Fig. 6. 2) Ltv. No. 9.
3) Ltv. No. 6, p. 345 u. T. 5, Fig. 3. 4) Ltv. No. 2, I, T. 24, Fig. 1—5.
5) Ltv. No. 3, I, p. 439.

eine langgezogene, vorn verbreiterte Oeffnung, deren erhabene Ränder als 2 weitere Kiele erscheinen und sich nach unten vereinigt in einen Kiel fortsetzen. Dieser führt in eine schmale Höhlung, in deren Grunde die 2 Geisseln entspringen. Diese sind sehr verschieden. Die eine ist sehr fein, kaum von Körperlänge und sehr empfindlich. Die andere dagegen ist 3—4 mal so lang als der Körper und auffallend dick, und bei ihrem Absterben ist deutlich eine feine Cuticula an ihr zu unterscheiden, welche als Röhre einen vielfach zerreissenden und zu Kügelchen sich ballenden Inhalt umgiebt. In diesem Falle ist also sicher eine Geisselmembran vorhanden, doch ist diese keinenfalls eine Ursache für geringere Tinction der Geissel, vielmehr färbt sich die grosse Ploeotiageissel intensiv und leicht. Die grosse Geissel wird meist träge nachgeschleppt, sie zeigt Schlängelungen an jeder beliebigen Stelle, bald nur an der Basis, bald nur am Ende, bald nur in der Mitte, selten in ihrer ganzen Länge.

Im Innern findet sich ein länglicher Kern, grössere und kleinere Körnchen und grosse, in Vacuolen liegende Kugeln. Eine contractile Vacuole ist nicht vorhanden [1]).

Im Süsswasser stirbt der Organismus sofort ab und das Plasma dehnt aufquellend die Cuticula aus.

Die Theilung beginnt am Vorderende, Geisseln und Cytostom treten vorher in verdoppelter Zahl auf.

II. Mastigamoeba aspera Sch.

(Fig. 32.)

Die im Folgenden zu schildernden Flagellaten wurden sämmtlich in Wasser gefunden, welches von Herrn Knappschaftsarzt Dr. Bornemann aus der Gegend von Hohenmölsen in Thüringen an das Institut gesandt war. Es waren ca. 30 kbcm. Sumpfwasser, welches eine Fülle von interessanten Organismen aller Art, namentlich aber Flagellaten enthielt. Ich erwähne die Schizophyten *Myconostoc gregarium* Cohn und *Clathrocystis roseo-persicina* Cohn; ferner *Rhabdomonas rosea, Ophidomonas jenensis* (beide von bräunlicher Farbe) und die sogenannte *Monas Okenii,* welche wohl gleichfalls zu den Schizophyten zu stellen sind, und von Rhizopoden die *Diplophrys Archeri* H. u. L. Als die erste in das hier zu untersuchende Gebiet fallende Form nenne

[1]) Auch Stein zeichnet bei *Tropidoscyphus* keine contractile Vacuole, es ist mir deshalb unwahrscheinlich, dass der *Tropidoscyphus* im Süsswasser lebt. Im Text habe ich eine Angabe darüber vergeblich gesucht.

ich die *Mastigamoeba aspera* Fr. E. Schulze[1]), eine geisseltragende grosse Amoebe, an welcher man den Uebergang eines Pseudopodium in eine feine Geissel direct sehen kann. Die Pseudopodien zeigen auch zuweilen, wenn sie nicht grade geisselartig ausgebildet sind, Schlängelungen, wie sie von der *Amoeba radiosa* E. bekannt sind. In andern Fällen, in welchen ich *Amoeba radiosa* längere Zeit beobachtete und cultivirte, habe ich das Auftreten der Mastigamoeba nie bemerkt. Die Form der *Amoeba radiosa* kommt daher wohl Entwicklungszuständen verschiedener sarcodinenartiger Organismen zu. Den feinen Höckern der Oberfläche, welche der *Mastigamoeba aspera* ihren Speciesnamen geben, entsprechen andere von jeder Grösse, bis zu typischen Pseudopodien. Während des Schwimmens sind auch diese grösseren Höcker wie erstarrt; die dünnen und längeren unter ihnen erinnern daher an die Heliozoenpseudopodien. Ausserdem treten aber in Augenblicken, in welchen das Schwimmen unterbrochen wird, echte breite Pseudopodien auf.

Während sich sonst ein Ectosark von einem Entosark nicht unterscheiden lässt, tritt eine solche Sonderung in den Pseudopodien deutlich auf, wie bei anderen Amoeben. Die Spitze der Pseudopodien ist in einer gewissen Ausdehnung hyalin, entsprechend dem Ectosark, während der basale Theil körnig und dunkler erscheint. Oft werden die Pseudopodien auch feiner, gleichmässig dick, sehr lang, und dann sieht man die erwähnte an *Amoeba radiosa* erinnernde langsame Schlängelung. Das Innere des Körpers ist mit Nahrungskörpern aller Art gefüllt, auch die paramylumartigen Körner dürften von aussen hineingekommen sein. Der Kern liegt bei den schwimmenden Individuen in der Nähe der Geisselbasis. Der grosse Nucleus ist oft deutlich streifig.

Es finden sich in der Regel im Innern mehrere Vacuolen, darunter auch contractile.

12. Die Astasieen.

Die farblosen Euglenoidinen sind, soweit sie nicht als hyaline Varietäten von Euglenen erkannt sind, noch wenig im Zusammenhange untersucht, weshalb auch heut noch Differenzen in wesentlichen Punkten ihrer Naturgeschichte vorliegen. Klebs, welcher gelegentlich seiner Untersuchungen über die Euglenoidinen auch die farblosen Formen vielfach eingehend berücksichtigt hat, hält selbst eine zusammenhängende Bearbeitung der farblosen Formen für nothwendig[2]). Eine

---

[1]) Ltv. No. 22. [2]) Ltv. No. 12, p. 321.

solche wäre aber von einer neuen Untersuchung aller Euglenoidinen in vielen Punkten kaum zu trennen. Die im Folgenden zu schildernden Untersuchungen sind weit davon entfernt, diesen Anforderungen genügen zu wollen. Ich war auf eine geringe Zahl von Arten beschränkt, welche meist in die Nähe der *Astasia proteus* St. gehören.

Die Astasieen sind von Bütschli und von Klebs verschieden abgegrenzt worden. Bütschli nimmt als Hauptmerkmal seiner Astasiina die Anwesenheit einer zweiten kleineren Geissel neben der Hauptgeissel an, und trennt deshalb die Gattungen *Astasia* St., *Heteronema* Duj., *Zygoselmis* Duj. von den übrigen als *Menoidina* aufgeführten eingeissligen Formen, während Klebs nur eingeisslige Formen kennt und als *Astasia*, *Rhabdomonas* und *Menoidium* in der Gruppe der *Astasiae* vereinigt.

Die *Astasia proteus* Stein [1]) unterscheidet sich von der *Astasia margaritifera* Schmarda [2]) durch die Form des Vorderendes und die Anwesenheit der Nebengeissel. Bütschli, welcher nur die *Astasia proteus* St. anerkennt, nennt die *Astasia margaritifera* Schm. *Astasiopsis;* die ihr sehr nahe stehende, durch das wie bei *Astasia proteus* Stein geformte Vorderende unterschiedene *Euglena curvata* Klebs nennt er *Astasiodes.*

Entz [3]) beschreibt eine sehr träg metabole, hyaline Euglenoidine, die er aus nicht erkennbaren Gründen *Menoidium Astasia* nennt. Diese Form hat nach Entz bald eine, bald zwei Geisseln, welche dick und daher nicht leicht zu übersehen sind. Entz vertheidigt die Ansicht, dass es eine bei zweigeissligen Euglenoidinen mehrfach vorkommende Eigenschaft sei, eine Geissel „in den Körper zurückzuziehen“ [4]) und erwähnt als solche bald ein- bald zweigeisslige Formen auch *Euglena sanguinea* und eine Ascoglenaart. Die neueren sorgfältigen Untersuchungen haben nichts von dergleichen zurückgezogenen Geisseln bei Euglenoidinen kennen gelehrt.

Bezüglich der *Rhabdomonas incurva* Fres. differiren die Meinungen insofern, als Stein diese eingeisslige Form für eine Jugendform seiner zweigeissligen *Astasia proteus* erklärt hat [5]), während Klebs und Bütschli sie für einen selbständigen Organismus halten, wohl hauptsächlich wegen der grossen Formverschiedenheit der *Rhabdomonas* und der *Astasia*. Bütschli führt an, dass Kunstler [6]) die Theilung einer analogen Form gesehen zu haben erklärt. Allein die

---

[1]) Ltv. No. 2, I, T. 22 Fig. 44—53. [2]) Ltv. No. 12, T. II, Fig. 16.
[3]) Ltv. No. 13 p. 151, T. 4. Fig. 9—13. [4]) l. c. p. 154.
[5]) Ltv. No. 2, I, p. 151. [6]) S. Ltv. No. 18.

Astasia costata, welche Kunstler beschreibt, hat eine Nebengeissel, welche bei *Rhabdomonas* von den Autoren, welche diese beobachtet und erkannt haben, nie erwähnt wird. Viel näher läge es, an eine Identität des *Menoidium Astasia* Entz mit der *Astasia costata* Kunstler zu denken, da Kunstler ausdrücklich sagt: „... possède un corps contractile à forme variable.“ (Eine kleine farblose, sehr metabole, zweigeisslige *Astasiee* fand ich auch im Seewasser (Fig. 53).) Es ist also nicht zu leugnen, dass noch jetzt eine Theilung der *Rhabdomonas* mindestens nicht mit Sicherheit beobachtet worden ist.

Unter den zahlreichen Flagellaten des Hohenmölsner Wassers fand ich in grosser Anzahl typische *Rhabdomonas*formen und ebenso typisch eine eingeisslige *Astasiee,* welche sich im Uebrigen von der *Astasia Proteus* St. nicht unterschied. Ausserdem aber fand ich auch Uebergangsformen zwischen diesen beiden in ihren typischen Formen so verschieden erscheinenden Organismen, und da ich ferner trotz aller aufgewandten Mühe und trotz der zu jeder Tageszeit angestellten Beobachtungen keine Theilungen der *Rhabdomonas* fand, sondern nur immer Theilungen der *Astasiopis* (wie ich die astasiaartige Form in Uebereinstimmung mit Bütschli nennen will), so sehe ich mich genöthigt, auch hier auf den Standpunkt Stein's zurückzugehen und einstweilen die *Rhabdomonas incurva* Fres. für einen Jugendzustand der *Astasiopsis distorta* Duj. zu halten.

Astasiopsis distorta Duj. (Fig. 33—38) ist ein grosser Flagellat, welcher im erwachsenen Zustande breit spindelförmig mit verschmälertem Hinterende und kurz halsartigem Vorderende erscheint und dann 50—52 μ lang und bis 20 μ breit ist. Sehr eigenthümlich ist das Vorderende geformt. Es endet flachconcav, und von dem tiefstgelegenen Theil dieser Aushöhlung zieht sich ein „Membrantrichter,“ wie Klebs dieses schlundartige Organ bei den *Euglenoidinen* genannt hat, bis dicht an die nicht grosse Hauptvacuole, mit welcher der Trichter zuweilen in Communication gesehen wird. Dicht neben der Hauptvacuole sah ich eine kleine contractile Nebenvacuole.

Etwa in der Mitte liegt der sehr grosse bläschenförmige Kern, welcher einen centralen Nucleolus enthält.

In den meisten Fällen enthält der Theil des Körperplasmas, welcher vom Kern nach vorn liegt, fast allein alles Paramylon, während der nach hinten gelegene Theil eine gleichmässig feinkörnige Beschaffenheit zeigt. Doch ist dies Verhältniss nicht ganz constant. Zuweilen ist umgekehrt das vordere Plasma feinkörnig und leer von Paramylonkörnern, während das hintere Plasma dicht mit denselben durchsetzt ist, und in manchen Fällen ist das Paramylum mehr oder weniger gleichmässig im Körper vertheilt.

Der Körper ist von einer dünnen, spiralig gestreiften Cuticula umgeben.

Die stets nur in Einzahl vorhandene Geissel entspringt am oberen Rande des Membrantrichters. Sie ist fein, unten cylindrisch, oben conisch, endet stumpf und wird, wenn der Organismus sich nicht in unbequemen Verhältnissen befindet, meist nur an dem oberen conischen Theil bewegt. Wenn sie abstirbt, wird sie meist abgeworfen, zuweilen sah ich sie aber auch gleichsam zusammenschmelzen, indem sie immer dicker und kürzer wurde. An diesem Quellungsprocess nahm auch das Vorderende Theil. Auch blasig degenerirt die Geissel zuweilen. Der Körper selbst wird bei der Degeneration vacuolös und contrahirt sich dann noch mehr, sodass an abgestorbenen Exemplaren nur Hals- und Schwanzende aus dem kugeligen Körper hervorragen.

Theilungen sah ich oft, und zwar an sehr verschieden grossen bewegten Individuen. Ich bin daher der Meinung, dass die bei der Theilung entstandenen Individuen zunächst nicht mehr viel wachsen, sondern sich noch 2 oder 3 Mal theilen. Diese Theilindividuen zeigen schon meist nicht mehr das eigenthümlich geformte Vorderende, sondern den einfachen Bau, wie er bei Euglenen gewöhnlich ist. Die kleinste, sehr metabolische Generation, deren Individuen etwa 10 μ lang und fast ebenso breit sind, sah ich meist platt, und ich nehme an, dass aus diesen im Heranwachsen die Rhabdomonasformen entstehen. Die Uebergangsformen, welche mich zu dieser Behauptung veranlassen, sind starr, bald platt, bald cylindrisch, immer sichelförmig bis spiralig gebogen, mit mehr oder weniger zahlreichen Paramylonkörnern an den beiden oder nur an einem Ende des Körpers, beide Körperenden sind stumpf oder das hintere mehr oder weniger verschmälert bis spitz.

Die typische *Rhabdomonas incurva* Fres. ist schwach sichelförmig gekrümmt, an beiden Enden stumpf, im Hintertheil etwas schmäler, starr und platt. Die Länge beträgt ca. 21 μ, die Breite 7—8 μ, doch giebt es auch viel breitere und dabei kürzere Exemplare. Das Vorderende hat eine seichte, nach innen spitze Einbuchtung, in welcher der schmale Membrantrichter beginnt (der bis zur Hauptvacuole läuft), und in deren ventralem Theil die etwa körperlange, cylindrische Geissel entspringt. Der Körper ist meist durch einen hellen, schmalen, der Länge nach verlaufenden Streifen in 2 ungleiche Hälften zerlegt. Dieser Streifen, welcher nur von Vacuole und Kern unterbrochen wird, bedeutet eine um den ganzen Körper der Länge nach herumlaufende, tief einschneidende Furche, welche auch am Hinterende oft als Einbuchtung sichtbar ist. Man könnte verleitet sein, das Auftreten dieser Furche als Beginn einer Theilung zu deuten, welche dann, durch gleichzeitiges Vordringen der beiden Furchenhälften in den Körper, fast plötzlich den Körper in seine zwei Hälften zerfallen liesse, und in dem raschen Verlauf dieses Prozesses die Erklärung dafür suchen, dass die Theilung noch nicht beobachtet ist. Allein die Hälften sind, wie gesagt, ungleich. In der meist grösseren, der convexen Seite des Körpercontour anliegenden Hälfte liegt am Vorderende sehr regelmässig ein grosses, scheibenförmiges Paramylumkorn; neben ihm, grösstentheils in der schmalen Hälfte des Körpers, liegt die Vacuole, deren contractile Nebenvacuole ich nicht beobachten konnte. In der Körpermitte liegt der Kern, der fast die ganze Breite des Körpers einnimmt. Vor und hinter ihm, meist aber den Körperenden genähert, liegen grosse und kleine Paramylumkörner. Ausser der erwähnten tiefen Furche sieht man oft noch mehrere viel feinere Längsfurchen den Körper umziehen.

Uebergangsformen zwischen *Rhabdomonas* und der erwachsenen geschilderten *Astasiopsis* finde ich in den starren, grösseren, hinten mehr oder minder zugespitzten Formen, deren eine auch von Stein[1]), allerdings mit Nebengeissel, abgebildet ist. Wie aus den mit euglenenartigem Vorderende versehenen kleineren Astasiopsen die grösseren mit den Köpfen werden, habe ich nicht beobachtet. Ebensowenig kenne ich bis jetzt Dauerzustände.

Ich habe mich bemüht in meiner Darstellung das von mir direct Beobachtete von dem nur Vermutheten durchweg zu trennen, um die Beobachtungen eventuell auch für andere Deutungen verwerthbar zu machen. So ist es allerdings nicht grade ausgeschlossen, dass die Rhabdomonas zum Zweck der Fortpflanzung ihre Starrheit aufgiebt und damit den Jugendzuständen der Astasia ähnlich wird, welche, ohne grade die typischen Rhabdomonasstadien passirt zu haben, auswachsen könnten. Diese Deutung scheint mir deshalb minder wahrscheinlich, weil ich dann die Uebergangsstadien zwischen den kleinen, mit den jungen Rhabdomonaden formgleichen, und den die erwachsenen Rhabdomonaden an Grösse übertreffenden Stadien vermisse.

Noch Folgendes habe ich hervorzuheben. Nach dem vorläufigen Abschluss meiner Beobachtungen hatte ich Gelegenheit, frisches Wasser aus Hohenmölsen, welches im November in lufthaltigen Gefässen an Herrn Professor Cohn übersandt war, zu untersuchen. Diesem Wasser waren mit dem früher genannten folgende Organismen gemein: *Monas Okenii, Rhabdomonas rosea, Petalomonas abscissa, Phacus*

[1]) Ltv. 2, I, T. 22, Fig. 52.

pleuronectes, Phacus pyrum, Euglena acus α, E. viridis, Pteromonas alata. Astasiopsis war nicht vorhanden, dagegen die *Eutreptia viridis,* welche genau die Grösse und die Metabolie der *Astasiopsis* besitzt.

Menoidium pellucidum ist eine grosse starre Astasiee, welche ein ähnliches, aber schief abgestutztes Vorderende besitzt, wie Astasiopsis. Wie Rhabdomonas hat es einen schmalen, etwas schräg auf die Hauptvacuole zulaufenden Membrantrichter, ein grosses und eine Anzahl kleiner stabförmiger Paramylumkörner, und ist sichelförmig gekrümmt. Am Membrantrichter entspringt die in Einzahl vorhandene Geissel. Am Hinterende liegt oft, aber nicht regelmässig, ein blasser, runder Körper von unbekannter Bedeutung, wie er auch für Zygoselmis und Atractonema angegeben wird.

Auf die Aehnlichkeit im Bau des Vorderendes mit Astasiopsis (*Euglena curvata* Klebs) hat schon Klebs[1]) aufmerksam gemacht.

Heteronema acus Duj. (Fig. 39) war ebenfalls nicht selten in dem Hohenmölsener Wasser. Ich fand die Darstellung von Stein[2]) und Bütschli[3]) im Ganzen bestätigt. Das Vorderende ist wie bei den Euglenen gebaut, mit zwei ungleichen Lippen. Es trägt zwei Geisseln, die grössere entspringt auf der breiteren Lippe, die kürzere weiter abwärts. Die Hauptgeissel ist nach vorn gerichtet, conisch und abgestumpft und während der Bewegung nur an der Spitze geschlängelt. Die Nebengeissel ist dann nach hinten gerichtet. Zuweilen legt das Heteronema, nachdem es eine Zeit lang mit langgestrecktem Körper umhergeschwommen ist, sich fest, windet und contrahirt den Körper, und bewegt heftig beide Geisseln. Bei dieser Gelegenheit sieht man die Nebengeissel am Besten.

Die Hauptvacuole sieht man oft mit dem Membrantrichter in Verbindung. Hinter ihr liegt die contractile Nebenvacuole. Der Kern ist gross, bläschenförmig, mit grossem Nucleolus.

13. Petalomonas abscissa Duj.

(Fig. 40 u. 41.)

Der Körper der *Petalomonas abcissa* ist flach und breit, vorn zugespitzt, hinten breit abgerundet. Die Bauchseite ist flach concav. Ueber den Rücken verläuft ein hoher, nach rechts geneigter Kiel, der bei jungen Exemplaren verhältnissmässig niedrig ist. Vorn verliert

---

1) Ltv. No. 12, p. 310. 2) Ltv. No. 2, I, T. 22, Fig. 54—59.
3) Ltv. No. 1, T. 48, Fig. 10.

sich der Kiel schon vor dem Vorderende des Körpers, und unter seinem Endpunkt liegt, auf der Bauchseite, das Cytostom. Einen Schlund habe ich nicht gefunden. Dicht hinter dem Cytostom liegt ein System von Vacuolen, welche nach Analogie der Euglenen-Vacuolen functioniren. Ich sah nur eine Nebenvacuole, welche nur wenig kleiner war als die nicht sehr grosse Hauptvacuole. Der Kern ist ziemlich gross, bläschenförmig, und liegt, wie bei allen Petalomonaden, links, während die Vacuolen rechts liegen. Ausserdem enthielt der Körper verhältnissmässig wenige grössere Körner, welche wie Paramylum aussahen. Bei den kleinen Individuen sieht man oft grüne und braune Nahrungskörper im Innern. Die Geissel entspringt aus dem Grunde des Cytostoms. Sie ist conisch, stumpf und meist nur an der Spitze bewegt. Eigenthümlich ist, dass der Körper bei der Bewegung mit seiner Längsachse schief zur Bewegungsrichtung und zur Geissel gestellt ist. Die Vorwärtsbewegung erfolgt meist gemächlich und gleichmässig und stört deshalb die Beobachtung wenig.

14. Pteromonas alata Cohn sp.

(Fig. 42—45.)

In dem Thüringer Wasser fand ich auch einen kleinen grünen Flagellaten, welchen ich für identisch mit der von Stein[1]) zu Phacotus gestellten *Cryptoglena angulosa* Carter (Annals and Magazin of the Natural history 1859 vol. 3 p. 18 und pl. I f. a—c) halte, wenngleich ich mich davon überzeugte, dass er mit *Phacotus lenticularis* nicht in ein Genus gestellt werden kann. Auch mit *Chlamydococcus alatus* Stein[2]) hat er nach den Abbildungen Steins grosse Aehnlichkeit. Die scheinbar weit abstehende Schale ist zusammengedrückt und erscheint, wie Stein und Carter zeichnen, von der Breitseite rundlich herzförmig. Namentlich aber die Schmalseite zeigt die grösste Aehnlichkeit mit der entsprechenden, sehr characteristischen Zeichnung Carters[3]). Allein die Schale ist sehr dünn und structurlos und nicht von einer, sondern von zwei feinen, nach innen von einem verdickten Rande umgebenen Oeffnungen zum Austritt der Geisseln durchbrochen. Obwohl die Breitseite den Schein erweckt, als stände die Schale von dem Körper weit ab, ist doch das Gegentheil der Fall: die Schale liegt an fast allen Stellen dem Körper an. Nur erhebt sie sich rings um den Körper in eine schmale hohe Falte. Die 2 Blätter, aus denen

---

[1]) Ltv. No. 2, I p. 142. [2]) Ltv. No. 2, I p. 112 u. T. 15, Fig. 51—57.
[3]) Ltv. No. 1 T. 44, Fig. 4b.

die Falte gebildet ist, klaffen nach innen mehr oder minder auseinander, je nach der durch Wachsthum veränderten Grösse des Inhaltskörpers, und an dieser Stelle ist der Körper natürlich von der Schale nicht bedeckt.

Noch eine andere Täuschung wird leicht durch die eigenthümliche Form der Schale hervorgerufen: im optischen Längsschnitt der Breitseite sieht man natürlich um den Inhaltskörper sowohl die innere als die äussere Begrenzung der Schale als Contour, und dies erweckt durchaus den Anschein, als sei innerhalb der Schale noch eine zweite dicht dem Körper anliegende Membran vorhanden, zumal wenn sich bei Contractionen, z. B. unter dem Einfluss von Jodlösung, der plasmatische Inhalt von der Schale abgehoben zeigt.

Die seitlichen, flügelartigen Theile der Schale verlaufen nicht gerade, sondern S-förmig gekrümmt von vorn nach hinten, und indem sie an dem vorderen und hinteren Ende der Schale mehr oder minder seitwärts gebogen sind, rufen sie das eigenthümliche Bild der Seitenansicht hervor.

Im Verlaufe des Wachsthums rundet sich die Schale in dem Maasse mehr und mehr ab, als der Körper an Volumen zunimmt, indem die Seitenfalten mehr und mehr von den Körpermassen angefüllt und auseinandergedrängt werden. Dadurch werden die seitlichen Vorsprünge der Seitenansicht immer kürzer und dicker, und erscheinen zuletzt nur noch als kleine Höcker auf den abgerundeten oberen und unteren Rändern der Schale. Allein die seitlichen Ecken bleiben erhalten, sodass in diesem Zustande der optische Längsschnitt der Schmalseite etwa vierkantig erscheint. Dieser Zustand ist identisch mit der zuerst von Cohn[1]) beschriebenen *Chlamydomonas alata*. Der Körper ist eiförmig. Ein hohlkugelförmiges Chromatophor nimmt fast die ganze peripherische Körperschicht ein. Es enthält ein grosses, mit Amylumschale bedecktes Pyrenoid und lässt nur die vorderste Spitze farblos erscheinen. Diese ist von der einfachen kleinen contractilen Vacuole und den Ursprungsstellen der Geisseln eingenommen. Die Länge des Plasmakörpers beträgt 12—14 μ, die Breite 8—9 μ, die Hülle ist 18—23 μ lang und 15—20 μ breit.

Die Geisseln sind cylindrisch, etwa um die Hälfte länger als der Körper, und zeigen blasige Degeneration, wenn sie langsam absterben.

Es konnte in der Breitenansicht nur eine contractile Vacuole gesehen werden. Den wahrscheinlich ebenfalls in der hyalinen Körperspitze gelegenen Nucleus habe ich noch nicht nachweisen können.

---

[1]) Ltv. No. 4, p. 169 u. Ltv. No. 21, p. 92.

Im Körper zerstreut liegen ausserdem noch einige sehr kleine Stärkekörner. Die Fortpflanzung durch Zwei- resp. Viertheilung ist von Carter richtig angegeben worden. Sie erinnert allerdings an die von Stein bestätigten Theilungsvorgänge des *Phacotus lenticularis*. Die Hülle platzt durch einen Riss, welcher durch die Aussenkante der Flügel geht, nachdem der Inhaltskörper in zwei Theilindividuen sich getheilt hat. Die beiden Schalenhälften werden durch Schleimmasse in Verbindung erhalten, bis die Sprösslinge ausschlüpfen. Zuweilen sind schon vor dem Platzen der Hülle 4 Theilindividuen vorhanden, in der Regel findet die Theilung jedes der durch die erste Zweitheilung entstandenen Individuen erst in der geräumigeren Gallertmasse statt. In einigen Fällen blieb es aber bei der ersten Zweitheilung. Die Theilindividuen entwickeln noch in der Schleimhülle ihre Membran, welche die ersten schmalen Anfänge der Flügel aufweist, und bewegen sich in der Hülle, bis diese genügend verquollen ist, um ihnen das Ausschwärmen zu erlauben.

Sexuelle Fortpflanzung und Ruhezustände habe ich nicht beobachtet. Im Februar befanden sich einige wenige bewegliche Individuen in dem Culturglase, ausserdem nur leere Hüllen von der beschriebenen Form.

Der Organismus steht anscheinend zwischen *Chlamydomonas*, *Chlamydococcus* und *Phacotus*, doch kann er in keiner dieser drei Gattungen untergebracht werden. Ich stelle ihn daher in eine neue Gattung *Pteromonas*, welche durch die eigenthümlich geformte Hülle, die zwei Geisselporen in derselben und das Fehlen eines Stigma gekennzeichnet ist.

15. Gyromonas ambulans n. g. n. sp.

(Fig. 46—50.)

In älteren Tropfenculturen fand ich oft einen kleinen Organismus, welchen ich anfangs nicht beachtete, weil ich ihn für einen Entwickelungszustand von *Trepomonas agilis* hielt, der er wohl auch nahe steht. Allein er unterscheidet sich wesentlich von den durch Stein bekannt gewordenen Entwickelungsformen dieses Flagellaten. Er hat gleich der *Trepomonas* eine platte etwas schraubig gedrehte Form, aber von Flügeln, wie sie *Trepomonas* auf allen Entwickelungsstufen zu besitzen scheint, ist nichts zu sehen. Seine Länge beträgt 6—10 μ, seine Breite 4—6 μ. Er besitzt 4 Geisseln, welche paarweise aus den 2 abgerundeten Vorderecken, nicht aber, wie es wegen der gedrehten Form des Körpers scheint, aus den Breitseiten entspringen. Dieser Geisseln bedient sich der Flagellat zum Gehen, wie die hypotrichen Infusorien sich dazu ihrer Borstenwimpern bedienen. Er stützt sich auf je eine Geissel jeder Seite, indem er das stützende Geisselpaar wie Beine vorwärts setzt, sich auf eine Seitenkante erhebt und sich vorwärts zieht. Indem er darauf die Geisseln sinken lässt, fällt er auf die Breitseite. Während dieses Niedersinkens streckt er gleichzeitig das zweite Geisselpaar vorwärts und schlägt das erste, eben zum Gehen benutzte Geisselpaar nach hinten, wo es sich kreuzt. Während er sich nun mittels des zweiten Geisselpaares aufrichtet, werden auch die kreuzweise nach hinten gerichteten Geisseln steif und bewirken, dass der Körper auf den vorher nach oben gerichteten Seitenrand zu liegen kommt, und daher auch auf die nach dem ersten Niedersinken nach oben gerichtete Breitseite fällt. So schreitet dieser sonderbare kleinste Vierfüssler eine Weile vorwärts, bald nach dieser, bald nach jener Richtung sich wendend. Plötzlich aber fängt er rasch zu schwimmen an, wozu er nur ein Paar Geisseln braucht, während das andere Paar nachgeschleift wird. Dabei dreht er sich gelegentlich so, dass seine Längsachse in die Sehachse des Beobachters fällt, sodass man ihn von oben oder von unten sieht, und in dieser Lage erscheint er der *Trepomonas agilis,* besonders wie sie von Stein gezeichnet ist, ziemlich ähnlich. An matten, sich langsam bewegenden Exemplaren sieht man einen bläschenförmigen Kern, welcher einem Seitenrande genähert ist, und eine oder mehrere Vacuolen.

Zusammenfassung der Resultate.

Die vorstehende Schilderung giebt Beweis für die grosse Mannigfaltigkeit der Lebensverhältnisse, denen sich Flagellaten angepasst haben.

Ploeotia vitrea scheint die sauerstoffreiche Meeresoberfläche zu bewohnen und zumal durch ihre gewaltige, hoch ausgebildete Geissel zu pelagischem Leben befähigt zu sein. Sobald Sauerstoffmangel eintritt, geht sie zu Grunde.

Glenodinium Cohnii kommt in sehr fauligem Seewasser fort, indem es im Ruhezustand sich palmellenartig fortpflanzt und Schwärmer nur in reinerem Wasser bildet.

Salpingoeca ampulla entwickelt sich an der Oberfläche stagnirenden Seewassers, dessen von Bacterien und anorganischen, an der Oberfläche ausgeschiedenen Stoffen (Kalk, Eisenoxyd, Schwefel) gebildete Kahmhaut sie mit ihren zierlichen Kelchen rasch bevölkert.

Bodo limbatus beansprucht die ersten Zersetzungsproducte todter Seeorganismen, die er, an geeigneter Stelle sich festlegend, mittels seiner Schleifgeissel herbeistrudelt. Sind diese erschöpft und treten die Fäulnissstoffe in stärkerem Maasse auf, so begiebt er sich in einen Ruhezustand, aus welchem er durch das Auftreten günstigerer Verhältnisse sich sofort wieder zu entwickeln vermag.

Der Parasiten *Hexamitus intestinalis, Trichomonas batrachorum* und *Bodo lacertae* ist schon gemeinsam gedacht worden.

Die übrigen geschilderten Flagellaten sind Bewohner der Süsswassersümpfe. Mit Ausnahme von *Pteromonas* sind sie alle auf die Nährstoffe angewiesen, welche in diesen an zersetzten Pflanzen- und Thierkörpern reichen Gewässern theils sich in Lösung befinden, theils als Flöckchen und Körnchen umhertreiben, oder auf die Organismen, welche ihre Nahrung selbst diesen Stoffen entnehmen. So scheinen sich *Cercomonas, Gyromonas, Entosiphon* u. A. mit Vorliebe von kleinen Bacterien zu nähren. *Mastigamoeba* und *Petalomonas* sind gefrässige Algenräuber.

Im Allgemeinen deuten die Funde von Flagellaten der Nordsee und des Kanals im Meerwasser der Adria und die kaum zu bezweifelnde Identität der *Pteromonas alata* mit dem indischen *Phacotus angulosus* darauf hin, dass die Flagellaten, wenn auch die einzelnen Formen besonderen Lebensverhältnissen angepasst sind, im Uebrigen ubiquistische Wesen sind, welche nicht nach geographischen, sondern nur nach Formationsgebieten vertheilt sind.

Für die Bauverhältnisse der behandelten Flagellaten kommen besonders in Betracht die Körperhülle, die Geisseln, die contractile Vacuole und der Kern. Bei *Glenodinium,* den *Astasieen, Entosiphon, Ploeotia* und *Pteromonas* ist der Körper von einer feinen, differenzirten Cuticula umgeben, welche sich stets schwer färbte und in keinem Falle die für Cellulose characteristischen Reactionen zeigte. Analog verhält sich die Hülle von *Salpingoeca ampulla.* Die Cuticula ist bei *Gloenodinium, Entosiphon, Ploeotia* und *Pteromonas* structurlos, bei *Petalomonas* (und *Rhabdomonas*) längsstreifig, bei den übrigen *Astasieen* spiralig gestreift. In manchen Fällen, in welchen eine Cuticula den Körper nicht umgiebt, nämlich bei *Hexamitus* und *Cercomonas,* liess sich eine dünne hyaline Hautschicht von dem feinkörnigen resp. vacuolösen Endoplasma unterscheiden. Bei *Mastigamoeba* wird das Vorderende der Pseudopodien in einer gewissen Ausdehnung ausschliesslich von hyalinem Plasma gebildet.

Die Geisseln sind entweder in ihrem ganzen Verlauf von gleicher Stärke, oder sie verjüngen sich schwach conisch, ohne aber in eine feine Spitze auszulaufen. Meist sind die Geisseln vom Körper deutlich abgesetzt, nur bei *Bodo lacertae* und zuweilen bei *Mastigamoeba aspera* wurde, wie ähnlich auch für *Bodo angustatus* St. angegeben wird, ein allmählicher Uebergang in den Körper gesehen, wie er auch bei dem geisselartigen Schwanzfortsatz der *Cercomonas* sich findet. Die Geisseln werden meist zum Schwimmen benutzt, doch hat *Gyromonas ambulans* die Fähigkeit, ihre steifen Geisseln auch in eigenthümlicher Weise zu einer gangartigen Bewegungsart zu benützen. *Salpingoeca* strudelt mit der Geissel Nahrung herbei, ähnlich auch oft *Bodo limbatus*.

Nachschleifende Steuergeisseln besitzen *Hexamitus*, *Bodo*, *Glenodinium*, *Heteronema*, *Gyromonas*, *Entosiphon*, *Ploeotia*, und dazu kommt noch *Cercomonas* mit ihrem geisselförmigen Schwanz. Diese Einrichtung findet sich also sehr verbreitet bei den Flagellaten. Es ist schon oft hervorgehoben worden, dass diese Steuergeisseln mit der Spitze festkleben können. Das kann aber nur als pathologische Erscheinung, die durch Quellung der Geisselspitze hervorgerufen ist, aufgefasst werden, ein absichtliches Sichfestheften scheint mir damit nicht gegeben zu sein.

Die Geissel stirbt leicht ab und degenerirt dann, wenn sie nicht ohne weiteres abgestossen wird, meist so, wie zuerst Klebs[1]) für die *Euglenoidinen* geschildert hat, indem sich nämlich an ihrer Spitze (zuweilen an einer andern Stelle) eine kuglige Blase bildet, in welche alles Geisselplasma allmählich übergeht, während sich die Geissel mehr und mehr verkürzt. Ich habe diese Degenerationsweise bei den meisten untersuchten Flagellaten gefunden. Auch Drysdale und Dallinger geben sie für *Polytoma* an. — Die sehr dicke und lange Steuergeissel der *Ploeotia* zeigt bei Quellung eine feine Membran und einen centralen Plasmastrang, welcher aber seinerseits keine weitere Structur zeigt. An andern Flagellaten habe ich diese Geisselmembran noch nicht beobachtet. Die Richtung der Schwimmbewegung ist, ausser bei den *Peridinieen*, in der Regel dadurch gegeben, dass das die Geissel tragende Ende nach vorn gerichtet ist; doch sei hier erwähnt, dass *Cryptomonas ovata* E. häufig, *Oxyrrhis marina* D. immer das geisseltragende Ende bei der Bewegung nach hinten richtet.

Contractile Vacuolen fehlen den parasitischen und den marinen Flagellaten. Die *Euglenoidinen* besitzen eine constante Vacuole in der Nähe ihres Cytostoms, in welche sich Nebenvacuolen, die bald hier, bald dort neben ihr auftreten, entleeren.

---

[1]) Ltv. 12. p. 255.

Der K e r n wurde bei *Pteromonas* nicht gesehen, bei *Glenodinium* und *Ploeotia* scheint er einen soliden länglichen Körper zu bilden, in allen übrigen Fällen erscheint er bläschenförmig mit einem Nucleolus.

Die F o r t p f l a n z u n g geschieht in den meisten Fällen durch Längstheilung im beweglichen Zustande, bei *Cercomonas* auch durch Quertheilung. *Glenodinium* und *Pteromonas* theilen sich nur im ruhenden Zustande, das letztere deutlich erkennbar durch Längstheilung.

Cercomonas longicauda, Bodo limbatus und wahrscheinlich auch *Bodo lacertae* besitzen kleine kuglige R u h e z u s t ä n d e ohne jede nachweisbare Hülle.

Literatur-Verzeichniss.

1. O. Bütschli, die *Protozoen*, in Bronn's „Klassen und Ordnungen des Thierreichs". 2. Auflage 1881—1884, p. 617 sq.
2. F. Stein, der Organismus der Infusionsthiere, 3. Bd., I. Hälfte 1878, II. Hälfte 1883.
3. Saville Kent, a Manual of Infusoria 3 vol., 1880—1882.
4. F. Cohn, Untersuchungen über die Entwicklungsgeschichte der microscopischen Algen und Pilze. Nova Acta Acad. Caes. Leop. Carol. vol. XXIV 1854 p. I.
5. L. Cienkowsky, Beiträge zur Kenntniss der Monaden. Archiv für microscopische Anatomie Bd. I. 1865.
6. Dujardin, Histoire naturelle des zoophytes. Paris 1841.
7. W. H. Dallinger and J. Drysdale, Researches on the Life History of a Cercomonad, a Lesson in Biogenesis. The Monthly microscopical journal vol. X 1873.
8. W. H. Dallinger, on the Life History of a minute septic organism with an account of experiments made to determine its thermal deathpoint. Proc. roy. phil. soc. 1878 v. XXII.
9. O. Bütschli, Beiträge zur Kenntniss der Flagellaten und verwandter Organismen. Zeitschrift für wissenschaftliche Zoologie Bd. XXX 1878.
10. B. Grassi, Intorno ad alcuni protisti endoparassitici. Atti degli Società Italiana di scienze naturali vol. XXIV 1882.
11. Fr. Schmitz, Beiträge zur Kenntniss der *Chromatophoren*. Pringsheims Jahrbücher für wissenschaftliche Botanik Bd. XV 1884.
12. G. Klebs, Ueber die Organisation einiger Flagellatengruppen und ihre Beziehungen zu Algen und Infusorien. Untersuchungen aus dem botanischen Institut zu Tübingen, Bd. I Heft 2. Leipzig 1883.
13. Géza Entz, die Flagellaten der Kochsalzteiche zu Torda und Szamosfvalva. Természetrajzi Füzetek 1883 (Abdruck mit deutscher Uebersetzung).
14. Blochmann, Bemerkungen über einige Flagellaten. Zeitschrift für wissenschaftliche Zoologie Bd. 40, 1884.
15. C. Fisch, Untersuchungen über einige Flagellaten und verwandte Organismen. Zeitschrift für wissenschaftliche Zoologie Bd. 42, 1885.

16. Exner, Leitfaden bei der Untersuchung thierischer Gewebe, 1878.

17. Mojsisovics Edler von Mojsvar, Leitfaden bei zoologischzootomischen Präparierübungen, 1879.

18. Kunstler, Contributions à l'étude des Flagellés. Comptes rendus T. 93 1881, p. 746 sq.

19. Kunstler, sur cinq Protozoaires parasites nouveaux. Comptes rendus T. 95, 1882, p. 527 sq.

20. Klebs, ein kleiner Beitrag zur Kenntniss der *Peridineen*, Botanische Zeitung Bd. 22, 1884.

21. Kirchner, Algen (Cohn, Kryptogamenflora von Schlesien, Bd. II erste Hälfte. 1878.).

22. Franz Eilhard Schulze, Rhizopodenstudien V, Archiv für microscopische Anatomie, Bd. 11, 1875.

23. Battista Grassi, intorno ad alcuni protozoi parassiti delle Termiti. Atti dell'Academia Gioena di Scienze Naturali in Catania. Serie 3, vol. 18, 1885.

24. Zopf, die Pilzthiere oder Schleimpilze, (in Schenk, Handbuch der Botanik, Bd. 3, II. Hälfte, 1884).

25. Hieronymus, über *Stephanosphaera pluvialis*. Cohn's Beiträge zur Biologie der Pflanzen. Bd. IV, Heft 1. 1884.

26. Claparède et Lachmann, Etudes sur les Infusoires et les Rhizopodes. 1858—1861.

27. Cienkowski, Ueber Palmellaceen und einige Flagellaten. Archiv für microscopische Anatomie, Bd. 6, 1870.

28. F. Cohn, Beiträge zur Entwicklungsgeschichte der Infusorien. Zeitschrift für wissenschaftliche Zoologie. Bd. 4.

Erklärung der Figuren.

Fig. 1—3. *Hexamitus intestinalis* (Länge 10—13 μ, Breite 4—6 μ). 1 freischwimmend, 2 in undulirender Bewegung, 3 vom Vorderende.

Fig. 4—6. *Trichomonas batrachorum* (Länge ca. 20 μ, Breite ca. 14 μ). 4 freischwimmend, 5a. b. festliegend, ein Fortsatz langsam von unten nach oben gleitend, 5c. ein undulirendes Individuum mit langen Fortsätzen, 6a—e. verschiedene Stadien in der Undulation eines Individuum.

Fig. 7. *Bodo lacertae* (Länge 12—14,5 μ, Breite 7 μ). Freischwimmend.

Fig. 8—10. *Cercomonas longicauda* (Länge 12—14 μ, Breite 4—5 μ). 8 freischwimmend, mit zahlreichen Nahrungsvacuolen, 9a—d. Längstheilung eines Individuum und Quertheilung eines Theilindividuum, 10 hüllenloser Ruhezustand.

Fig. 11—15. *Bodo limbatus* (Länge 10—12 μ). 11 ruhendes Individuum, Bacterien herbeiwirbelnd, 12 Individuum von oben gesehen, 13 mit eingezogenem Saum, 14 mit breitem Saum, 15 hüllenloser Ruhezustand.

Fig. 16—17. *Salpingoeca ampulla.* 16 Varietät mit gestreifter Hülle (Höhe der Hülle 15—20 μ), von oben gesehen, 17 Individuum von der Seite, mit zusammenschmelzendem Kragen.

Fig. 18—21. *Entosiphon sulcatum* (Länge 20—25 μ, Breite 10—15 μ). 18 freischwimmend, vom Rücken gesehen, 19 optischer Querschnitt, von unten gesehen, 21 halb von der rechten Seite gesehen.

Fig. 22—27. *Glenodinium Cohnii* (Länge ca. 13 μ, Breite 8—10 μ). 22 eine Colonie von Cysten, z. T. schon leer, 23 Cyste in weiter faltiger Membran, 24 mit Osmiumsäure getödteter Schwärmer, 25 Individuum von der Rückenseite, 26 von der Bauchseite, 27 etwas verzerrtes Individuum.

Fig. 28—31. *Ploeotia vitrea* (Länge ca. 30 μ). 28 von der Bauchseite, 29 von der rechten Seite, 30 optischer Querschnitt, von unten gesehen (etwas schematisch), 31 gequollene Steuergeisselstücke.

Fig. 32. *Mastigamoeba aspera* Fr. E. Sch.

Fig. 33—38. *Astasiopsis distorta* (Länge ca. 50 μ). 33 erwachsen, 34, 36—38 Entwickelungszustände, 38 sogenannte *Rhabdomonas incurva*, 35 Hinterende, in einem Contractionszustand eingezogen.

Fig. 39. *Heteronema acus.*

Fig. 40—41. *Petalomonas abscissa.* 41 optischer Querschnitt, schematisch.

Fig. 42—45. *Pteromonas alata* (Länge 10 μ, Breite 7 μ). 42 von der Breitseite, 43, 44 von der Schmalseite, 45 junge Theilindividuen im Schleim der Mutterhülle.

Fig. 46—50. *Gyromonas ambulans* (Länge 6—10 μ). 46—49 die aufeinanderfolgenden Stellungen eines schreitenden Individuum, 50 schwimmend.

Fig. 51—52. Flimmerepithel aus dem Froschmagen. 51 isolirte Zelle.

Fig. 53. *Astasiee* aus Seewasser.

Fig. 54. *Peridiniee* aus Seewasser.

Basidiobolus,
eine neue Gattung der Entomophthoraceen.

Von

Dr. Eduard Eidam.

Mit Tafel IX—XII.

Seitdem man begonnen hat, die Lebens- und die Entwicklungserscheinungen bei den Pilzen genauer zu untersuchen, musste der Vorgang des plötzlichen und gewaltsamen Sporenabschleuderns, welcher viele Pilze auszeichnet, ganz besonders in die Augen fallen und ebenso wie das Fortschleudern von Samen bei höheren Pflanzen, Veranlassung geben zum näheren Erforschen dieser Eigenthümlichkeit. Wir kennen heute nicht blos bei einer sehr grossen Anzahl von Pilzen aus verschiedenen Familien das meist mit grosser Energie bewirkte Fortschleudern der Sporen, sondern wir wissen auch, dass die Erscheinung auf Grund sehr mannigfacher Organisationen vor sich geht und dass bald ein ganzer Sporencomplex, bald nur eine einzige Spore von einem Basidium aus zur Abschleuderung gelangt.

Das Letztere ist durchweg der Fall bei den *Entomophthoraceen*; aber auch bei dieser kleinen Familie mit bis jetzt nur wenigen Gattungen zeigen sich die Einzelheiten, welche mit dem Abwerfen der Conidien verknüpft sind, ebenso wie die sonstigen Entwicklungsvorgänge durchaus nicht in gleichartiger Weise.

Vorkommen, Organisation und Entwicklung der Entomophthoraceen.

Die bisher bekannten *Entomophthoraceen* sind sämmtlich echte Parasiten, nur selten im Gewebe von Pflanzen, grösstentheils aber im Leibe von Insekten wuchernd, wo sie unmittelbar durch ihr Wachsthum die Erkrankung und den Tod der Thiere herbeiführen. Ihr Mycelium besitzt eine grosse Vorliebe, in Theilstücke und in Einzelzellen auseinanderzufallen. Zum Zweck der Fructification wächst es aber in mehr oder minder lange Schläuche oder in verzweigte Hyphenmassen aus, deren Aeste stets frei an die Luft hervorbrechen, um daselbst Conidien (Gonidien de Bary) auszubilden, während die zweite Fruchtform in Gestalt von Dauersporen innerhalb des Nährwirthes durch Copulation oder auf ungeschlechtlichem Wege (Zygosporen oder Azygosporen) zur Entwicklung kommt.

Bevor ich die Schilderung meines neuen *Entomophthoraceen*-Genus *Basidiobolus* beginne, sehe ich mich des Zusammenhangs wegen veranlasst, die hauptsächliche Literatur sowie unsere gegenwärtigen Kenntnisse über die Familie in kritischer Uebersicht zusammenzufassen. Ich stelle dabei die am längsten bekannte *Entomophthoracee*, den vielbeschriebenen Pilz unserer Stubenfliegen, als einfachsten Typus voraus, indem ich zugleich wegen der älteren Literatur hierüber auf die citirten Abhandlungen verweise.

Lebensgeschichte der Empusa Muscae. Der Fliegenpilz ist von Cohn[1]) zuerst genauer mikroskopisch untersucht und mit dem heute giltigen Namen *Empusa Muscae* bezeichnet worden. Brefeld[2]) vervollständigte unser Wissen über die Entwicklung der *Empusa Muscae*, er entdeckte das Eindringen ihrer keimenden Conidien durch die weisse Haut auf der Unterseite des Fliegenleibes, er fand, dass der Keimschlauch äusserst kurz bleibt und dass er sofort eine Menge hefeartiger Sprosszellen abgliedert. Indem diese ihrerseits neue ungezählte Schaaren von Pilzzellen durch Sprossung erzeugen, findet man bald den ganzen Fettkörper, zuletzt fast den ganzen Fliegenleib von ihnen durchsetzt. Jede einzelne Pilzzelle verlängert sich hierauf in einen unregelmässigen oft kurz ausgesackten Schlauch, der Fliegenleib bläht sich dabei auf und die Segmente desselben zerreissen, indem dicht gereiht die Pilzschläuche hervordrängen, welche keulig anschwellen und am Ende der so entstandenen Basidie eine zugespitzte Kugel entwickeln. Dies ist die künftige Conidie, sie füllt sich reich mit Plasma, trennt sich durch eine Scheidewand vom Schlauch ab, und ihre definitive Gestalt ähnelt einer Glocke oder einem Spielkegel.

---

[1]) F. Cohn, *Empusa Muscae* und die Krankheit der Stubenfliegen. 3 T. N. Act. Ac. Leop. Car. Vol. 25. P. I. 1855.

[2]) O. Brefeld, Bot. Ztg. Jahrg. 28. 1870. No. 11 u. 12. Untersuchung über die Entwicklung der *Empusa Muscae* und *Empusa radicans*. Abhandl. der naturforschenden Gesellschaft zu Halle. Bd. XII. 4 T. 1871. Ders. Bot. Untersuchungen über Schimmelpilze. IV. H. Leipzig 1881. p. 97.

Nun ist sie bereit abgeschleudert zu werden; durch fortgesetzte Wasseraufnahme wird die Membranspannung im Schlauch immer stärker, alles Plasma drängt sich in der Basidie zusammen, dieselbe platzt oben ringsum an der Scheidewand und der Druck des herausspritzenden Inhaltes schleudert die Conidie weit fort, welche gleichzeitig mit dem in der Basidie noch vorhanden gewesenen Plasmaklumpen man telartig umgeben wird. Indem jeder Schlauch seine Conidie abschleudert, bildet sich um die todte Fliege der bekannte weisse staubartige Hof auf zollweite Entfernung hin. Die Conidien treiben wie wohl bei allen *Entomophthoraceen* in feuchter Luft sehr leicht Secundärconidien. Auch diese werden durch Aufplatzen der Muttersporenmembran fortgeworfen.

Nach den Dauersporen von *Empusa Muscae* hat Brefeld im Leib der Stubenfliege vergebens gesucht; die Conidien des Pilzes sind aber rasch vergänglich und das alljährliche Auftreten der Fliegenepidemie erklärt genannter Forscher[1]) neuerdings so, dass der Pilz im Winter nach dem Süden zurückgedrängt werde, im Frühjahr und im Sommer aber wieder nach Norden wandere, um dann auf's Neue die herbstliche Fliegenkrankheit bei uns zu erzeugen.

Winter[2]) dagegen giebt an, die Dauersporen bei *Empusa Muscae* beobachtet zu haben. Ihre Entstehung soll in Stubenfliegen vor sich geben, welche an feuchten Orten der Krankheit verfallen sind. Winter macht nur die kurze Bemerkung, dass die Dauersporen als seitliche oder terminale Anschwellungen von rundlichem Umfange zu Stande kommen, die nach der Reife kuglig sind, farblos, mit gleichmässig dicker Membran versehen und im Innern reichliche Fetttropfen enthalten.

Wie unsere Stubenfliegen nicht blos mit der *Empusa Muscae*, sondern auch mit anderen *Entomophthoraceen*arten, z. B. mit *Entomophthora radicans*, inficirt werden können, so scheint auch die *Empusa Muscae* fähig zu sein, auf andere Insekten ausser der Stubenfliege übergehen zu können. Einen solchen Fall giebt Lohde[3]) an für die von ihm beobachtete Epidemie von Raupen der *Euprepia fuliginosa*. Brefeld[4]) sah auf todten Fliegen, deren Namen er nicht genannt hat, im Freien an Halmen von *Aira*, *Holcus*, an *Gnaphalium* etc.

---

[1]) O. Brefeld, Untersuchungen aus dem Gesammtgebiete der Mykologie. VI. H. Leipzig 1884. p. 68 flg.

[2]) G. Winter, Zwei neue *Entomophthoreen*-Formen. Bot. Centralblatt 1881. Bd. V. p. 62.

[3]) G. Lohde, Insektenepidemieen, welche durch Pilze hervorgerufen werden. Berl. entomol. Zeitschr. XVI. 1872. S. A. p. 38.

[4]) Bot. Unters. über Schimmelpilze. IV. H. Leipzig 1881. p. 104.

sitzend sowie an den grossen Brummfliegen die *Empusa Muscae* hervorbrechen. Bei andern Insektenkrankheiten ist der Pilz wenigstens der *Empusa Muscae* sehr ähnlich, wie jener, welcher nach Cornu und Brongniart[1]) ein grosses Sterben der Diptere *Syrphus mellinus* hervorrief. Diese Forscher fanden am Waldweg mehr als einen Kilometer weit unzählige der Thiere an die Aehrchen von *Molinia coerulea* festgeklammert. Ganz die gleiche Erscheinung hat Ludwig[2]) bei Greiz beobachtet und auch hier war der Pilz ein der *Empusa Muscae* sehr nahestehender, wenn nicht damit identischer. So soll ferner die *Entomophthora Planchoniana* Cornu[3]) in Blattläusen auf *Sambucus* mit ihren brummkreiselförmigen Sporen der *Empusa Muscae* ähnlich sein.

Systematische Eintheilung der Entomophthoraceen.

Allgemeine Charaktere der Gattungen Empusa, Entomophthora und Lamia. Dadurch, dass Fresenius[4]) die Cohn'sche Gattung *Empusa* aufgehoben und dieselbe mit seiner eigenen, der *Entomophthora*, vereinigt hat, war zeitweise eine gewisse Zerfahrenheit in Bezug auf die Benennung der *Entomophthoraceen* eingetreten. Von diesen Pilzen wurden fortgesetzt neue Formen auf Insekten der verschiedensten Ordnungen, oft culturschädlichen, gefunden[5]) und man gebrauchte für sie ohne schärfere Umgrenzung bald den Namen *Empusa* bald *Entomophthora*. Durch Brefeld's[6]) und Nowakowski's[7]) Untersuchungen hat sich aber die Nothwendigkeit der Wiederherstellung beider Gattungen ergeben und es handelte sich nun darum, jene schon länger bekannten *Entomophthoraceen* richtig

---

[1]) Ch. Brongniart et M. Cornu, Epidémie causée sur des diptéres du genre Syrphus, par un champ. Entomophthora. Assoc. franc. pour l'avancement des sciences. Congrès de Paris. 1878. S. A.

[2]) F. Ludwig, Ueber den Fliegenbesuch von Molinia coerulea. Bot. Centralbl. B. XVIII. 1884. p. 122.

[3]) M. Cornu, Note sur une nouvelle espèce d'Entomophthora. Bull. de la soc. bot. de France. 1873. p. 189.

[4]) G. Fresenius, Ueber die Pilzgattung Entomophthora. Abh. der Senkenb. naturf. Ges. B. II. 1858.

[5]) Vgl. Bail, Ueber Pilzepizootien der forstverheerenden Raupen. Danzig 1869. F. Cohn, Diese Beiträge Bd. I. H. 1. p. 77 u. ff. Ueber *Empusa Jassi* und *E. Aulicae*. G. Schneider, Jahr.ber. d. schles. Ges. für vaterl. Cultur 1872. p. 179.

[6]) O. Brefeld, Ueber *Entomophthoreen* und ihre Verwandten. Ges. naturf. Freunde in Berlin. 20. III. 1877. S. A. p. 5. Unters. a. d. Ges.gebiet d. Mykologie. Leipzig 1884. p. 66 u. ff.

[7]) L. Nowakowski, Bot. Ztg. 1882. p. 560. Ders. *Entomophthoreae*. Abh. d. Akad. d. Wissensch. zu Krakau. 5 Taf. 4⁰. 1883 (polnisch).

darin zu vertheilen, was von genannten Forschern bereits grösstentheils geschehen, bei den restirenden Arten wegen der oft ungenügenden Beschreibung aber nicht leicht auszuführen ist.

Der Unterschied obiger zweier Gattungen liegt weniger in der Bildung ihrer Dauersporen als vielmehr in der Form ihres conidientragenden Apparates.

Das Genus *Empusa* hat unverzweigte keulige Basidien, an deren Spitze sich die Conidie entwickelt; das Mycel ist gewöhnlich nur rudimentär vorhanden und besondere Haftorgane fehlen an demselben. Das Genus *Entomophthora* besitzt dagegen verzweigte Basidien und oft ein grosses reich septirtes Mycelium mit wohlausgebildeten Haftorganen. Zwischen *Empusa* und *Entomophthora* steht die Nowakowski'sche Gattung *Lamia*, deren conidientragende Hyphen meist unverzweigt sind oder nach Brefeld selten einmal einfach verzweigt erscheinen; Haftorgane sind auch hier am Mycel vorhanden. Die Dauersporen stehen an der Spitze von Hyphen, was aber, wie oben bemerkt, nach Winter, auch die Dauersporen von *Empusa Muscae* oft zeigen, so dass dieser Charakter kein genügend trennender sein würde.

Unter den bekannten Arten der eben vorgeführten drei Gattungen treten uns übrigens jetzt schon, wie sich aus näherer Schilderung ergeben wird, von der einfachsten *Empusa* an bis zu den am höchsten entwickelten *Entomophthora*formen eine Reihe von Uebergangsstufen entgegen.

---

1. Die Gattung Empusa. In der *Empusa Muscae* sehen wir das Beispiel einer vegetativ aufs äusserste reducirten *Entomophthoracee*: nur ein spärlich oder gar nicht verzweigter einzelliger oder nur aus ein paar Zellen bestehender Schlauch dient zur Erzeugung der Fortpflanzungsorgane. Andere *Empusa*arten besitzen dagegen schon reichere Gliederung und ein deutliches Mycelium. So hat Sorokin[1]) als *Entomophthora conglomerata* einen auf verschiedenen *Culex*arten schmarotzenden Pilz beschrieben, welcher aber seiner Conidienbildung nach und seines Mangels an Haftorganen wegen keine *Entomophthora*, sondern eine *Empusa*form darstellt. Sie ist gleichsam eine vervollkommnete *Empusa Muscae*, hat ein aus aneinandergereihten blasigen Zellen bestehendes Mycelium, welches sein sämmtliches Plasma an keulige, unverzweigte aber septirte und auf der Endzelle

---

[1]) N. Sorokin, Ueber zwei neue *Entomophthora*-Arten. 1 T. Diese Beitr. Bd. II. p. 387.

je eine birnförmige Conidie bildende Aeste abgiebt. Die Conidien werden genau durch denselben Spritzmechanismus wie bei *Empusa Muscae,* durch Aufplatzen der Basidie und Mitreissen einer grösseren Plasmaportion, fortgeschleudert. Dauersporen wurden bei dieser Form nicht beobachtet.

Nowakowski[1]) ist geneigt, die eben genannte *Empusa conglomerata* Sorokin's als vielleicht identisch mit der *Empusa Grylli* zu halten; dagegen spricht jedoch seine eigene Angabe, dass *Empusa Grylli* nicht durch Aufplatzen der Basidie, sondern mit Hülfe einer ganz anderen Organisation seine Conidien fortschleudert. Die *Empusa Grylli* ist daher sehr interessant, weil sie zeigt, dass auch in der einfachst gebauten *Entomophthoraceen*-Gattung das Abwerfen der Conidien in verschiedener Weise stattfinden kann.

Der Pilz kommt auf Heuschrecken und auf einigen *Culex*arten vor. Sein schlauchartiger einzelliger Conidienträger schwillt keulig zur Basidie an, um endständig die grosse Conidie zu bilden, welche später durch eine Wand abgegliedert wird. Nach den Abbildungen Nowakowski's l. c. Taf. XI. (der polnische Text ist mir leider nicht zugänglich) drängt sich die Scheidewand weiterhin in die reifende Conidie hinein, sie wird zu einer Columella, die aber nicht rundlich gewölbt ist, sondern wahrscheinlich durch den Gegendruck der Conidie eckige Gestaltung zeigt. Man sieht in diesem Zustand nichts von der grossen papillenartigen Zuspitzung, welche die abgeschleuderte Conidie auszeichnet; an der Stelle, wo deren Papille später erscheint, wird vielmehr die Conidie zunächst von der Columella noch tief eingedrückt. Endlich bewirkt aber die immer mehr gesteigerte Spannung das Losreissen der Conidie von der Columellawand, wobei vermuthlich eine schon vorbereitete Spaltung der letzteren in zwei Lamellen stattfinden muss. Die obere Lamelle bleibt an der Conidie, sie wird von derselben sofort als Papille hervorgestülpt, stösst mit Gewalt auf die untere Lamelle und ertheilt dadurch der Conidie ihre Flugkraft. Jene untere Lamelle aber überdeckt, ohne zu zerreissen, das geschlossen bleibende Basidium; unmittelbar nach dem Abwerfen der Conidie rundet sie sich ab und wölbt sich dabei gleichzeitig convex nach aussen vor. Die Riss- und Trennungsstelle der Conidie von der Columella bleibt als kragenartiger Ring oberhalb der Papille noch deutlich erkennbar.

Auch die Entstehung der Dauersporen hat Nowakowski bei *Empusa Grylli* beobachtet. Sie erfolgt auf höchst einfache Art und geschieht völlig ungeschlechtlich. Das Plasma der Mycelzelle tritt an

[1]) l. c.

einer kleinen Stelle heraus, rundet sich in Kugelform ab, diese Kugel trennt sich durch eine Scheidewand von der Mutterzelle, welche baldiger Auflösung anheimfällt, und die Dauerspore (Azygospore) verdickt hierauf entsprechend ihre Membranen. Im Frühjahr fand die Keimung dieser Dauersporen statt in Form einer septirten Hyphe, deren Spitze wiederum eine Conidie mit Columella zur Ausbildung brachte.

Nowakowski (l. c. T. XII.) bildet nun ferner als neue Species eine *Empusa Freseniana* ab, die auf verschiedenen *Aphiden* vorkommt und äusserst feine Hyphen aus den Conidien hervortreibt, welche an ihrer Spitze zu Secundär- und Tertiärconidien aufschwellen. Bei dieser Species fehlt die Columella.

Endlich erwähnt Sorokin[1]) als *Entomophthora colorata* einen Pilz auf *Acridium biguttatum*, der eine *Empusa*art zu sein scheint. Er soll runde zimmtbraune Conidien und grosse, verdickte, durch Aufschwellen einzelner Mycelzellen entstehende Dauersporen besitzen. Die Conidien sollen 5 Zoll weit fortgeschleudert werden. Sorokin's weitere Bemerkung, dass Amöben zu Pilzfäden auswachsen und noch eine dritte Art von Sporen bei *Empusa colorata* bilden, dürfte wohl auf eine Täuschung zurückzuführen sein.

---

2. *Die Gattung Lamia.* Diese Gattung wird bis jetzt nur durch die eine Art *Lamia Culicis* repräsentirt, synonym mit der *Empusa Culicis* A. Br.[2]) und der *Entomophthora rimosa* Sorokin's[3]). Das Mycel des Pilzes zeigt sich ziemlich entwickelt, es treibt feine unverzweigte Haftfasern aus dem Körper des befallenen Thieres hervor, vermittelst welcher dasselbe auf seiner Unterlage festgeheftet wird. Die Conidien werden durch Zerreissen der Basidie und durch gleichzeitiges Herausspritzen ihres Inhaltes wie bei *Empusa Muscae* fortgeschleudert. Auch Dauersporen besitzt *Lamia Culicis;* sie entstehen nach Nowakowski, wie bereits angegeben, als ungeschlechtliche Azygosporen durch einfache Anschwellung an der Spitze der Hyphen, also ähnlich wie die Conidien; sie sind jedoch grösser wie diese und kugelförmig. Sorokin[4]) giebt freilich an, dass er auch ein seitliches Hervorkommen der Dauersporen beobachtet habe.

---

3. *Die Gattung Entomophthora.* Hierher gehören verschiedene Arten und es war wiederum Brefeld[5]), dem wir die erste

---

[1]) Just, bot. Jahresber. 9. 1881. 1. Abth. p. 291.
[2]) A. Braun, Algar. unicell. gen. Lips. 1845. p. 105.
[3]) l. c. p. 393. [4]) l. c. [5]) l. c.

genauere Kenntniss einer sehr hoch entwickelten *Entomophthora*species zu verdanken haben. Er hat dieselbe *Entomophthora radicans* genannt; sie ist die Ursache einer Pilzkrankheit bei den Raupen unseres gemeinen Kohlweisslings.

Brefeld sah das Eindringen der keimenden Conidien dieses Pilzes in die Haut der Raupen, aber der Keimschlauch bleibt hier nicht kurz wie bei *Empusa Muscae*, sondern er wächst sogleich in einen langen, dicken Schlauch aus, erreicht bald den Fettkörper und er verästelt sich daselbst mit ausserordentlicher Schnelligkeit. Die Bewegungen der Raupe, erst lebhaft und unruhig, werden immer langsamer, während der Pilz in die Blutbahn gelangt, woselbst zahlreiche kurze Hyphenstücke von ihm abgerissen werden. Auch diese wachsen aber schliesslich zu langen Schläuchen heran und so erstarrt das Thier im Pilz, der auf dessen Unterseite massige rhizoïdenartige und unverzweigte Hyphen hervortreibt, welche die Raupe befestigen, worauf weiterhin auf ihrer Oberseite die fructificirenden Pilzelemente in dicht verästelten, hymeniumartig verwirrten Fadenbüscheln erscheinen. Auf den Endverzweigungen dieser Fäden entstehen, eine Anzahl steril bleibender ausgenommen, als besondere kurz cylindrische Zellen zahlreiche Basidien, die endständig und ohne dass sie vorher auffallend anschwellen, je eine spindelförmige Conidie bilden, welche durch eine Querwand für sich abgegliedert wird.

Das Abwerfen der Conidien hat Brefeld in seinen ersten Publikationen als einen dem Fortschleudern der *Empusa Muscae*-Sporen ganz analogen Vorgang beschrieben, bei dem also Zerreissen der Basidie und Ejaculation des Inhaltes derselben stattfinden sollte. Nowakowski (bot. Ztg. 1882 p. 561) beobachtete jedoch den Vorgang direkt und hat gefunden, dass die Conidien der *Entomophthora radicans* durch eine Columella vom Basidium abgeschlossen sind und dass beim Abschleudern derselben kein Platzen des Basidiums stattfindet. Brefeld bestätigt dies neuerdings (Unters. a. d. Ges.gebiet d. Mykol. 1884. p. 50); der Akt geschieht also ohne Ejaculation und ähnelt jenem, wie er schon oben bei der *Empusa Grylli* angegeben wurde. Die Entwicklung des Pilzes vom Eindringen der Keimschläuche bis zur Fructification dauert 6—7 Tage und dann zeigt sich die Raupe über und über von dem Parasiten eingehüllt. Eben so schnell vergeht aber der Pilz wieder, um nur eine unscheinbare Mumie, von grünlichen Sporenhaufen umgeben, zurückzulassen.

Die Dauersporen der *Entomophthora radicans* hat Fresenius[1])

---

[1]) l. c.

zuerst im Jahre 1856 gesehen, ihre Entwicklung aber ist gleichzeitig von Brefeld[1]) und von Nowakowski[2]) beobachtet worden. Die Art, wie sie angelegt werden, ist nicht mehr so einfach wie bei den vorhergehenden *Entomophthoraceen* und wenn auch deutlich differenzirte Sexualzellen fehlen, so ist doch mindestens ein Uebergang zu echter Copulation bei der Dauersporenbildung von *Entomophthora radicans* nicht abzuleugnen. Man kann daher im Zweifel sein, ob man die Dauersporen dieses Pilzes statt nur als Azygosporen nicht schon als wirkliche Zygosporen auffassen soll.

Brefeld hat durch Reihen aufeinander folgender Inficirungen von Raupen erwiesen, dass die Conidienbildung bei *Entomophthora radicans* gegen den Herbst hin immer mehr zurücktritt, um endlich ganz aufzuhören und ausschliesslich nur den Dauersporen Platz zu machen. Die letzteren entstehen stets im Leib der Raupe, doch entwickelt das Mycel auch hierbei nach aussen auf's reichlichste seine Haftorgane.

Die Dauersporenbildung beginnt damit, dass die wenig septirten neben einander liegenden Mycelfäden massenhaft ihrer ganzen Länge nach kleine Auswüchse treiben, welche sich berühren und durch Resorption ihrer Scheidewände mit einander verschmelzen. So kommen also zunächst zahllose Anastomosen und leiterartige Verbindungen am Mycelium zu Stande und die Entstehung der Dauerspore wird nicht von einer Hyphe sondern von zwei benachbarten mit einander anastomosirenden Fäden eingeleitet. Ausnahmsweise bemerkt man freilich nach Brefeld auch Einzelhyphen mit Dauersporen. Die letzteren treten nun ohne bestimmte Lagerung zur Stelle der Anastomose, ja meist sogar weit entfernt davon, als kuglige Ausstülpungen gewöhnlich seitlich an den Mycelhyphen hervor. Sie wachsen und nehmen das gesammte Plasma in sich auf, während das Mycel jetzt reichliche Scheidewände bekommt und mit dem Heranreifen der Dauersporen allmählich ganz aufgelöst wird. Die letzteren separiren sich selbstständig, verdicken ihre Membranen, und die in ihrem Plasma zuerst gleichmässig vertheilten Oeltropfen fliessen in einen einzigen grossen zusammen. Die reife Dauerspore ist kugelrund, glatt, sie hat ein gelbliches Exosporium. Ihre Keimung ist bis jetzt noch nicht beobachtet worden.

Nowakowski hat als *Entomophthora ovispora*, *E. curvispora* und *E. conica* drei von ihm auf Fliegen und Mücken entdeckte, nach der Form ihrer Sporen benannte Pilze beschrieben, welche entgegen der *Entomophthora radicans* nur rudimentäre Mycelien besitzen, deren

---

[1]) l. c. [2]) Bot. Ztg. 1877. No. 14. p. 217.

Zellen wie bei *Empusa Muscae* im Leib der Insekten zu sprossen vermögen. Zum Zweck der Fructification wachsen die Zellen aus, entwickeln nach unten spärliche Haftfasern, nach oben aber verzweigte Basidien, die sämmtlich eine Columella besitzen. Auch bei diesen Arten bilden sich an den Hyphen leiterartig wie bei *Spirogyra* kurze Ausstülpungen, welche aufeinander zuwachsen und verschmelzen. Die Dauersporen entstehen, entgegen der *Entomophthora radicans* immer an bestimmter Stelle, nämlich unmittelbar auf der Aussenseite einer der kurzen copulirenden Ausstülpungen. Auf den Tafeln der Nowakowski'schen Abhandlung befindet sich allerdings keine Figur, welche die Resorption der die beiden copulirenden Ausstülpungen trennenden Wand deutlich zeigt, es kann aber wohl keinem Zweifel unterliegen, dass diese Resorption wirklich stattfindet und dass die Dauerspore als Zygospore, als das Ergebniss des unmittelbaren Plasmazusammenflusses in Folge einer Copulation zu deuten ist.

Schliesslich wäre noch als hierher gehörige Species die *Entomophthora Aphidis* zu erwähnen, deren Dauersporen bereits Hoffmann[1]) gesehen hat. Das Mycel bildet nach Nowakowski's Abbildungen kurze schlauchartige Zellen im Körper der Thiere, es wächst in Haftorgane aus, die Basidien sind nach ihm durch eine Columella abgeschlossen. Auch Winter[2]) und Sorokin[3]) haben diesen Pilz näher beobachtet.

---

4. Die Gattung Tarichium. Es ist nur eine einzige Species, *Tarichium megaspermum,* welche Cohn[4]) in den Raupen von *Agrotis segetum* entdeckt hat; sie verursacht hier die von ihm als schwarze Muskardine bezeichnete tödtliche Krankheit. Die Mumien der Erdraupen fanden sich mit schwarzer zunderartiger Masse angefüllt, der Hauptsache nach aus grossen, dunkelbraunen undurchsichtigen Sporen bestehend, mit wellig gefurchtem Exosporium.

Cohn beobachtete den Pilz im jungen Zustand in dem Blut der befallenen Raupen, er bildet darin kurze Schläuche und blasige Zellen mit Aussackungen verschiedener Gestalt, welche leicht auseinanderfallen und nach Art der Gemmen bei *Mucor* immer neue ihresgleichen produciren. Endlich wachsen alle diese Zellen in ein grosses Mycel aus, dessen Aeste endständig aufschwellen, worauf nach erfolgter Abgliederung diese Anschwellungen zu den dunkelbraunen Dauersporen heran-

---

1) In Fresenius l. c. 2) l. c. 3) l. c.

4) F. Cohn, Ueber eine neue Pilzkrankheit der Erdraupen. Diese Beitr. Bd. I 1870. p. 58.

wachsen. Deren Keimung wurde nach Verlauf einer Ruheperiode beobachtet, aber nur in Form eines Schlauches, so dass es unentschieden bleibt, ob der Pilz Conidien zur Entwickelung bringt.

Das ganze Verhalten desselben spricht jedoch dafür, dass *Tarichium megaspermum*, wie Cohn bereits vermuthete, eine *Entomophthoracee* darstellt, welche zunächst durch die charakteristische Gestalt ihrer Dauersporen ausgezeichnet ist und als besondere Gattung der Familie bis auf Weiteres aufgeführt werden muss.

---

5. Die Gattung Completoria. Hier begegnet uns die erste Gattung der *Entomophthoraceen*, welche nicht im Leib von Insekten, sondern im Gewebe von Pflanzen als Parasit vorkommt. Die *Completoria complens*, welche allein hierher gehört, ist von Lohde[1]) in Farnprothallien entdeckt, von Leitgeb[2]) in ihrer Entwickelungsgeschichte eingehender untersucht worden.

Der Parasit füllt in Form eines lappigen Körpers die Zelle des Prothallium, er wandert weiter von Zelle zu Zelle, indem er dünne Fortsätze treibt, die an ihrer Spitze anschwellen und von der sich bräunenden Membran der Wirthszelle scheidenartig umschlossen werden. Der Pilz entwickelt Schläuche, welche die Wand der befallenen Zelle durchbohren, ins Freie treten und an der Spitze zu einer Conidie anschwellen. Sie wird durch eine schon von Anfang an convex gekrümmte, kuppelförmig in die Conidie hineinragende Wand abgegliedert. Diese Wand ist eine Columella, welche hier zuerst bei *Entomophthoraceen* beobachtet worden ist. So lange die Conidie noch am Tragfaden sich befindet, sitzt sie demselben mit breiter Basis auf; nach erfolgtem Abschleudern aber zeigt sie Birngestalt und unten einen hyalinen Fortsatz, welchen Leitgeb bereits als Nabel bezeichnet hat. Der Vorgang des Abschleuderns der Conidie vollzieht sich wesentlich so, wie er oben für die Conidien von *Empusa Grylli* angegeben worden ist, und nach erfolgtem Abwerfen zeigt sich die Columella sehr deutlich als rundlich gewölbte Membranblase; an ihrem Grunde ist in Form eines Kragens die frühere Ansatzstelle der Conidie sichtbar.

Die Conidien der *Completoria* keimen in Form einer Secundärconidie, welche einen feinen Fortsatz in die Membran der Prothalliumzelle treibt und dabei wieder von der Wirthsmembran umscheidet wird. Die Dauersporen entstehen durch Plasmaansammlungen in rundlicher

---

[1]) Tageblatt der Naturforscherverѕ. zu Breslau 1874. Ref. in Bot. Ztg. 1875. p. 92 u. 93.

[2]) H. Leitgeb, *Completoria complens* Lohde, ein in Farnprothallien schmarotzender Pilz. Sitz.-Ber. d. K. Ak. d. Wiss. z. Wien. Bd. 84. 1881. 1 T.

Form; sie umgeben sich bald mit einer geschichteten derben Haut; ihre nähere Bildungsweise, sowie ihre Keimung bleiben jedoch noch festzustellen.

---

6. Die Gattung Conidiobolus. Mit *Conidiobolus* tritt uns eine ganz eigenartige Gestaltung der *Entomophthoraceen* entgegen. Schon das Vorkommen dieser Gattung ist ein besonderes: sie wurde von Brefeld[1]) in zwei Arten, *C. utriculosus* und *C. minor*, auf Fruchtkörpern von *Tremellinen* (*Hirneola* und *Exidia*) schmarotzend aufgefunden; das nähere Verhältniss des Parasitismus ist nicht ermittelt worden.

Brefeld hat ausführlich die Species *Conidiobolus utriculosus* untersucht und es konnte an ihr, da sie frei in durchsichtiger Nährlösung gedeiht, zum erstenmal bei einer *Entomophthoracee* die Entwicklung aller Zustände durch ununterbrochen geschlossene Beobachtung ohne vorherige Präparation festgestellt werden.

Die birnförmigen Conidien bilden auf Wasser oder in nährstoffarmer Flüssigkeit Secundär- und Tertiärconidien; in concentrirterem Mistdecoct entsteht aus ihnen sehr rasch ein verzweigtes Mycelium, welches bereits nach einem Tag den ganzen Nährtropfen ausfüllt. Seine sämmtlichen Theile sind dicht mit eigenthümlichen kurzen Aussackungen bedeckt und an dem ganzen grossen Mycel lässt sich keine oder höchstens nur eine vereinzelte Scheidewand erkennen. Erst mit beginnender Fructification septirt sich das Mycel und gleichzeitig damit erfolgt ein centripetales Zerfallen desselben in zahlreiche verschieden grosse Bruchstücke, die sich nach allen Richtungen im Culturtropfen ausbreiten.

Nun wachsen die oben genannten kurzen Aussackungen zu dicken in die Luft ragenden Schläuchen heran, die alles Plasma absorbiren, sich quertheilen und an der Spitze kuglig anschwellen. Sie sind damit zu Conidienträgern geworden, die sich durch ihre ausserordentliche Lichtempfindlichkeit auszeichnen. Die kuglige Anschwellung gliedert sich als Conidie vermittelst einer Wand ab. Letztere ist anfangs columellaartig convex nach oben gerichtet, indem aber die Conidie weiter wächst und an ihrem Grunde einen Nabel bildet, wird die Wand concav nach unten getrieben. Nun tritt das Abschleudern der Conidie ein. Die Membran des Trägers reisst, gleichzeitig spaltet sich wie bei *Empusa Grylli* die Trennungswand zwischen Träger und Conidie;

---

1) O. Brefeld, Unters. a. d. Gesammt-Geb. d. Mykologie. VI. H. Leipzig 1884. p. 35.

deren obere Lamelle verbleibt an der Conidie und verschliesst dieselbe, während die untere sich plötzlich nach oben umstülpt, der Conidie dadurch einen Ruck ertheilt, um darauf selbst als Columella die Spitze des Trägers nach dem Abwerfen der Conidie mit rundlich kuppelförmiger Wölbung abzuschliessen. An der Conidie und an der Columella bleibt die Trennungsstelle als Kragen sichtbar.

Im Spätherbst traten bei Brefeld's Culturen die Conidienträger immer mehr zurück, sie wurden durch Dauersporen abgelöst, welche von Mitte Februar an ganz allein nur noch zum Vorschein kamen. Während die Conidienträger sich in einem Tag entwickelten, nahm die Ausbildung der Dauersporen 4—6 Tage in Anspruch; auch ging sie stets innerhalb der Nährlösung von Statten.

Dieselben Aussackungen des Mycels, welche früher zu Conidienträgern heranwuchsen, treiben behufs Erzeugung der Dauersporen mehr oder minder lange oft stark gewundene Copulationsschläuche, die auf einander zuwachsen, sich an der Spitze berühren und daselbst beiderseits anschwellen; die eine Anschwellung ist von Anfang an grösser als die andere. Jetzt wird die Membran der Copulationsschläuche an der Berührungsstelle beiderseits aufgelöst, das Plasma fliesst unmittelbar zusammen und zwar fliesst es immer in die grössere kuglige Anschwellung über, welche sich damit zur Zygospore umgestaltet.

Also auch bei *Conidiobolus* betheiligen sich zur Anlage der Dauersporen zwei Hyphen und Brefeld giebt ausdrücklich an, dass nach dem Hervortreiben der Copulationsfäden diese mitsammt dem ganzen Mycel noch einen einzelligen Schlauch darstellen. Auch in den nächsten Stadien bereits eingetretener Copulation sieht man noch gar nichts von Scheidewänden. Bei *Entomophthora radicans* hat Brefeld das Gleiche beobachtet; erst mit dem Heranreifen der Dauersporen kommen Wände im Mycel zum Vorschein.

Die Dauersporen verdicken ihre Membranen, besonders das Endosporium, ihr Inhalt concentrirt sich und schliesslich enthalten sie einen einzigen grossen Fetttropfen, während das schwach gelbliche Exosporium feine Wärzchen bekommt.

Bereits nach 10 Tagen keimten einige, nach 4—5 Wochen fast alle Dauersporen. Das Endospor wurde dabei aufgelöst, der Fetttropfen in dem dunklen körnigen Plasma vertheilt und das Exospor an 1 bis 3 Stellen von dicken Keimschläuchen durchbrochen, an deren Enden sich wiederum Conidien entwickelten.

Basidiobolus nov. gen.

Der Pilz, zu dessen Schilderung ich nunmehr übergehe, gehört durchaus nicht unter die Seltenheiten und wenn er trotzdem bis jetzt unserer Beobachtung entging, so ist der Grund hierfür wohl nur in der ungewöhnlichen Art seines Vorkommens und seines ephemeren Wachsthums zu suchen. Darum konnte er kaum anders als durch Zufall einmal angetroffen werden, ähnlich wie *Conidiobolus,* den Brefeld auch durchaus unerwartet bei Gelegenheit seiner Sporenculturen mit *Tremellinen* entdeckt hat. Die folgenden näheren Umstände führten mich zur Auffindung der Gattung *Basidiobolus.*

Als Herr Dr. Seligo mit seinen in diesem Heft abgedruckten Untersuchungen über *Flagellaten* beschäftigt war, zeigte er mir ein Mycel, welches sich in dem Darminhalt einer Eidechse angesiedelt hatte. Es waren zwar nur Bruchstücke einzelner, verzweigter Hyphen, ich vermuthete aber sogleich, dass dieselben einem Zygomyceten, vielleicht einer *Entomophthoracee,* angehören könnten und brachte sie zum Zweck der Züchtung in ausgekochten Urin, wo die Pilzfäden in der That auf's üppigste weiterwuchsen. Als später das Mycel immer mehr von Bakterien unterdrückt wurde, gab ich dessen weitere Cultur auf, zumal ich bis dahin wenigstens keine besonderen Fructificationszustände an demselben bemerken konnte.

Nachdem sich aber so gezeigt hatte, dass der Darminhalt von Eidechsen wachsthumsfähiges Mycel enthält, war meine Aufmerksamkeit darauf gerichtet, solches auch bei andern Reptilien und bei den Amphibien aufzuspüren. Ich ging von dem Gedanken aus, dass, da doch diese Thiere besonders viele verschiedenartige Insekten als Nahrung in sich aufnehmen, bei Untersuchung ihrer Ingesta vielleicht noch unbekannte *Entomophthoraceen* auftauchen könnten. Diese Erwartung bestätigte sich auch und ich habe bis jetzt im Magen- und Darminhalt von *Rana esculenta* und *Rana oxyrhina* sowie in dem von *Lacerta agilis* zwei Arten der Gattung *Basidiobolus* vorgefunden, deren eine im Frosch ausführlich zu untersuchen mir gelungen ist.

I. Basidiobolus ranarum.

Die erste Bekanntschaft mit dem Pilz machte ich Ende October 1885, als ich Froschexcremente, seit 8 Tagen mit verdünnter Kochsalzlösung angesetzt, unter dem Mikroskop durchmusterte. Ich bemerkte äusserst zahlreiche Dauersporen in Form von goldgelben bis braungelben Kugeln, die sämmtlich mit eigenthümlichen, ebenfalls gebräunten, an Länge etwa die Hälfte des Durchmessers der Sporen erreichenden geraden oder hornartig gekrümmten Schnäbeln versehen waren, Taf. XII, Fig. 9. Derartig gestaltete Dauersporen sind bis jetzt noch nirgends beschrieben oder abgebildet worden, ich beeilte mich daher, die Cultur des Pilzes in Angriff zu nehmen und erhielt auch mit diesem Versuch schon in den nächsten Tagen überraschend günstige Erfolge.

Bei der weit vorgerückten Jahreszeit handelte es sich nun vor Allem darum, noch rasch einen ungefähren Ueberblick über die Verbreitung des Pilzes zu gewinnen, sowie möglichst reichhaltiges Material davon herbeizuschaffen. Die letzten wärmeren Tage im Anfang des November wurden daher benützt, um gemeinsam mit Herrn Dr. Seligo von verschiedenen Orten aus der Umgegend Breslau's Frösche zu holen und es gelang uns auch, vor eintretendem Frost noch über 40 derselben, darunter besonders grosse Exemplare von *Rana esculenta*, einzufangen. Auf den Excrementen von mehr als der Hälfte dieser Frösche kam bereits nach 3—4 Tagen der *Basidiobolus* zur vollen Entwicklung.

Methode zur Herstellung des Arbeitsmaterials. Für diejenigen, welche meine Untersuchung wiederholen wollen, dürfte es erwünscht sein, das Verfahren zu kennen, welches behufs Gewinnung des *Basidiobolus ranarum* Anwendung fand.

Wenn man Frösche mit etwas Wasser in Glasschalen bringt, so setzen sie zwar spontan ihre Excremente ab, aber man erhält dieselben so nur in kleinen Portionen als bräunlich grüne Massen, auf denen eben wegen ihrer geringen Menge nur einigemal beim Stehenlassen der *Basidiobolus* zum Vorschein kam. Sobald man mit Sicherheit auf die Entwicklung des Pilzes rechnen will, ist es nöthig, eine grössere Anzahl der Frösche zu tödten und den Inhalt ihres Verdauungstraktus direkt herauszunehmen.

Man kann den Tod der Thiere durch Chloroform oder vermittelst Durchschneidung des Rückenmarks herbeiführen, viel einfacher und schneller aber erreicht man dies, wenn man den Frosch bei den Hinterbeinen erfasst und den Kopf mit Gewalt an der Tischkante aufschlägt. Ein einziger kräftiger Schlag genügt, um augenblicklich das Leben des Thieres zu beenden. Nun öffnet man die Leibeshöhle bis zum Rachen der Länge nach, zieht mit der Pincette den rechtsliegenden Magen sammt Speiseröhre hervor, schneidet dieselbe ab und kann hierauf ohne Weiteres den ganzen Darm bis zu seinem Ausführungsgang gewinnen, indem man die anliegenden Häute unter leichter Nachhülfe mittelst der Scheere lostrennt. Der Mageninhalt wird auf Objektträger mit flach aufgelegtem Messer herausgestrichen, ebenso die gefüllten Stellen des Darms, man bringt die Masse in kleine niedrige

Schälchen unter Zusatz von etwas Wasser und es lassen sich dann unter dem Präparirmikroskop oder mit schwächeren Objektiven alle weiteren Vorgänge bequem übersehen.

Auf diese Art ist es möglich, innerhalb einer halben Stunde zahlreiche Frösche für den gewünschten Zweck in Verwendung zu bringen, doch darf nicht zu viel von den Excrementen in ein Schälchen gethan werden, weil sonst die eintretende Fäulniss das Wachsthum des Pilzes allzusehr beeinträchtigt.

Cultur des *Basidiobolus* auf seinem natürlichen Nährboden. Die Excremente der Frösche enthalten ein sehr buntes Durcheinander von mannigfaltigen Thierformen oder vielmehr Thiertheilen, die sich in mehr oder weniger mazeriertem Zustand befinden, so dass meist nur die harten Chitinreste noch unverändert zurückgeblieben sind. Ich werde auf den Inhalt besonders des Froschmagens noch einmal näher am Schlusse meiner Arbeit zurückkommen.

Bei Culturen im Wasser bemerkt man gewöhnlich schon nach Verlauf eines halben bis ganzen Tages vereinzelt an Leibern von Insekten, an Beinen von Spinnen und anderem Gethier oder an unkenntlich gewordenen Klumpen theils animalischen theils vegetabilischen Ursprungs einen Kranz rapid wachsender Pilzhyphen ausstrahlen, die bedeutenden, aber ihrem ganzen Verlauf nach so ziemlich gleichmässigen Durchmesser besitzen. Zunächst sind diese Hyphen noch unverzweigt, wohl aber durch Scheidewände gegliedert und sie zeigen die Eigenthümlichkeit, dass alles Protoplasma in ihren langgestreckten Endzellen sich anhäuft, während die weiter nach hinten gelegenen Zellen wie leer erscheinen. Die Hyphen vergrössern sich rasch, sie verzweigen sich und binnen Kurzem entsteht ein Mycelium, an dem die Fortpflanzungsorgane des *Basidiobolus* in Gestalt von Conidienträgern und von Dauersporen zahlreich zur Entwicklung gelangen.

Die gebildeten Mycelien liess ich theils zum Zweck grösserer Culturen in den Glasschälchen, theils brachte ich kleinere Theile davon sammt ihrem Nährboden in einen Tropfen Wasser auf den Objektträger, um so die Einzelheiten bei stärkerer Vergrösserung besser beobachten zu können.

Es mag bemerkt sein, dass auch andere Pilze, zumal *Mucoraceen*, auf den Froschexcrementen hier und da hervorwachsen; Verwechslungen mit *Basidiobolus* können sie bei dessen charakteristischen Eigenschaften nicht gut hervorrufen.

Die gelben und hellbraunen Dauersporen mit dünnwandigem Episporium. Von unserem Pilz fallen zuvörderst die Dauersporen in die Augen, welche ich im Beginn meiner Untersuchung nur, wie bereits erwähnt, als goldgelbe bis braungelbe derbwandige Kugeln mit Schnabelfortsätzen vor mir hatte. Weiterhin aber bemerkte ich bald, dass die Dauersporen von *Basidiobolus ranarum* auch noch in anderer merkwürdiger Form vorzukommen pflegen; einstweilen sei die nähere Beschreibung der erstgenannten vorausgestellt.

Ausnahmslos findet man die Dauersporen von *Basidiobolus* direkt nur im Längsverlauf der Mycelfäden reihenweise angeordnet, Taf. XII. Fig. 16 und sie bilden sich entgegen den bisher bei *Entomophthoraceen* bekannten Thatsachen, stets nur unter Vermittlung je zweier Nachbarzellen eines und des nämlichen Hyphenstücks. Wo noch ein anderer seitwärts abgehender Faden an der Dauerspore befestigt erscheint, beruht dies darauf, dass schon zur Zeit der Sporenanlage die Mycelhyphe hier einen Zweig ausgetrieben hatte, Taf. XII. Fig. 9 und 16, Taf. XI. Fig. 7 und 10.

Die Braunfärbung, welche den fertigen Dauersporen zukommt, erstreckt sich bei den auf natürlichem Substrat herangewachsenen sehr häufig auch auf die Mycelzellen, welche der Spore am nächsten liegen. Deren Wände sind entweder durchweg oder wenigstens eine Strecke weit von der Spore aus braun gefärbt, oder die Bräunung zeigt sich nur an den Scheidewänden des Myceliums, Taf. XII. Fig. 9.

Was den charakteristischen Schnabel betrifft, dessen keine Dauerspore ermangelt, so besteht derselbe aus zwei schmalen und kurzen Hyphenfortsätzen, die basal etwas verbreitert sich zeigen, an ihrer Spitze conisch abgerundet verlaufen und daselbst beiderseits je eine kleine Zelle, durch eine Scheidewand abgegliedert, erkennen lassen. Die bald geraden bald gebogenen Hyphen des Schnabels sind weitaus am häufigsten eng aneinander geschmiegt Taf. XII. Fig. 22a, seltener am Grund durch eine kleine Lücke getrennt, Taf. XII. Fig. 9 oder gar, wie ich es mitunter sah, ziemlich weit auseinandergerückt Taf. XI. Fig. 9. Die eine Schnabelhyphe steht immer unmittelbar auf der Spore, sie ist ein Auswuchs derselben, während die andere als Fortsatz der benachbarten Mycelzelle mit dieser im Zusammenhang steht. Ausgebildet erscheint der Schnabel gebräunt, meist in schwächerer Nüancirung als die Dauerspore; oft bleibt auch die eine Hyphe oder die Endzelle derselben ungefärbt, während wieder in andern Fällen die Scheidewände dieser Endzellen besonders intensive Bräunung erkennen lassen.

Jede Cultur von *Basidiobolus* enthält die Dauersporen in sehr verschiedenen Zuständen: man findet grosse und kleine, dünn- und dickwandige, farblose, gelbe und braune Sporen stets durcheinander auf demselben Nährboden. Sie reifen also sehr ungleichmässig und so lange sie sich unter den nämlichen Verhältnissen im Wasser liegend befinden, und nachdem sie die vorhandene Nahrung verbraucht haben, bleiben sie unverändert, so dass also eine farblose Dauerspore nicht nachträglich noch gefärbt wird; es keimt nur ausnahmsweise hier und da eine Spore bei Zimmertemperatur aus, während die grosse Masse derselben in meinen Culturen vom October v. J. bis heute (Ende April) sich erhalten hat, allem Anschein nach auch noch eine längere Ruheperiode durchzumachen im Stande wäre. Durch künstliche Mittel kann man aber die Keimung der Dauersporen jederzeit herbeiführen; ich werde noch später darauf zurück kommen.

Die Dauersporen besitzen einen Durchmesser von 43 bis 23 Mikr., im Mittel 38 Mikr.; im reifen Zustand zeigen sie bei starker Vergrösserung rundlich-wellige Umrisse und ihre Hülle ist stets aus zwei Häuten zusammengesetzt. Sporen von ovaler Gestalt sind sehr häufig. Nach aussen bekleidet sie das gefärbte dünne Exosporium, welches jedoch bei der gleich zu schildernden Sporenform durchaus nicht glatt ist und hier auch eine bedeutende Mächtigkeit erreicht; nach innen liegt das vollkommen farblose, sehr dicke und deutlich geschichtete Endosporium. Dasselbe umschliesst einen reichen Protoplasmavorrath, in welchem zahlreiche ungefähr gleichgrosse Oeltröpfchen ausgeschieden sind. Der einzige grosse Oeltropfen, welcher für die Dauersporen anderer *Entomophthoraceen* angegeben wird, fehlt bei *Basidiobolus* gänzlich; doch sind im Centrum der Sporen grössere und runde Stellen von lichter Beschaffenheit zu bemerken, von welchen es noch nicht ausgemacht werden konnte, ob sie, wie wahrscheinlich, mit Zellkernen in Beziehung stehen.

Die Dauersporen des *Basidiobolus* sind von ziemlich spröder Beschaffenheit; wenn man unter dem Präparirmikroskop mit der Nadel auf sie stösst, dann platzen sie und man hört dabei ein deutliches Knistern. Drückt man sie stark unter dem Deckglas, dann wird das Exosporium in unregelmässige Fetzen auseinandergesprengt und man sieht darunter das dicke farblose Endosporium hervorschimmern, Taf. XII. Fig. 10.

Die dunkelbraunen und schwarzen Dauersporen mit stark verdicktem Episporium. Bei einem grossen Theil der Culturen von Froschexcrementen in Wasser, welche während des November von mir angestellt wurden, erhielt ich Gebilde von so fremdartigem Aussehen, dass sie auf den ersten Blick nicht einmal als Pilzbildungen, geschweige denn als Dauersporen von *Basidiobolus ranarum* sich erkennen liessen. In Form grosser tiefbrauner, ja schwarzer und völlig undurchsichtiger Klumpen von rundlicher oder ovaler Gestalt, in ihrer Längsachse meist cylindrisch verlängert, mit höchst unregelmässiger Oberfläche, mit spitzen Fortsätzen, mit scharfkantigen Warzen oder abgerundeten Höckern besetzt, präsentirten sie sich zahlreich in meinen Präparaten und erst beim genaueren Zusehen erkannte ich, dass jeder dieser Klumpen beiderseits mit einer Mycelhyphe in Verbindung stand. Alsbald fanden sich auch in der nämlichen Cultur alle Uebergänge von den durch die Incrustirung völlig unkenntlich gewordenen Dauersporen an bis zu solchen, bei welchen die schwarze aufsitzende Masse weniger dicht war oder unvollkommen zusammenschloss, so dass die darunter liegende Spore sowie deren Schnabel erkennbar wurden, endlich von diesen bis zu den gewöhnlichen gelbbraunen und farblosen Dauersporen des *Basidiobolus*.

Bald findet man nur den Körper der Spore allein von der Kruste besetzt, bald reicht diese noch ein Stück weit rechts und links über die Traghyphen hin, bald verschwindet der Schnabel total in ihr, bald ist nur eine Hyphe desselben überzogen, während die andere ganz oder grösstentheils frei davon geblieben ist. Die Fig. 11 auf Taf. XII. ist nur ein Beispiel für die zahlreich vorkommenden Modificationen; doch stellt diese Figur eine solche Form der dunkel gefärbten Dauersporen dar, dass man an ihr ohne Weiteres trotz starker Incrustirung die typische Gestalt und die Zugehörigkeit zu *Basidiobolus* erkennen wird. Auch bei den ganz unförmlichen in schwarzer Masse tief eingebetteten Dauersporen genügt ein starker Druck, um ihre Decke in scharfkantige Stücke zu zersplittern, worauf die Spore nach aussen hervortritt und jeder Zweifel über ihre Natur verschwinden muss.

Es entsteht die Frage, in welcher Art diese merkwürdige Veränderung der Dauersporen zu Stande kommt und welche Bedeutung derselben beizulegen ist. An zahlreichen Dauersporen habe ich die Ausbildung ihrer schwarzen Decke Schritt für Schritt verfolgen können.

Auf dem hellgelben Episporium erscheinen da und dort und zunächst in weiter Entfernung von einander dunkelbraune längere oder kürzere kleine Erhabenheiten von verschiedener Gestalt; einige von ihnen stehen im Wachsthum bald still, die meisten aber verbreitern sich, während neue neben ihnen zum Vorschein kommen. Es dauert nicht lange und alle diese Auswüchse berühren sich gegenseitig, sie schliessen eng in eine Schichte zusammen, wobei sie oft noch einen Theil der Detritus- und Bakterienhaufen, welche der Spore anliegen, in sich aufnehmen. Nach aussen wächst die so gebildete Schicht noch etwas weiter, sie entwickelt die vielgestaltigen Erhabenheiten, durch welche sie sich im fertigen Zustand auszeichnet.

Der ganze dunkle Ueberzug ist also demnach in Wirklichkeit keine von aussen her erfolgende Auflagerung, etwa wie die aus dem

Periplasma des Oogoniums bei der Gattung *Peronospora* entstandene Aussenschicht der Oospore, sondern sie weist vielmehr darauf hin, dass die anscheinend bereits fertige Dauerspore von *Basidiobolus* unter Umständen noch ein nachträgliches und sehr beträchtliches Dickenwachsthum ihres Episporiums erfahren kann. Die Erscheinung erinnert einigermassen an die Vorgänge, durch welche die gestaltenreichen Sculpturen auf der Aussenhaut verschiedener Zygosporen von *Mucoraceen* hervorgerufen werden.

Man geht wohl kaum fehl, diese bedeutenden Verdickungen des Epispors und dessen rauhe Erhabenheiten als eine zweckmässige Schutzvorrichtung für die Dauersporen aufzufassen; dieselben können sich förmlich eingraben in ihren festen und derben Mantel, der vortrefflich geeignet erscheint zum Abhalten von äusseren Schädlichkeiten. Auch wird damit ihr Charakter als Dauersporen noch besonders deutlich hervorgehoben und es scheint mir durchaus nicht unmöglich, dass dieselben jahrelange Ruheperioden durchmachen können. Ihre Keimung habe ich nicht beobachtet, während sie mir bei den erstbeschriebenen Dauersporen mit dünnwandigem Episporium oftmals gelungen ist.

Chemisches Verhalten des Episporiums der Dauersporen. Es ist aber noch eine andere merkwürdige Eigenthümlichkeit, durch welche die Dauersporen von *Basidiobolus* ausgezeichnet sind. Ich erstaunte nicht wenig, als ich einige Tage nach Anfertigung meiner Präparate die Beobachtung machte, dass das schöne goldgelbe und braungelbe Colorit der Dauersporen in Glycerin vollkommen verschwunden war. Sie hatten sich sammt und sonders entfärbt und besonders die ansitzenden vorher so prägnant hervorgetretenen Schnäbel waren jetzt bei ihrer Farblosigkeit nur nach scharfem Zusehen erst erkennbar. Auch nach Einlegen in essigsaures Kali trat Entfärbung ein und in der Folge zeigte sich, dass im Glycerin das Epispor schon nach 24 Stunden seine Farbe abzugeben pflegt.

Die genannte Erfahrung machte sich auch bei der Dauersporenform mit dunkler und stark verdickter Aussenhaut geltend; letztere schmolz ab, doch ging der Process des Abschmelzens hier langsamer vor sich und erforderte einige Tage bis zu seiner Beendigung: es entstand zuerst ein gelber Saum rings um die Spore, von dem verflüssigten Episporium herrührend, das letztere wurde immer dünner und schliesslich war der ganze frühere undurchsichtig schwarze und dicke Mantel verschwunden und hatte entweder gar nichts oder nur kleine Reste in Form gelblicher Körnchen zurückgelassen. Schwach gelbliche und bräunliche Färbung blieb übrigens hier den Sporen im Glycerin auch späterhin bei, weshalb dieselben sich ebenso wie ihre Schnäbel viel besser als die andere Form der Dauersporen in den Präparaten hervorhoben. Diese restirende gelbliche Farbe deutet, da das Endosporium der Dauersporen farblos ist, darauf hin, dass von der Auflösung nicht das ganze Epispor betroffen wird, sondern dass ein allerdings höchst feines Häutchen desselben dabei unberührt bleibt.

Es ist somit erwiesen, dass von dem Epispor der Dauersporen bei *Basidiobolus* ein Stoff unbekannter chemischer Zusammensetzung ausgeschieden wird, der zwar in Wasser unlöslich ist, aber schon nach Anwendung von Reagentien sich auflöst, in welchen die gefärbten Aussenhäute der Dauer- und sonstigen Sporen anderer Pilze durchaus unverändert bleiben.

Der in Rede stehende *Basidiobolus*-Farbstoff ist in Alkohol unlöslich, also nicht harzartiger Natur, wie z. B. die gelbe Farbe an der Aussenwand von *Eurotium*-Perithecien, er löst sich auch nicht auf nach Zusatz von Ammoniak und Eau de Javelle. Bei Behandlung mit Kali dauert es mehrere Stunden, bis das Epispor unter Quellung des Endosporiums farblos wird. Schon nach wenigen Sekunden tritt aber in überraschender Weise vollkommene Entfärbung durch Salzsäure ein; hierbei quillt das Endospor bis zum dreifachen seines früheren Durchmessers und der aus groben Körnern bestehende Inhalt der Spore fliesst zusammen in eine feinkörnige stark lichtbrechende Masse.

Ebenso wie in kaltem Wasser ist auch der Epispor-Farbstoff in kochendem Wasser sowie ferner in kochendem Glycerin vollkommen unlöslich; er wird aber dabei nicht etwa fixirt, sondern er löst sich nach einigen Tagen auf, wenn die Sporen nach dem Kochen in kaltes Glycerin eingelegt worden sind. Nur mit dem Alter scheint das Epispor gegen Glycerin widerstandsfähig zu werden, denn bei den im Novbr. v. J. gebildeten, bisher in Wasser befindlichen und vor 14 Tagen von mir in Glycerin eingelegten schwarzen Dauersporen ist bis jetzt nur theilweise, bei den vorher gekochten und dann in Glycerin gebrachten Dauersporen noch gar keine bemerkbare Lösung des Episporiums eingetreten.

Verhalten des alten Myceliums von Basidiobolus. Als ich meine Culturen mit *Basidiobolus* begann, sah ich von dem Pilz zuerst nur dessen Mycel sowie die daran befindlichen Dauersporen. Die Anlagen der letzteren werde ich später noch eingehend besprechen; hier seien die bemerkenswerthen Beziehungen der fertigen Dauersporen zu dem Mycelium hervorgehoben.

Brefeld giebt für *Entomophthora radicans* und *Conidiobolus utriculosus* an, dass diese Pilze ein rasch vergängliches Mycelgeflecht besitzen, welches bald aufgelöst wird und verschwindet, so dass dann die reifen Dauersporen vollständig frei zu liegen kommen. Im Gegensatz hierzu erwies sich das Mycel des *Basidiobolus* bei meinen sämmtlichen Culturen sehr dauerhaft; in den ältesten derselben sind die Membranen der Mycelzellen auch heute nach halbjährlichem Stehen noch nicht aufgelöst, vielmehr ist das Mycel wie anfangs im vollen Zusammenhang mit den Dauersporen befindlich. Zwischen den alten plasmaleeren Mycelhäuten kommen auch gar nicht selten noch Zellen vor, die reich mit anscheinend lebendigem Protoplasma sich angefüllt zeigen. Es ist wahrscheinlich, dass dieselben in Conidienträger auswachsen können, denn das Hervortreten von solchen auch nach langer Zeit war hier und da zu constatiren.

Die Conidienträger des Basidiobolus. Wenn mir die Conidienträger auch im Beginn meiner Untersuchung zunächst entgingen, so fehlten sie deswegen doch durchaus nicht; ich vermuthe, dass sie aus dem Grunde nicht sofort in die Augen fielen, weil das Mycel unter einer relativ höheren Wasserschicht sich in den Glasschälchen befunden hat. Dies mag zur Folge gehabt haben, dass hauptsächlich nur Dauersporen angelegt wurden, während die Conidienbildung mehr in den Hintergrund trat.

Allerdings wurde ich bald auf eigenthümliche, dünnwandige und plasmareiche Sporen aufmerksam, welche hier und da auf dem Wasser schwammen und zum Theil ausgekeimt waren; ich beobachtete ferner in allen Culturen zahlreiche kleine schwarze Pünktchen auf der Wasseroberfläche sowie eigenthümliche cylindrische und oben mit kegelartig zugespitztem Kopf versehene Gebilde, die in Menge kreuz und quer umherlagen. Wenn ich diese Dinge auch zuerst nicht zu deuten wusste, so konnte es bei weiterer Untersuchung doch nicht lange zweifelhaft bleiben, dass sie die Conidien und die Basidien des *Basidiobolus* darstellten.

Grössere Stücke des Mycels wurden auf den Objektträger in dünne Wasserschicht, noch besser in Urin als Nährlösung übertragen; schon nach Tagesfrist erzeugten sie rings um das alte Mycel eine Menge von neuen Hyphenzweigen, aber an diesen Hyphen bildeten sich jetzt keine Dauersporen mehr, wohl aber in ziemlicher Anzahl die merkwürdigen Conidienträger des *Basidiobolus*. Oefters kam es sogar vor, dass jeder neue Hyphenzweig in einen Conidienträger sich umgestaltete.

Dieselben erhoben sich über die Flüssigkeit hervor in die Luft; sie erschienen im auffallenden Licht dunkel, fast schwarz, bei stärkerer Vergrösserung hatten sie etwa das Ansehen von kleinen zierlichen *Pilobolus*formen: ein längerer Stiel, oben blasig angeschwollen, darauf eine verhältnissmässig grosse Kugel befindlich. Als ich solche Conidienträger mit Hartnack V einige Zeit betrachtete, bemerkte ich an zweien derselben plötzlich eine heftige Erschütterung; unmittelbar darauf fand ich den Conidienträger unkenntlich zusammengesunken, die Blase sammt der Kugel schienen wie vollständig verschwunden zu sein.

Es war die Abschleuderung der Basidie und der Spore vor sich gegangen, welche ich von nun an mit absoluter Regelmässigkeit an allen reifen Conidienträgern eintreten sehen konnte.

Noch galt es aber, den unumstösslichen Nachweis zu führen, dass die genannten Conidienträger nebst den Dauersporen wirklich beide dem nämlichen Pilz angehören. Dieser Nachweis konnte zwar auch auf dem natürlichen Nährboden geführt werden, aber doch immerhin nur mit einiger Schwierigkeit; am besten musste er vermittelst der Reincultur gelingen, welche zugleich als das geeignetste Mittel erschien, die ganze Entwicklungsgeschichte des *Basidiobolus* klarzulegen. Und erst mit dem Nachweis der Zusammengehörigkeit beider Fructificationen konnte es sicher ausgesprochen werden, dass *Basidiobolus* eine neue Gattung der *Entomophthoraceen* vorstellt.

Methode der Reincultur. Nachdem ich einmal die Abschleuderung der Conidien beobachtet hatte, konnte es nicht schwer fallen, dieselben zu isoliren und völlig rein für meine Culturzwecke aufzufangen. Ich machte es einfach wie Brefeld bei *Conidiobolus.* Eine auf dem Objektträger befindliche unreine Cultur des *Basidiobolus* in Urin wurde möglichst nahe an den Rand gerückt, daneben ein zweiter über der Flamme erhitzter und mit einem Tropfen sterilisirten Urins versehener Objektträger gelegt und zwar nach der Lichtseite hin; das Ganze unter der Glasglocke feucht gehalten. So mussten die Conidien in die sterilisirte Nährlösung hinüberspringen und ich überzeugte mich bald, dass dies auch wirklich im reichlichsten Maasse der Fall war.

Schon am folgenden Tag zeigten sich eine Menge von Conidien sowohl in die Nährlösung herübergeschleudert, als auf die freien Stellen des Objektträgers niedergefallen; zahlreiche Conidien hatten bereits kurze Keimschläuche ausgetrieben. Ich brachte nun mit geglühten Nadeln einzelne Keimlinge in neue Nährtropfen und ich konnte mit dem ausgiebigen Material die Reinculturen den ganzen Winter hindurch bis zum heutigen Tage ohne Unterbrechung fortsetzen.

Fehlen einer bestimmten Abwechslung und Reihenfolge in der Art der Fructification bei Basidiobolus. Brefeld hat bei *Entomophthora radicans* und bei *Conidiobolus* gefunden, dass dieselben in bestimmter Jahreszeit (den Sommer hindurch) ausschliesslich nur Conidien entwickeln; gegen den Herbst und Winter erlischt dann allmählich die Conidienfructification vollständig zu Gunsten der Dauersporenbildung. Von einer derartigen Reihenfolge in den Generationen ist bei *Basidiobolus* ganz und gar nichts wahrzunehmen. Wenn auch dieser Pilz in den Stand gesetzt ist, den Winter in der freien Natur vermittelst seiner Dauersporen zu überstehen, da ja zu dieser Zeit seine Vegetation überhaupt ruhen muss, so werden doch bei künstlichen Culturen im Zimmer fortwährend und gleichmässig sowohl Conidien als Dauersporen bei ihm ausgebildet. Darum erhielt ich im März und April die Conidienträger ganz genau in derselben Fülle und Ueppigkeit, wie mitten im Winter oder im Anfang des November.

Meistens erscheinen beide Fruchtformen zusammen und gleichzeitig auf dem nämlichen Mycelium, Taf. IX. Fig. 12, Taf. XII, Fig. 16.

Es hängt ganz ab von den Ernährungsverhältnissen, ob die eine oder die andere Fructification überwiegt und man erhält oft hintereinander kleine Mycelien, die nur mit Conidienträgern, andere, die nur mit Dauersporen besetzt sind, Taf. X. Fig. 1, Taf. XII. Fig. 15.

Die Conidien. Keimung derselben. Die Mycelentfaltung in künstlicher Nährflüssigkeit. Die Conidien des *Basidiobolus ranarum* sind von oben gesehen vollkommen kugelrund, im Längenprofil erscheinen sie rundlich birnförmig mit nach unten breit hervorgezogener Papille, Taf. IX. Fig. 1a—c. Diese Papille ist gewöhnlich frei von körniger Einlagerung, während der übrige Theil des Innenraums der Conidie mit sehr grobkörnigem Plasma und mit grossen Oeltropfen ausgefüllt erscheint. Bei vielen Conidien ist ein centraler hellerer Raum sichtbar, welcher auf die Gegenwart eines Zellkerns hinweist; die Membran der Conidien ist von dünner und zarter Beschaffenheit.

Genau in Richtung der Conidien-Längsachse steht mitten auf der Papille ein ausserordentlich feines hyalines Zäpfchen von dreiseitigem Umriss und mit scharfer Spitze endigend, Taf. IX. Fig. 1a und b, Fig. 4. Hier befindet sich die frühere Ansatz- und Trennungsstelle der Conidie und der Basidie.

Die Grösse der Conidien variirt beträchtlich, je nachdem sie Primär- oder Secundärconidien darstellen. Ihr Breitendurchmesser beträgt im Allgemeinen von 46 bis 21 Mikr., der Längendurchmesser 48 bis 23 Mikr. Die Conidien sind sofort keimfähig, wenn jedoch sehr zahlreiche derselben in einem Nährtropfen sich befinden, dann sieht man viele unthätig daliegen, ohne auszukeimen. Sie bleiben in Flüssigkeiten oder in feuchtem Raum lange Zeit lebensfähig, aber ein nur 10 Minuten währendes Austrocknen tödtet sie bereits unter Desorganisation ihres Inhalts.

Als Nährflüssigkeit diente mir zuerst Urin, späterhin aber ausschliesslich nur Pferdemist-Abkochung. In letzterer tritt bei beginnender Keimung der Conidien, welche ohne besondere vorherige Vergrösserung derselben stattfindet, entweder nur ein Keimschlauch an unbestimmter Stelle hervor, Taf. IX. Fig. 4, oder zwei oder es kommt eine ganze

Anzahl von Keimschläuchen zur Entwicklung, Taf. IX. Fig. 2a, Fig. 3. Sehr häufig beobachtet man aber, dass die Conidie vor Austreiben der Keimschläuche mitten hindurch eine Scheidewand bekommt, so dass sie zweizellig wird, Taf. IX. Fig. 5. Jede dieser zwei Zellen rundet sich dann gegen die andere ab und treibt selbständig je einen oder zwei Keimschläuche hervor, Taf. IX. Fig. 6; oft stellt sich die Scheidewand erst ein, wenn bereits Keimschläuche vorhanden sind, Taf. IX. Fig. 2b. Aber nicht blos die Spaltung in zwei Zellen kommt bei der Conidienkeimung von *Basidiobolus* vor, sondern jede dieser Zellen, mitunter auch nur eine derselben, kann sich wiederum theilen, so dass also die Conidie unmittelbar vor Bildung der Keimschläuche 3—4zellig geworden ist. Auch hier runden sich die Theilzellen gegen einander ab, um hierauf sofort jede einzeln mehr oder minder zahlreich die Keimschläuche hervorzutreiben, Taf. IX, Fig. 7, Fig. 8, Fig. 9. Trotzdem diese Theilzellen schliesslich in Folge ihrer Abrundung nur lose verbunden sind, bleiben sie doch an einander haften; auch an grösseren Mycelien konnte ich sie immer noch beisammen sehen, Taf. IX. Fig. 11, Taf. X. Fig. 1.

Die Keimschläuche selbst sind dicke mehr oder minder gleichmässig breite Hyphen, in sie fliesst der Plasmavorrath der Conidie über, welcher dabei zunächst etwas mehr feinkörnige Beschaffenheit annimmt. Befinden sich die Keimschläuche in nährstoffreicher Flüssigkeit, so sieht man sie dicht und gleichmässig mit Plasma angefüllt, erst bei ihrer Verlängerung oder wenn sie in substanzärmerer Nährlösung wachsen, treten Vacuolen in ihnen auf, welche übrigens in der Conidie selbst immer sehr bald schon zum Vorschein kommen. Unter stetiger Vergrösserung dieser Vacuolen wird dann das restirende Plasma in feine netzartige Streifen und Bänder zusammengedrängt, Taf. IX, Fig. 2b, Fig. 3, Fig. 8. Doch bemerkt man stets, auch wenn bereits die Mycelbildung im Gange ist, noch innerhalb der Conidie oder deren Theilzellen stark lichtbrechende, hyaline, schleimartige Massen lange Zeit zurückbleiben.

Die Keimschläuche verzweigen sich schon sehr bald und ebenso früh septiren sie sich; man erhält schon nach 24 Stunden aus der Conidie ein durch zahlreiche Scheidewände in längsgestreckte Zellen gegliedertes Mycelium, Taf. IX, Fig. 11. Der *Basidiobolus* unterscheidet sich also auch hierin ganz erheblich von den vor der Fructification einzelligen Mycelien anderer *Entomophthoraceen,* besonders von dem Mycel des *Conidiobolus,* welches ja nach Brefeld einen ausserordentlich grossen einzelligen Schlauch darstellt, der späterhin äusserst leicht in Theilstücke auseinanderfällt. Ein derartiges Zerfallen ist bei *Basidiobolus* überhaupt ganz ausgeschlossen.

Es sind die verschiedenen Formen an den Mycelien unseres Pilzes allein nur auf Rechnung der Ernährungsverhältnisse zu schreiben. So wächst in Urin das Mycel in lange, dünne, weit auseinanderliegende und spinnwebefeine Fäden aus, welche sich durch den ganzen Flüssigkeitstropfen schnell verbreiten. Die einzelnen Zellen dieser Fäden sind ebenfalls sehr lang gestreckt, ihr Plasmainhalt mehr wässrig und vacuolenreich und an solchen Mycelien entstehen später die Fructificationsorgane durchaus nicht in der ungemeinen Reichhaltigkeit, wie es geschieht, wenn sie in concentrirtem Mistdecoct herangezogen worden sind. Im letzteren Fall erreicht das von einer Conidie in radialer Ausstrahlung entwickelte Mycelium zwar nur verhältnissmässig kleine Ausdehnung, so dass es im Culturtropfen auf dem Objektträger den Durchmesser von einem Centimeter nicht überschreitet, aber die Fäden sind ausserordentlich zahlreich, sehr dicht zusammengedrängt, ihre einzelnen Zellen breit aufgeschwollen und deren Inhalt strotzt von körnigem mit Oeltropfen durchsetztem Protoplasma. Die zuletzt heranwachsenden Hyphenzweige nehmen dann allerdings auch bei diesen Mycelien, nach Erschöpfung der Nahrung, langgestreckte Formen an. In Mistdecoct von mittlerem Nährwerth bildet sich das Mycel sehr gleichmässig und doch üppig aus; ein solches ist auf Taf. IX. Fig. 12 dargestellt.

Es muss aber hervorgehoben werden, dass überhaupt nur dann Mycelien von grösserem Umfang zu erzielen sind, wenn für rechtzeitige Isolirung der jungen Keimlinge durch Ueberführen in neue Nährlösung Sorge getragen wird. Bei gleichzeitiger Auskeimung vieler Conidien in demselben Culturtropfen verhält sich der *Basidiobolus* ebenso wie viele andere Pilze: die Mycelien bleiben immer nur klein, sie nehmen sich gegenseitig die Nahrung weg und Anastomosen kommen an denselben niemals zu Stande. Hierbei geschieht es wohl, wenn die Conidien in besonders gehaltreicher Flüssigkeit ausgewachsen sind, dass die einzelnen mit trübkörnigem Inhalt erfüllten Mycelzellen auffallend kurz bleiben, dabei stark rundlich tonnenförmig aufschwellen, um sich weiterhin an ihren Scheidewänden gegenseitig abzurunden, Taf. IX. Fig. 10. Aber auch hier unterbleibt das spontane Auseinanderfallen der Zellen; durch mechanische Einwirkung von aussen her kann allerdings leicht die Loslösung einzelner Partieen bewerkstelligt werden. Solche unförmlich aufgeschwollene Zellen theilen sich häufig und die neuen Scheidewände stehen nicht immer quer, sondern auch schräg oder parallel zum Längsverlauf der Mycelfäden.

Sehr gewöhnlich ist bei *Basidiobolus* die Erscheinung, dass der Plasmavorrath einzelner Zellen sich auf gewisse Punkte, besonders in die Spitze der Hyphen hinzieht, um darauf durch Scheidewände selbstständige Zellen zu bilden. Dadurch kommt es, dass neben reich mit Plasma erfüllten Zellen sich solche befinden, die vollständig des plasmatischen Inhalts entbehren, Taf. X. Fig. 1. Die Membran der Mycelzellen wird auf Zusatz von Chlorzinkjod schmutzig violett gefärbt, eine Reaktion, welche an den plasmaleeren Zellen sehr deutlich wahrzunehmen ist. Bei Behandlung mit Osmiumsäure färbt sich ein grosser Theil des Zellinhaltes schwarz in Folge seines Oelreichthums.

Nachweis des Zellkerns in dem Mycelium. Nachdem sich herausgestellt hatte, dass der *Basidiobolus* in Nährlösungen mit grösster Leichtigkeit cultivirt werden kann, bemühte ich mich, die Organisation dieses merkwürdigen Pilzes so viel als möglich kennen zu lernen und besonders auch über das Verhalten der Zellkerne in den Mycelien sowohl als bei Entstehung der Fructificationsorgane mich zu orientiren.

Durch die Arbeiten von Schmitz[1]) wurde zuerst dargethan, dass in den Mycelzellen der Pilze überhaupt Zellkerne mit Regelmässigkeit vorhanden sind. Die Mycelien von *Phycomyceten*, welche dieser Forscher untersucht hat, zeigten in ihren Zellen stets nicht einen einzigen, sondern mehrere bis viele Zellkerne, aber von so grosser Kleinheit, dass ihr sicherer Nachweis immerhin mit einigen Schwierigkeiten verknüpft ist. Für die Familie der *Entomophthoraceen* fehlt es bis jetzt fast ganz an näheren Angaben über die Beschaffenheit ihrer Zellkerne. Nur in der Schrift von Brefeld über *Conidiobolus* (l. c.) finden wir über diesen Punkt folgende Bemerkungen: p. 40 und 41: „Die vegetativen Zustände unseres Pilzes würden demnach den einschläuchigen Mycelien der *Phycomyceten* entsprechen; auch die Weite der Fäden, der dichte, von Vacuolen vereinzelt durchsetzte Inhalt mit vielen Zellkernen stimmt mit den bekannten Bildungen so mancher *Phycomyceten* überein." p. 62: „Eine Verschmelzung der Zellkerne aus den Copulationsschläuchen mit einander ist freilich im speciellen Fall bei *Conidiobolus* nicht gesehen worden und in dem dichten Protoplasma der Schläuche auch wohl nicht leicht zu sehen, wenigstens habe ich mich darum vorläufig mit sicherem Erfolg vergeblich bemüht."

Meine Untersuchung bei *Basidiobolus* hat ergeben, dass jede einzelne Mycelzelle dieses Pilzes mit absoluter Regelmässigkeit nur einen einzigen Zellkern enthält und zwar einen Zellkern, der durch seine ungewöhnliche Grösse ausgezeichnet ist.

Zum Zweck des Nachweises dieses Zellkerns war es nothwendig,

---

1) Sitz.ber. der niederrhein. Gesellsch. f. Natur- und Heilkunde zu Bonn. 4. Aug. 1879. Ebenda Sitzung vom 13. Juli 1880.

die hierbei üblichen Färbungen in Anwendung zu bringen. Nach langem Herumprobiren zeigte sich, dass die von Flemming[1]) zuerst und seitdem so vielfach angewendete Fixirungsmethode des Plasmas mit Chrom-Osmium-Essigsäure, darauf Färbung mit wässriger Saffraninlösung am besten geeignet war, den Zellkern, hauptsächlich aber dessen Theilungszustände, auf die ich weiter unten zurückkomme, nachzuweisen.

Wenn die Färbepräparate gut gelingen sollen, ist es vor Allem nothwendig, deren Herstellung recht allmählich vorzunehmen. In reine Culturen des *Basidiobolus,* welche alle Entwicklungszustände enthielten, brachte ich direkt auf dem Objektträger mit dem Glasstab zuerst nur wenig von der Fixirflüssigkeit, nach einiger Zeit mehr, um endlich den Nährtropfen ganz durch dieselbe zu ersetzen. Der langsame Zusatz verhindert das Platzen der jungen und zarten Dauersporenanlagen. Die Fixirflüssigkeit wird einigemale erneut und bleibt zwei Tage lang mit dem Objekt in Berührung. Dann erst erfolgt gründliches Auswaschen und zwar ebenfalls zwei Tage lang, worauf an Stelle des Wassers die Saffraninlösung tritt, um wiederum zwei Tage lang einzuwirken. Nach Ablaufenlassen des Saffranin wird das Mycel mit absolutem Alkohol übergossen und letzterer nach einer halben Minute durch Nelkenöl ersetzt. Man legt das Deckglas auf und kann bei zu starker Färbung durch Auswaschen leicht nachhelfen. Alle Operationen lassen sich bei einiger Vorsicht so ausführen, dass die Lagerung des Mycels schliesslich nicht im mindesten verändert ist.

Es gelingen aber durchaus nicht alle Präparate; besonders Contractionen des Plasmas sind oft recht störend; wenn das Mycel den auf Taf. XI. Fig. 15—24 angegebenen Farbenton zeigt, ist es für die Untersuchung am besten verwendbar.

Der Zellkern sitzt im ruhenden Zustand so ziemlich in der Zellenmitte; bei schmalen längsgestreckten Zellen nimmt er etwa die Hälfte des Breitendurchmessers derselben ein und er wird von einer Zone körnigen Cytoplasmas rings umgeben, Taf. XI. Fig. 15. Er ist von ovaler Gestalt, in der Regel zeigt er sich scharf begrenzt, er besteht aus wenig gefärbtem Hyaloplasma als Grundsubstanz und enthält einen sehr grossen stark tingirten Nucleolus, Taf. XI. Fig. 15, Fig. 16. In dem letzteren konnte ich öfters ganz kleine Körnchengruppen unterscheiden.

Als ich mit Sicherheit festgestellt hatte, dass in jeder Mycelzelle von *Basidiobolus* nur ein einziger grosser Zellkern vorhanden ist und

---

[1]) W. Flemming, Zellsubstanz, Kern- und Zelltheilung. 8 T. Leipzig 1882 p. 381.

als mir dessen Struktur bekannt war, gelang es bald, ihn auch unmittelbar in der lebenden Zelle zu unterscheiden und zwar ohne jede Anwendung von Fixirungs- oder Färbungsflüssigkeiten. Die letzteren sind aber deswegen doch durchaus nicht zu entbehren, sie sind nothwendig zum Studium der Theilungsvorgänge des Zellkerns, welcher ausserdem in vielen Zellen vom Plasma oft so überdeckt wird, dass alles Suchen darnach ohne jene Präparation vergebens ist. Taf. IX. Fig. 8 zeigt einen jungen Keimling, der sich noch in der Nährlösung befand, als ich ihn mit Seibert, Obj. VI. betrachtete; in jeder der drei Zellen bei c. liegt ein Zellkern. Ebenso sieht man auf Taf. IX, Fig. 2b. bei c. den Zellkern, während er wieder in andern Keimlingen, wie Taf. IX, Fig. 3, im Plasma zu sehr versteckt war, um ohne Färbung erkennbar zu sein.

Als interessantes Beispiel für das rasche Wachsthum des *Basidiobolus* und zugleich als Demonstration für die Rolle, welche der Zellkern dabei spielt, habe ich auf Taf. IX. die Fig. 2 aufgezeichnet. a. und b. sind verschiedene Zustände einer und der nämlichen Conidie, welche in Nährlösung befindlich, auch noch unter dem Deckglas und unter meinen Augen normal ausgekeimt war.

Die Beobachtung begann um 1 Uhr 13 Min. in dem Zustand von a.

1 Uhr 20 Min.: Die Keimschläuche sind um das Doppelte verlängert.

1 Uhr 25 Min.: Die Keimschläuche haben das Dreifache ihrer ursprünglichen Länge erreicht.

1 Uhr 56 Min.: Ein grosser Zellkern c. rückt aus der Conidie in den schon von Anfang an längsten Keimschlauch, er bewegt sich dem Wachsthum des letzteren entsprechend vorwärts; in der Conidie erscheinen Vacuolen.

2 Uhr 20 Min.: In der Conidie wird unter stetiger Verlängerung der beiden nach oben gerichteten Keimschläuche eine Längsscheidewand sichtbar; die Vacuolen haben sich vergrössert; der in b. abgebildete Zustand ist erreicht, der Zellkern ist in dem oberen Keimschlauch links noch nicht zum Vorschein gekommen.

Trotz der ungemein lebhaften Thätigkeit, welche nothwendig bei solch schnellem Entwicklungsgang im Innern der Zelle herrschen muss, war doch von besonders lebhaften Strömungen in dem Protoplasma nichts zu bemerken.

Ueber die Theilungen des Zellkerns bei der vegetativen Vermehrung, bei der Entstehung neuer Mycelzellen, konnte ich leider nicht genügend ins Klare kommen. Diese Kerntheilungen müssen jedenfalls ausserordentlich rasch vor sich gehen. Bei in concentrirtem Mistdecoct erzogenen Keimlingen mit kurzen kuglig aufgetriebenen Zellen, hoffte ich noch am ersten zum Ziele zu kommen. Der dunkle trübe Plasmainhalt steht aber hier sehr im Wege; bei einigen Zellen jedoch, welche sich offenbar erst ganz frisch getheilt hatten, sah ich unmittelbar an den mittleren Rändern der jungen Wand beiderseits helle rundlich längliche umgrenzte Stellen, welche sehr wahrscheinlich auf den Zellkern zurückzuführen sind, Taf. IX. Fig. 10a. Wenn dies der Fall, dann würden sie die Betheiligung des Zellkerns bei Anlage der Scheidewand erweisen. Andere nicht in Theilung begriffene Zellen desselben Keimlings enthielten dagegen die vermuthlich mit dem Zellkern identischen hellen Flecke nicht seitlich, sondern mitten in den Zellen placirt, Taf. IX. Fig. 10b.

Entstehung und Ausbildung des Conidienträgers, der Basidie und der Conidie. Die jüngsten Zustände der Conidienträger bestehen in einfachen Ausstülpungen, die mitten oder am Ende von je einer Mycelzelle ausgehen, aber nicht wie gewöhnliche Seitenäste in der Flüssigkeit verbleiben, sondern vom Anfang an hervor in die Luft gerichtet sind, Taf. X. Fig. 2. Ihr Querdurchmesser ist geringer, oft um das Doppelte als der des Myceliums, während sie ihre Ursprungszelle an Länge gewöhnlich um das zwei- bis dreifache übertreffen. Besonders lang erscheinen sie, wenn endständige Mycelzellen an ihrer Spitze weiterwachsen, um sich dann direkt in einen Conidienträger umzuwandeln. Zunächst sind diese ihrem ganzen Verlauf nach bis zur Basis gleich breit oder an letzterer schon von Anfang an etwas verbreitert, Taf. X. Fig. 2 und 3.

Sehr bald verwandelt sich die Spitze der Ausstülpung, welche stark lichtbrechend erscheint und frei von Protoplasmakörnchen ist, in eine kolbige Anschwellung, Taf. X. Fig. 3 und 4; weiterhin nimmt diese löffelförmige Gestaltung an, Taf. X. Fig. 5 und 6. Damit ist sie zur Basidie geworden, während die unterhalb derselben befindliche Hyphe nun den eigentlichen Conidienträger darstellt. In den letzteren strömt unausgesetzt neues Plasma ein, welches von da in die Basidie gelangt, deren Inhalt nach oben zu immer noch hyalin beschaffen ist. Die Basidie verlängert und verbreitert sich jetzt ganz bedeutend, sie wird schliesslich zu einer grossen Ellipse, deren Seitenflächen sich meist abplatten, während an ihrer Spitze zunächst ein kleines lichtbrechendes Knöpfchen zum Vorschein kommt, Taf. X. Fig. 7, 8 u. 9.

Hat die Basidie diese Form angenommen, dann sieht man regelmässig in ihrem unteren Theile eine Vakuole auftreten, welche rasch sehr beträchtlichen Umfang gewinnt, Taf. X. Fig. 7, 8, 9 und 10, sie zeigt sich oft von zierlichen feinen Plasmastreifen durchzogen und sie treibt das gesammte Körnerplasma nach der Spitze des Basidiums zu. Das dort befindliche anfangs nur kleine Knöpfchen wird grösser und grösser, bis es endlich zu einer von grobkörnigem Inhalt erfüllten Kugel, zur jungen Conidie, aufgeschwollen ist, Taf. X. Fig. 9, 10 und 11 A.

Entsprechend der Plasmaentleerung nach oben sieht man zuerst in der basalen Mycelzelle, dann auch im Conidienträger ganze Reihen von Vakuolen auftreten; das wenige noch verbliebene Körnerplasma wird auf ein dünnes Netzwerk reducirt, fliesst aber mehr und mehr ab, so dass schliesslich nur noch ein schmaler Streifen oder ein zarter Wandbelag davon im Träger und in der Basidie erkennbar ist, Taf. X. Fig. 11 A. Aber auch an dessen Stelle tritt wässriger Inhalt, später von äusserst feinschaumiger Beschaffenheit, und nachdem so der letzte Rest des Plasma in die Conidie übergetreten ist, wird dieselbe vom Basidium durch eine anfangs ebene, bald aber etwas concav in die Conidie hineingewölbte Scheidewand für sich abgegliedert, Taf. X. Fig. 11 B.

Nach erfolgter Anlage der Scheidewand zwischen Basidium und Conidie findet immer noch eine geringe Volumenzunahme der letzteren statt; sie erhält jetzt ihre Papille, schliesslich ist sie von etwas grösserem Durchmesser als die Basidie und nur durch einen sehr kurzen und dünnen Halstheil mit derselben verbunden, Taf. X. Fig. 1.

Dabei dauert die Aufnahme wässriger Flüssigkeit vom Mycelium aus in die Baside ununterbrochen fort, so dass schliesslich deren Membran den äussersten Grad ihrer Spannungsfähigkeit erreicht hat und an den Stellen des geringsten Widerstandes zerreissen muss.

Das Verhalten des Zellkerns in den Conidienträgern. Die Betheiligung des Zellkerns bei den Vorgängen behufs Ausbildung der Conidienträger ist sehr bemerkenswerth. Anfangs ruhend inmitten der Mycelzelle gelegen, setzt er sich schon frühzeitig in Bewegung und wandert hinein in den Conidienträger, Taf. X. Fig. 2c. Man sieht ihn am Grunde desselben, dann auf halbem Wege im Träger angekommen, er rückt weiter nach oben, erreicht die Basis der angeschwollenen Spitze und erscheint noch deutlich in dem Augenblick, wo er in das Basidium übergeht, Taf. X. Fig. 3, 4, 5 und 6c. Nun aber verschwindet er in der dichten Plasmamasse und es gelang durch keine Mittel, den Zellkern im Basidium selbst unzweifelhaft deutlich zur Anschauung zu bringen. Ich halte die Annahme für sehr wahrscheinlich, dass er von der Basidie aus ohne Weiteres in die Conidie hineinschlüpft und zwar ohne an der Entstehung der Trennungswand sich zu betheiligen.

Das Wandern des Zellkerns konnte ich nach Fixirung und Färbung an zahlreichen Conidienträgern feststellen; an Präparaten, welche sehr stark mit Saffranin gefärbt und darauf so weit wieder entfärbt waren, dass die Conidie farblos erschien, liess sich wiederholt im Centrum der noch schwach roth gebliebene Zellkern erkennen. Späterhin sah ich bei guter Beleuchtung auch ohne Färben die Zellkernwanderung in den Conidienträgern.

Positiver Heliotropismus der Conidienträger. Wachsthum derselben im Finstern. Abnormes Wachsthum. Die Conidienträger sind wie bei *Conidiobolus* ganz ausserordentlich stark lichtempfindlich; sie neigen sich stets den einfallenden Lichtstrahlen entgegen und bei einseitiger Beleuchtung wird ihre Stellung so schräg, dass sie fast unmittelbar der Länge nach auf den Nährtropfen zu liegen kommen. Jedes Verstellen und Drehen der Culturgefässe ändert auch die Richtung der Conidienträger, die je nach dem Grade der stattgefundenen Störung wellige Biegungen vollführen, um möglichst bald wieder in die Linie der stärksten Lichtintensität zurückzugelangen, Taf. IX. Fig. 12. Bringt man junge Mycelien, die noch nicht fructificiren, in einen vollständig verfinsterten Raum, so wachsen sie weiter und es erleidet weder die Anlage und Ausbildung der Conidienträger noch die der Dauersporen dadurch eine erkennbare Beeinträchtigung.

Nur in der Luft können die Conidienträger in normaler Weise sich entwickeln und ausreifen; stösst man sie zufällig beim Untersuchen um, so dass sie in der Flüssigkeit liegen oder cultivirt man sie unter dem Deckglas weiter, so wachsen die Basidien sowohl wie die bereits angelegten Conidien nicht selten in gewöhnliche Mycelhyphen aus. Diese sieht man aber nach Beseitigung des Hindernisses mitunter sogleich an die Luft hervortreten, um unmittelbar in einen neuen Conidienträger sich umzugestalten. Oefters kommt es vor, dass die Membran eines solchen an der zur Basidie aufschwellenden Spitze unter Wasser platzt und sich seitlich abhebt, während der Zellinhalt hervordringt und mit neuer Membran überzogen wird, Taf. IX. Fig. 17.

Die gemeinsame Abschleuderung der Conidie und der Basidie. Die Gestaltveränderung der letzteren. Auf grösseren Mycelien des *Basidiobolus* erscheinen die Conidienträger in allen Entwicklungszuständen von den jüngsten, welche noch in der Anlage begriffen sind, bis zu solchen, die unmittelbar vor der Abschleuderung sich befinden, Taf. IX. Fig. 12, Taf. X. Fig. 1. Mit einem Ruck erfolgt dieselbe; Basidie sammt Conidie fliegen davon und erst bei tieferer Einstellung des Tubus gewahrt man den zurückgebliebenen Träger oder vielmehr die Reste desselben. Der früher so prall gefüllte Faden befindet sich nun in gänzlich verknittetem und verschrumpftem Zustand, an seiner Spitze ist er zerrissen und aus der Rissstelle dringt wolkenartig reichliche schleimig hyaline Flüssigkeit, Taf. X. Fig. 12c.

Gelingt es, auch die Basidie und die Conidie fern vom Träger wieder aufzufinden, so steht man vor einer neuen Ueberraschung. Während Basidie und Conidie in gemeinsamem Verband vom Conidienträger weggeworfen wurden, ist unmittelbar darauf noch während des Fluges in der Luft deren gewaltsame Trennung vor sich gegangen. Die beiden Gebilde liegen jetzt weit auseinander, zwischen ihnen muss jedenfalls noch ein besonderer zweiter Fortschleuderungsprocess stattgefunden haben.

Was aber das Merkwürdigste, die Basidie ist ganz unkenntlich geworden, sie hat ihre frühere Grösse und ihre blasige Form total eingebüsst, in Folge dieser Umwandlung aber sehr zierliche Gestaltung angenommen, Taf. X. Fig. 12 a, Fig. 22 a—c. Während ihre Membran früher dünn und zart erschien, zeigt dieselbe jetzt, im collabirten Zustand auf einen vielleicht ums dreifache kleineren Raum zusammengezogen, doppelte Wandungen; am Gipfel ragt als Fortsetzung der inneren Wand ein feines, dreiseitig spitzes Zäpfchen heraus, ganz so gestaltet wie dasjenige, welches die Conidie im Centrum ihrer unteren Papille aufweist. Auf das Zäpfchen folgt eine von ihm gekrönte konisch zulaufende doppelt contourirte bauchige Kuppel, deren Grundfläche stark eingeschnürt sich zeigt, um daselbst in den ebenfalls doppelt contourirten etwa $1^{1}/_{2}$ mal längeren annähernd cylindrischen Stiel überzugehen. Dieser letztere ist an seiner Basis offen und daselbst meist etwas verbreitert; sein unterer Rand entspricht der Risszone vom Träger und erscheint in mehreren Fetzen aufgespalten. Der Inhalt des jetzt so bedeutend umgestalteten Basidiums besteht nach frisch erfolgtem Abwerfen aus demselben Schleim, wie er dem zusammengesunkenen Conidienträger entquillt. Erst bei längerem Liegen in Wasser zergeht dieser Schleim allmählich.

Kuppel und Stiel der collabirten Basidie zeigen bei Behandlung mit Farbstoffen ein differentes Verhalten. Die Membran der ersteren bleibt so gut wie farblos, während die des Stiels recht intensive Färbung annimmt. Sehr alte, Monate lang im Wasser gelegene Basidien lösen sich allmählich auf; es verschwindet jedoch immer zuerst der Stiel, während die Kuppel länger erhalten bleibt, Taf. X. Fig. 22 d.

Nicht alle Basidien sinken nach dem Abwerfen sogleich im Wasser unter, sondern viele schwimmen auf demselben und zeichnen sich dann aus durch ihre starke Lichtbrechung, so dass sie, ähnlich wie die jungen und alten Conidienträger, schwarze Ränder haben und nur in der Mitte hell erscheinen. Ein Theil der Basidien liegt dabei auf der Oberfläche des Wassers horizontal, andere sind umgestülpt mit der Kuppel nach unten, wieder andere nehmen senkrechte Stellung ein und diese, von oben betrachtet, haben das Aussehen von kleinen schwarzen Pünktchen, Taf. IX. Fig. 12a.

Die Zusammenziehung der Basidien vermittelst Anwendung von Reagentien. Durch Einlegen in contrahirende Mittel gelingt es, an Conidienträgern verschiedener Altersstufen über die Ursachen der so constanten Gestaltänderung bei den abgeschleuderten Basidien Aufschluss zu gewinnen.

In Glycerin, Zuckerlösung, Säuren, nach Anwendung von Anilinfarbstoffen u. s. w. zieht sich der junge eben endständig zur Basidie angeschwollene Conidienträger auf die in Taf. X. Fig. 19 mit Weglassung des unteren Theils der Traghyphe abgebildete Form zusammen. Man bemerkt im oberen Theile der noch löffelförmigen Figur einen beträchtlich verdickten hyalinen Ueberzug; derselbe verschmälert sich nach unten zu immer mehr, bis er endlich ganz aufhört. Ein weiterer Contractionszustand der Basidie unmittelbar vor dem Austreiben der Conidienanlage wird in Taf. X. Fig. 20 vorgeführt. Hier fällt die Abflachung im Scheitel auf sowie der hervorragende Rand, welcher im unteren Abschnitt zum Vorschein kommt. Mit dem ersten Anfang der Conidie zeigt sich die Verdickung bereits differenzirt und vom Scheitel der contrahirten Basidie aus nach den Seitenflächen hin verschoben, welche nun ganz gleichmässig mit doppelt contourirter Membran überkleidet sind, Taf. X. Fig. 21. Die untere Basidienhälfte ist in ihrer Ausbildung bereits fertig, die obere noch von geringem Durchmesser; daselbst hat sich aber schon die Einschnürung gebildet und damit sind Kuppel und Stiel von einander unterscheidbar. Noch ein Schritt und die Gestalt, welche der reifen abgeschleuderten Basidie zukommt, findet sich bereits nach Contraction an der halbreifen ganz deutlich ausgeprägt, Taf. X. Fig. 17. Hier bemerkt man, dass oben am Ansatzpunkt der noch unentwickelten Conidie wie unten im Vorsprung die doppelte Membran fast plötzlich aufhört.

Auch ohne Anwendung von Reagentien collabiren oft in Folge äusserer Störungen die verschiedenen Reifezustände der Basidien, wobei aber dieselben Bilder entstehen, wie sie eben geschildert wurden. Wenn man die Contraktionsmittel sehr verdünnt zufügt oder das Präparat vorher mit Flemming'scher Flüssigkeit fixirt hat, so bleiben wohl auch die Zusammenziehungen unvollständig auf halbem Wege stillstehen. Solche Formen sind die auf Taf. X. Fig. 14 und Fig. 15 abgebildeten; in letzterer Figur ist die Conidie bereits durch eine noch gerade Wand für sich abgegliedert. Die Einschnürungen im oberen Theil der Basidie sind zwar in beiden Fällen vorhanden, aber die Contraktionen zu gering, um an den Wänden die doppelten Contouren hervortreten zu lassen. Die grosse im lebenden Zustand vorhandene Vacuole in der Basidie ist vollkommen verschwunden, dagegen hat das Plasma in Fig. 14, wo es noch im Einströmen in die Conidie begriffen war, eine von mir öfters beobachtete sonderbare Struktur angenommen. Es occupirt den centralen Theil der Basidie sowie die untere Conidienhälfte in Form regelmässig streifiger Klumpen, die aus einer Menge von kolbig verdickten länglichen Fäden zusammengesetzt sind.

Endlich stellt Taf. X. Fig. 16 einen vollständig ausgereiften Conidienträger dar. Alle Theile desselben sind noch mit einander im Zusammenhang, aber die Basidie ist contrahirt und ihre innere Membran hat sich oben als feines dreiseitiges Zäpfchen in die Papille der Conidie hineingedrängt. Das Abschleudern ist nur durch Einbringen in Glycerin verhindert worden.

Der Mechanismus beim Abschleuderungsprocess. Nachdem uns die Eigenschaften des Conidienträgers und besonders diejenigen der Basidie bekannt geworden sind, gehe ich zu dem Versuch über, den, wie es scheint, etwas complicirten Vorgang der Abschleuderung in seine Einzelmomente zu zerlegen.

Das Platzen des Basidiums erfolgt augenblicklich, wenn gegenüber dem stetig wachsenden Druck im Conidienträger die Dehnungsmöglichkeit der Membran ihre Grenze überschritten hat. Die Region, in welcher dieses Zerreissen stattfinden muss, lässt sich auf Grund unserer Untersuchung ohne Weiteres bezeichnen. Genau dort befindet sie sich, wo die doppelte Wandung des Basidiums nach unten aufhört, um daselbst in einfachen Contour überzugehen. Hier ringsum an der schwächsten Stelle nimmt die Explosion ihren Ausgang, der Riss erfolgt und dem Basidium sammt Conidie wird augenblicklich von der befreit mit Gewalt herausdringenden Flüssigkeit bedeutende Flugkraft mitgetheilt.

Unmittelbar nach dem gewaltsamen Abreissen muss aber die fortfliegende nun unten weit offene Basidie collabiren und zwar zuerst mit ihrem basalen Theil, dem Stiel, dessen Wandung wie angegeben sich stofflich von derjenigen der Kuppel unterscheiden lässt.

Das Collabiren des Stieles bewirkt die starke plötzliche Einschnürung zwischen demselben und der Kuppel; dadurch wird vielleicht ein Stoss auf die Conidie und durch das sofortige Collabiren der Kuppel auch eine Zerrung zwischen Basidium und Conidie zur Geltung kommen. Die Folge davon ist das Zerreissen der äussern Basidiummembran an der Stelle, wo sie bisher mit der Conidie in Verbindung gestanden hat, so dass diese jetzt nur noch mit der Basidie durch die nach oben gewölbte Scheidewand zusammenhängt. Man darf wohl annehmen, dass in der Scheidewand schon vor dem Abschleudern eine Spaltung stattgefunden hat, ähnlich wie es bei *Empusa Grylli* und bei *Conidiobolus* der Fall sein dürfte.

Nun frägt es sich, ob die beim Collabiren zwischen Basidie und Conidie stattgehabte Zerrung hinreichend stark gewesen ist, um nicht blos die äussere Basidíumwand sondern auch die sich ihr anschliessenden beiden Lamellen der Scheidewand zu zerreissen. Wäre dies der Fall, dann würden Basidie und Conidie in der Luft ohne zweiten Fortschleuderungsprocess nur einfach auseinanderfallen.

Die Beobachtung ergiebt jedoch, dass jene Lamellen unmittelbar sich nach ihrer Trennung als zwei feine dreispitzige Zäpfchen hervorgestülpt haben und daraus folgt mit Wahrscheinlichkeit, es möge bei der Loslösung noch eine besondere Kraft mitwirkend thätig sein. Aus Taf. X. Fig. 16 ist ferner zu ersehen, dass beim Collabiren der Basidien in zusammenziehenden Flüssigkeiten die innere Membran derselben als Zäpfchen in die Conidie hineingetrieben wird; ein Vorgang, der wohl auch beim natürlichen Eintritt des Collabirens nach der Abschleuderung nicht ausbleibt.

In diesem Falle würde von dem gemeinsam mit der Conidie durch die Luft fliegendem Basidium aus ein neuer Druck geübt, welchen aber die Conidie ihrerseits vermöge einer der Papille innewohnenden Elasticität erwiedert, indem sie nach erfolgtem Zerreissen der äusseren Wand sofort die ihr zugehörige Lamelle der Scheidewand als Zäpfchen hervorstülpt. Es sind also die beiden Zäpfchen nichts weiter wie Theilhälften der ursprünglichen Scheidewand zwischen Basidie und Conidie; beim Abschleudern werden sie mit Vehemenz in entgegengesetzter Richtung vorgeklappt und sie stossen sich dabei gegenseitig ab wie zwei Billardkugeln die mit ungleicher Geschwindigkeit auf einander treffen. Der Umstand, dass nach eingetretener Abschleuderung Basidie und Conidie weit von einander entfernt sich befinden, kann die Annahme eines Rückstosses von Seiten der Conidie nur begünstigen.

Das Zäpfchen auf der Spitze des Basidiums ist demnach als eine aufs äusserste reducirte Columella zu betrachten, die sich aber von den gewölbten Columellen anderer *Entomophthoraceen* nicht blos durch ihre Kleinheit sondern auch durch ihre scharfe Zuspitzung unterscheidet.

Sehr selten kommt es vor, dass die Basidie beim Abschleudern zwar collabirt, dass sie aber trotzdem noch im vollen Zusammenhang mit der Conidie niederfällt. Die ausbleibende Trennung beider kann hier wohl darauf zurückgeführt werden, dass in Folge irgendwelcher Umstände die Abschleuderung zu früh, noch vor dem vollständigen Ausreifen eingetreten ist. So hat die auf Taf. IX. Fig. 13 abgebildete

Conidie eben erst ihre Trennungswand vom Basidium gebildet, sie selbst erscheint noch unreif. Dagegen befindet sich die Conidie auf Taf. X. Fig. 13 in bereits ganz ausgebildetem Zustand, so dass ihr Verband mit dem Basidium nur äusserst locker ist. Zugleich zeigt sich hier die Basidie im Stieltheil ausnahmsweise regelmässig sechsseitig abgeflacht und abgerissen. Als eine Art von Abnormität muss es auch gelten, wenn hie und da einmal die Conidie in ihren ersten Anfängen schon stecken bleibt, sich von der normal entwickelten Basidie abgrenzt und mit dieser nach erfolgter Abschleuderung noch zusammenhängt, Taf. X. Fig. 18.

Von der erstaunlichen Produktionsfähigkeit des *Basidiobolus* an Fructificationsorganen kann man sich einen Begriff machen, wenn man die grossen Mengen Conidien und Basidien auf dem Objektträger umherliegen sieht, welche ihre Entstehung einem nur 4—5 Tage alten üppigen Mycel zu verdanken haben.

Es gilt als Regel, dass die Basidien immer nur auf viel geringere Entfernungen hin weggeschleudert werden wie die Conidien; ihre grösste Zahl findet man in den verschiedensten Stellungen entweder auf dem Mycel selbst oder in dessen unmittelbarer Nähe abgelagert; weiter als 1 Ctm. davon entfernt, waren Basidien kaum mehr aufzufinden. Auch dieser Umstand dürfte, da beim Wegfliegen die Anfangsgeschwindigkeit von Basidium und Conidie doch gleich sein muss, auf einen zur Zeit der Trennung beider Gebilde ausgeübten Rückprall von Seite der Conidie hindeuten.

Die Flugweite der Conidien als unmittelbares Ergebniss der Kraftleistung von nur einer einzigen Mycelzelle, richtet sich ganz nach dem Grössenverhältniss dieser letzteren, welches meist verschiedenartig zu sein pflegt. Man trifft daher auf der Lichtseite die weggeschleuderten Conidien in ziemlich breitem Streifen; ihrer Mehrzahl nach sind sie in 1½—2 Ctm. Entfernung vom Mycel aus niedergefallen. Einzelne Conidien werden aber auch auf Distanzen von 3 Ctm. und darüber fortgeworfen.

Die Secundär- und die Tertiärconidien. Im Wasser oder in Nährlösung, welche erschöpft ist oder zu reichlich Conidien aufgenommen hat, entstehen aus diesen als ganz gewöhnliche Erscheinung Keimschläuche, welche sich aber bald in die Luft hervorrichten, um direkt in mehr oder weniger lange Conidienträger auszuwachsen, Taf. IX. Fig. 15. Das Verhalten derselben, die Entwicklung der Basidie sowie darauf der Secundärconidie ist durchaus ebenso wie es oben bei den Primärconidien bereits angegeben wurde. Die Secundärconidien sind meist viel kleiner, Taf. IX. Fig. 4, doch kommt es bei sehr kurzem

Conidienträger vor, dass der Grössenunterschied kaum in die Augen fällt, Taf. IX. Fig. 15.

Die Secundärconidien keimen in Nährlösung ganz so wie die primären und liefern ein ebenso kräftiges Mycelium; bei völligem Nahrungsmangel gehen sie mitunter zur Erzeugung einer Tertiärconidie über, Taf. IX. Fig. 16. Der Träger von solchen bildet, besonders wenn er lang wird, einen ganz ausserordentlich dünnen Stiel, alles Plasma wandert hinauf in die basidiale Anschwellung, welche als zu grosse Last für den schwächlichen Träger sich oft seitwärts neigt. An ihrer Spitze treibt sie eine kleine Conidie hervor, deren Entwicklung aber auch im halbreifen unfertigen Zustand sistirt werden kann, ohne dass sie vorher das gesammte Plasma des Basidiums in sich vereinigt hätte.

Die Entstehung der Dauersporen von den jüngsten Anlagen bis zu ihrer fertigen Ausbildung. Es dürfte wenige Pilze geben, die so haushälterisch wie der *Basidiobolus* von ihrem Plasmavorrath Gebrauch machen. Durch unmittelbare Beobachtung kann man sich davon Ueberzeugung verschaffen.

In reiner Nährlösung bleiben die peripherischen Hyphen nur an grossen Mycelien im sterilen Zustand, an kleineren dagegen, deren Ausgang von einer einzigen Conidie leicht zu übersehen ist, verrichtet jede Zelle des Myceliums mit fast unfehlbarer Präcision ihre Aufgabe: entweder einen Conidienträger zu entwickeln oder ihren Plasmavorrath behufs Erzeugung der Dauersporen herzugeben.

Die letzteren bilden sich immer weit zahlreicher wie die Conidienträger und ihrem Alter nach stets in centrifugaler Anordnungsweise am Mycelium, Taf. IX. Fig. 12. Es sitzen demgemäss im Centrum die bereits reifen Sporen, während nach aussen hin fortdauernd noch neue angelegt werden. Ihre jüngsten Zustände gelangten sowohl auf dem natürlichen Boden wie in künstlichen Nährlösungen zu eingehender Beobachtung.

Die Dauerspore ist immer nur das Resultat der Betheiligung zweier benachbarter Zellen eines und des nämlichen Mycelfadens, niemals findet wie bei anderen *Enthomophthoraceen* ein Zusammentreten resp. eine Anastomose zweier gesonderter Hyphenstücke statt. Jede der beiden durchaus nicht immer gleichlangen Nachbarzellen treibt unmittelbar an der sie trennenden Scheidewand eine Ausstülpung hervor, etwa in ihrer Breite dem halben Durchmesser des Mycelfadens entsprechend, Taf. XI. Fig. 1. Die zwei Ausstülpungen wachsen, beiderseits eng aneinander liegend, in die Höhe, bald steht ihr Längenwachsthum still und jetzt erst beginnt die eine Zelle nahe der Scheidewand kuglig aufzuschwellen, Taf. XI. Fig. 2 und Fig. 3. Sehr häufig kommt es vor, dass eine der beiden Zellen, gewöhnlich die anschwellende, Verzweigungen besitzt, Taf. XI. Fig. 4, Fig. 7, Fig. 10 und diese Verzweigungen können oft recht bedeutend in die Länge wachsen, Taf. XII. Fig. 9.

Auf natürlichem Nährboden begegnete ich nicht selten Dauersporenanlagen, bei welchen sich die Ausstülpungen nicht gegenseitig berührten, sondern in kleinerer oder grösserer Entfernung von einander standen, Taf. XI. Fig. 6 und Fig. 9. Diese Erscheinung war nie bei den Culturen in künstlichen Nährlösungen zu beobachten.

Mit Bildung der Ausstülpungen ist die Anlage des Schnabels erfolgt, die kuglige Aufschwellung der einen Zelle ist das Primordium der künftigen Dauerspore. Beide Zellen haben sich jetzt in Gameten umgestaltet und die eingetretenen Grössenunterschiede lassen ihre geschlechtliche Differenzirung erkennen. Sie beginnen alsbald mit dem Copulationsprocess, dessen verschiedenste Zustände gleichzeitig überall an langen Reihen von Zellen der nämlichen Cultur sich vorfinden.

Der Gedanke konnte nicht von der Hand gewiesen werden, dass dem Schnabelfortsatz bei der Copulation eine besondere Rolle zugetheilt sei; die ersten Untersuchungen aber, gerade auf diesen Punkt gerichtet, liessen den eigentlichen Zweck jenes Organs zunächst noch vollständig unbekannt. Gerade der Schnabel blieb scheinbar bis auf die unten zu erwähnenden Umwandlungen ohne wesentliche Betheiligung an dem Copulationsvorgang, welcher mit Auflösung der die beiden Gameten trennenden Scheidewand eingeleitet wird. Die Resorption der Scheidewand erfolgt niemals im Schnabel, wohl aber gleich unterhalb desselben und sie erstreckt sich gewöhnlich nicht auf die ganze Fläche der Wand, wie Taf. XI. Fig. 6, sondern nur auf die obere Hälfte derselben. Ihr unterer erhalten bleibender Theil zeigt sich, bei mittlerer Einstellung von der seitlichen Kante betrachtet, deutlich in Form eines Striches erkennbar, der mitten in den Zellraum vorgeht und daselbst plötzlich abbricht, Taf. XI. Fig. 5, Fig. 7—10.

Das in Folge der Resorption entstandene Loch bewirkt offene Communication der beiden Gameten, so dass dem Zusammenfliessen des Plasmas derselben nichts mehr im Wege steht. Der grobkörnige mit grossen Oeltropfen erfüllte Inhalt der Zellen wandert nun von deren Endpunkten aus vollständig hinein in die kuglige Anschwellung, welche dadurch zur jungen Zygospore umgestaltet wird. Entweder zieht sich das Plasma in rundlicher Umgrenzung als Schlauch von der Zellwand zurück und auf die Anlage hin, Taf. XI. Fig. 9 und

Fig. 10, oder die in den entfernteren Theilen der Zellen schon früh auftretenden Vakuolen vergrössern sich so bedeutend, dass sie das Plasma auf schmale wandständige Streifen reduciren, um es schliesslich ganz in die Sporenanlage hineinzudrängen, Taf. XI. Fig. 8.

Auch in den Schnäbeln machen sich bei der Plasmaconcentration Veränderungen bemerkbar. Die kegelförmig abgerundeten Spitzen der beiden Hyphenfortsätze lassen im Innern zuerst kleine Vakuolen erkennen, die sich vergrössern, Taf. XI. Fig. 6 und Fig. 7; gleich darauf erscheinen an ihrer unteren Grenze Scheidewände, durch welche das Endstück eines jeden Fortsatzes als kleine Zelle für sich abgegliedert wird, Taf. XI. Fig. 8—13. In diesen Zellchen sind häufig minimale Körnchen als Reste des Plasmas zurückgeblieben und auffallend ist die starke Verdickung, welche entweder ringsum an ihrer Wand sich befindet, Taf. XI. Fig. 9 und Fig. 12 oder sehr häufig an der Spitze in beiden Schnabelzellen hervortritt, Taf. XI. Fig. 7. Die Substanz, welche dieser Verdickung zu Grunde liegt, ist anfangs stark lichtbrechend, später findet sie Verwendung und verliert sie sich in der umgebenden Zellmembran.

Auch in den unteren Theilen der Schnabelfortsätze entstehen Vakuolen, welche das vorhandene Plasma in die Zygosporenanlage hineindrängen. Dies geschieht entweder gleichzeitig oder ungleichzeitig in den beiden Fortsätzen; schliesslich sind auch die unteren Hälften des Schnabels, bis auf einige Körnchen hie und da, leer geworden, Taf. XI. Fig. 11—13.

Unterdessen nimmt die Anlage bedeutend an Umfang zu; nachdem sie alles Protoplasma absorbirt hat, rundet sie sich in Kugelform ab unter Ausscheidung einer zarten Membran ringsum auf ihrer ganzen Oberfläche. Man kann an günstigen Präparaten wenigstens die letzten Stadien des Plasmaeinfliessens in die jungen Sporenanlagen sowie das Sichabschliessen derselben direkt beobachten. Taf. XI. Fig. 12 zeigt, wie eben das Plasma vollends einzuschlüpfen im Begriff steht, wobei die noch aussen befindlichen Theile desselben ein ausnahmsweise strahliges Gefüge zeigen. Nach einer Viertelstunde war an demselben Objekt alles Plasma bis auf ein kleines Körnchen in die Anlage gezogen, die vorher offene Stelle mit Membran bekleidet, im Centrum erschien ein heller Fleck und die junge Zygospore hatte sich bereits vollkommen abgerundet, Taf. XI. Fig. 13.

Sobald die äussere Membran an der Spore gebildet ist, erfolgt von innen her sehr rasch das Ablagern des dicken Endosporiums, Taf. XII. Fig. 6 (links unten). Der Charakter als Dauerspore kommt immer mehr zur Geltung. Das Plasma concentrirt sich in zahlreiche fast gleichgrosse Fetttropfen, der helle rundliche Fleck im Centrum tritt deutlicher hervor, die bisher aussen glatte Spore bekommt wellige Umrisse und das Endosporium zeigt Schichtenbildung, Taf. XII. Fig. 7. Das Exosporium färbt sich gelb, doch erhält dasselbe in den Culturen mit künstlichen Nährlösungen niemals die intensive Färbung, geschweige die starken Verdickungen, welche oben für die Dauersporen vom natürlichen Boden angegeben worden sind.

Die Betheiligung des Zellkerns bei Entstehung der Dauersporen. Die Theilung des Zellkerns. Erst nach Anwendung der Flemming'schen Fixirungsmethode nebst Tinktion gelang es mir, über die Thätigkeit des Zellkerns bei der Dauersporenbildung ins Klare zu kommen. Die erhaltenen Resultate, ebenso interessant wie unerwartet, bringen mit einemmale Aufschluss über die Bedeutung der charakteristischen Schnabelfortsätze an den Sporen von *Basidiobolus*.

Die Zellkerne setzen sich bei Anlage der Dauerspore gerade so wie bei jener des Conidienträgers in Bewegung, man sieht sie in jeder Zelle direkt auf die Ausstülpung hinwandern, Taf. XI. Fig. 16, und dann beiderseits gleichzeitig in je einen Schnabelfortsatz hineinschlüpfen, Taf. XI. Fig. 17. Niemals vermisste ich in der oberen Hälfte des Schnabels bei jungen Anlagen die zwei Zellkerne und als ihre Gegenwart in den Färbepräparaten constatirt war, konnte ich sie bei guter Beleuchtung mit Seibert Obj. VI. meist auch in den noch lebendigen blos unter dem Deckglas befindlichen Anlagen nachweisen. Schon vom Anfang an war mir bei den letzteren das hyaline Aussehen der Schnäbel aufgefallen; es ist bedingt durch die Zellkerne, welche bald recht erkennbar hervortreten, bald allerdings, vom Plasma überdeckt, kaum oder gar nicht zum Vorschein kommen, Taf. XI. Fig. 2—5.

Die fixirten und gefärbten Präparate geben auch Einblick darüber, was eigentlich von den zwei im Schnabel angekommenen Zellkernen weiter gemacht wird. Jeder derselben erfährt eine indirekte Theilung und es entstehen dabei zwei tonnenförmige Theilungsfiguren in etwas abweichender Gestalt von den wenigen, die man bisher bei anderen Pilzen kennen gelernt hat. Auf indirekte Kerntheilungen bezügliche Angaben und Abbildungen besitzen wir zur Zeit für Pilze nur in den von Strassburger[1]) publicirten Untersuchungen über die Sporenentwicklung von *Trichia fallax*, sowie von

---

[1]) Bot. Zeitung 1884. No. 20. 1 T.

Sadebeck[1]) und **Fisch**[2]) über die Anlagen der Ascosporen bei *Exoascus* und *Ascomyces*. Hier lassen sich die einzelnen Theilungsstadien mit den bei höheren Pflanzen beobachteten noch sehr wohl in Uebereinstimmung bringen; sie sind von diesen hauptsächlich nur durch die wenigen parallelen Verbindungsfäden unterschieden, sowie durch den völligen Mangel an einer Zellplatte.

In den Schnäbeln von *Basidiobolus* nimmt die Kerntheilung, soweit ich sie ermitteln konnte, folgenden Verlauf.

Der anfangs ovale, wohl umschriebene, aus farbloser Grundmasse und einem grossen stark tingirten Nucleolus bestehende Zellkern wird undeutlich, in seinen Umrissen gänzlich verändert, verschwommen oder unregelmässig gezackt und gebuchtet, seine gesammte Masse wird homogen, indem sich der Nucleolus, wie es scheint, aufgelöst und gleichmässig in dem Hyaloplasma verbreitet hat, Taf. XI. Fig. 18. Nach dieser Prophase der Theilung wird in dem umgewandelten Kern eine bestimmte Differenzirung und Lagerung seiner Elemente erkennbar. Es ist wohl möglich, dass mir hier ein Zwischenstadium, die Kernspindel, entgangen ist; der nächste Zustand, welchen ich sah, war eine tonnenförmige Figur, die aus drei stärker tingirten Zonen bestand: einer im Aequator befindlichen Kernplatte und zwei an den Polen liegenden ebenfalls plattenartigen Ansammlungen, Taf. XI. Fig. 19. Die polaren Platten stehen nur sehr wenig an Breite hinter der aequatorialen zurück. Jede der drei Platten zeigt eine Reihe feinster Körnchen und unter sich sind die Platten nur an ihren Rändern durch stärker gefärbte Verbindungsbrücken im Zusammenhang befindlich. In allen übrigen Theilen der Tonnenfigur ist dagegen von Spindelfasern nichts zu bemerken. Anfangs noch wenig hervortretend, wird die genannte Anordnung später deutlicher, weil dann zwischen den Platten homogene Schichten auftreten von nur geringem Tinktionsvermögen, Taf. XI. Fig. 20.

Nun streckt sich das Gebilde, gleichzeitig verschmälert es sich, besonders an den Polen, welche in die Form konischer Abrundungen übergehen. Es hat sich damit die Theilungsfigur in eine sehr deutliche Spindel umgewandelt. Bald darauf spaltet sich ihre im Aequator befindliche Kernplatte, die entstandenen Theilhälften rücken auseinander und zwischen ihnen erscheint eine neue lichte Zone, welche vielleicht die Zellplatte vorstellt, Taf. XI. Fig. 21. In Folge der ein-

---

[1]) R. **Sadebeck**, Unters. über die Pilzgattung *Exoascus* Jahr.-ber. der wissensch. Anstalten zu Hamburg für 1883. 4 T.

[2]) Bot. Zeitung 1885. No. 4. 1 T.

getretenen Spaltung zeigt die Figur jetzt vier Platten von stärkerer Tingirbarkeit; die Körnchen der Platten sind auffallend in die Länge gestreckt, aber von eigentlichen Spindelfasern konnte ich dennoch nichts wahrnehmen. Wenn solche vorhanden sind, müssten sie jedenfalls ausserordentliche Feinheit besitzen. Auch zwischen den beiden neuen durch Spaltung entstandenen Platten suchte ich vergebens nach deutlichen Verbindungsfasern.

Die bis hieher gelungene unmittelbare Beobachtung der Kerntheilungsvorgänge ist leider nun an ihrer Grenze so ziemlich angelangt; der nächste erkennbare Zustand in Taf. XI. Fig. 22 zeigt ein schon weit vorgeschrittenes und ganz verändertes Stadium. Die Figur ist verschwunden, von zwei neuen durch die Theilung etwa entstandenen Zellkernen ist nichts Bestimmtes zu sehen, dagegen bemerkt man im Kopf jeder Schnabelhälfte eine Vakuole und es gewinnt den Anschein, dass dieselbe zwischen den oberen zwei Körnerplatten der Theilungsfigur sich entwickelt und die polare Platte theils gegen das Ende des Fortsatzes theils gegen dessen seitliche Wandung gedrängt hat. Es spricht dafür die in besonders breiter Schicht am Ende der Zelle befindliche stärker gefärbte feinkörnige Zone, welche sich seitlich verschmälert ringsum an der Vakuole fortsetzt. Letztere selbst erscheint unten abgeflacht und daselbst ist die Scheidewandbildung behufs Abgrenzung der kleinen Schnabelzelle im Gange. Sobald diese erfolgt ist, sieht man den erwähnten intensiv sich färbenden Theil des Inhalts vereinigt und an die Schnabelspitze als eine Art rundlich dreiseitiger Verdickung vorgerückt. Die früher noch in ihr vorhanden gewesenen Körnchen sind verschwunden, sie ist als gleichmässig homogene Masse umgestaltet, Taf. XI. Fig. 23 und Fig. 24.

Die ganze Erscheinung deutet darauf hin, dass die der Schnabelspitze zugekehrte obere Hälfte der Kerntheilungsfigur einfach blos abgeschieden wird, ohne dass sie fähig wäre, sich als ein neuer Zellkern zu organisiren. In der That sucht man in den fertigen Schnabelzellchen nach einem Zellkern vergebens; die darin öfters befindlichen feinen Körnchen haben damit nichts zu thun, sie sind nichts weiter als oft auch fehlende Protoplasmareste.

Was geschieht nun aber mit der unteren Hälfte der Kerntheilungsfigur? Vergeht auch diese, ohne die Eigenschaften eines jungen Zellkerns angenommen zu haben?

Es ist mit Rücksicht auf noch zu erwähnende Erscheinungen, welche beim Keimungsprocess der Dauersporen sich geltend machen, ganz unzweifelhaft, dass die untere Hälfte der Theilungsfigur sich anders verhält wie die obere, dass sie sich zu einem neuen Tochterkern gestaltet, es ist mir jedoch nicht möglich gewesen, unter dem Mikroskop mit Sicherheit dies festzustellen.

Der aus dem indirekten Theilungsvorgang resultirende neue Zellkern entsteht jedenfalls sehr rasch und er muss zunächst von ausserordentlicher Kleinheit sein, so dass man nicht vermag, ihn von den grobkörnigen Inhaltsbestandtheilen der beiden copulirenden Zellen hinreichend zu unterscheiden. Ich habe zwar öfters beobachtet, dass noch während des Plasmaeinströmens in die Sporenanlage, zu welcher Zeit ja auch die Theilung der beiden Zellkerne in den Schnabelfortsätzen vor sich geht, gerade unterhalb des Schnabels an der Resorptionsstelle der Zellmembran zwei gleichgrosse rundliche Kugeln mit hyalinem Hof und stark gefärbtem Centrum, sich neben einander befanden, die wohl als Zellkerne ihrem Aussehen nach hätten gelten können. So wahrscheinlich dies auch ist, so bin ich doch über die definitive Ausbildung der jedenfalls vorhandenen neuen Tochterkerne wie gesagt zu einem bestimmten Resultate nicht gelangt. Es lässt sich daher auch über das Verhalten derselben in Bezug auf einen Copulationsvorgang, nichts aussagen, so interessant es wäre, zu wissen, ob ein solcher gleich nach Entstehung oder erst später innerhalb der Dauerspore zwischen den Zellkernen vor sich geht. Auf Taf. XI. Fig. 23 habe ich zwei präsumtive Tochterkerne mit Weglassung der benachbarten grossen Oeltropfen und Plasmakörner dargestellt.

Auch im Innern der fertigen Dauersporen konnten trotz Anwendung verschiedener Färbungsmethoden die Zellkerne nicht deutlich sichtbar gemacht werden, da wiederum der dicht grobkörnige Inhalt sowie ferner die dicke Sporenhaut als Hinderniss im Wege stehen.

Die Umwandlung der Conidien in Dauersporen bei gänzlich fehlendem oder sehr reducirtem Mycelium. Wie bereits angegeben, erreichen die Mycelien des *Basidiobolus* nur geringen Umfang, wenn zu viele Conidien gleichzeitig in dem nämlichen Nährtropfen zur Auskeimung gelangen. Man trifft aber in einem solchen Tropfen die Mycelien durchaus nicht alle auf der gleichen Stufe von spärlicher Entwicklung, sondern die zuerst gekeimten Conidien haben reichlich genug Nahrung vorgefunden, um ein verhältnissmässig noch ausgedehntes Mycelium mit vielen Verzweigungen hervorbringen zu können. Die nachkeimenden Conidien werden aber immer mehr von dem eintretendem Nahrungsmangel beeinflusst und demgemäss bleiben ihre Keimschläuche bald im Wachsthum stillstehen, bringen gar keine oder nur sehr wenige Seitenäste hervor und bestehen aus einer kleinen Anzahl von Mycelzellen. Die letzteren selbst sind übrigens an sich ganz kräftig entwickelt, so dass sich die Reduktion also stets nur in einer Zahlenminderung der Zellen, nicht aber in deren Verkümmerung kundgiebt. Auch erweisen sich die von ihnen erzeugten Dauersporen und Conidien ebenso wohl ausgebildet wie diejenigen, welche auf grossen Mycelien sich entwickelten.

Die ganze Erscheinung, deren Vorkommen auch auf dem natürlichen Nährboden constatirt wurde, ist als eine sehr weitgehende Anpassungsfähigkeit des Pilzes zu deuten, welche es ihm ermöglicht, auch unter ungünstigen äusseren Verhältnissen sich zu erhalten und sich normal fortzupflanzen.

Die reducirten Mycelien zeigen bald strahlige Anordnung, wenn von der Conidie nach mehreren Richtungen hin Keimschläuche getrieben wurden, Taf. XII. Fig. 15; bald erscheinen sie nur als einfache Fäden, Taf. XII. Fig. 13 und Fig. 14, und da die Conidien sich stets in diesen Fällen vor ihrer Keimung theilen, auch ebenso wie an den Mycelzellen ihre Membranen späterhin erhalten bleiben, so sieht man diese letzteren in Form grosser sackartiger Erweiterungen an den alten entleerten Mycelien sehr ausgeprägt hervortreten. Von den grossen Mycelien mit zahlreichen Dauersporen bis zu solchen, welche ihrer nur zehn hervorgebracht haben, trifft man alle Uebergänge und wiederum von diesen aus bis zu solchen, an denen nur vier, drei oder gar nur zwei Dauersporen befindlich sind, Taf. XII. Fig. 12b und c, Fig. 13—15. Im letzteren Fall kann von einem wirklichen Mycelium schon kaum mehr die Rede sein; nur noch einige leere Häute sind als Andeutungen eines solchen an den Dauersporen zu bemerken.

Hieher gehört eine Bildung, welche in kümmerlich ernährten Culturen mitunter zum Vorschein kam, Taf. XI. Fig. 14. Die Conidie hat sich vor ihrer Keimung in vier Zellen getheilt, die zwei Zellen rechts wurden sogleich zu Gameten, deren eine ihren Inhalt in die andere entleerte, in Folge dessen eine Dauerspore mit Schnabel entstanden ist. Die beiden Zellen links dagegen blieben vollkommen vegetativ, indem jede derselben nur einen einfachen Keimschlauch hervorgetrieben hat.

Die Conidie von *Basidiobolus* ist aber auch im Stande, ohne Weiteres und unmittelbar sich in eine oder in zwei Dauersporen umzugestalten; von einem Mycel resp. Keimschlauch kann dabei gar keine Rede mehr sein, Taf. XII. Fig. 1—5, Fig. 8 und 12a. Verwandelt sich die Conidie direkt in zwei Dauersporen, dann ensteht eine sehr sonderbare Zwillingsfigur, Taf. XII. Fig. 5. Die Bildung derselben ist ohne Schwierigkeit festzustellen. Auch hier hat wie auf Taf. XI. Fig. 14 eine Viertheilung der Conidie stattgefunden. Während aber dort nur zwei Zellen sich geschlechtlich differenzirten, geschieht dies im vorliegenden Fall bei allen vieren: es erfolgt zwischen je zweien derselben Hervortreibung des Schnabels, Copulation, Ueberfliessen des Plasmas und hierauf Ausreifen der Sporen ganz so, wie es bei jenen Dauersporen zu geschehen pflegt, welche am Mycelium angelegt werden. Jede der vier Zellen vergrössert sich etwas durch inneres Wachsthum, bevor die Copulation von Statten geht; nach der Copulation hängen die entleerten Gameten nur noch als leere Häute an den beiden Dauersporen. Bemerkenswerth ist die gekreuzte Stellung, welche die Dauersporen sowie die entleerten Zellen gegen einander einnehmen. Während am Ende der Fortsätze des nach oben gerichteten Schnabels nur einige kleine Körnchen nahe der Scheidewand zurückgeblieben sind und die hyaline Verdickungssubstanz daselbst fehlt, hat sich letztere in den Spitzen des unteren Schnabels um so reichlicher abgelagert, Taf. XII. Fig. 5.

Ebenso interessant ist der Vorgang, wenn die Conidie, anstatt auszukeimen, sogleich zur Umbildung in nur eine Dauerspore übergeht. Sie theilt sich zuerst mitten hindurch in zwei gleichgrosse Tochterzellen, jede von diesen entwickelt eng aneinander einen Fortsatz, in welchen man sogleich je einen Zellkern hineinschlüpfen sieht, Taf. XII. Fig. 1a. Es hat also bereits in der Conidie mit Entstehung der Scheidewand auch die Theilung des in ihr befindlichen Zellkerns stattgefunden. Die beiden Fortsätze werden zum Schnabel und in dem Inhalt der Copulationszellen wird sehr bald eine Differenzirung bemerkbar. Während die eine Zelle noch gleichmässig und dicht mit grobkörnigem Plasma angefüllt ist, erscheinen in der anderen zuerst an der vom Schnabel entferntesten Stelle Vacuolen, die sich vergrössern und das Plasma nach Resorption der Scheidewand unterhalb des Schnabels in die Nachbarzelle hinüberdrängen, Taf. XII. Fig. 1 und Fig. 2. Es findet hierauf eine bemerkbare Vergrösserung der aufnehmenden Zelle statt, ihr Inhalt rückt auch meist etwas von der dem Schnabel entgegengesetzten Seite aus in die Höhe, es erfolgt Abrundung und nach Abscheidung der Membranen ist die Dauerspore gebildet, Taf. XII. Fig. 3 und Fig. 4.

Auch hier bleibt die Membran der einen völlig entleerten Copulationszelle an der Spore als Sack hängen, noch durch ein Stück der ursprünglichen Scheidewand von jenem ebenfalls leeren Theil der Nachbarzelle getrennt, welcher als kleiner zellenartiger Raum in Folge der Lageveränderung des zur Dauersporenbildung bestimmten Plasmas entstanden ist. Oft erscheinen an solchen Bildungen die Schnäbel sehr lang, einmal konnte ich sogar an den Zellkernen ohne jede weitere Behandlung das Stadium der Theilungsfigur erkennen, Taf. XII. Fig. 2a.

Die Keimung der Dauersporen. Das Auswachsen der Keimschläuche zu einem Conidienträger oder zu einem Mycelium. Wenn auch naturgemäss die Dauersporen von *Basidiobolus* dazu bestimmt sind, zunächst während des Winters, theilweise sogar noch längere Zeiträume hindurch, zu ruhen, so gelingt es doch mit Hülfe der Cultur, wenigstens die mit dünnwandigem Episporium versehenen schon in kürzerer Zeit zur Keimung anzuregen. Am leichtesten erreicht man dies bei jenen Dauersporen, welche in künstlichen Nährlösungen herangezogen wurden und bereits mehrere Wochen alt geworden sind.

Spontane Keimung habe ich übrigens, allerdings nur an einzelnen der auf natürlichem Nährboden gewachsenen Dauersporen, ebenfalls eintreten sehen, nachdem dieselben Monate hindurch bei Zimmertemperatur gestanden hatten, Taf. XII. Fig. 22.

Um die Keimung mit Absicht zu erzielen, müssen die Dauersporen vor allen Dingen aus der Flüssigkeit, in welcher sie sich bisher befanden, herausgenommen und auf neue Objektträger überbracht werden. Das Austrocknen, auch einige Wochen lang fortgesetzt, beeinträchtigte nicht die Lebensfähigkeit der Dauersporen, denn nach Wiederbefeuchtung trat ihre Keimung ein; um letztere aber in Gang zu bringen, ist entgegen den bei anderen Pilzen gemachten Erfahrungen das Trocknen der Dauersporen von *Basidiobolus* gar nicht erforderlich.

Man säet sie in frische Nährlösung oder, um die Bakterienentwicklung abzuhalten, ganz einfach in einen Tropfen Wasser aus. Diese scheinbar nur geringe Veränderung ist doch von so wesentlichem Einfluss, dass ein Theil der Sporen die Keimung beginnt und nach 2—3 Tagen bereits lange Keimschläuche entwickelt hat.

Zunächst erfolgt Auflösung des dicken Endosporiums, gleichzeitig vertheilen sich die grossen Fetttropfen, der Inhalt nimmt mehr feinkörnig dunkel trübe Beschaffenheit an, die Spore schwillt dabei etwas auf und ist jetzt nur noch von dem gelben, dünnen Exosporium überkleidet. Der Druck auf dieses wird in Folge der Volumenzunahme von innen her immer stärker, bald wird es an einer Stelle in scharfkantige Fetzen aufgerissen, Taf. XII. Fig. 17. Der Keimschlauch tritt als hyaline Warze aus der Oeffnung, er verlängert sich rasch, nach oben bleibt er zunächst homogen und glänzend, während in seinem unteren Theil körnchenreiches Protoplasma im Uebertreten begriffen ist, Taf. XII. Fig. 18 und Fig. 19. Der Sporeninhalt entleert sich mit dem Wachsthum des Keimschlauches mehr und mehr und dem entsprechend erscheinen zuerst kleine, dann grössere Vacuolen, welche zierlich netzartige Struktur des noch in der Spore zurückgebliebenen Plasmas zur Folge haben, Taf. XII. Fig. 18—20. Niemals habe ich mehr als nur einen einzigen Keimschlauch aus der Dauerspore hervortreten sehen; derselbe erreicht eine verschiedene, aber gewöhnlich recht bedeutende Länge; er kommt schon frühzeitig aus der Flüssigkeit in die Luft hervor, ist sehr lichtempfindlich und erscheint daher bei geringster Verstellung des Objektträgers hin- und hergebogen.

Die eigentliche Bestimmung des Keimschlauches geht darauf hin, sich direkt in einen Conidienträger umzuwandeln; um dies zu erreichen, fliesst allmählich sämmtliches Protoplasma aus der Spore und zwar rückt dasselbe nun in die obere Schlauchhälfte vor, dessen Spitze beginnt, zur Basidie anzuschwellen, Taf. XII. Fig. 20, Fig. 21b und c. Die weitere Ausbildung der Basidie, die Entstehung und Reifung der Conidie sowie endlich die Abschleuderung derselben bedarf keiner weiteren Besprechung, da sie gerade so verläuft, wie es oben bereits ausführlich angegeben worden ist. Der Keimschlauch bleibt entweder bis zur Abgrenzung der Conidie einzellig oder sehr häufig wird sein unterer entleerter Theil durch Scheidewände abgegliedert, Taf. XII. Fig. 21b und d.

Man hat es in der Hand, an dem Keimschlauch die Entwicklung der Conidie zu verhindern, so dass derselbe nur in einen verzweigten Mycelfaden auszuwachsen im Stande ist. Es geschieht dies, wenn das Präparat mit den keimenden Dauersporen längere Zeit unter dem Deckglas liegen bleibt oder wenn man die Keimschläuche in neue Nährlösung überträgt und in der Flüssigkeit untergetaucht erhält. Sie bilden dann, mit Uebergehung der normalen Conidienfructification, ein verästeltes gewöhnliches Mycelium. Die Erscheinung ist also nur Folge eingetretener Störungen, worunter auch der Keimling auf Taf. XII. Fig. 22, von einer schön goldgelben Spore des natürlichen Nährbodens ausgegangen, zu leiden hatte. Das Plasma begab sich hier nicht continuirlich, sondern periodenweise nach der Spitze des Keimschlauches, wobei es jedesmal eine concav nach unten gewölbte Scheidewand zurückgelassen hat. In der angeschwollenen bereits verzweigten Endzelle zeigt sich jetzt alles Plasma angehäuft; in Nährlösung würde diese Endzelle unmittelbar zu einem Mycelium weiter gewachsen sein.

Das Verhalten des Zellkerns in den Keimschläuchen der Dauersporen. Meine obige Aeusserung, dass als Resultat der indirekten Kerntheilung in jedem Schnabelfortsatz die untere Hälfte der Theilungsfigur zu einem neuen Tochterkern sich umgestalte, findet ihre Stütze an den bei Keimung der Dauersporen gemachten Beobachtungen. Mit grösster Regelmässigkeit enthält jeder Keimschlauch **zwei** Zellkerne, welche unmittelbar und in engster Berührung mit einander aus der Dauerspore hervorgekommen sind, Taf. XII. Fig. 19c und Fig. 20c. Die Kerne sind gross, jeder derselben enthält einen Kernkörper in farblosem Hyaloplasma und jeder zeigt sich einseitig in eine breite gerade Fläche abgeplattet. Es ist dies die Berührungsfläche der beiden Kerne, welche zusammen in Form eines langgestreckten Ovals sich darstellen. Mitten durch letzteres verläuft seiner ganzen Breite nach als gerader Strich die Berührungslinie, welche entweder genau senkrecht zur Längsachse steht oder in verschiedenem Winkel zu derselben geneigt ist.

Die beiden vereinigten Zellkerne sind nicht blos an fixirten und gefärbten Präparaten, sondern bei guter Beleuchtung sehr leicht auch in dem lebenden nur unter dem Deckglas befindlichen Keimschlauch sichtbar. Erst wenn derselbe eine gewisse Länge erreicht hat, wandern sie gemeinsam mit dem Körnerplasma aus der Spore ein, um mit dem Weiterwachsen des Schlauches an dessen Spitze emporzurücken, Taf. XII. Fig. 19 und Fig. 20c. Sie verschwinden dann in der Anschwellung des Basidiums und schlüpfen später direkt hinein in die Conidie.

Man kann diese aus der Dauersporenkeimung hervorgegangenen Conidien als solche bei ihrer eigenen Keimung wieder erkennen. In deren Keimschlauch erscheinen, entgegen jenem von Conidien, die auf gewöhnlichen Mycelhyphen entstanden sind, nicht ein sondern zwei Zellkerne, welche aber ihre Lagerung eng aneinander bald aufgeben, sich isoliren und sich abrunden. Taf. IX. Fig. 14 stellt eine derartige Conidie dar; dieselbe hat auf Wasser gekeimt und sie ist aus Mangel an Nahrung sogleich zur Bildung einer Secundärconidie übergegangen. In dem zum Conidienträger umgewandelten Keimschlauch befinden sich die Zellkerne c c bereits in geringe Entfernung auseinander gerückt, die Abplattung als Stelle der früheren gegenseitigen Berührung ist noch an denselben ziemlich deutlich erkennbar.

Diese Trennung der beiden Zellkerne, welche im eben genannten Fall erst im Keimschlauch der Conidie vor sich ging, erfolgt jedoch sehr oft schon frühzeitiger und zwar bereits in dem Keimschlauch der Dauerspore; es geschieht dies fast immer, wenn derselbe eine bedeutende Länge erreicht, wobei er sich der Regel nach in mehrere Zellen abgliedert. Die Zellkerne werden unter solchen Umständen durch Scheidewände von einander separirt und bei Verwandlung des Keimschlauches in einen Conidienträger ist alsdann der Uebertritt nur eines einzigen Zellkerns in die Conidie ermöglicht.

Das constante Vorkommen zweier Zellkerne in der Dauerspore, noch dazu in so innigem gegenseitigem Zusammenhang, muss nothwendig zur Vermuthung führen, dass wir es hier mit einer Erscheinung zu thun haben, welche der vielfach beobachteten Copulation zwischen den Zellkernen der männlichen und weiblichen Geschlechtszellen höherer Organismen mindestens sehr nahe zu stehen kommt. Es gewinnt diese Auffassung um so mehr an Wahrscheinlichkeit, als bei *Basidiobolus* die schon frühzeitig vorhandene Grössendifferenz zwischen den beiden Gameten auf deren Geschlechtsunterschied hindeutet. Auch spricht dafür der eigenthümliche Theilungsprocess der Zellkerne in den Schnabelfortsätzen; letztere dienen gleichsam als Ablagerungsstätte für eine gewisse Quantität der Zellkernsubstanz, nach deren Zurücklassung erst die übrige Masse der beiden Zellkerne für den Befruchtungsakt reif ist und zu neuen, behufs gemeinsamer Vereinigung in die Dauerspore übertretenden Tochterkernen sich gestaltet [1]).

Ueber die Copulation der Zellkerne bei den Pilzen ist bis jetzt nur eine einzige kurze Mittheilung veröffentlicht worden und zwar von Fisch [2]), welcher die Sporidiencopulation bei verschiedenen *Ustilagineen* und die Schnallenzellenbildung bei den *Hymenomyceten* in Rücksicht auf das Verhalten der Zellkerne einer näheren Prüfung unterzogen hat. Es ergab sich, dass hierbei niemals eine Copulation der Zellkerne stattfindet; da diese aber nach unserer heutigen Kenntniss ein hauptsächliches Merkmal für die Sexualität darstellt, so sind jene Entwicklungen nur als Zellfusionen rein ungeschlechtlichen Charakters anzusehen.

Anders scheint sich die Sache bei der Oosphärenbildung in der Gattung *Pythium* zu verhalten. Fisch macht hierüber folgende Bemerkung: „Im jungen Oogonium, vor der Oosphärenbildung, sind ziemlich regelmässig 10—20 Zellkerne anzutreffen. Bei der Bildung der Oosphäre rücken sie zusammen, bis sie dicht an einander liegen und verschmelzen dann zu einem einzigen ziemlich grossen Eikern. In der Antheridialzelle habe ich immer nur einen Zellkern gefunden, bezweifle aber nicht, dass auch mehrere vorkommen können, die aber dann sicher vor der Befruchtung zu einem einzigen verschmelzen. Der Zellkern der Antheridialzelle wandert mit dem Gonoplasma in die Oosphäre über und verschwindet hier mit dem Eikern." Aus dem

---

1) Vgl. E. Strassburger, Neue Unters. über den Befruchtungsvorgang bei d. *Phanerogamen*. 2 T. Jena 1884. p. 22.

2) C. Fisch, Ueber d. Verhalten der Zellkerne in fusionirenden Pilzzellen. Bot, Centralblatt B. XXIV, 1885. p. 221.

Schlusspassus geht wohl hervor, dass Fisch eine wirkliche Verschmelzung der Zellkerne beider Geschlechtszellen mit einander nicht beobachtet hat.

Leider ist mir dieser Nachweis, wie ich bereits oben erwähnte, auch bei *Basidiobolus* nicht gelungen. Ich kam nur bis zu dem Punkte, wo die vom Theilungsprocess der Zellkerne übrig gebliebenen Hälften derselben im Protoplasma der Sporenanlage verschwunden oder vielmehr wegen ihrer Kleinheit nicht mit Sicherheit weiter zu verfolgen waren. Ueber das Verhalten der Zellkerne nach erfolgter Plasmavereinigung innerhalb der jungen Dauerspore lassen sich daher nur Vermuthungen aufstellen.

Es sind zwei Möglichkeiten vorhanden. Entweder copuliren die Kerne derart, dass sie mit einander zu einem einzigen Kern verschmelzen; dann würde letzterer bei Keimung der Dauerspore alsbald in direkte Theilung übergehen und die in den Keimschlauch vorrückenden, eng aneinander befindlichen zwei Kerne wären bereits von einem Mutterkern neu erzeugte Tochterkerne. Oder die Kerne verschmelzen nicht, sie treten blos in unmittelbarsten Zusammenhang mit einander und sie platten sich dabei an der Berührungsstelle ab, wobei ein gegenseitiger Stoffaustausch sich vollziehen dürfte. Wie dem sei, auch im letzteren Fall würde man es mit einer dem wirklichen Copulationsprocess sehr genäherten Erscheinung zu thun haben.

Jedenfalls findet bei der Dauersporenkeimung sogleich ein bedeutendes Wachsthum der Kerne statt, so dass sie, vorher als äusserst kleine Gebilde in dem Plasma untergegangen, nun wieder in verhältnissmässiger Grösse der Beobachtung leichter zugänglich sind.

Rückblick auf die hauptsächlichen Momente in der Entwicklungsgeschichte des Basidiobolus ranarum. Mit eingetretener Conidienbildung am Keimschlauch der Dauerspore ist die Untersuchung des Pilzes in Hinsicht auf seine Entwicklungsformen zum Abschluss gelangt und wir erhalten, in knappen Zügen dargestellt, das folgende Uebersichtsbild, in welchem zugleich die Gattungseigenthümlichkeiten von *Basidiobolus* sich ausgesprochen finden.

Die Conidien beginnen ihre Keimung entweder ohne Weiteres oder sie theilen sich vorher in zwei oder in vier Zellen, welche sich gegenseitig abrunden, aber bei den Culturen in Nährlösung stets mit einander im lockeren Zusammenhang bleiben. Sie treiben zahlreiche Keimschläuche, die sich zum Mycel verzweigen und schon von allem Anfang an durch Scheidewände abgegliedert sind. Das Mycel erreicht je nach der vorhandenen Nahrung eine grössere oder geringere Ausdehnung, sehr häufig kommen an demselben plasmaleere neben plasmaerfüllten Zellen vor; die Membran der

Mycelfäden löst sich nach erfolgter Fructification des Pilzes nicht auf, wesshalb man sie auch nach langer Zeit noch mit den Fortpflanzungsorganen in Verbindung trifft. Die letzteren bestehen in Conidienträgern und in Dauersporen.

Die Conidienträger sind äusserst lichtempfindlich; ihre Entstehung geht von Hyphenästen aus, welche sehr bald in die Luft hervorwachsen. Das Ende derselben schwillt zu einem länglich ovalen Basidium an, auf dessen Spitze in Form eines Knöpfchens die Conidienanlage hervortritt. Das Knöpfchen vergrössert sich rasch zur Conidie, die bei ihrer Reife rundlich birnförmig ist, eine breite Papille besitzt und dann nur noch durch einen sehr kurzen schmalen Halstheil, in welchem sich die Scheidewand befindet, mit dem Basidium zusammenhängt. Jetzt erfolgt das gewaltsame Zerreissen des Conidienträgers und zwar immer am Grunde des Basidiums, die Conidie wird gemeinschaftlich mit dem unter ihr befindlichen Basidium fortgeschleudert, der Träger aber sinkt unter Austritt von Flüssigkeit aus der Rissstelle als unscheinbarer verknitteter Faden auf das Mycel zurück. Unmittelbar nach erfolgtem Abwerfen von Basidium und Conidie findet die Trennung dieser selbst noch während ihres Fluges in der Luft statt, wobei die elastische Papille der Conidie einen Rückstoss auf das Basidium auszuüben scheint. Daher findet man die Basidie in viel geringerer Entfernung vom Mycel, oft noch auf demselben, liegen, während die Conidie ein gutes Stück weiter fortgeflogen ist. Das Basidium hat sogleich nach dem Abwerfen seine Gestalt total, aber in sehr typischer Weise verändert, es ist collabirt, zeigt doppelte Membranen und besteht nun aus einem Stiel, einer Einschnürungszone und einer konisch zulaufenden Kuppel, an deren Spitze ein feines dreiseitiges Zäpfchen als Fortsetzung der inneren Membran hervorragt. Die allseitig doppelte Wandung des Basidiums erklärt das immer nur an seiner Basis stattfindende Platzen desselben, denn hier geht es fast plötzlich in die nur einfache Wand des Trägers über und besitzt daher an dieser Stelle dem zunehmenden Druck gegenüber weit weniger Widerstandskraft. Als unmittelbarer Effekt des Collabirens der Basidie reisst die äussere Verbindungsmembran zwischen ihr und der Conidie, so dass nur noch die Trennungswand übrig bleibt. Aber auch diese spaltet sich, sie wird beiderseits als kleines dreiseitiges Zäpfchen vorgeklappt und damit die völlige Trennung der Basidie und der Conidie von einander herbeigeführt. An der weggeschleuderten Conidie ist in ihrer Längsachse mitten auf der Papille das kleine zugespitzte Zäpfchen zu bemerken.

Die Dauerspore von *Basidiobolus* entsteht regelmässig im Verlauf der Mycelfäden, indem zwei Nachbarzellen einer und der nämlichen Hyphe an ihrer trennenden Scheidewand und meist eng aneinander je eine Ausstülpung hervortreiben; diese zwei Ausstülpungen stehen bald im Längenwachsthum still und sie bilden sich später um zu dem für den Pilz charakteristischen Schnabel der Dauerspore. Die beiden Mycelzellen, welche auch verzweigt sein können, verhalten sich verschieden: während die eine ihre Form nicht verändert, schwillt die andere zunächst der Scheidewand kuglig auf, so dass damit ein deutlicher Geschlechtsunterschied zwischen beiden nun in Gameten verwandelten Zellen ausgesprochen ist. Die Scheidewand wird hierauf ganz oder theilweise und zwar stets unterhalb des Schnabels aufgelöst, es findet eine echte Copulation statt und das gesammte Plasma der Gameten wandert über in die kuglige Aufschwellung, welche sich vergrössert und zu einer runden Zygospore mit eigener Membran sich gestaltet. Vorher werden die Spitzen der Schnabelfortsätze als zwei kleine Zellen für sich abgegliedert. In der jungen Zygospore beginnt alsbald die Ausscheidung eines sehr dicken farblosen, später deutlich geschichteten Endosporiums, innen bilden sich zahlreiche grosse Oeltropfen und ihr Charakter als Dauerspore wird dadurch deutlich hervorgehoben. Sie erhält wellige Umrisse und das Exosporium gelbe Farbe; letztere ist besonders lebhaft bei den auf ihrem natürlichen Nährboden gewachsenen Dauersporen, welche alle Nüancirungen von hellgelb bis zu tiefem Braun aufzuweisen pflegen. Der Schnabel betheiligt sich ebenfalls an der Färbung. Sehr auffallend ist das starke Dickenwachsthum, welches die für gewöhnlich nur dünne Aussenhaut der Dauersporen erfahren kann. Dieselben werden in Folge dessen ganz unkenntlich, sie stellen braune oder schwarze undurchsichtige Klumpen dar, deren Oberfläche mit allerlei spitzen Höckern und mit rauhen Warzen bedeckt ist; ihr Durchmesser kann bis 50 Mikr. betragen. Dieser dicke krustenartige Ueberzug erstreckt sich meist auch auf den Schnabel und die benachbarten Myceltheile und er hat bei nicht zu alten Sporen die Eigenthümlichkeit, schon nach Einlegen in Glycerin innerhalb weniger Tage wegzuschmelzen, so dass aus der schwarzen Masse die nun fast oder ganz farblose Dauerspore zum Vorschein kommt.

Die Keimung der Dauerspore erfolgt derart, dass nach Auflösung des Endosporiums und Vertheilung der Oeltropfen im Protoplasma das Exosporium gesprengt wird und ein Keimschlauch herausdringt, welcher sich mit oder ohne Scheidewandbildung zu einem Conidienträger entwickelt oder beim Untertauchen in die Flüssigkeit zu einem Mycelium heranwächst.

Bei Nahrungsmangel entstehen aus den Conidien sehr häufig an

Stelle des Mycels Secundär- und Tertiärconidien und wenn zu viele Conidien gleichzeitig in derselben Nährlösung sich befinden, verwandeln sie sich wohl auch ohne vorherige Mycelbildung unmittelbar in eine oder in zwei Dauersporen. Hierbei geht stets eine Zweitheilung der Conidie voraus oder die Theilung in vier Zellen, zwischen welchen direkt gegenseitige Copulation stattfindet.

Das Verhalten des Zellkerns im Entwicklungsgang von *Basidiobolus,* soweit ich es ermitteln konnte, ist folgendes. Jede Mycelzelle enthält nur einen einzigen grossen Zellkern; ob bei Vermehrung der ersteren und Vergrösserung des Mycels direkte oder indirekte Theilung des Zellkerns stattfindet, war nicht mit Sicherheit herauszubringen. Der Zellkern wandert aus der Mycelzelle in den Conidienträger ein und von da in die Conidie, ohne vorher eine Theilung ins Werk zu setzen; bei Entstehung der Dauerspore wandert der Zellkern ebenfalls und zwar in die zu dem Schnabel bestimmten Ausstülpungen der beiden Gametenzellen. Hier findet indirekte Theilung des Zellkerns mit Theilungsfigur statt, in deren Aequator sich eine Zellplatte ausscheidet, während ihre obere Hälfte in den kleinen Endzellen des Schnabels sich verliert, ohne einen neuen Zellkern auszubilden. Die untere Hälfte der Theilungsfigur dagegen organisirt sich in jedem Schnabelfortsatz zu je einem Tochterkern; beide treten in die Sporenanlage, aber ihr weiteres Verhalten daselbst war nicht festzustellen. Bei Keimung der Dauerspore kommen zwei eng mit ebener Fläche an einander liegende Zellkerne hervor in den Keimschlauch; es musste unentschieden bleiben, ob sie bereits Tochterkerne der vorher vielleicht durch Copulation verschmolzenen zwei kleinen Kerne aus den Schnabelzellen vorstellen oder ob sie mit Unterbleiben der Copulation jene selbst in bereits stark vergrössertem Zustand repräsentiren. Jedenfalls würde auch im letzteren Fall das unmittelbare Aneinanderliegen beider Kerne auf einen der Copulation sehr genäherten Vorgang hindeuten. Die Kerne im Keimschlauch der Dauerspore gehen später auseinander, der eine, wie es scheint, löst sich auf, der andere theilt sich entsprechend der Zellenvermehrung am Mycelium.

Die Fructificationsorgane der Gattung *Basidiobolus* unterscheiden sich von denjenigen der anderen *Entomophthoraceen*-Gattungen sehr beträchtlich. Ihre Dauersporen sind besonders durch den nie fehlenden Schnabel ausgezeichnet und ihre Conidienträger sind die am vollkommensten ausgebildeten, welche die Familie nach unserer jetzigen Kenntniss aufzuweisen hat. Die Fortschleuderung der Conidien vollzieht sich hier sowohl durch Platzen des Schlauches wie durch die Mitwirkung einer Columella, die aber nur klein ist und in ihrer Gestalt abweicht von der bei anderen *Entomophthoraceen.* Doch wird sie auch bei *Basidiobolus* in zwei Lamellen gespalten, welche im Augenblick des Fortschleuderns vorgeklappt werden und theils an der Basidie theils an der Conidie als kleine dreiseitig spitze Zäpfchen zurückbleiben.

Ganz eigenthümlich ist der Gattung *Basidiobolus* die gemeinsam mit der Conidie erfolgende Fortschleuderung des grossen Basidiums sowie die daran sich anschliessende merkwürdige Gestaltveränderung desselben. In dieser Beziehung findet der *Basidiobolus* sowohl bei den *Entomophthoraceen* wie überhaupt bei den Pilzen bis jetzt kein Analogon.

Das Vorkommen des Basidiobolus in der Natur. Ist der Pilz ein Parasit oder ein Saprophyt? Noch bleibt mir übrig, des Näheren die Frage zu erörtern, in welches Verhältniss denn eigentlich der Froschmagen und der Froschdarm zur Lebensweise des *Basidiobolus ranarum* gestellt ist. Es wäre mit anderen Worten zu ermitteln, ob der Pilz nur ein rein saprophytisches Dasein führt oder ob er wie die sämmtlichen anderen *Entomophthoraceen* als Parasit lebende Thiere und Pflanzen befallen kann. Ich habe mir in letzter Zeit viele Mühe gegeben, die Lösung dieser Frage herbeizuführen und damit eine Lücke auszufüllen, welche noch in unserer Kenntniss des *Basidiobolus* vorhanden ist. Allerdings sind die Schwierigkeiten, welche sich hier entgegenstellen, nicht gering und sie machen es nicht leicht, einen befriedigenden Abschluss zu gewinnen.

Am 30. März, als dem langen und strengen Winter sehr warme Tage folgten, gelang es mir, wieder zahlreiche Frösche und einige Kröten einzufangen. Die Thiere stammten theils von Tümpeln und Bächen, theils von den Ufern der Oder, wo sie besonders leicht zu haben waren, da Hunderte von Fröschen durch den hochangeschwollenen Strom herbeigeführt wurden.

Die Sektion ergab ausser reichlichem Schleim fast völlige Leere des Magens und des Darmes bei den meisten Thieren, und auf dem geringen Inhalt von anderen, mit Wasser in einer Reihe Glasschälchen angesetzt, entwickelte sich in keinem einzigen Falle der *Basidiobolus.* Dieser Pilz ist also den Fröschen an sich nicht eigenthümlich, insofern er kein ständiger Bewohner ihres Verdauungscanales genannt werden kann, sondern er gelangt in diesen erst mit der Nahrung, welche in so früher Jahreszeit noch nicht genügend zur Verfügung stand.

Am 12. April brachte ich wiederum 26 Frösche nach Hause; die Mägen derselben waren aufs reichlichste mit Nahrung angefüllt und ich entnahm von nun an, da es mir blos darauf ankam, den eigentlichen Wohnsitz des *Basidiobolus* kennen zu lernen, nur den Inhalt des Magens, welcher sich noch nicht in dem stark zersetzten Zustand befindet, wie es bei den Excrementen im Darme der Fall ist. Der Mageninhalt, frisch auf den Objektträger herausgestrichen, hat meist das Aussehen dicker, in die Länge gestreckter bräunlicher Würste; mit Nadeln im Wasser zertheilt, kommt aber die ganze Fülle verschiedenartiger Bestandtheile zum Vorschein, aus welchen diese Würste zusammengesetzt sind. Es ist ganz unglaublich, was Alles in einen solchen Froschmagen aufgenommen werden kann und erst daraus erkennt man die grosse Aufgabe als Räuber, aber von nützlicher Art, welche die Frösche in der Natur zu erfüllen haben. Am häufigsten kommen immer die verschiedensten Käfer vor, daneben sind Spinnen eine sehr gewöhnliche Erscheinung, ferner Fliegen, Wespen, Ameisen, Milben oft noch lebend, Schnecken, Larven der mannigfachsten Art, Würmer u. s. w. Es ist gut, die letzteren bald aus den Culturen zu entfernen, da sie wegen intensiver Fäulniss auf die Entwicklung des *Basidiobolus* sehr störend einwirken. Neben den zahlreichen kleinen Thieren verschluckt jedoch der Frosch auch pflanzliche Substanzen; man trifft Blätter, Stengelreste, hier und da auch Algen; endlich in den Froschmagen wohl nur zufällig beim Zuschnappen gelangten Moder und Schlamm nebst kleinen Kieselstückchen.

So viel ich nun auch den frisch entnommenen Magen- und Darminhalt unter dem Mikroskop durchsuchte, so konnte ich doch die Spuren des *Basidiobolus* nicht entdecken, trotzdem sich derselbe darin befinden musste, weil er bereits in den nächsten Tagen nach dem Ansetzen dieser selben Inhaltsbestandtheile in Wasser an mehreren Stellen sich entwickelt hatte. **Der Pilz wächst niemals in dem Verdauungscanal des Frosches selbst**, er kommt darin nur, zufällig an den verschiedensten Substanzen haftend, in Form seiner Sporen vor, vielleicht auch in kleinen Mycelstücken, welche der Untersuchung wegen ihrer Kleinheit leicht entgehen, aber sogleich zum verzweigten Mycel sich ausbilden, wenn die Inhaltsmasse aus Darm und Magen herausgenommen und ihre Cultur begonnen wird.

Es beschränkt sich also die ganze Rolle des Frosches dem Pilz gegenüber nur auf die für uns sehr angenehme eines gefälligen Sammlers und der Frosch setzt uns in die Lage, während der wärmeren Jahreszeit den *Basidiobolus* im Freien jederzeit zu erlangen.

Der Mageninhalt von den 26 am 12. April geholten Fröschen wurde noch an demselben Abend in Glasschälchen mit Wasser eingebracht und darin gleichmässig vertheilt; **bereits am folgenden Morgen hatten sich in 12 Schälchen auf thierischer und pflanzlicher Grundlage strahlige Hyphenauswüchse ge-**

bildet, die ich sofort als dem *Basidiobolus ranarum* zugehörig erkannte. Wurde ein Flöckchen herausgenommen und unter dem Mikroskop betrachtet, so zeigte sich, dass die rings von ihm ausgehenden Hyphen aus meist noch unverzweigten, zum Theil aber bereits mit kurzen Seitenästen versehenen Schläuchen bestanden, die aus sehr langen, gleichmässig breiten Zellen zusammengesetzt waren. Als Ausgangspunkt der Schläuche war immer eine kuglige Auftreibung zu erkennen, so dass es zweifellos ist, dass dieselben aus Conidien und zwar aus den abgerundeten Theilzellen derselben hervorgekommen sind. Das Plasma befand sich in den Endzellen, es war durch seinen Gehalt an grossen Oeltropfen ausgezeichnet, oft vakuolenreich und von netzartiger Struktur; die Zellkerne konnte ich darin ohne Präparation nicht deutlich unterscheiden.

Die Schläuche verzweigten sich sehr rasch zu einem grossen Mycelium; schon am darauf folgenden Tage hatte dasselbe einzelne Conidienträger gebildet sowie massenhafte Dauersporen, die weiterhin sich bräunten und in Folge mächtiger Verdickung des Episporiums die Gestalt schwarzer unregelmässiger Klumpen annahmen. Die Verdickung erstreckte sich auch auf längere Strecken des Myceliums. In Glycerin schmolz sie schon nach einigen Tagen ab und die gebildeten Dauersporen erschienen dann so ziemlich farblos; sie zeichneten sich aus durch ihre grossen Schnäbel, welche oft an Länge den Durchmesser der Spore selbst erreichten.

Ueberraschend war bei diesen Versuchen das so ungemein schnelle Wachsthum des Pilzes; ausserdem decken sich die erhaltenen Resultate mit denen meiner früheren Culturen: ein von der Jahreszeit abhängiger bestimmter Wechsel in Conidien- und in Dauersporenbildung fehlt bei *Basidiobolus* durchaus; wie dort im Spätherbst hatte hier schon im ersten Frühjahr die Erzeugung der beiden Fructificationen auf dem natürlichen Nährboden neben einander stattgefunden.

Ende April untersuchte ich 19 Frösche auf die Gegenwart des *Basidiobolus;* er kam jedoch nur auf dem Mageninhalt von 4 Fröschen zum Vorschein. Vermuthlich hatte das seitdem wieder eingetretene kalte Wetter die Vegetation und damit die Verbreitung des Pilzes beeinträchtigt. Im zweiten Viertel des Mai wurde es wärmer und ich erhielt nun wieder auf etwa der Hälfte aller angesetzten Culturen den *Basidiobolus;* es bildeten sich neben massenhaften Conidien jedoch nur hellgelbe Dauersporen, nicht mehr die dunkelbraunen mit stark verdicktem Episporium. Die Scheidewände in den Schnabelfortsätzen waren oft nur sehr fein angedeutet. Es ist wohl möglich, dass wir in den gelben Dauersporen die Sommerform, in den dunklen mit dickem

Episporium die für gewöhnlich zur Ueberwinterung bestimmte Form derselben vor uns haben. Dies würde natürlich nur auf das Vorkommen der Dauersporen in der freien Natur sich beziehen, denn bei künstlicher Züchtung des Pilzes im Zimmer habe ich den ganzen Winter hindurch in Nährlösungen gelbe Dauersporen erhalten. Meinen letzten Versuch vor Abschluss des Manuscripts stellte ich am 14. Mai an mit 18 Fröschen, welche ich mir im Scheitniger Park bei Breslau verschaffte. Während früher die Frösche meist direkt aus dem Wasser oder vom Uferrand geholt wurden, fing ich sie jetzt, wo sie bereits zahlreich auf das Land gingen, sämmtlich in einem kleinen vom Wasser allerdings nicht weit entfernten Gebüsch ein. Ich constatirte den *Basidiobolus* nach zwei Tagen, an Insekten-, Pflanzen- und Detritustheilen ausgewachsen, auf dem Mageninhalt von 7 unter den 18 Fröschen. Behufs Weitercultur, auf die ich in Folge des Abschlusses meiner Arbeit verzichtete, wäre es höchste Zeit gewesen, den Pilz nun zu isoliren, denn schon am dritten Tag war er fast überall durch *Mucormycelien* arg überwuchert worden.

Bereits im Spätherbst und während des Winters hatte ich, um die Frage nach dem etwaigen Parasitismus des Pilzes aufzuklären, mit verschiedenen erreichbaren lebenden Insekten (Fliegen, Käfern und deren Larven, auch mit Spinnen) Infektionsversuche angestellt; ich übergehe dieselben, da sie nur zu negativem Ergebniss geführt haben. Eine Zeitlang war mein Verdacht, die Beherberger des *Basidiobolus* zu sein, besonders auf Spinnen (*Argyroneta*) gerichtet, da diese im Froschmagen so häufig vorkommen und auf ihnen wiederholt, zumal an den Beinen, der Pilz sehr üppig gedieh; ich überzeugte mich aber, dass derselbe immer nur äusserlich sich angesiedelt hatte; der Grund, wesshalb die Spinnen oft reichlichere Pilzvegetation tragen, ist wahrscheinlich darin zu suchen, dass durch die langen und vielen Haare der Beine die Conidien besser festhaften können.

Wie ich bereits oben anführte, wächst der *Basidiobolus* sowohl auf pflanzlichen wie auf thierischen Resten der allerverschiedensten Art; man kann dies leicht beobachten, wenn nach Verlauf von ein oder zwei Tagen die frisch hergerichteten Culturen des Froschmageninhalts revidirt werden; sind dieselben aber bereits über drei Tage alt, so ist es schon wegen des raschen Wachsthums des Pilzes nicht mehr möglich, mit Sicherheit zu entscheiden, von welchen Körpern aus ursprünglich die Vegetation ihren Anfang nahm. Da alle meine Bemühungen, ein bestimmtes Thier als etwaigen Wirth von *Basidiobolus* ausfindig zu machen, erfolglos waren, da ferner der Pilz auf todter organischer Substanz sowie in Nährlösungen vortrefflich gedeiht, so möchte ich es überhaupt für unwahrscheinlich halten, dass er einen echten Parasiten vorstellt; sollte es dennoch der Fall sein, so könnten nur im Wasser lebende Thiere in Betracht kommen, da der *Basidiobolus* wegen des raschen Absterbens seiner Conidien beim Austrocknen direkt auf feuchte Umgebung angewiesen ist.

Basidiobolus ranarum wäre demzufolge abweichend von den anderen *Entomophthoraceen* ein Saprophyt, der vielleicht im feuchten Schlamm am Ufer der Gewässer seinen gewöhnlichen Wohnsitz hat. Dort findet er reichliche organische Nahrung, von dort wird er durch die vorbeistreifenden Thiere verbreitet und er gelangt auch durch diese in den Froschmagen, seine bis jetzt einzige Fundstätte für uns. An derselben kommt er häufig, aber durchaus nicht constant vor und erst mit Hülfe der Cultur gelingt es, ihn zu guter Entwicklung zu bringen und ihn so unserer Beobachtung zugänglich zu machen.

2. Basidiobolus lacertae.

Wie Eingangs erwähnt, ist es gerade der Nachweis von cultivirbarem Mycel im Darminhalt der *Lacerta agilis* gewesen, welcher mich zur Untersuchung der Froschexcremente auf Pilze geführt und in Folge dessen die Auffindung des *Basidiobolus ranarum* veranlasst hat. Bei Cultur jenes Mycels Ende Mai und Anfang Juni 1885 konnte ich aber noch nicht ahnen, dass dasselbe der so interessanten Gattung *Basidiobolus* angehöre und ebensowenig war ich über die Bedingung seiner Reinkultur vermittelst Ueberspringenlassen der Conidien orientirt; es wurde zudem trotz aller Erneuerung der Nährlösung das Mycel durch die vom natürlichen Boden mit hereingebrachten Bakterien bald allzusehr heimgesucht und daher schliesslich als unbrauchbar auf die Seite gestellt.

Die Schilderung des *Basidiobolus lacertae* muss ich aus angeführtem Grund und wegen Mangel an Material — auf den Excrementen einer Anfangs Mai gefangenen Eidechse entwickelte er sich nicht — auf kurze Bemerkungen einschränken und ich bin dabei hauptsächlich nur auf einige von mir und Herrn Dr. Seligo gefertigte Präparate angewiesen. Die Revision dieser Präparate ergab, dass der *Basidiobolus* trotz seines schlechten Wachsthums doch in Form von spärlichen Conidien und Dauersporen zur Fructification gelangt war.

Das Mycel des Pilzes zeigte als bemerkenswerthe Abweichung die Eigenthümlichkeit, dass öfters einzelne seiner Zellen, besonders kuglig aufgetriebene plasmareiche Endzellen der Hyphen, mit auffallend dicker, schwach geschichteter Membran sich umgeben und so eine Art von Dauerzustand angenommen hatten, Taf. XII. Fig. 24, rechts unten.

Die Conidien besitzen dieselbe Gestalt wie diejenigen des *Basi-*

diobolus ranarum, die Basidien dagegen erscheinen schlanker, besonders ist deren Kuppel mehr in die Länge gezogen und das Zäpfchen an der Spitze von sehr feiner Beschaffenheit, Taf. XII. Fig. 25. Die Entstehung von Secundärconidien ist häufig. Die Conidien sind im Allgemeinen 36—15 Mikr. lang, 33—13 Mikr. breit. Sie werden ebenfalls mit Gewalt fortgeschleudert, denn als ich später die Unterseite eines Objektträgers betrachtete, welcher eine im Schälchen ausgetrocknete Cultur in Urin bedeckt hatte, fand ich daran abgestorbene Reste von Conidien, auch einige von letzteren isolirte Basidien festkleben. Dieselben waren, nach dem noch scharf markirten ursprünglichen Stand der Flüssigkeit zu schliessen, über einen Centimeter hoch an den Objektträger geworfen worden.

Die Dauersporen sind rund oder häufig oval und besonders charakteristisch durch den zwar vorhandenen aber nur äusserst kurzen Schnabel. Dieser besteht aus zwei Fortsätzen, die stets der Endzellen entbehren und aus breiter Basis plötzlich spitz zulaufen, so dass sie mehr pyramidenförmig erscheinen und ihr Aussehen ein ganz anderes ist wie bei *Basidiobolus ranarum,* Taf. XII. Fig. 23. Die Dauersporen zeigten auch in den Präparaten noch deutliche gelbe Färbung des Episporiums, im Endosporium waren häufig kleine Risse zu bemerken. Die Grösse der Dauersporen betrug 40—31 Mikr., im Mittel 33 Mikr.

Schlussbemerkungen.

Meine Arbeit schliesse ich mit einigen Worten über das Verwandtschaftsverhältniss der *Entomophthoraceen* zu anderen Pilzfamilien. Ich kann mich dabei kurz fassen, da Brefeld in seinen citirten Abhandlungen den Gegenstand bereits aufs eingehendste erörtert hat. Dieser Forscher betrachtet aber die Dauersporen der *Entomophthoraceen* als Oosporen und nicht als Zygosporen; die Familie enthält nach ihm Pilzformen, „welche unter den Oomyceten in der Reduction der geschlechtlichen Fruchtträger über die Peronosporeen hinausgehen.“ Es kommt mir vor, dass eine solche Auffassung immer nur den Werth eines recht künstlichen Nothbehelfes hat, denn ohne die Hypothese einer allmählichen Verkümmerung von einstmals vorhanden gewesenen Antheridien und Oogonien kann sie nicht bestehen. Brefeld spricht dies mit folgenden Worten aus: „Die Fruchtträger haben also ihren morphologischen Charakter verloren bis auf eine Andeutung, sie sind nur noch einfache Schläuche und copuliren als solche; nach der Copulation wird aus der grösseren Anschwellung, der Oogonienanlage, die Oospore."

Viel ungezwungener erscheint die Stellung der *Entomophthoraceen* bei den *Zygomyceten* als unmittelbare Verwandte der *Mucoraceen*, welchen sie vielleicht durch *Piptocephalis* und *Syncephalis* am besten angeschlossen werden. Die Zygosporenbildung bei dieser Pilzfamilie hat doch jedenfalls, wie ein Blick auf die Zeichnungen der verschiedenen Autoren lehren muss, mit den Anlagen der Dauersporen bei den *Entomophthoraceen* viel grössere Aehnlichkeit wie die Bildung der Oosporen bei den *Peronosporaceen*. Auch die Form einfachen Grössenunterschiedes als Ausdruck geschlechtlicher Differenzirung niedrigster Stufe findet in den zwei Familien ihren gegenseitigen Ausdruck: bei *Conidiobolus* und bei *Basidiobolus* in der Grössendifferenz beider copulirenden Zellen, bei mehreren *Mucoraceen*gattungen in derjenigen ihrer Suspensoren. Ich bezeichne daher die Dauersporen der *Entomophthoraceen* mit de Bary[1]) als echte Zygosporen, deren Entstehung mit dem complicirteren Befruchtungsprocess der Oosporenanlagen bei den *Oomyceten* nicht übereinstimmt.

Charakteristisch ist es für die Gattung *Basidiobolus*, dass ganze Reihen einfacher Mycelzellen sich gleichzeitig in Gameten umwandeln, während bei anderen *Entomophthoraceen* die Copulation erst an besonderen Hyphenästen vorgenommen wird. Es erinnert dieses Verhalten an die Entwicklung von *Myzocytium proliferum* Schenk und *M. proliferum var. vermicolum* Zopf[2]), bei welchen Pilzen ebenfalls mehrere Zellen eines Fadens direkt zu Geschlechtszellen werden können.

Breslau, den 17. Mai 1886.

---

1) A. de Bary, Vergl. Morph. u. Biol. der Pilze etc. Leipzig 1884. p. 170.

2) W. Zopf, Zur Kenntniss der *Phycomyceten*. Nov. Act. d. K. L. C. D. A. d. Naturforscher. B. XLVII No. 4. Halle 1884.

Erklärung der Figuren.

Tafel IX.

Basidiobolus ranarum.

Fig. 1. Primärconidien. a. und b. im Längenprofil gesehen; die hellen Flecke deuten die Gegend an, wo sich der Zellkern befindet. Jede Conidie zeigt eine breit vorgezogene Papille, in deren Mitte das kleine dreiseitig zugespitzte Zäpfchen aufgesetzt ist. c. Conidie von oben gesehen. Vergr. 560fach.

Fig. 2. Die Conidie beginnt zu keimen. a. Es sind vier noch ganz kurze Keimschläuche vorhanden; b. dieselbe Conidie, 1 Stunde 7 Min. später gezeichnet. Die beiden oberen Keimschläuche haben sich bedeutend verlängert, in den Keimschlauch rechts ist bei c. der Zellkern eingetreten. Die Conidie selbst ist reich an Vacuolen, eine Längswand theilt sie in zwei gleichgrosse Hälften. Vergr. 560fach.

Fig. 3. Eine Conidie mit vier langen noch unseptirten Keimschläuchen; das Plasma fliesst in die letzteren über, während es in der Conidie auf ein weitmaschiges Netz beschränkt ist. Vergr. 560fach.

Fig. 4. Keimung einer Secundärconidie. Vergr. 560fach.

Fig. 5. Die Conidie theilt sich vor dem Austreiben der Keimschläuche durch eine Scheidewand in zwei gleichgrosse Hälften. Vergr. 500fach.

Fig. 6. Die durch Theilung der Conidie entstandenen zwei Zellen haben sich gegenseitig abgerundet; jede derselben treibt einen Keimschlauch hervor. Vergr. 560fach.

Fig. 7. Die bereits gegenseitig abgerundeten zwei Theilzellen der Conidie haben sich ihrerseits wiederum getheilt; jede der vier Zellen beginnt zu keimen. Vergr. 560fach.

Fig. 8. Ein junger Keimling aus einer Conidie hervorgegangen, welche sich in drei gegenseitig abgerundete, aber im Zusammenhang mit einander bleibende Theilzellen separirt hat. Die Theilzelle rechts ist noch ungekeimt, die nach unten gerichtete hat einen langen Keimschlauch getrieben, die obere ebenfalls, welcher bereits durch eine Wand in zwei Zellen getrennt ist. Bei c. ist in jeder Zelle der Keimschläuche ein Zellkern befindlich. Vergr. 560fach.

Fig. 9. Eine Conidie hat sich in vier Zellen getheilt; jede dieser Theilzellen treibt eine grosse Anzahl von Keimschläuchen hervor. Vergr. 560fach.

Fig. 10. Keimung der Conidie in sehr concentrirter Nährlösung. Die Zellen der Keimschläuche sind blasig aufgeschwollen, dicht mit körnigem gleichmässig trübem Plasma erfüllt, sie bleiben kurz und runden sich gegenseitig ab. Die hellen Stellen a. und b. deuten wohl die Gegenwart des Zellkerns an, bei b. liegen sie im Centrum der Zelle, bei a. an den jungen Zellwänden, was eine Betheiligung der Kerne bei Entstehung der Wände vermuthen liesse. Vergr. 560fach.

Fig. 11. Junger Keimling, in verdünnter Nährlösung befindlich; er besteht schon aus zahlreichen septirten und verzweigten Hyphen. Die Conidie hat sich vor der Keimung in vier Zellen getheilt. Vergr. 120fach.

Fig. 12. Grosses ausgewachsenes Mycel des *Basidiobolus*, in Nährlösung auf dem Objektträger erzogen; es ist reich verzweigt und enthält noch zahlreiche plasmaerfüllte Zellen neben plasmaleeren. An dem von einer Conidie ausgegangenen Mycel sind innerhalb der Flüssigkeit centrifugal in Menge die Dauersporen c. gebildet worden, an der Peripherie finden sich noch viele Anlagen derselben; die Dauersporen im Centrum sind bereits reif und sie zeigen sich daselbst am dichtesten gedrängt. Von verschiedenen Stellen des Mycels erheben sich die Conidienträger b. in allen Entwicklungszuständen in die Luft; dieselben erscheinen wegen ihrer starken Lichtbrechung dunkel, sie haben sich sämmtlich energisch den einfallenden Lichtstrahlen zugewendet. In Folge stattgefundener Verstellung des Objektträgers sind die Conidienträger zum Theil wellig gebogen, weil sie sofort wieder auf die Richtung der stärksten Lichtintensität zustrebten. Einige Conidienträger sind erst in Ausbildung der Basidie begriffen, bei andern beginnt die Entstehung der Conidie, welche endlich bei den dritten reif und unmittelbar der Abschleuderung gewärtig ist. Schon früher hatte das Mycel zahlreiche Conidienträger ausgereift, bei a. bemerkt man die fortgeschleuderten collabirten Basidien derselben liegen, theils in der Längsrichtung theils senkrecht gestellt, wo sie dann nur wie kleine schwarze Pünktchen aussehen. Vergr. 15fach.

Fig. 13. Eine fortgeschleuderte Conidie, im Zusammenhang mit dem collabirten Basidium niedergefallen. Die Scheidewand zwischen ihr und der Basidie ist breit, die Conidie ist noch unreif und ihre Trennung vom Basidium ist daher während des Fortfliegens nicht erfolgt. Vergr. 500fach.

Fig. 14. Die von dem Keimschlauch einer Dauerspore, welcher zum Conidienträger geworden war, abgeschleuderte Conidie hat auf Wasser gekeimt und ist im Begriff eine Secundärconidie zu bilden. Das Plasma der Conidie fliesst in die basidiale Endanschwellung über. Die Conidie enthält zwei Zellkerne, wodurch sich ihr Ursprung von dem Keimschlauch einer Dauerspore zu erkennen giebt. Bei c. c. beginnen diese beiden ursprünglich eng sich berührenden Zellkerne auseinander zu rücken. Vergr. 500fach.

Fig. 15. Eine Primärconidie hat einen sehr kurzen Conidienträger mit grossem Basidium gebildet, auf welchem eine Secundärconidie entstanden ist.

Letztere besitzt fast die Grösse der Primärconidie, sie hat sämmtliches Plasma der letzteren aufgenommen bis auf einen kleinen Rest, welcher eben noch im Einströmen vom Basidium aus begriffen ist. Vergr. 210fach.

Fig. 16. Bildung einer Tertiärconidie. Der Conidienträger ist ausserordentlich dünn, die basidiale Anschwellung treibt eben die Tertiärconidie als kleines Knöpfchen hervor, sie enthält alles Plasma und ist in Folge ihrer Schwere auf dem Conidienträger umgeknickt. Vergr. 300fach.

Fig. 17. Die zur Basidie aufgeschwollene Spitze eines jungen Conidienträgers, welche 24 Stunden in Flüssigkeit unter dem Deckglas gelegen hatte. Die Membran ist geplatzt und hat sich seitlich abgehoben, das Plasma hat sich bereits mit neuer Membran überzogen. Vergr. 500fach.

Tafel X.

Basidiobolus ranarum.

Fig. 1. Kleines Mycel aus einer Conidie hervorgegangen, welche sich bei der Keimung in zwei Theilzellen septirt hat. Die letzteren sind bei a. als plasmaleere rundliche Blasen erkennbar. Das Mycel wuchs vom Rande der Nährlösung in die Flüssigkeit hinein, wesshalb es seine Verzweigungen nur nach einer Seite hin entwickelte. Es besteht aus plasmaerfüllten und plasmaleeren Zellen und besitzt als Fructificationsorgane ausschliesslich nur Conidienträger b., welche vom Mycel aus in die Luft hervorragen und theils noch in der Ausbildung begriffen theils schon vollkommen reif geworden sind. Vergr. 60fach.

Fig. 2—11 B. Entstehung und Ausbildung des Conidienträgers. Vergr. 500fach.

Fig. 2. Erste Anlage des Conidienträgers in Form einer Ausstülpung mit hyaliner Spitze, welche von einer Mycelzelle aus in die Luft hervorwächst. An ihrer Basis beginnt eben die Einwanderung des Zellkerns c.

Fig. 3 bis Fig. 6. Der Conidienträger hat sich verlängert, sein Ende schwillt löffelförmig an zur Basidie, das Plasma wandert in dieselbe vom Träger aus ein, ebenso der Zellkern c. Im unteren Theil des Trägers erscheinen Vacuolen.

Fig. 7. Die Basidie ist gebildet und der Zellkern in ihr verschwunden. An der Spitze bemerkt man ein kleines hyalines Knöpfchen a. als erste Andeutung der Conidie. Im Grund der Basidie entsteht eine grosse Vacuole v., das Plasma der Mycelzelle ist fast ganz in den Conidienträger übergetreten, die in ihr noch vorhandenen Reste bilden ein weitmaschiges Netz.

Fig. 8 bis Fig. 10. Das Knöpfchen a. auf der Basidie vergrössert sich, es schwillt zu einer Kugel an und nimmt das Plasma der Basidie in in sich auf. Die Vacuole v. in letzterer wird ebenfalls grösser, sie ist von feinen Plasmastreifen durchzogen,

Fig. 11. A. Unter weiterer Vergrösserung der Vacuole ist fast alles Plasma in die junge Conidie a. eingeflossen bis auf einen ganz schmalen Streifen längs des Trägers und des Basidiums.

Fig. 11 B. Die Conidie a. hat das gesammte Plasma der Mycelzelle, des Trägers und der Basidie aufgenommen, an dessen Stelle in diesen Theilen wässriger sehr feinschaumiger Inhalt getreten ist. Die Conidie hat sich vom Basidium durch eine zuerst ebene, jetzt bereits convex in ihren Innenraum gewölbte Querwand abgegliedert. Im Centrum der Conidie ist ein lichter Fleck als Stelle des Zellkerns zu bemerken.

Fig. 12. Fortschleuderung des Basidiums a. und der Conidie b. von einem reifen Träger c. (halbschematisch). Der Träger sinkt in verknittetem Zustand um, aus der Rissstelle tritt eine Wolke farbloser schleimiger Flüssigkeit. Das Basidium ist collabirt, zwischen ihm und der Conidie hat bereits während des Fluges durch die Luft Trennung von einander stattgefunden, wobei ein Rückstoss von Seite der Conidie auf das Basidium erfolgte und die Flugkraft des letzteren vermindert, seine Flugbahn zugleich abgeändert worden ist. Vergr. 120fach.

Fig. 13. Der seltene Fall einer gemeinsam mit dem collabirten Basidium niedergefallenen reifen Conidie. Der Verband zwischen beiden ist sehr locker. Das Basidium zeigt ausnahmsweise regelmässige sechsseitige Abflachung seines Stieltheiles. Vergr. 500fach.

Fig. 14. Ein Conidienträger mit Basidie im halb contrahirten Zustand; nach Fixirung mit Flemming'scher Flüssigkeit, Färbung mit Saffranin, darauf Einlegen in Glycerin entstanden. Die Vacuole im Basidium ist verschwunden, das Plasma hat in demselben und in der Conidie eine sehr regelmässige Anordnung bekommen; es besteht aus zahlreichen bündelartig vereinigten Fäden, deren keulig verdickte Enden nach oben gerichtet sind. Vergr. 500fach.

Fig. 15. Eine Basidie in halb contrahirtem Zustand mit einer noch unreifen Conidie; sie ist von letzterer durch eine breite und gerade Scheidewand abgegliedert. Vergr. 500fach.

Fig. 16. Ein Conidienträger im Zusammenhang mit einer reifen Conidie und mit einem Basidium in völliger Contraction; nach Einlegen in Glycerin gezeichnet. Das Basidium zeigt bereits fast dieselbe Gestalt, wie wenn es abgeschleudert und dabei collabirt wäre. Es hat doppelte Membran bis zu der Erweiterung an seiner Basis. Hier geht es in die einfache Membran des Trägers über und hier befindet sich auch als an der schwächsten Stelle ringsum die Risszone zwischen ihm und dem Träger. Dieser enthält äusserst feinschaumige Flüssigkeit. Das Basidium hat in Folge der Zusammenziehung seine innere Membran als spitzes Zäpfchen in das Innere der Conidienpapille hineingetrieben. Vergr. 500fach.

Fig. 17. Vollständige Contraktion der Basidie eines halbreifen Conidienträgers. Die Conidie ist erst in der Anlage begriffen, sie steht noch mit dem Basidium in unmittelbarem Zusammenhang. Letzteres zeigt auch hier am Grunde die künftige Risszone, wo die doppelte Membran in einfachen Contour übergeht. Vergr. 500fach.

Fig. 18. Abnormer Fall, wo ein Basidium gemeinsam mit einer unentwickelt gebliebenen Conidie fortgeschleudert wurde, welche aber doch von ihm bereits durch eine Querwand abgegliedert ist. Beide sind im Zusammenhang mit einander niedergefallen. Vergr. 500fach.

Fig. 19 und Fig. 20. Zwei junge Basidien im contrahirten Zustand. Von einer Conidienanlage ist noch nichts zu bemerken. Auffallend ist an beiden neben der Gestalt ihre starke Verdickungsschicht im Scheitel. Vergr. 500fach.

Fig. 21. Contrahirtes Basidium, an welchem die zukünftige Gestalt nach dem Collabiren bereits hervortritt. An seiner Spitze ist in Form eines Knöpfchens die Conidienanlage bemerkbar. Vergr. 500fach.

Fig. 22. Abgeschleuderte und collabirte Basidien a—c. Sie besitzen doppelte Membran, einen Stiel, eine Einschnürungszone und eine Kuppel, an deren Spitze die innere Membran als Zäpfchen herausragt. d. Die übriggebliebene Kuppel von einem Monate lang in Wasser gelegenen Basidium. Der Stiel desselben ist aufgelöst und verschwunden. Vergr. 500fach.

Taf. XI.

Basidiobolus ranarum.

Fig. 1 und Fig. 2. Zwei Nachbarzellen eines Mycelfadens treiben an ihrer trennenden Scheidewand unmittelbar neben einander je eine Ausstülpung hervor, als Anlage des Schnabels der künftigen Dauerspore. In Fig. 2 ist bereits in jede der beiden Ausstülpungen ein Zellkern a eingewandert. Vergr. 500fach.

Fig. 3 und Fig. 4. Die eine Zelle schwillt in Nähe der Scheidewand auf, sie ist die Anlage der Dauerspore. Bei a die Zellkerne. In Fig. 4 ist eine der beiden Zellen verzweigt. Letztere haben nun die Eigenschaften von Gameten angenommen und sie stehen unmittelbar vor dem Befruchtungsprocess. Vergr. 500fach.

Fig. 5—Fig. 10. Die Copulation ist im Gange. Die Scheidewand zeigt sich unmittelbar unterhalb des Schnabels ein Stück weit aufgelöst, so dass das gesammte Plasma der beiden Gameten in die Anlage zusammenfliessen kann; letztere ist in Fig. 7 und in Fig. 10 verzweigt, in Fig. 6 wurde die Scheidewand gänzlich resorbirt; diese Figur sowie Fig. 9 zeigen die Schnabelfortsätze nicht wie sonst in gegenseitiger Berührung, sondern ein Stück weit von einander gerückt. Die Sporenanlage vergrössert sich während des Plasmaübertritts sehr bedeutend; die Spitzen der Schnäbel gliedern sich durch Scheidewände als kleine Zellchen für sich ab. In einigen der Zellchen bemerkt man theils endständig theils ringsum an der Wand die Ablagerung einer hyalinen Substanz. Vergr. 500fach.

Fig. 11. Das Plasma der Gameten ist in die Sporenanlage übergetreten, dieselbe hat sich abgerundet bis auf die Stelle, wo der rechte Schnabelfortsatz abgeht. In diesem ist, während der linke bereits leer geworden, noch einiges Plasma vorhanden. Vergr. 500fach.

Fig. 12. Der letzte Rest des Plasma schlüpft in die junge Zygospore. Die beiden Schnabelzellen sind abgegliedert, sie zeigen im Innern wandständig anliegende hyaline Substanz und kleine vom Plasma zurückgebliebene Körnchen. Vergr. 500fach.

Fig. 13. Dasselbe Objekt eine Viertelstunde später. Die Zygospore ist fertig, abgerundet und allseitig mit zunächst zarter Membran umgeben. Die hyaline Substanz in den Schnäbeln ist nicht mehr zu sehen. Vergr. 500fach.

Fig. 14. Eine Conidie hat sich in vier Zellen getheilt. Die beiden rechts wurden zu Gameten und bildeten eine Zygospore, die links liegenden dagegen entwickelten beide nur je einen Keimschlauch. Vergr. 500fach.

Fig. 15 bis Fig. 24. Zeichnungen von Mycelstücken und Sporenanlagen resp. Schnäbeln nach in Flemming'scher Lösung fixirten und mit Saffranin gefärbten Präparaten, um den Zellkern sowie die Wanderung desselben in die Schnabelfortsätze nachzuweisen und die indirekte Kerntheilung, welche daselbst stattfindet. Vergr. d. Fig. 15 300fach der übrigen Figuren 900fach.

Fig. 15. Die Zellkerne c. im ruhenden Zustand inmitten der Mycelzellen.

Fig. 16. Die Zellkerne wandern auf die Schnabelanlagen zu.

Fig. 17. Die Zellkerne innerhalb der beiden Schnabelfortsätze.

Fig. 18 und Fig. 19. Prophase der indirekten Kerntheilung. Entstehung der Theilungsfigur.

Fig. 20. und Fig. 21. Theilungsfiguren des Zellkerns, in Fig. 20 tonnen- in Fig. 21 spindelförmig. Die Verbindungsbrücken zwischen den drei Platten in Fig. 20. sind auf der Zeichnung etwas zu stark ausgefallen. In Fig. 21 hat sich die Aequatorialplatte gespalten, so dass die Theilungsfiguren daselbst aus vier stärker tingirten Platten zusammengesetzt sind. Die Körner der Platten zeigen Längsstreckung.

Fig. 22. Die Scheidewandbildung in den Schnabelfortsätzen ist im Gange. Die untere Hälfte der Kerntheilungsfigur ist verschwunden, sie ist jedenfalls als neuer Tochterkern bereits in die Sporenanlage hineingetreten, ihre obere Hälfte wird durch eine Vacuole nach der Schnabelspitze und nach den Seiten hingedrängt ohne einen Zellkern zu bilden; sie fällt nur noch durch stärkere Tinktion in die Augen.

Fig. 23 und Fig. 24. Die Abgliederung der kleinen Zellen im Schnabel ist erfolgt. An der Spitze befindet sich in jeder derselben eine homogene sehr stark gefärbte rundlich dreiseitige Masse als einziger Rückstand der oberen Hälfte der früheren Theilungsfigur. In den unteren Partieen der Schnabelfortsätze sind Vacuolen vorhanden; Fig. 23 zeigt unterhalb des Schnabels zwei runde gleichgrosse Kerne mit hyalinem Hof, welche vielleicht die aus der indirekten Theilung hervorgegangenen neuen Tochterkerne vorstellen. Sie sind mit Fortlassung der benachbarten grobkörnigen Plasmabestandtheile gezeichnet, mit welchen sie gemeinsam in die junge Sporenanlage hineinwandern.

Tafel XII.

Basidiobolus ranarum.

Fig. 1 und Fig. 2. Direkte Umbildung zweier Conidien in eine Dauerspore ohne Mycelvermittlung. Bei a. die Zellenkerne, welche in Fig. 2 das Theilungsstadium zeigen. Vergr. 500fach.

Fig. 3 und Fig. 4. Junge Zygosporen mit Schnäbeln nebst den anhängenden plasmaleeren Membranresten der ursprünglichen Conidien, aus welchen sie durch blosse Theilung hervorgegangen sind. Vergr. 500fach.

Fig. 5. Zwilling, in Folge der Viertheilung einer Conidie entstanden. Die entleerten Gameten und die zwei Zygosporen stehen gegenseitig in gekreuzter Stellung. In den Endzellen des unteren der Schnäbel ist reichliche homogene Verdickungssubstanz abgelagert. Vergr. 500fach.

Fig. 6 und Fig. 7. Die Zygospore hat durch Sonderung ihres Inhaltes in eine Menge grosser Oeltropfen, durch Ausscheidung des dicken Endosporiums sowie durch Gelbfärbung des Episporiums die Eigenschaft einer Dauerspore angenommen. In Fig. 6 zeigt sie noch glatte, in Fig. 7 bereits wellige Umrisse und deutliche Schichtung des Endosporiums. Im Centrum der Dauersporen deutet eine helle Stelle auf die Gegenwart von Zellkernen hin. Vergr. 500fach.

Fig. 8. Reife Dauerspore mit Schnabel, durch Theilung einer Conidie ohne Mycelvermittlung entstanden; rechts hatte dieselbe eine kurze Ausstülpung getrieben, welche gemeinsam mit dem links liegenden Membransack der Dauerspore als plasmaleere Blase anliegt. Im Centrum eine helle Stelle. Vergr. 500fach.

Fig. 9. Eine Dauerspore mit intensiv gefärbtem Episporium, vom natürlichen Nährboden stammend. Ebenso stark wie die Spore sind die benachbarten Scheidewände des Mycels gefärbt, sowie der Schnabel, dessen zwei Fortsätze im unteren Theil eine kleine Lücke offen lassen. Die Anlage der Dauerspore war verzweigt, so dass sie zwischen drei Hyphen inserirt erscheint. Im Centrum ist wie bei den vorigen Figuren ein lichter Fleck bemerkbar. Vergr. 500fach.

Fig. 10. Eine reife Dauerspore unter dem Deckglas zerdrückt. Das dünne gefärbte Episporium ist in scharfkantige Fetzen zerspalten, unter ihm kommt das farblose dicke Endosporium zum Vorschein. Verg. 500fach.

Fig. 11. Eine tief dunkelbraun gefärbte Dauerspore mit ausserordentlich stark verdicktem mit Warzen und Höckern besetztem Episporium. Die Verdickung setzt sich auch auf ein kleines Stück des Mycels fort, wo sie dann plötzlich abbricht und ebenso erstreckt sie sich auf den Schnabel, bei dessen rechtem Fortsatz aber nur auf die obere Zelle desselben. Die Dauerspore ist förmlich eingepackt in ihr dickes Episporium, sie hat deshalb auch einen bedeutenderen Durchmesser als die Dauersporen mit nicht verdickter Aussenhaut. Vergr. 500fach.

Fig. 12—14. Verschiedene Beispiele von Dauersporenbildung an reducirten Mycelien. In Fig. 12 a. fehlt das Mycel, die Conidie hat sich ohne solches in eine Dauerspore umgestaltet. In b. und c. wurden kurze Myceläste entwickelt, an welchen zwei Dauersporen entstanden sind. In Fig. 13 wurden an einem längeren unverzweigten Mycelfaden drei, in Fig. 14 vier Dauersporen gebildet. Die Conidie hat sich vor Austreiben der kurzen Mycelfäden getheilt, ihre Reste sind als grosse entleerte Membransäcke noch wohl erkennbar. Vergr. 300fach.

Fig. 15. Aus einer Conidie ist nach ihrer Theilung ein kleines strahliges Mycel gewachsen, an welchem sich zehn Dauersporen entwickelt haben. Vergr. 200fach.

Fig. 16. Ein längeres verzweigtes Stück von einem grossen Mycelium, aus einer alten Cultur in Nährlösung. Sämmtliche Zellen des Mycels haben ihr Plasma hergegeben behufs Erzeugung von Dauersporen. Dieselben sitzen reihenweise im Verlauf des Mycelfadens und in vollkommener Verbindung mit dessen wohlerhaltenen Membranen. Nur eine einzige Mycelzelle hatte ihren Plasmavorrath aufgespart und nun einen Conidienträger a. entwickelt; die Conidie ist halbreif, das Basidium ist in Glycerin contrahirt worden. Vergr. 200fach.

Fig. 17. Beginn der Dauersporenkeimung. Das dicke Endospor ist aufgelöst, die grossen Oeltropfen haben sich gleichmässig im Plasma vertheilt, das Exosporium ist auseinandergesprengt und der Keimschlauch a. als hyaline Warze hervorgetreten. Vergr. 560fach.

Fig. 18—20. Der Keimschlauch verlängert sich, in denselben fliesst das Plasma aus der Dauerspore über, worauf in letzterer Vacuolen erscheinen, die sich vergrössern und das Plasma auf ein weitmaschiges Netz reduciren, um es endlich ganz in den Keimschlauch hinüberzudrängen. In diesen ist bei c. in Fig. 19 eben ein Doppelkern übergetreten, in Fig. 20 bei c. ist derselbe an der bereits vorhandenen basidialen Endanschwellung angekommen. Der Doppelkern besteht aus zwei mit breiter platter Basis eng aneinander liegenden Zellkernen mit grossem Nucleolus. Vergr. 560fach.

Fig. 21. Gekeimte Dauersporen in verschiedenen Stadien der Conidienbildung. Bei a. ist der Keimschlauch noch kurz, bei b. ist er septirt, alles Plasma in seinen oberen Theil getreten und die Spitze zur Basidie aufgeschwollen. In c. zeigt sich am Gipfel des Basidiums der Conidienanfang, in d. ist die Conidie gross, der Plasmavorrath ist in ihr fast völlig bereits vereinigt worden. Vergr. 300fach.

Fig. 22. Keimung einer Dauerspore vom natürlichen Nährboden. Die Spore ist völlig entleert, das Episporium a. zeigt gesättigt orangegelben Farbenton, der gekrümmte Schnabel ist wohl erhalten; aus der Rissstelle dringt ein langer Keimschlauch mit concaven Scheidewänden, dessen Endzelle alles Plasma aufgestapelt enthält. Der Keimschlauch verwandelt sich hier nicht in einen Conidienträger, sondern die aufgeschwollene Endzelle desselben verzweigt sich zu einem Mycelium. Vergr. 500 fach.

Basidiobolus lacertae.

Fig. 23. Orangegelbe ovale Dauerspore mit pyramidenförmigem kurzem Schnabel, dessen Enden nicht als besondere Zellen abgegliedert sind. Das Endosporium ist breit, geschichtet, in demselben befindet sich links ein spaltenartiger Riss. Im Centrum der Dauerspore ist ein heller Fleck zu bemerken. Vergr. 560fach.

Fig. 24. Zwei Endzellen einer Mycelhyphe; dieselben sind angeschwollen, reich mit Plasma erfüllt und sie haben in Folge starker Verdickung ihrer Membran eine Art von Dauerzustand angenommen. Vergr. 500fach.

Fig. 25. Collabirtes Basidium mit schlanker Kuppel und mit sehr feinem Zäpfchen versehen. Vergr. 500fach.

Druck von Robert Nischkowsky in Breslau.

Beiträge

zur

Biologie der Pflanzen.

Herausgegeben

von

Dr. Ferdinand Cohn.

Vierter Band. Drittes Heft.

Mit fünf Tafeln.

Breslau 1887.
J. U. Kern's Verlag
(Max Müller).

Inhalt des dritten Heftes.

Ein Beitrag zur Kenntniss der Chytridiaceen.

Von **Felix Rosen.**

Hierzu Tafel XIII. XIV.

Im Spätherbst des Jahres 1885 fand ich an einem dem Strassburger botanischen Garten entstammenden *Zygnema* häufig einen zur Gruppe der *Chytridiaceen* gehörigen Parasiten. Es gelang mir nicht in der einschlägigen Litteratur eine Beschreibung zu finden, welche auf den beobachteten Pilz gepasst hätte; deshalb sehe ich mich veranlasst, denselben zu benennen. Die aufgefundene Form erwies sich als ein Glied der Gattung *Chytridium;* der Speciesname kann passend von der Nährpflanze, dem *Zygnema* hergenommen werden, da unser Pilz nur auf dieser Alge beobachtet wurde und seinen Wirth blos mit einer einzigen *Chytridiacee,* dem *Olpidium Zygnemicolum* P. Magnus, theilt [1]).

Das *Chytridium Zygnematis* wurde in den Bassins des Strassburger Gartens vom October 1885 bis zum Mai 1886 beobachtet und ausserdem den ganzen Winter hindurch mit Erfolg im Zimmer cultivirt. Wurden nun zwar derartige Dauersporen, wie sie für verwandte Formen bekannt geworden sind, bei unserer Species nicht gefunden, so ergab eine nähere Betrachtung des Entwickelungsganges doch so manches interessante, dass der Verfasser die Resultate seiner Untersuchung gleichwohl bekannt machen zu sollen glaubt. Dabei muss die Frage offen bleiben, ob das in Rede stehende *Chytridium* überhaupt die Fähigkeit besitzt, Gebilde zu erzeugen, welche den Dauersporen anderer *Chytridiaceen* gleichen. Die physiologischen Aufgaben jener Dauersporen werden jedenfalls bei unserem Pilz in anderer Weise gelöst. — Doch darüber wird unten ausführlicher zu sprechen sein.

---

[1]) P. Magnus, Mycologische Berichte 1886.

Entwickelung des Chytridium Zygnematis.

Die Schwärmer des *Chytridium Zygnematis*, von welchen wir bei der Betrachtung des Entwickelungsganges dieser Species am besten ausgehen, stellen kugelrunde Körperchen dar, deren Durchmesser zwischen 3 und 4 μ schwankt. (Fig. 1.) Sie enthalten einen grossen excentrischen Oeltropfen, welcher leicht grünlich gefärbt erscheint, und neben demselben eine schwächer lichtbrechende Partie mit mondsichelförmigem Profil, welche besonders nach Lösung des Oeltropfens durch Alkohol und Aether deutlich hervortritt und sich dann meist als aus mehreren dunklen Stücken zusammengesetzt zeigt. Der Gedanke lag nahe, in ihnen Nucleinsubstanz zu suchen, doch ergaben viele in dieser Absicht angestellte Färbeversuche keinen Anhaltspunkt für diese Ansicht. — Die Schwärmer sind mit einer Cilie versehen, deren Länge das sechs- bis zehnfache des Körperdurchmessers beträgt. Ihre Bewegung ist die schon 1855 von Cohn[1]) beschriebene, hüpfende oder tanzende, welche sich als Characteristicum der meisten *Chytridiaceen*-schwärmer erwiesen hat: unter lebhafter Rotation bewegt sich der Körper eine Strecke weit vorwärts, um alsbald nach momentanem Stillstand in einer anderen Richtung weiterzugehen. Oft sieht man, besonders wenn der Schwärmer auf ein Hinderniss stösst, wie er plötzlich jede Bewegung einstellt, um sie nach kürzerer oder längerer Zeit mit einem ebenso plötzlichen Ruck wieder aufzunehmen. Der Antheil der Cilie an dieser lebhaften Bewegung ist schwer zu beurtheilen; sie krümmt sich oft und, wie es scheint, energisch peitschenschnurartig ein, doch wird sie bei der Vorwärtsbewegung meist nachgeschleppt, sodass ihre Function eher der eines Steuers als der eines Ruders verglichen werden kann. — Die Bewegungsdauer ist sehr verschieden; sie wurde einmal zu vier Minuten bestimmt; ein andermal fanden sich in einer Cultur, welche nur ein einziges Sporangium enthielt, 44 Stunden nach dem Ausschwärmen desselben noch Schwärmer, welche nach Zusatz frischen Wassers ihre Bewegung wieder aufnahmen. In der Regel mag sie 60 Minuten dauern. Phototaxie wurde an den Schwärmern nicht constatirt, wohl aber das Bestreben, in diejenigen Schichten des Wassers zu gelangen, welche mit der umgebenden Luft in directester Verbindung standen.

Die Keimung der Schwärmer wird durch folgende Vorgänge eingeleitet. Die Bewegung hört, ohne sich zuvor merklich verlangsamt

[1]) F. Cohn, Nova Act. Leop. Carol. Vol. 24.

zu haben, plötzlich auf; ein- bis zweimal wechselt der Schwärmer mit kräftigem Ruck und zuckender Geissel noch seinen Ort und bleibt dann regungslos liegen. Nun bemerkt man, dass das Ende der Cilie sich ösenförmig umgeschlagen hat. (Fig. 2.) Die Einkrümmung schreitet in wenigen Minuten derart fort, dass die Geissel bald einen an dem Körper des Schwärmers anhaftenden Ring darstellt, indem die Spitze sich an die Basis angelegt hat; seltner ragt das äusserste Ende noch über den Anheftungspunkt der Cilie heraus und schmiegt sich einer anderen Stelle des Reifens an. Dabei scheint sich die Geissel gleichzeitig zu verkürzen, wobei sich ihre Masse an einigen Orten zu kleinen Knötchen zusammenzieht. (Fig. 2.) Schliesslich wird sie so zart und schwer sichtbar, dass über ihr endliches Schicksal nichts festgestellt werden konnte. — Während dieser Vorgänge umgiebt sich der Körper des Schwärmers mit einer zarten und sehr dehnbaren Membran. Unmittelbar darauf wird ein Keimschlauch, meist aus der Nähe des Oeltropfens, ausgetrieben; derselbe erreicht in der Regel etwa die doppelte Länge des Schwärmerdurchmessers und sistirt dann seine Streckung, um zunächst an Dicke zuzunehmen. An der Spitze dieses Keimschlauchs bemerkt man bald eine geringe Anschwellung, in welcher nach sehr kurzer Frist ein kleiner Oeltropfen auftritt. Nun erfolgt von diesem Punkt aus die Bildung weiterer Fadenäste, von welchen einer oft die Richtung des primären Keimschlauches innehält, während die übrigen meist annähernd rechtwinklig abstehen. (Fig. 3.) Diese Aeste des Keimschlauches erreichen eine beträchtliche Länge und treiben ihrerseits oft kurze, rechtwinklig abstehende Zweige. — Nicht selten beobachtet man, dass der Körper der Spore während der Keimung seine Gestalt ändert; er wird dann eiförmig oder semmelartig eingeschnürt (Fig. 3), dabei theilt sich hin und wieder der Oeltropfen. Diese Gestaltveränderungen mögen als ein Analogon der bekannten amöboiden Bewegungen anderer *Chytridiaceen*schwärmer aufgefasst werden.

Die eben beschriebenen Vorgänge erfolgen in etwa 15 Minuten. Treffen die Keimschläuche nicht auf ein geeignetes Substrat, so wird der Oelvorrath des Sporenkörpers allmählich aufgebraucht, und die jungen Pflänzchen gehen langsam zu Grunde. Anders, wenn einer der Keimschläuche auf einen Faden von *Zygnema* stösst. In diesem Fall sieht man, wie in etwa 10 Minuten die fortwachsende Spitze des Keimschlauches die Membran der *Zygnema*zelle durchbohrt (Fig. 4 und 6) und im Inneren derselben alsbald charakteristische Krankheitssymptome hervorruft. Ausgehend von dem Ort, an welchem der Keimschlauch das Protoplasma der *Zygnema*zelle berührt, erfolgt nämlich alsbald eine

Contraction[1]) des Primordialschlauches. Gleichzeitig tritt eine Verschiebung der *Zygnema*-Chlorophyllkörper ein, derart, dass der zwischen ihnen liegende Zellkern vollständig von ihnen eingehüllt wird. Dadurch entsteht der Anschein, als ob der Zellkern nach der Infection verschwinde; dass dies jedoch nicht der Fall ist, lehrten Tinctionen an längst getödteten Zellen, deren Chlorophyllkörper zuvor entfärbt worden waren.

Betrachten wir zunächst das fernere Verhalten desjenigen Theiles unseres *Chytridium*, welcher in die *Zygnema*zelle eingedrungen ist. Hier finden wir bemerkenswerthe Verschiedenheiten. War die befallene Zelle intact, d. h. ihr Inhalt nicht contrahirt, so bildet das junge *Chytridium*pflänzchen nur wenige zarte Rhizoiden[2]) (Fig. 6 u. 7), welche auf die Chlorophyllkörper zuwachsen, in dieselben eindringen und sie in etwa 24 Stunden zu unregelmässigen, kastanienbraunen, offenbar todten Massen umgestalten. Die Verzweigungen des eingedrungenen *Chytridium*fadens gehen nicht von der Perforationsstelle der *Zygnema*membran aus; hier, d. h. zwischen dem contrahirten Protoplasmasack und der Zellwand des *Zygnema* bildet sich vielmehr alsbald eine kleine Anschwellung, unterhalb welcher ein monopodiales Rhizoidensystem entspringt. Sobald die Spitzen desselben in die Chlorophyllkörper des Wirthes eingedrungen sind, beginnen sie die Pflanze zu ernähren, und als ersten deutlichen Beweis dafür sieht man in der eben erwähnten Anschwellung ein kleines Oeltröpfchen auftreten. Dasselbe vergrössert sich allmählich, andere treten neben ihm auf, und nach Verlauf von kaum zwei Tagen ist aus der kleinen Anschwellung eine stattliche kugelige oder plattgedrückte Blase geworden (Fig. 8), welche in ihrem Inneren eine ansehnliche Menge ölreicher Substanz enthält. Bei sehr rasch wachsenden Exemplaren stellt dieselbe einen rundlichen Ballen dar, welcher sich am Rande als aus einzelnen Tröpfchen oder Körnchen zusammengesetzt zeigt; bei anderen findet man in der Blase einen oder wenige grosse, scheinbar ganz homogene Oeltropfen, welche fortwährend, aber langsam ihre Lage in der Blase, sowie Gestalt und Grösse verändern.

Anders gestalten sich diese Vorgänge, wenn die befallene Zelle nicht gesund, sondern von einem anderen Individuum des *Chytridium* schon inficirt war. Dann sieht man den Keimschlauch unterhalb der auch

---

1) Aehnliches bei *Olpidium zygnemicolum*, vgl. Magnus l. c.

2) Die Rhizoiden (— oder das Mycel —) stellen, da die ganze Pflanze einzellig bleibt, nur Aussackungen der Zelle dar. Von dem Sporenkörper entspringt stets nur ein Rhizoid.

hier sich bildenden, Nahrung aufspeichernden Blase sich zu einem stattlichen Mycel gestalten, dessen einzelne Fäden ungleich kräftiger und länger werden (Fig. 9 und 10), als in dem oben beschriebenen Fall. Schliesslich treffen sie dann auf die Reste der Chlorophyllkörper und übernehmen nun die Aufnahme und Fortleitung der Nahrung, während diejenigen Mycelzweige, welche nicht auf Chlorophyllmassen stossen, bald zu Grunde gehen.

Ist die befallene Zelle durch mechanische Läsion oder durch Vampyrellen und ähnliche protoplasmafressende Organismen ihres Inhaltes beraubt, so entsendet das eingedrungene *Chytridium* gegen die benachbarte *Zygnema*zelle einen Mycelfaden, welcher die trennende Membran durchbohrt und alsbald unter Hervorrufung der üblichen Contraction die Nahrungszufuhr vermittelt. (Fig. 11.) In der zuerst befallenen leeren Zelle findet eine reichliche Verzweigung des *Chytridium* niemals statt; der in die Nachbarzelle eingedrungene Faden gestaltet sich dafür sehr bald zu einem ansehnlichen, oft auffallend starken Schlauch. Stösst an eine leere befallene *Zygnema*zelle nur eine gesunde, so wird der aufnehmende Schlauch stets direct zu dieser hingetrieben; sind beide Nachbarzellen gleichfalls leer, so sieht man bisweilen den Schlauch bis zu einer dritten Zelle durchdringen; meist erfolgt jedoch das Absterben des Parasiten infolge von Nahrungsmangel.

Während sich die in die *Zygnema*zelle eingedrungenen Theile des Parasiten zu den beschriebenen Rhizoiden (Mycel) entwickeln, gehen an den äusseren Theilen Veränderungen vor sich, die wir nun zu erwähnen haben. Hatte der kurze primäre Keimschlauch direct die Membran des *Zygnema* berührt und durchbohrt, so bemerkt man, dass der Oeltropfen im Sporenkörper zunächst langsam kleiner wird, ja selbst ganz verschwindet; er dient also offenbar als Baumaterial zur Bildung der Mycelfäden. Sobald diese aber zu functioniren beginnen, und die im Inneren der *Zygnema*zelle entstehende Blase mit den oben beschriebenen Assimilaten angefüllt wird, beginnt auch die Ernährung des aussen befindlichen Theiles der Pflanze. Oft lässt sich direct das Hinüberwandern von Oeltröpfchen beobachten. Inzwischen erhält das äussere Bläschen einen zarten Contour und schwillt, nach Massgabe der zugeführten Nahrung direct zum jungen Sporangium an. (Fig. 12.) Sein Inhalt ist vor der Hand immer eine die Blasenwand nicht berührende grumöse Masse (Fig. 13), neben welcher ein, freilich nicht erkennbarer protoplasmatischer Wandbeleg gewiss nicht fehlt.

Complicirt wird die Bildung der äusseren Theile dadurch, dass statt des primären Keimschlauches einer seiner Zweige erster Ordnung eindringen kann. (Fig. 7.) In diesem Fall schwillt meist jedes Metamer einzeln an, d. h. neben der im Inneren der *Zygnema*zelle befindlichen Blase erhalten wir aussen noch zwei oder drei weitere, deren äusserste, aus dem Sporenkörper hervorgehende zum Sporangium wird. Alle diejenigen aussen befindlichen Mycelstücke, welche nicht die directe Verbindung des Rhizoidensystems mit der Spore darstellen, werden sehr früh rückgebildet und abgestossen. Es kommt aber auch, wiewohl nicht häufig, vor, dass die Spore bei der Bildung des Rhizoids in dieses ihren ganzen Inhalt hineinschickt, verschrumpft und abgeworfen wird (Fig. 14.); zum Sporangium gestaltet sich alsdann der primäre Keimschlauch, meist ohne die regelmässige Gestalt normaler Sporangien zu erhalten. — Anwesenheit und Form der Zwischenblasen sind es in erster Linie, welche das sehr verschiedene Aussehen des *Chytridium Zygnematis* bedingen; ist nur eine solche Blase vorhanden, so ist sie nahezu kugelig bis lang elliptisch oder keulenförmig, auf dem stumpfen Ende das Sporangium tragend. (Fig. 15 und 16.) Finden sich zwei Zwischenblasen, so ist die untere meist keulenförmig d. h. mit abgerundeter Spitze versehen, oder sie ist stielartig ausgebildet und geht ohne Einschnürung in die zweite Blase über; diese ist dann sphaeroidisch (Fig. 17 und 18.), nicht selten ganz unregelmässig durch mehrfache Aussackungen. — Das Wachsthum der äusseren Anschwellungen ist derart gleichförmig, dass es nie den Anschein gewinnt, als sprosse die höher gelegene Blase aus der darunter befindlichen hervor. Die einzelnen Abtheilungen sind stets in offener Communikation mit einander, wenn auch der verbindende Canal meist sehr eng ist. Die Inhaltsstoffe stellen in den schmal-keuligen Blasen grosse, stark lichtbrechende Oeltropfen dar; in den weiteren kugeligen Anschwellungen bilden sie meist grumöse Ballen von schwächerer Lichtbrechung.

Das Sporangium ist annähernd kugelig oder kurz eiförmig. Es communicirt durch eine enge Oeffnung mit den übrigen Theilen der Pflanze. Da das Sporangium, wie oben erwähnt, fast immer aus der ehemaligen Spore hervorgeht, so hat es in der ersten Jugend auch die kugelige Gestalt derselben. (Fig. 5 und 9.) Bald aber nimmt es die Form eines kurzen Cylinders an, dessen Basis abgerundet ist, während die entgegengesetzte Seite eine kaum gewölbte Fläche darstellt. Am Rande derselben verdickt sich die Membran, und hier sprossen vier Erhöhungen hervor, von welchen jede auf dem Scheitel zwei parallele Zähne trägt. Diese, für unsere Species sehr characteristischen Doppelzähnchen bilden also in diesem Stadium die grade Fortsetzung der Cylinderwand, auf deren Rand sie aufsitzen. (Fig. 12.) Das weitere Wachsthum des Sporangiums ist so localisirt, dass die Scheitelregion mit ihrer ringförmigen Randverdickung und den Zähnchen nahezu unverändert bleibt, während der Cylindermantel samt seiner abgerundeten Basis sich unter beträchtlicher Grössenzunahme zu der erwähnten Kugel- oder Eiform erweitert und auf seinem, nun abgerundeten Scheitel die vier, durch die Verschiebung convergent gewordenen Doppelzähnchen trägt. Letztere, kurz nach ihrer Anlage garnicht zu übersehen, ragen über das erwachsene Sporangium so wenig hervor, dass sie nur dann sichtbar werden, wenn man senkrecht auf das genau wagerecht liegende Sporangium blickt. —

Wenn das Sporangium eine bestimmte, individuell sehr verschiedene Grösse erlangt hat, so wird sein Inhalt homogen. Es handelt sich dabei nicht um eine Auflösung, sondern nur um eine Emulsion, eine weitgehende Zertheilung der zugeführten Oelmassen. Dem Auge erscheint freilich eine in den protoplasmatischen Wandbeleg continuirlich verlaufende, gleichmässig hyaline, ganz leicht gelblich gefärbte Substanz; behandelt man jedoch mit Ueberosmiumsäure, so erhält man eine ungleichförmige, an minimale Körnchen oder Tröpfchen gebundene, braungrüne Färbung, welche in einiger Entfernung von der Membran scharf endigt. (Fig. 19.) Das wandständige Protoplasma hat sich also nicht mit dem centralen vermischt. — In diesem homogenen Stadium kann der Sporangialinhalt einige Zeit, unter besonderen, später zu erörternden Umständen sogar sehr lange, verbleiben; in der Regel, speciell bei nicht zu niedriger Temperatur sieht man jedoch alsbald Weiterentwickelung eintreten. Die vorher für das Auge homogene Masse gewinnt, soweit sie nicht der Membran direct anliegt, ein körniges Aussehen dadurch, dass die verschwindend kleinen Oeltröpfchen allmählich zu immer grösseren zusammenfliessen. (Fig. 20.) Haben sie eine gewisse Grösse erlangt, so kann man mit Leichtigkeit verfolgen, wie sie sich zu zwei oder drei mit einander vereinigen, bis sie schliesslich als nahezu gleichgrosse Körperchen in gleichen Abständen in dem nunmehr vollständig klaren Protoplasma vertheilt liegen. Von der Peripherie beginnend runden sich die Oeltropfen jetzt ab und nehmen den characteristischen lebhaften Fettglanz an. Letzterer ist auch die Ursache, weshalb es nicht gelingt, die nun vermuthlich erfolgende Zerklüftung des Protoplasma zu verfolgen; nur in kleinen Sporangien, welche ausnahmsweis wenig Sporen bildeten, liess sich nach Abrundung der Oeltropfen eine dieselben umgebende ausserordentlich zarte Protoplasmahülle erkennen, eigentlich nur ein hyaliner Saum um den lichtbrechenden Kern. (Fig. 21.) Wohlgenährte Sporangien bilden 60 und mehr Schwärmer, sehr kleine 8—14; unter besonderen noch zu erwähnenden Umständen entsteht im Sporangium oft eine noch geringere Anzahl von Sporen.

Nach vollendeter Ausbildung der Schwärmer erfolgen bald weitere Erscheinungen, welche das Ausschwärmen einleiten. Durch Wasseraufnahme erhöht sich der Turgor des Sporangiums derart, dass die zwischen den oben erwähnten vier Doppelzähnchen liegende dünne Membran gesprengt wird. Durch die entstandene Oeffnung tritt im gleichen Augenblick in der Form eines flachen Kugelsegmentes ein Theil einer neuen Blase aus; dieselbe dehnt sich nach kurzer Pause langsam zu einer Hohlkugel von der Grösse des Sporangiums aus. Inzwischen rücken, gemächlich fortschreitend, die Sporen in diese „Schwärmerblase" (Fig. 22.); die zuerst eingetretenen rücken an die Peripherie und berühren die Membran der Blase unmittelbar (— was im Sporangium nie der Fall ist —); die zuletzt kommenden, welche oft noch eine etwas unregelmässige Gestalt zeigen, nehmen die Mitte ein. Bei diesem Vorgang verhalten sich die Sporen allem Anschein nach vollständig passiv. Die Wasseraufnahme in das Sporangium deutet auf das Vorhandensein eines Periplasma, denn die Sporen vergrössern sich dabei nicht und liegen auch nicht in einer Gallerte, welche entstehen müsste, wenn die Ausdehnung auf der Verquellung einer inneren Membranschichte beruhte. Wir können uns die Vorgänge im reifen Sporangium nicht anders vorstellen, als dass durch Thätigkeit eines Periplasma in den Innenraum Wasser eingepresst wird, das den Scheitel einer äusseren festen Membran sprengt, eine dehnbare innere Hautschicht vorwölbt und die Sporen in den neu entstandenen Raum hinüberführt. Leider liess sich das Periplasma durch Färbung nicht direct sichtbar machen, da diese stets zuerst starke Schrumpfung hervorrief. — Soviel wurde jedoch durch die Beobachtung sicher gestellt, dass die Sporen stets nur aus dem centralen ölführenden Plasma hervorgehen und auch im ausgebildeten Zustand nie die Sporangiumwand berühren. (Fig. 20 und 22.) — Die Membran der Schwärmerblase ist anfangs deutlich doppelt contourirt, sie wird aber innerhalb der nächsten Minuten immer zarter und zerfliesst schliesslich, nachdem sie durch den Druck der Sporen eine unregelmässige Gestalt angenommen hatte. Endlich liegen die Schwärmer, einen rundlichen Ballen bildend, frei vor der Oeffnung des Sporangiums, nicht wie bei vielen anderen *Chytridien* von zerfliessender Gallerte umgeben und zusammengehalten. Sobald nun die Sporen mit dem Wasser in Berührung treten, vergrössern sie sich erheblich, und man erkennt anfangs an ihnen deutlich Vacuolen, deren Inhalt jedoch bald in der Protoplasmamasse des Schwärmers vertheilt zu werden scheint. Der Oeltropfen, welcher bis dahin fast das ganze Volumen der Spore ausgefüllt hatte, nimmt an der Vergrösserung natürlich keinen Theil und erhält seine typische excentrische

Lage. Nunmehr sieht man, wie die Sporen, an der Peripherie beginnend, langsam in der Richtung der Radien nach aussen rücken, wobei sie sich meist in gleicher Richtung erheblich strecken, um sich später wieder kugelig zusammen zu ziehen. Gleichzeitig erkennt man, dass jetzt jede Spore eine nach der Mitte der Ballens gerichtete Cilie besitzt, die von dem Sporenkörper, durch dessen Bewegung nach Aussen, aus dem Knäuel hervorgezogen wird. (Fig. 22.) Die Cilien sind also offenbar schon in dem Sporangium ausgebildet und bei der Uebersiedelung der Sporen in die Schwärmerblase nachgeschleppt worden. — Die mit ihren Cilien nach der Mitte des Knäuels convergirenden Schwärmer könnte man einem Rattenkönig vergleichen, ein Bild, das dem Beobachter um so näher gerückt wird, als die Schwärmer nach kurzer Frist anfangen plötzliche Zuckungen auszuführen. Nach einigem Zappeln gelingt es ihnen, mit einem energischen Ruck ihre Cilie ganz zu befreien, und alsbald schwirren sie fort. Im Verlauf einiger Minuten haben die Sporen, eine nach der anderen, ihre Bewegung begonnen und schwärmen bunt durcheinander, ohne sich jedoch bei ihrem Zickzackweg sehr weit von ihrem Muttersporangium zu entfernen. Endlich kommen sie zur Ruhe, keimen und wiederholen die bisher beschriebenen Vorgänge. — Es muss hier noch erwähnt werden, dass die Schwärmerblase manchmal, besonders in alten Culturen, nur sehr kurze Zeit persistirt, gelegentlich sogar sich am Scheitel schon aufzulösen beginnt, bevor sie sich zur Kugelform ausgedehnt hat; es kommt daher, wiewohl sehr selten, vor, dass die letzten Sporen innerhalb des Sporangiums mit Wasser in Berührung treten und also hier ihre Schwärmbewegung beginnen. — Nach der Entleerung collabirt die ganze *Chytridium*pflanze; ihr Inhalt ist ganz aufgebraucht, oder es bleibt in den unteren Theilen ein nicht zur Verwendung gekommener Oeltropfen zurück. An dem leeren Sporangium erkennt man jetzt deutlich die vier Doppelzähne und zwischen denselben einen zackigen Riss in der zarten Membran. (Fig. 23.)

Der ganze Entwickelungsgang der *Chytridium Zygnematis* erfordert unter den günstigsten Umständen kaum drei Tage.

Lebenserscheinungen.

Soweit die Gestaltungsverhältnisse unserer Art. Hier wären einige biologische auf das *Chytridium Zygnematis* bezügliche Bemerkungen anzuschliessen.

Dieses *Chytridium* findet sich, wie der Name besagt, an *Zygnema* und zwar vorzugsweise an *Z. cruciatum* Ag. Mit dem viel kleineren

Z. stellinum Ag.[1]) gelangen die angestellten Infectionsversuche leicht, doch blieben die *Chytridium*pflänzchen viel kleiner und producirten nur bis 14 Sporen in jedem Sporangium. An *Spirogyra*-Arten, deren Fäden oft in den Kulturen gelassen wurden, liess sich einige wenige Male das Eindringen des *Chytridium*keimschlauches auffinden, doch gingen die jungen Pflänzchen stets alsbald zu Grunde. Andere Algen blieben stets gänzlich immun.

Bemerkenswerth ist das ausserordentliche Luftbedürfniss unserer Pflanze. In tieferen Gewässern findet sie sich nur an solchen *Zygnema*vliessen, welche unmittelbar am Wasserspiegel liegen, jedoch auch hier nicht reichlich, vermuthlich, weil die Algenrasen in der Regel nur im Sonnenlicht durch den abgeschiedenen Sauerstoff emporgehoben werden, bei Beschattung aber wieder untertauchen. Ausserordentlich reichlich fand sich unser *Chytridium* dagegen auf nur zeitweise überfluthetem, im übrigen feucht bleibendem Schlammboden im Zickzackaquarium des Strassburger botanischen Gartens. Aus dem Vorkommen in der Natur ergaben sich leicht die Bedingungen der künstlichen Zucht. Während der Schmarotzer in tieferen Gefässen in 1—2 Tagen zu Grunde ging, hielt er sich auf flachen, mit einer Glasscheibe überdeckten Tellern wochenlang auf feuchtem Schlamm lebendig, und in Hängetropfen-Kulturen liess sich eine ganze Reihe von Generationen leicht verfolgen, wenn für reichlichen Luftzutritt, sowie für tägliche Erneuerung des Wassers gesorgt wurde.

Aus dem eben beschriebenen natürlichen Vorkommen des *Chytridium Zygnematis* folgt, dass dasselbe gegen die, nothwendiger Weise hin und wieder erfolgende Austrocknung seines Standortes, ziemlich unempfindlich sein muss. In der That wurde diese Eigenschaft in den Kulturen oft an ihm constatirt; das *Chytridium* ertrug in jeder Entwicklungsform mässige Trockenheit leicht und ohne Schaden. Bei längerem Wassermangel zeigte es aber eine bemerkenswerthe Anpassungserscheinung. Die äusseren Theile der Pflanze gingen zu Grunde, und es blieb nur ein den *Zygnema*chlorophyllkörpern angeschmiegtes Mycel zurück, das nach erfolgter Wiederbenetzung einen Zweig gegen die Wand des *Zygnema* trieb, diese durchbohrte und an der ausgetretenen Spitze ein Sporangium bildete.

Eine andere, noch auffallendere Erscheinung ergab sich gleichfalls als Anpassung an die bestehenden Lebensbedingungen. Während nämlich die meisten verwandten *Chytridien* Sommergewächse sind,

[1]) Die Bestimmungen sind nicht unantastbar, da von keiner Art Zygosporen beobachtet wurden.

entwickelt sich unsere Art grade in der kalten Jahreszeit. Da sie nun, wie oben auseinandergesetzt, an der Wasseroberfläche sowie besonders auf feuchtem Schlamm lebt, so muss sie auch das Einfrieren in der einen oder der anderen Form ertragen können. Im Laufe des langdauernden Winters 1885—86 liess sich nun diese Frage leicht studiren. Die frisch von dem der Kälte ausgesetzten Ort geholten Pflänzchen zeigten immer folgende Erscheinung: das Mycel sowie alle Blasen, mit Ausnahme der äussersten, waren getödtet und zusammengefallen, meist völlig leer (Fig. 24), oder seltener einen einzelnen Oeltropfen einschliessend; die letzte Blase, das junge Sporangium, dagegen war durch Verstopfung des Zuleitungskanals zu einer rings geschlossenen dünnwandigen Zelle geworden, welche hyalinen Inhalt von der oben beschriebenen, für das Auge homogenen Structur umschloss. (Fig. 23 b.) Diese an eingefrorenem Material immer und immer wieder reichlichst beobachtete Erscheinung lässt keine andere Deutung zu als diese: Bei eintretendem Frost gehen alle jugendlichen sowie alle schon Sporen bildenden Pflänzchen zu Grunde, und es bleiben nur diejenigen am Leben, welche eben begonnen hatten, ihrem heranwachsenden Sporangium Nahrung zuzuführen. Die nicht reproductiven Theile übermitteln ihren Inhalt ganz oder grösstentheils dem Sporangium, das sich nun von jenen abgrenzt, und gehen zu Grunde. Die so entstandenen „Frostsporangien" müssen also, je nach dem Alter, das sie bei Eintritt des Frostes hatten, verschiedene Grösse zeigen und, da das ernährende Mycel abgestorben ist, einer weiteren Vergrösserung unfähig sein. Dem entspricht nun auch der Befund; ja man beobachtet häufig Sporangien, welche durch mechanische Ursachen vollständig von den Theilen losgerissen sind, an denen sie gewachsen waren, und nun frei im Wasser schwimmen. (Fig. 26.) Sobald nun Frostsporangien wieder in geeignete Bedingungen kommen, entwickeln sie sich weiter. Exemplare, welche mit dem sie umhüllenden Eis in das erwärmte Zimmer gebracht wurden, liessen schon nach einer halben Stunde das beginnende Trübwerden ihres Inhalts erkennen und hatten in 24 Stunden Sporen gebildet, ganz in der Weise, wie es oben für normale Sporangien beschrieben wurde. Die Menge der entstehenden Schwärmer war dabei natürlich von der Grösse des Sporangiums abhängig; viele derselben, welche in sehr jugendlichem Zustand abgetrennt worden waren, bildeten daher auch nur wenige Sporen, hin und wieder nur eine einzige. — An den Schwärmern wurde nichts Abnormes constatirt. Auffallend war es jedoch, dass die aus ihnen hervorgehenden Pflänzchen in zwei bis drei Generationen sämmtlich zu derjenigen Form gehörten, welcher ausser der im Inneren der *Zygnema*zelle befindlichen Blase nur eine äussere, das Sporangium besitzt. Später gingen aus ihnen wieder mehrblasige Generationen hervor. Es ergab sich bald, dass ein derartiger Wechsel zwischen zweiblasigen und mehrblasigen Formen fast als Regel zu bezeichnen ist. Die Frostsporangien gehörten, soweit beobachtet, stets mehrblasigen Formen an.

Im Vorstehenden ist das *Chytridium Zygnematis* mehrfach ein Schmarotzer genannt worden; es ist hier über die Art seines Parasitismus noch Einiges zu bemerken. Bringt man die eben ausgetretenen *Chytridium*schwärmer in einem Wassertropfen mit einem frischen, sauberen *Zygnema*faden zusammen, so findet man nach einigen Stunden, dass von den gesunden *Zygnema*zellen nur äusserst selten eine inficirt worden ist, während die etwa im Fadenverbande befindlichen todten Zellen mit Keimlingen gradezu gespickt sind. (Fig. 27.) Erst in älteren Kulturen findet man, dass grüne *Zygnema*zellen befallen und getödtet werden; doch zeigen dieselben stets schon Anzeichen, dass sie durch die Kultur unter Bedingungen, welche ihrem natürlichen Vorkommen nicht ganz entsprechen, in ihrer Gesundheit beeinträchtigt worden sind. Derartige Zellen tödtet der Schmarotzer dann allerdings in kurzer Zeit. Unser *Chytridium* ist demnach nicht der eigentliche Krankheitserreger. Vielmehr deutet sein Verhalten absterbenden Zellen gegenüber darauf hin, dass er von hier auftretenden Zersetzungsprodukten angelockt wird. Kranke Zellen mögen ähnliche Stoffe abscheiden[1]) und sich dadurch den Schmarotzer zuziehen. So wäre unsere Pflanze vielleicht richtiger als saprophytische zu bezeichnen, wenn sie auch das Absterben ihrer Nährzelle energisch befördert.

Systematisches.

Es dürfte befremdet haben, dass in vorstehender Schilderung eine *Chytridiacee* mit so wohl ausgebildetem Mycel nicht der Gattung *Rhizidium* beigezählt, sondern *Chytridium* genannt wurde. Doch die Berechtigung hierzu ergiebt sich von selbst, wenn man sich erinnert, mit welchen Characteren der Autor des Genus *Rhizidium*, Al. Braun, dasselbe aufgestellt hat[2]). Nicht der Besitz eines Mycels ist das entscheidende, denn fast sämmtliche echte *Chytridien* dürften ein, freilich oft übersehenes, fadenförmiges Rhizoidensystem besitzen; die Zweizelligkeit des ganzen Gewächses characterisirt die *Rhizidien*. Nun

---

[1]) *Zygnema* neigt sehr zu solchen Zersetzungen, wie die Braunfärbung und der üble Geruch des Wassers bezeugen, in welchem es nur wenige Tage gezogen wurde.

[2]) Abhandl. der Berl. Acad. 1855.

ist oben betont worden, dass das Sporangium des *Chytridium Zygnematis* sich nur dann vom Mycel abgrenzt, wenn letzteres zu Grunde geht. Die ganze Pflanze ist daher mit demselben Recht einzellig zu nennen, wie etwa die *Siphoneen* trotz ihrer gelegentlichen durch äussere Ursachen hervorgerufenen Scheidewände. — Die Gattung *Chytridium* stellt aber noch heute einen Sammelbegriff dar, unter welchen mancherlei, vielleicht sehr differente Formen fallen, in deren systematische Beziehungen Klarheit zu bringen zur Zeit noch unmöglich scheint. Mag es daher nicht befremden, wenn dieser Reihe auch unser *Chytridium* beigezählt wird.

Dasselbe steht übrigens nicht ganz isolirt da. Den Besitz einer im Substrat befindlichen Anschwellung theilt es mit dem *Chytridium Hydrodictyi* A. Br.[1]) und anderen Formen; in manchen andern Punkten, speciell im Ausschwärmen der Zoosporen, erinnert unsere Species lebhaft an Nowakowski's *Chytridium Mastigotrichis*[2]). Hier finden sich auch, wenn wir die kurze Andeutung des genannten Autors richtig verstehen, die charakteristischen um die Entleerungsöffnung gestellten Zähnchen.

Ungleich näher ist die Verwandtschaft unseres Pilzes mit zwei anderen Formen, über welche nunmehr zu berichten ist. Herr Professor de Bary war so gütig mir mitzutheilen, dass er im Januar und Februar 1879 auf den vegetativen Zellen des *Oedogonium rivulare* A. Br. ein *Chytridium* beobachtete, dem er den Namen *„quadricorne"* beilegte. Dasselbe stimmt in seinem Entwicklungsgang, soweit derselbe verfolgt wurde, vollständig mit dem *Chytridium Zygnematis* überein, ja es scheint sich von diesem nur dadurch zu unterscheiden, dass seine Doppelzähnchen samt der von ihnen umschlossenen Scheitelpartie im Vergleich zum übrigen Sporangium erheblich grösser sind, derart, dass das letztere eine mehr abgestutzte Form erhält, während die in der Nährzelle befindliche Blase kleiner bleibt, als bei *Chytridium Zygnematis*. (Fig. 28.) Bei so geringfügigen Unterschieden musste man sich fragen, ob beide Formen nicht etwa identisch seien; es wurden daher Infectionsversuche mit Schwärmern des *Ch. Zygnematis* und verschiedenen *Oedogonien* angestellt (— *Oedogonium rivulare* stand mir nicht zu Gebote —). Diese Versuche blieben jedoch gänzlich resultatlos; daher dürfen die beiden Formen wohl als verschieden betrachtet werden. Von *Chytridium quadricorne* sind übrigens nur zweiblasige Exemplare beobachtet worden.

---

[1]) A. Braun l. c. 1855.

[2]) Nowakowski, Beitr. zur Kenntniss der *Chytridiaceen* in Cohn's Beitr. zur Biologie Band II, Heft 1. 1876.

Endlich fand sich im Mai 1886 an den Zellen von *Spirogyra orthospira* Näg. eine andere nah verwandte Form. Sie zeichnete sich durch längere Sporangien aus, deren Scheitel von derben, stark convergenten Doppelzähnen gekrönt war. Von dieser Species, die sich weder auf *Zygnema* noch auf *Oedogonium* übertragen liess, wurde auch ein dreiblasiges Individuum beobachtet. (Fig. 29.)

Wir haben hier also eine kleine, wohlumschriebene Gruppe von *Chytridien*, die wir passend nach ihrem auffälligsten Merkmal die der *Dentigera* nennen können. Ihre Charactere sind folgendermassen zusammenzufassen:

Einzellige *Chytridien* mit einer in der Zelle der ernährenden Alge befindlichen Blase, von welcher ein verästeltes Mycel ausgeht, und einem mehr oder weniger sich der Kugelform nähernden Sporangium, um dessen Scheitel (vier) zweispaltige Zähne stehen. Das Sporangium sitzt entweder direct den in der Nährzelle befindlichen Theilen auf, oder es sind ein bis zwei, bisweilen stielartige Blasen eingeschaltet. Schwärmer kugelig mit excentrischem Oeltropfen und einer Cilie. Vegetationszeit: Winter. (Dauersporen unbekannt.)

Die einzelnen Formen lassen sich kurz folgendermassen characterisiren:

Sporangien kugelig oder eiförmig, Zähnchen kurz und zart, stark convergent, zweiblasige Formen (unregelmässig) mit mehrblasigen abwechselnd. Wirthpflanze: *Zygnema cruciatum* Ag. und *stellinum* Ag. — *Chytridium Zygnematis* sp. nov.

Sporangien länglich, Zähne stark, schon frühzeitig convergent. Mehrblasige Formen bekannt. Nährpflanze: *Spirogyra orthospira* Näg. — *Chytridium dentatum* sp. nov.

Sporangien aus abgerundeter Basis kurz-cylindrisch; Zähne stark und lang, aber kaum convergent. Mehrblasige Formen unbekannt. Nährpflanze: *Oedogonium rivulare* A. Br. — *Chytridium quadricorne* de By.

Figuren - Erklärung.

(Die Figuren sind, soweit nichts besonderes bemerkt, 300mal vergrössert und meist mit Hülfe des Zeichenprisma angefertigt.)

Fig. 1 und 2. Schwärmer, welche zum Theil ihre Cilie aufrollen.

Fig. 3. Keimlinge im Wasser.

Fig. 4, 5, 6, 7. Keimung auf *Zygnema*zellen.

Fig. 8. Zweitägiges Pflänzchen.

Fig. 9, 10, 11. Verhalten in inhaltsarmen Zellen.

Fig. 12, 13. Aus dem Sporenkörper entsteht das Sporangium.

Fig. 14. Das Sporangium entsteht unter der verschrumpfenden Spore.

Fig. 15, 16, 17, 18. Mehrblasige Formen.

Fig. 19. Das ölführende, sporenbildende Plasma durch Ueberosmiumsäure gefärbt.

Fig. 20. Sporenbildung (in Pausen von etwa 10 Minuten gezeichnet). 500.

Fig. 21. Wenigsporiges Sporangium.

Fig. 22. Das Ausschwärmern in successiven Stadien. 500.

Fig. 23. Leere Sporangien von oben und von der Seite.

Fig. 23b., 24. Frostsporangien.

Fig. 25. Frostsporangien in Sporenbildung.

Fig. 26. Isolirte Sporangien aus dem Eis befreit, Sporen bildend.

Fig. 27. Eine todte Zelle von *Zygnema* mit vielen Keimlingen, die Nachbarzellen nicht inficirt (360.)

Fig. 28. *Chytridium quadricorne* nach Skizzen, welche Herr Prof. de Bary mir gütigst zur Benutzung überlassen hatte. (500?)

Fig. 29. *Chytridium dentatum* (500).

Beitrag zur Kenntniss der Cladochytrien.

Von **Dr. M. Büsgen.**

Hierzu ~~Tafel XV.~~

Der Name *Cladochytrium* wurde im Jahre 1877 von Nowakowski (Cohns Beitr. z. Biol. d. Pflanzen II. p. 92) für einige Formen der vielgestaltigen Gruppe der *Chytridiaceen* geschaffen, welche intercalar oder terminal an den zum Theil über die Oberfläche der Nährpflanze heraustretenden Aesten eines die faulenden Gewebe von Wasserpflanzen (*Acorus Calamus, Glyceria spectabilis, Iris Pseudacorus*) oder die Gallerte von *Chaetophora elegans* durchwuchernden Myceliums Zoosporangien entwickelten, die ohne Ruhezustand direct in Sporenbildung übergingen. Die Schwärmer erzeugten ohne zu copuliren wieder ein dem elterlichen gleiches Mycelium. 1884 übertrug de Bary (Vergl. Morph. u. Biol. etc. p. 178) denselben Namen auf Formen, welche als intracellulare Parasiten das lebende gesunde Laub ebenfalls von Sumpfpflanzen, z. Th. denselben wie die Nowakowski'schen, bewohnen, dort braune Flecken oder Pusteln verursachend. Ihr Mycel tritt nicht auf die Aussenfläche der Nährpflanze hervor. Es verbreitet sich von Zelle zu Zelle, indem es in einer jeden oft viele braunhäutige Dauersporangien erzeugt. Eine dieser Formen hat de Bary 1864 (Beitr. z. Morph. u. Physiol. der Pilze. I. Reihe. Abh. d. Senckenbergischen naturf. Ges. V. p. 161) unter dem Namen *Protomyces Menyanthis* beschrieben; von einer anderen, *Cladochytrium Iridis*, bildet er an der erst citirten Stelle ruhende und in Keimung begriffene Dauersporangien ab. An demselben Orte sprach de Bary die Vermuthung aus, dass Formen der ersten Reihe zu denselben Species gehören möchten, wie solche der zweiten, so dass also im Entwickelungsgange eines *Cladochytriums* beides, ephemere Zoosporangien und Dauersporangien vertreten sein würden.

Für die letztgenannte Eventualität liefert die nachstehend mitgetheilte Untersuchung über *Cladochytrium Butomi* ein Beispiel.

Der genannte Pilz trat in den Sommern der Jahre 1884, 1885 und 1886 im Strassburger botanischen Garten an den in etwa fusstiefem Wasser wachsenden Stöcken von *Butomus umbellatus* in grosser Ueppigkeit auf. Fast alle Laubblätter, sowie häufig die Involucralblätter der Blüthenstände waren bedeckt mit bis zu 1,5 mm langen ovalen, mitunter zusammenfliessenden Flecken von anfangs blassgelber, später fast brauner, zuletzt schwarzer Farbe. Die Immunität der blüthentragenden Stengel gegen das Eindringen des Pilzes erklärt sich aus dem starken Wachsüberzug und den sehr dicken Aussenwänden ihrer Epidermiszellen. Die Zellen der Blattepidermis, mit Ausnahme der Spaltöffnungs-Schliesszellen und meist auch ihrer schmalen Nebenzellen, sowie bis zu einer begrenzten Tiefe die Zellen des subepidermalen chlorophyllreichen Parenchyms beherbergen in den reifen Flecken die Dauerzustände des Pilzes. Ihre Membranen lassen keine Veränderungen erkennen. Sie reagiren mit Chlorzinkjod in normaler Weise. Der Zellinhalt aber zeigt sich gewöhnlich in eine ziemlich homogene braune Masse verwandelt, innerhalb welcher neben den bald zu beschreibenden Pilzsporangien nur noch die Ueberreste des Zellkerns in Gestalt eines geschrumpften körnigen Körpers zu erkennen sind. In anderen Fällen stellt der Zellinhalt getrennte Klumpen brauner Substanz dar; seltener ist er nur wenig gefärbt und umhüllt die Sporen als eine lockere dünne Haut. Häufig erscheint auch der Inhalt nicht direct vom Pilze ergriffener Zellen gebräunt.

Die erwähnten Dauersporen liegen einzeln oder zu mehreren — bis 5 wurden gezählt — im Inneren der Zellen. Ihre Gestalt ist meist nur schwer genau festzustellen, da sie von dem braunen Inhalt der Wirthszelle gewöhnlich dicht eingeschlossen sind. An freier liegenden Exemplaren erkennt man aber, dass sie rundlich ovale Körper darstellen, deren eine breite Seite eine seichte Einsenkung zeigt, die sich nach ihrer Mitte hin wieder zu einer stumpfen Vorwölbung erhebt. Ihre Grösse schwankt zwischen ziemlich engen Grenzen. 20 μ der eine, 13 μ der andere Durchmesser dürften die am häufigsten vorkommenden Dimensionen sein. Im reifen Zustand besitzen sie eine derbe, meist gebräunte Membran, welche sich mit Chlorzinkjod nicht blau färbt. Eine Intine ist in der normalen ruhenden Spore nicht zu erkennen. Der grösste Theil ihres Inneren wird eingenommen von einem oder mehreren homogenen matt glänzenden Körpern, die sich mit einer Lösung von Jod in Jodkalium gelb, mit Ueberosmiumsäure schwarz färben und sich selbst bei mehrwöchentlichem Verweilen in Aether nicht lösen. Die Wand ist ausgekleidet von Protoplasma mit kleineren eingelagerten Fetttröpfchen. Nur selten wurden in der Umgebung der reifen Sporen ihnen vermuthlich zugehörige Hyphen wahrgenommen.

Die Entwickelungsgeschichte der beschriebenen Gebilde untersuchte ich an im Herbst gesammeltem, den Winter über unter Wasser bei ca. 10° C. aufbewahrtem Material. Es gelang zwar schon im October eine ziemliche Anzahl von im selben Jahre gebildeten Dauersporen zum Keimen zu bringen; massenhaft aber und regelmässig keimten dieselben erst im Frühjahre des folgenden Jahres. Während des Winters trocken gehaltene Sporen keimten später nur sehr zögernd oder gar nicht mehr.

Vom 24. April 1886 ab wurden beinahe täglich vormittags kleine Portionen der nass gehaltenen pilzreichen *Butomus*-Blätter aus dem Keller geholt und in frisches Wasser gebracht, worauf die Keimung in der Weise verlief, dass nach etwa 30 Stunden einzelne Dauersporen begannen, nach 48 Stunden etwa die Hauptmenge ziemlich gleichzeitig keimte und dann noch einige Tage hindurch Nachzügler auftraten. Nur eine verhältnissmässig kleine Anzahl von Sporen keimte überhaupt nicht. Das Eintreten der Keimung ist hier wie überall in hohem Grade von der Wärme abhängig. Die im Mai dieses Jahres eingetretene Temperaturerniedrigung verzögerte sie um einen Tag.

Die Keimung (Fig. 3) endigt mit der Bildung von Zoosporen. Das erste Anzeichen ihres Beginns ist das Verschwinden des fettreichen centralen Körpers. Die ganze Spore erscheint mit ziemlich gleichmässig grobkörnigem Protoplasma erfüllt. Dann dehnt sich ihr Inhalt aus, wobei sich die derbe Membran mit einem meist an einer Stelle dauernd angehefteten runden Deckel öffnet. Gleichzeitig springt der die Spore umhüllende spröde braune Plasmarest und zugleich in der Regel die Membran der Nährzelle, wenn sie noch vorhanden ist. Aus dem Risse der Spore wächst langsam der Inhalt hervor. Er ist von einer zarten, mit Chlorzinkjod sich gelb färbenden Membran umgeben, welche von diesem Stadium ab in günstigen Fällen als Auskleidung der ganzen Innenseite der derben Exine sichtbar ist. Nach einigen Stunden ist das Wachsthum vollendet. Die intine umhüllte Masse hat etwa die Gestalt einer Flasche erhalten, deren Hals durch den Druck des Deckels meist mehr oder weniger gekrümmt ist.

Sehr bald tritt jetzt am Scheitel der Zelle, unter der Membran, eine Schicht einer mattglänzenden Substanz auf. Etwas später beginnt der plasmatische Inhalt sein Ansehen zu verändern. Die anfangs gleichmässig vertheilten Körner sammeln sich zu kleinen Gruppen und fliessen dann zu Tropfen zusammen, von welchen jede normale Zoospore einen mitbekommt. Die Bildung der letzteren erfolgt unter Auftreten von kaum sichtbaren Trennungslinien in der die Tropfen umgebenden hyalinen Grundmasse. Während dieser Vorgänge nimmt die scheitelständige mattglänzende Substanz stark an Volumen zu, wobei die Sporen sichtlich zusammengedrückt werden. Zuletzt macht sich an der den Scheitel der nun zum Sporangium gewordenen Zelle überziehenden Membranpartie eine eigenthümliche Veränderung bemerkbar. (Fig. 3c.) Dieselbe erscheint im optischen Durchschnitt von dunkeln Querstreifen durchsetzt, in der Oberflächenansicht fleckig. Kurz nach dem Auftreten dieser Erscheinung quillt die oben erwähnte mattglänzende Substanz stark auf, jene Membranpartie reisst, und nun erfolgt das Austreten oder besser Ausgestossenwerden der Schwärmer. Dieselben verhalten sich vorläufig ganz passiv. Eine Bewegung ihrerseits ist weder im Sporangium, noch im ersten Moment nach dem Austritt bemerkbar. Allem Anschein nach sind sie in eine verquellende Substanz eingebettet, welche mit der scheitelständigen Substanz in Continuität steht. Dafür spricht namentlich auch der Umstand, dass die Sporen häufig eine hinter der anderen den Sporangiumhals durchwandern, obgleich er seinem Durchmesser nach für mehrere Platz lässt. Diese Anordnung muss ihnen durch ein zwischen ihnen und der Wand befindliches Hinderniss aufgedrungen werden.

Die Streifung der scheitelständigen Membranpartie findet ihre Erklärung wohl in einer von Zukal (Denkschr. d. math. naturw. Classe der Wiener Acad. Bd. LI.) bei *Thelebolus stercoreus* Tode beobachteten Erscheinung. An den verhältnissmässig grossen Sporenbehältern dieses Objects konnte er mit Hülfe von Reagentien die Porosität einer scheitelständigen Membranpartie nachweisen. Dort wie bei *Cladochytrium Butomi* ist der Vorgang wohl der — Zukal hat dies direct erwiesen —, dass durch jene Poren, deren Auftreten mit der Reife der Schwärmer coincidirt, plötzlich eine grössere Wassermenge in das Sporangium eintritt, durch welche das Volumen der quellbaren Substanz so vergrössert wird, dass die Membran an der Stelle geringster Resistenz reisst und die Sporen ausgepresst werden. Die in Einzahl vorhandene Cilie der Schwärmer bemerkt man erst während des Austretens. Die ersten schleppten sie nach und rissen sie mit einem Ruck aus der Quellsubstanz los; bei späteren wurde sie auch vorangehend angetroffen.

Die Schwärmer (Fig. 4) sind oval und messen gewöhnlich 7 μ in die Länge; doch ist diese Grösse ihrer amöboiden Veränderlichkeit wegen grossen Schwankungen unterworfen. Bald dehnen sie sich unter entsprechendem Schmälerwerden auf doppelte Länge aus, bald ziehen sie sich auf halbe Länge zusammen. Dabei können die mannichfaltigsten Verkrümmungen eintreten. Der schwimmende Schwärmer hat ein schmäleres Vorder- und ein abgerundetes Hinterende, an welchem die seinen Körper an Länge ums Dreifache übertreffende Cilie festsitzt. Der Fetttropfen liegt seitlich ungefähr in der halben Länge der Spore und prominirt etwas. Von einem Zellkerne ist nichts bestimmtes zu sagen. Mit Hämatoxylin-Alaunlösung gefärbte Schwärmer liessen innerhalb der umhüllenden Wandschicht eine schwach gefärbte Masse und darin unregelmässig gestaltete stark gefärbte Körper erkennen. Die Bewegung der Schwärmer ist ein gleichmässiges Fortschreiten mit häufigem Richtungswechsel ohne Drehung um die Längsaxe. Ruckweises Hüpfen wie sonst bei *Chytridiaceen*-Schwärmern wurde nicht beobachtet. Die Dauer des Schwärmens wechselt. Es kann sehr bald beendet sein, aber auch stundenlang andauern. In einem Becherglase mit Abends ½6 Uhr isolirten Schwärmern wurden um 10 Uhr Nachts noch schwimmende Exemplare angetroffen; am anderen Vormittag keine mehr.

Eine Copulation habe ich — abgesehen von einem einzigen zweifelhaften Falle — nicht wahrgenommen, obgleich gewiss Tausende von Schwärmern zur Beobachtung kamen. Die gelegentlich auftretenden Riesenexemplare mit 2 oder mehr Oeltropfen verdanken ihre Entstehung wohl anormalen Entwickelungsvorgängen, wie solche bekanntermassen bei Zoosporangien vorkommen. Wenn es sich um Verschmelzungen handeln sollte, so würden diese den bei Pilzen ja überhaupt häufigen zufälligen Vereinigungen zuzurechnen sein.

Eine Weiterentwickelung von Schwärmern im freien Wasser ward nicht beobachtet. Bringt man sie aber mit jungen *Butomus*blättern zusammen, so setzen sie sich auf der Epidermis fest, nachdem sie eine Weile um die spätere Ansatzstelle herumgeschwommen sind. Sie runden sich dabei ab und umgeben sich bald mit einer Membran.

Die im Folgenden zu beschreibenden Erscheinungen liessen sich nur streckenweise direct im hängenden Tropfen verfolgen, da zur continuirlichen Beobachtung geeignete Präparate stets bald abstarben. Um sie zu studiren, wurden keimende Sporangien in kleinen Wassertropfen auf Stücke junger *Butomus*blätter gelegt und von so inficirten Stellen in verschiedenen Intervallen Flächenschnitte gemacht. Nachdem derartige Versuche ohne Ausnahme gelungen waren und stets dasselbe Resultat ergeben hatten, wurden grössere Mengen des keimenden Materials mit Blattstücken in kleinen Bechergläsern mit Wasser zusammen gebracht, um so mehr Material zu gewinnen. Dies Verfahren war um so eher erlaubt, als mein Material sich als sehr rein erwies. Von Organismen, welche eventuell hätten schaden können, erschienen in meinen Culturen nur Amöben und kleine mit den *Cladochytrium*zoosporen nicht zu verwechselnde Schwärmer ohne auffallenden Fetttropfen;

beide jedoch in so verschwindender Zahl, dass durch sie etwa veranlasste Irrthümer ausgeschlossen sind.

Der festsitzende Schwärmer beginnt im einfachsten Falle bald in die *Butomus*zelle einzudringen. Auch ein Eindringen mehrerer Schwärmer in eine Zelle ist nicht selten. Die Wand der letzteren wird mit einem runden Loche durchbohrt, durch welches, oft unter Vermittlung eines kurzen Mycelfadens, das Plasma des Schwärmers sich in ihr Inneres ergiesst. Die bis auf ein glänzendes Körnchen von festen Bestandtheilen entleerte Membran kann oft lange auf der Epidermis persistiren; die eingetretene Substanz bleibt zur Kugel gerundet an der Eintrittsstelle liegen und beginnt zu wachsen und Hyphen auszutreiben. (Fig. 5—7.) Bis zu diesem Zeitpunkt können einige Tage vergehen. So war an einem am 14. Mai Nachmittags inficirten Blatte am Abend des 15. das Eindringen erfolgt. Am nächsten Vormittag waren die Eindringlinge zu ovalen Körpern angewachsen, deren Volum etwa das Dreifache eben eingedrungener Pflänzchen betrug. 24 Stunden später wurde das Austreiben zweier Hyphen an dem der Eintrittsstelle entgegengesetzten Ende beobachtet. Der diese Hyphen erzeugende Körper theilt sich weiterhin gewöhnlich in zwei Zellen, von welchen die der Eintrittsstelle zugekehrte in der Regel etwas kleiner bleibt und ärmer an körnigem Inhalte erscheint, als die andere. Letztere zerfällt häufig durch eine auf jener ersten senkrechte Wand wieder in zwei Zellen. Seltener theilt sie sich in 3 Theile. Von diesen sämmtlichen Portionen können Hyphen ausgehen, welche in die Nachbarzellen eindringen. Der Durchmesser dieser Hyphen beträgt meist weniger als 0,7 μ. Verzweigungen wurden an ihnen nicht beobachtet. Von ihrem Inhalt war ausser hin und wieder auftretenden glänzenden Tröpfchen nichts zu unterscheiden; ebensowenig von etwaigen Querwänden. In Verbindung mit den Hyphen findet man in den allermeisten Zellen ebensolche Körper, wie sie bei der Keimung der Schwärmer entstanden. Sie haben sich als Anschwellung der Fäden meist dicht hinter deren Eintrittsort in eine Nährzelle gebildet und dann weiteren Hyphen den Ursprung gegeben. Auf dem Scheitel der inhaltsärmeren Zelle der Anschwellungen bemerkt man oft einen kurzen Schopf, wie ihn de Bary für *Cladochytrium Menyanthis* l. c. beschrieben und abgebildet hat. Seine Rolle ist auch mir unklar geblieben; wahrscheinlich besteht er aus eben aussprossenden Hyphen und der Nährzelle entstammenden Plasmagranulationen.

Sollen die in Rede stehenden Anschwellungen der Klarheit der Darstellung zu Liebe mit einem besonderen Namen belegt werden, so darf man sie wohl Sammelzellen nennen. Jedenfalls sammeln sich in ihnen Stoffe an, welche später zur Bildung von Hyphen und, wie ich gleich zeigen will, der Dauersporen verwandt werden. Etwaige sonstige Funktionen sind durch obige Bezeichnung ja nicht ausgeschlossen.

Schon sehr junge Pflänzchen können zur Bildung von Dauersporen schreiten. Dieselbe geht aus von den erwähnten Sammelzellen und kann bereits an den unmittelbar unter der Eintrittsstelle des Schwärmers gelegenen stattfinden. Gewöhnlich die kleinere unpaare Zelle des Sammelzellcomplexes treibt einen kurzen Faden, welcher an seiner Spitze anschwillt. Die Anschwellung übertrifft nach wenigen Tagen die Sammelzellen an Grösse. Anfangs schrumpft sie bei Behandlung mit Jod in Jodkalium zusammen, ohne dass eine Membran sichtbar würde; später besitzt sie eine derbe Haut, welche bald doppelte Conturen zeigt und sich schliesslich gelbbraun färbt. Der Inhalt der Anschwellung ist anfangs homogen und zeigt nur wenige glänzende Körner. Letztere nehmen allmählich an Zahl und Volum zu. Zuletzt tritt die Differenzirung in die wandständige Schicht und den centralen, fettreichen Tropfen ein. Damit ist die Bildung der Dauerspore vollendet. Ihre erste Nahrung scheint die junge Spore aus den Sammelzellen zu beziehen. Wenigstens werden diese während ihrer Ausbildung oft bis auf geringe Reste entleert, wobei die beiden anfangs plasmareicheren Zellen oft bis zur Unkenntlichkeit collabiren. In anderen Fällen bekamen die Membranen der Sammelzellen ein verwaschenes körniges Aussehen und schienen sich ganz aufzulösen. Mit der Nahrungsaufnahme der Sporen stehen vielleicht auch im Zusammenhang die unregelmässig cylindrischen Prominenzen, welche schon früh an der Spore auftreten und später an Länge nicht sehr viel hinter ihrem Durchmesser zurückbleiben (Fig. 10 u. 12). Mit Jod gefärbt lassen sie eine Membran und einen hyalinen von wenigen Körnchen durchsetzten Inhalt erkennen. Zur Zeit der Sporenreife werden sie desorganisirt. Ich möchte sie für Haustorien halten. Auch die meisten Mycelhyphen erleiden, wenn die Dauersporen reif werden, das Schicksal der Sammelzellen. Sie lösen sich auf, wahrscheinlich nach vorhergegangener Quellung.

Es braucht kaum bemerkt zu werden, dass die Einzelheiten der Sporenbildung nicht in allen Fällen klar zu übersehen sind. Häufig liegen die Sammelzellen der zugehörigen Spore so dicht an, dass man nicht sieht, mit welcher von ihnen sie in Verbindung steht. Dass sie bei reifen Sporen oft fehlen, geht aus dem oben Gesagten hervor. Bei jüngeren Sporen liess sich in keinem Falle ihre Abwesenheit mit Sicherheit constatiren. Andrerseits war stellenweise auch die Möglichkeit eines Zusammenhangs der Spore mit noch anderen Mycelfäden nicht unbedingt ausgeschlossen. Leider gelang es nur theilweise die Entstehung der Dauersporen unter dem Microscop direct zu verfolgen; nämlich nur von einem Stadium ab, in welchem die Anschwellung des sporentragenden Zweiges bereits die Grösse der den letzteren erzeugenden Zelle hatte. (Fig. 9—11.) Jüngere Zustände, vom ersten Beginn der Anschwellung ab, wuchsen im hängenden Tropfen zu beträchtlicher Grösse heran, wurden aber dann nicht Sporen, sondern theilten sich nach Art der Sammelzellen und stellten dann ihr Wachsthum ein oder trieben noch eine Hyphe. (Fig. 13—17.) Man darf wohl in dem Mangel an erreichbarer Nahrung im Präparat die Hauptursache dieser Erscheinung suchen.

Sehr häufig ist dem beschriebenen Entwickelungsgange die Bildung ephemerer Zoosporangien eingeschaltet, welche wesentlich der Ausbreitung des *Cladochytriums* zu dienen geeignet sind. Sie traten gleichzeitig mit den beschriebenen Pflänzchen in allen Culturen massenhaft auf; und zwar entstehen sie, wie jene, aus den Dauersporangien entstammenden, nicht copulirenden Schwärmern. An einer und derselben *Butomus*zelle sind häufig gleichzeitig Schwärmer zu beobachten, welche eindringen, um sich zu Dauersporen bildenden Pflanzen zu entwickeln, und solche, welche sich zur Zoosporangienbildung anschicken (Fig. 5). Die letztere beginnt damit, dass der auf der Epidermis abgerundet festsitzende Schwärmer durch erstere hindurch einen feinen Faden treibt, welcher unmittelbar unter der Eintrittsstelle in eine Rosette kurz bleibender, gabelig verzweigter Haustorien übergeht. Der Körper des Schwärmers selbst hat sich mit Membran umgeben und vergrössert sich durch ein Wachsthum, welches auf seine der Epidermis der Nährzelle zunächst gelegene Hälfte — sie sei die Bauchseite genannt — beschränkt ist.

Die Membran dieses Theils bleibt vorläufig dünner als die den Rücken des Schwärmers bedeckende Partie. Später greift von dieser aus die Verdickung auf die ringsum liegenden neu zugewachsenen Theile über, so dass das ganze Gebilde wie von einem Schilde, der in der Mitte einen Knopf besitzt, bedeckt erscheint. Der Knopf ist die durch das Wachsthum der bauchständigen Hälfte des Schwärmers in die Höhe gehobene ursprüngliche Rückenmembran desselben. Der ganze Körper wird etwa doppelt so lang als breit. Seine Grösse schwankt zwischen sehr weiten Grenzen. Bald besitzt er im reifen Zustand nur etwa die doppelte Grösse eines eben sich festsetzenden Schwärmers; ein andermal erreicht er eine Länge von 30 μ, bei einer Höhe von 15 μ. (Fig. 5 und Fig. 18.) Die Bildung der Zoosporen konnte nicht continuirlich verfolgt werden, da in zur microscopischen

Beobachtung geeigneten Präparaten die Entwicklung der Zoosporangien nicht zu erzielen war. Im besten Falle gelang es, das Ausschlüpfen zu beobachten; dann nämlich, wenn in dem Präparate eben reife Sporangien vorhanden waren. Alle anderen Stadien entwickelten sich nicht weiter. Nach den mir vorgekommenen Exemplaren lässt sich indess schliessen, dass der Vorgang der Differenzirung der Schwärmer von dem in den Dauersporangien stattfindenden nicht wesentlich verschieden ist. Nur zuletzt tritt eine Abweichung hervor. Die Schwärmer der ephemeren Sporangien bewegen sich bereits kürzere oder längere Zeit vor dem Austreten. Die Oeffnung erfolgt, indem die scheitelständige Membranpartie einer an einer der schmalen Seiten unter dem Rückenschild sich hervorwölbenden Ausstülpung verschwindet. Die Schwärmer sind von denen der Dauersporangien nicht zu unterscheiden. Höchstens ist ihr Fetttropfen etwas kleiner als der jener. In der feuchten Kammer starben sie bald ab. Häufig platzten sie kurz nach ihrem Austritt. Eine Copulation habe ich nicht gesehen. Die mehrfach aufgetretenen Riesenexemplare mit 2 oder mehr Oeltropfen kamen als solche aus dem Sporangium, wie direct beobachtet wurde.

Nach der Entlassung der Zoosporen kann von den Haustorien aus im Inneren der leeren Membran ein neues und nach dessen Entleerung ein drittes Sporangium gebildet werden. (Fig. 20.)

Vom Zeitpunkt des Ansetzens der Schwärmer bis zur Reifung der ersten Zoosporangien verliefen etwa 24 Stunden.

Das weitere Schicksal der Schwärmer der Zoosporangien konnte nur in der Weise ermittelt werden, dass mit letzteren dicht besetzte *Butomus*blätter mit Zoosporangienfreien Blattstücken in Wasser zusammengebracht wurden. Beispielsweise liess ich am 9. Mai Abends von 6—9 Uhr Blattstücke mit keimenden Dauersporen in Berührung und brachte sie dann in reines Wasser. Am Abend des 11. Mai trugen die so inficirten Blätter neben wachsenden bereits entleerte Zoosporangien. Um diese Zeit zugesetzte frische Blattstücke waren am Vormittag des 13. reichlich mit Zoosporangien besetzt. Die Mitwirkung etwa noch lebender Dauersporangienschwärmer ist hier ausgeschlossen.

Von Verwandten des *Cladochytrium Butomi* habe ich nur 2 lebend untersuchen können und auch bei diesen nur die Bildung der Dauersporen. Deren Keimung und eine eventuelle Zoosporangienbildung hoffe ich im nächsten Frühjahre zu beobachten. Die beiden Formen sind *Cladochytrium Flammulae* und *Cladochytrium Menyanthis* de Bary.

Die erstgenannte Form fand ich in Sümpfen der Umgebung von Strassburg im Mai und Juni dieses Jahres an den langgestielten Wasserblättern, seltener auch an anderen Stellen, von *Ranunculus Flammula L.* Sie bildet an Stiel und Spreite schwarze Pusteln oder Flecke, in deren Bezirk Epidermis und Parenchym von den Dauersporen erfüllt sind. Auch hier bleiben die Schliesszellen der Spaltöffnungen von Sporen frei. Die letzteren haben die Gestalt und Farbe der des *Cladochytrium Butomi;* sind aber bedeutend grösser. Ihre Länge beträgt ca. 32 μ, ihre Breite ca. 21 μ. An der der Einsenkung gegenüber liegenden Seite zeigen sie eine Menge ganz kurzer Anhängsel, über deren Natur ich nicht recht ins Klare kommen konnte. Möglicherweise sind es Reste von Haustorien, wie solche bei *Cladochytrium Butomi* beobachtet wurden. In der Peripherie der Pusteln fanden sich jüngere Zustände in genügender Menge, so dass eine Uebereinstimmung des Enstehungsmodus der Dauersporen mit dem bei oben genanntem Pilze gefundenen festgestellt werden konnte. Sammelzellen und Mycel gleichen im Allgemeinen denen von *Cladochytrium Butomi,* nur zeichnen sich die ersteren durch bedeutendere Grösse aus und dann insofern, als die sporentragenden Fäden in den beobachteten Fällen nicht apical sondern seitlich an die inhaltsärmere unpaare der Sammelzellen sich ansetzen. An dieser Stelle findet sich hier denn auch der räthselhafte Schopf. Besonders schön war der Zusammenhang auch älterer Sporen mit den Sammelzellen zu beobachten, da sie sich leicht aus den locker verbundenen grossen *Ranunculus*zellen herauspräpariren liessen. Der von den Sammelzellen ausgehende Faden verlor sich an der Spore zwischen den oben erwähnten Anhängseln. (Fig. 21 u. 22.)

Cladochytrium Menyanthis erntete ich anfangs Juli dieses Jahres am Titisee im Schwarzwald, woher de Bary bereits 1864 sein Untersuchungsmaterial bezogen hatte. Die befallenen Blätter zeigten anfangs blassgelbe, später braune bis schwarze Flecke, wie sie de Bary in seinem oben citirten Aufsatze beschrieben hat. Die Dauersporen sind, wie ebenfalls de Bary angiebt, in Epidermis und Parenchym wie die der vorhergehenden Arten vertheilt. Sie sind ungefähr wie die des *Cladochytrium Butomi* gestaltet und messen beispielsweise 32 μ nach dem längeren, 25 μ nach dem kleineren Durchmesser. Die Sammelzellen sind oft 2- und 3-gliederig, meist aber einfach und dann spitzeiförmig. Besonders oft sitzen sie eben in eine Zelle eingetretenen Mycelfäden auf, am anderen stumpfen Ende den „Schopf" tragend. Die jungen Sporen sind äusserst zarthäutig und hierdurch, sowie durch ihren von grösseren und kleineren glänzenden Tröpfchen durchsetzten Inhalt meist leicht von den Sammelzellen zu unterscheiden. Das Studium ihrer Entwickelungsweise wird dadurch erschwert, dass sie meist von einer körnigen Masse umhüllt sind, welche wohl vom Plasmakörper der Nährzelle herstammt. Regelmässig wurden sie jedoch in nächster Nähe einer oder mehrerer Sammelzellen angetroffen, und wo nicht eine zu grosse Menge jener körnigen Masse oder eine Ueberfüllung der Zelle mit Formbestandtheilen des Pilzes jeden klaren Ueberblick verhinderte, liess sich eine nähere Beziehung der Spore zu einer jener Zellen constatiren. (Fig. 23.) Häufig war nur ein ziemlich breites Band der körnigen Masse zwischen Spore und Sammelzelle zu sehen. In günstigen Fällen aber wurde inmitten dieser Substanz ein doppelt conturirter Verbindungsfaden wahrgenommen. Aeltere Sporen wurden beim Zerzupfen des *Menyanthes*-Gewebes mit einfachen oder zweitheiligen Sammelzellen so verbunden angetroffen, dass sie auch, wenn man sie hin und her bewegte oder drehte, sich nicht loslösten.

Nach de Barys Aufsatz entstehen die Sporen auch direct durch Wachsthum der einfachen, vielleicht auch der körniges Plasma führenden Hälfte der zweitheiligen Sammelzellen. Leider ist es bisher nicht gelungen, die betreffenden Vorgänge direct zu beobachten. Bezüglich der Keimung der Dauersporen des *Cladochytrium Menyanthis* citirt de Bary (Vergl. Morphol. und Biol. etc. p. 179) eine Beobachtung Göbels, wonach sie nach Ueberwinterung Schwärmsporen bilden. Weiteres ist über unseren Pilz nicht bekannt.

Eine Reihe anderer wohl sicher hierher gehöriger Formen kenne ich aus Glycerinpräparaten, deren Benutzung ich der Güte des Herrn Professor de Bary verdanke. Es sind die folgenden:

Cladochytrium Iridis de Bary.

Die Dauersporen sind wie bei den vorhergehenden Formen vertheilt und gestaltet. Ihre Länge und Breite betragen 27 μ und 17 μ. Ihre Bildung erfolgt nach de Bary (Vergl. Morph. u. Biolog. p. 179) seinen Angaben über *Cladochytrium Menyanthis* entsprechend. In der Keimung stimmen sie nach den Abbildungen an der citirten Stelle mit *Cladochytrium Butomi* überein.

Cladochytrium Sparganii ramosi.

Der Pilz wurde nach einer Notiz im Strassburger Herbar 1873 von Schmitz bei Kehl gefunden. Getrocknetes Material und Glycerinpräparate liessen mich nur erkennen, dass die Dauersporen und die häufig in ihrer nächsten Nähe gefundenen Sammelzellen mit ihren Hyphen ganz den entsprechenden Organen des *Cladochytrium Butomi* gleichen. Die Grösse der Dauersporen betrug 25 μ in die Länge, 20 μ in die Breite. In einzelnen Zellen wurden bis zu 16 Exemplare gezählt. Das Plasma der ersteren ist farblos geblieben und umhüllt die Sporen nur locker. Die Epidermiszellen waren sporenfrei. Sie sind klein und sehr niedrig.

Cladochytrium graminis.

Die Dauersporen wurden 1864 von de Bary in den Zellen des Rindenparenchyms einer Graswurzel gefunden. In dem von mir untersuchten Glycerinpräparate waren sie von einer dünnen Schicht einer körnigen Substanz überzogen. Im Uebrigen den Dauersporen der beschriebenen Formen ähnlich, messen sie ca. 40 μ in die Länge, 30 μ in die Breite. Neben ihnen fand de Bary nach einer mir vorliegenden Zeichnung sehr dünne Mycelfäden mit Anschwellungen, welche den Sammelzellen des *Cladochytrium Butomi* ähnlich sehen.

Von Formen, von welchen bisher nur die intracellularen Dauersporen bekannt sind, dürften sich, nach der charakteristischen Form der letzteren, hier weiter anreihen lassen:

Cladochytrium Heleocharidis (= Physoderma Heleocharidis Fckl.).

Länge der in gebräunte Substanz eingebetteten Dauersporen 27 μ, Breite 20 μ.

Cladochytrium Alismatis (= Physoderma maculare Wallr.).

Diese Form wurde 1864 von de Bary beschrieben. (Beitr. z. Morph. u. Phys. der Pilze I. Abh. d. Senckenbergischen naturf. Ges. V. p. 165.)

Weitere Forschungen, namentlich Infectionsversuche, werden zu entscheiden haben, ob die genannten Formen alle wirklich differente Species vorstellen.

Im Anschluss an Vorstehendes muss hier noch ein Vortrag besprochen werden, welchen Schröter 1883 in Breslau über die Gattung *Physoderma* gehalten hat (s. 60. Jahresber. d. schles. Ges. f. vaterl. Cultur, p. 198). Dieses alte, nur auf dunkelhäutige in Blattgeweben gefundene Sporen unbekannter Herkunft und Entwickelung gegründete Genus erhielt zuerst durch de Bary einen bestimmten Sinn, indem er es auf die 3 damals bekannten der oben als *Cladochytrium* bezeichneten Arten einschränkte (Bot. Zeitung 1874, p. 105). Es waren dies *Physoderma maculare* Wallr., *Ph. Menyanthis* de Bary und *Ph. Heleocharidis* Fckl. Dazu kam als zweifelhaft *Ph. pulposum* Wallr. Schröter führt nun in dem citirten Vortrag neben den genannten

Arten und *Physoderma Menthae* Schröt. ein *Physoderma Butomi* und *Physoderma vagans* auf. Ersteres fand er bei Rastatt auf *Butomus umbellatus*, unter dem letzteren Namen vereinigt er in Schlesien auf *Ranunculus Flammula, Thysselinum palustre, Potentilla anserina* und anderen ungenannten Gewächsen gefundene Formen. Mit Recht wäre eine Identität dieser Pflanzen mit den oben von denselben Nährpflanzen beschriebenen zu vermuthen, wenn nicht Schröter angäbe, dass dieselben kein Mycel erkennen lassen, und, dass ihre Dauersporen durch allmähliche Anschwellung kleiner Protoplasmaklümpchen entstünden. Leider war ich nicht in der Lage Schröter'sche Originalexemplare vergleichen zu können.

Dasselbe gilt bezüglich des ebenfalls in Schröters Arbeit beschriebenen *Physoderma pulposum* Wallr. auf *Chenopodium glaucum*. Diese Art würde ein willkommenes Seitenstück zu *Cladochytrium Butomi* sein, da Schröter für sie ausser den Dauersporen ephemere Zoosporangien angiebt, welche besonders grossen Parenchymzellen aufsitzen und — wie bei *Cladochytrium Butomi* — in dieselben hinein je ein Büschel sehr feiner kurzer Hyphen senden. Indess stehen die Angaben über die Dauersporenbildung meiner Vermuthung entgegen. Die Dauersporen sollen aus Bläschen entstehen, welche an langen Protoplasmafäden befestigt sind und am Scheitel einen Schopf kurzer Plasmaanhängsel tragen. Je 2 derartige Bläschen sollen sich durch eine röhrige Verbindung vereinigen, worauf das eine von ihnen zur Spore heranzuwachsen beginnt und sich von seinem Plasmafaden losreisst. Der Rest des letzteren soll noch lange an seinem Grunde sichtbar sein.

Den ganzen Vorgang hat Schröter aus einzelnen vorgefundenen Stadien zusammengestellt. Man darf sich daher fragen, ob angesichts der bei *Cladochytrium Butomi* und *Cladochytrium Menyanthis* beobachteten Erscheinungen nicht manches Bild sich anders erklären liesse. Es wäre zu wünschen, dass eine ausführlichere Mittheilung mit Abbildungen Klarheit brächte. Bis dahin können Discussionen an jene Form nicht geknüpft werden. Dasselbe gilt in Bezug auf *Physoderma majus* Schröt. auf *Rumex acetosa*.

In der bisherigen Darstellung wurden die Formen ganz bei Seite gelassen, von welchen nur ephemere Zoosporangien bekannt sind, obgleich gerade für solche Nowakowski das Genus *Cladochytrium* geschaffen hat. In der That sind ausser den Nowakowskischen Arten, *Cladochytrium elegans* und *Cladochytrium tenue* (l. c.), keine weiteren bekannt geworden, welche hier in Betracht gezogen werden könnten. Das Charakteristische jener Formen sind weniger die Zoosporangien als das Mycel mit den Sammelzellen. Es giebt wenigstens einen Anhaltspunkt für die Beurtheilung ihrer Zugehörigkeit; wie denn schon Nowakowski (l. c. p. 95) sie daraufhin als nächst verwandt mit de Barys „*Protomyces*“ *Menyanthis* bezeichnete. Andrerseits ist das Mycel kein nothwendiges Merkmal von *Cladochytrium*-Zoosporangien, wie wieder *Cladochytrium Butomi* beweist, dessen Zoosporangien, wenn sie allein bekannt wären, einen ganz anderen Platz im System erhalten haben würden.

Gewächse wie Zopfs *Cladochytrium polystomum* (Zur Kenntniss der *Phycomyceten I.* Tafel XXI. Fig. 1—11. Nova acta der Ksl. Leop.-Carol. Acad. XLVII. No. 4), von welchem nichts als ein in der Oberhaut einer *Triaenea* intracellular lebendes Mycel mit intercalaren Zoosporangien bekannt ist, sind daher nur mit allem Vorbehalt hier anzureihen.

Bezüglich der Verwandten der Gattung *Cladochytrium* bestätigen die hier mitgetheilten Beobachtungen die Ansicht, welche Fisch 1884 (Beitr. zur Kenntniss der *Chytridien* p. 34) ausgesprochen hat.

Sie sind bei den *Rhizidien* zu suchen, deren Dauersporen eine asexuelle Entstehung aufweisen. Eine derartige Form ist Fischs *Rhizidium Vaucheriae.* Ihre Dauersporen bilden sich entweder direct aus einer Anschwellung des die Wand der Nährpflanze durchbohrenden Keimschlauchs der Schwärmer dicht unter der Eintrittsstelle, oder aus intercalaren oder terminalen Anschwellungen an beliebigen Stellen des ziemlich ausgedehnten Mycels. Einen anderen Modus der Dauersporenentwicklung beschreibt Zopf (l. c. p. 202) für sein *Rhizidium sphaerocarpum.* Die Schwärmer dieser Form setzen sich an *Oedogonium, Spirogyra* und anderen Algen fest und senden in deren Inneres einen Mycel entwickelnden Keimschlauch, während ihr auf der Aussenseite der Nährzelle persistirender Körper selbst zur Dauerspore heranwächst.

Namentlich an *Rhizidium Vaucheriae* schliessen die *Cladochytrien* sich ungezwungen an als Formen, welche von jenen aus sich weiter entwickelnd einen morphologisch höher ausgebildeten Modus der asexuellen Fruchtbildung erreicht haben.

Erläuterungen zu den Abbildungen.

Fig. 1—20. *Cladochytrium Butomi.*

Fig. 1 und 2. Reife Dauersporangien, umgeben von dem braun gewordenen Inhalt ihrer Nährzellen. 350fach vergrössert.

Fig. 3. Keimung der Dauersporangien. Bei c die Querstreifung der Scheitelmembran angegeben. 520fach vergr.

Fig. 4. Schwärmer aus Dauersporangien. Ueber 520fach vergr.

Fig. 5, 6, 7. Eindringen der Schwärmer, Wachsthum und Theilung der eingedrungenen Masse. Bei s eine Sporenanlage. e in Fig. 5 ist ein junges ephemeres Zoosporangium. 520fach vergr.

Fig. 8. Mycelium mit Sammelzellen. ca. 350fach vergr.

Fig. 9—11. Successive Stadien der Sporenbildung an einem und demselben Object. Fig. 9 am 26./6., Fig. 10 am 30./6., Fig. 11 am 6./7. (alle Vormittags) gezeichnet. In Fig. 10 und 11 ist die eine Hälfte der Sammelzellen collabirt. z Zellkerne. Fig. 9 ca. 350fach, Figg. 10 u. 11 520fach vergr.

Fig. 12. Sammelzellen mit jungen Sporen. An letzteren sind zum Theil die „Haustorien" sichtbar. a Stück einer von oben gesehenen, theilweise verdeckten Sammelzellgruppe. z Zellkern. ca. 350fach vergr.

Fig. 13—17. Successive Stadien eines Objects, bei welchem die begonnene Sporenbildung in Sammelzellbildung umschlägt. 520fach vergr.

Fig. 18. Ephemere Zoosporangien. Die kleinen Formen können ohne weiteres Wachsthum zur Sporenbildung schreiten. 520fach vergr.

Fig. 19. Haustorien. Die zugehörigen Zoosporangien sind abgebrochen. Fig. 19a 520fach, b ca. 350fach vergr.

Fig. 20. In Regeneration begriffene entleerte Zoosporangien; von oben gesehen. 520fach vergr.

Fig. 21 und 22. *Cladochytrium Flammulae.*

Dauersporen in Verbindung mit Sammelzellen. 520fach vergr.

Fig. 23. *Cladochytrium Menyanthis.*

Junge Dauersporen und Sammelzellen. ca. 350fach vergr.

Kritische Studien über die Anpassungen der Pflanzen an Regen und Thau.

Von

N. Wille in Stockholm.

1. Historischer Ueberblick.

Dass Pflanzen oder Pflanzentheile Wasser, wenn sie es nicht auf andere Weise erhalten können, durch ihre netzbaren Blätter oder Stammtheile aufnehmen, sobald diese unter Wasser gesenkt werden, ist bereits durch einfache Experimente von Mariotte (1679), Hales (1727) und Bonnet (1754) gezeigt worden. Bei den Versuchen, welche in Betreff dieser Frage später Garreau (1849), Baillon (1874), Lanessan (1875), Detmer (1877) und Boussingault angestellt haben, sind beinahe ausschliesslich mehr oder weniger verwelkte Blätter zur Anwendung gekommen; wenn diese ganz in Wasser gesenkt wurden, zeigten sie ein nicht geringes Vermögen, solches einzusaugen. Cailletet (1871) und Detmer (1877) haben indessen auch mit turgescenten Pflanzentheilen Untersuchungen angestellt, dabei aber gefunden, dass diese entweder gar kein Wasser aufnehmen, oder nur geringe, kaum messbare Quantitäten. Diese letzteren Untersuchungen sind, wie ich später darthun werde, für die Beurtheilung der Bedeutung, welche das durch die oberirdischen Organe aufgenommene Wasser für die Pflanze im Freien hat, sehr wichtig; ebenso wird durch das Factum, dass Wasser nur an den netzbaren Stellen der Pflanze aufgenommen werden kann (Sachs, Experimentalphysiologie S. 158—161), in hohem Grade die Möglichkeit verringert, dass das durch die oberirdischen Organe aufgenommene Wasser für das Leben der Pflanze eine grössere Bedeutung habe.

Garreau (1849), Eder (1876), Pfeffer (1881) und Wiesner (1882) haben gezeigt, dass die mit Spaltöffnungen besetzte Epidermis für Wasser permeabel ist, wenn auch nur in einem verhältnissmässig geringen Grade, und durch Versuche von Bonnet (1754), Duchartre (1856), Boussingault (1878) und Wiesner (1882) ist dargethan worden, dass die Blätter durch ihre mit Spaltöffnungen besetzte Unterseite in einem bestimmten Zeitraum im Allgemeinen mehr Wasser aufzunehmen vermögen, als durch ihre Oberseite.

Dass von den Organen, welche im Stande sind, Wasser aufzunehmen, auch leicht diosmirende Salze aufgenommen werden können, ist an und für sich annehmbar und auch durch Experimente von Böhm (1877), Boussingault (1878) erwiesen. Aber wie schnell diese oberirdischen Organe das Wasser aufzunehmen vermögen und, im Zusammenhang damit, wie viel davon und den darin gelösten Salzen, darüber sind nur wenige Untersuchungen ausgeführt, welche für die Beantwortung der Frage, ob die Pflanze unter natürlichen Verhältnissen von dem Wasser, welches sie durch ihre oberirdischen Organe aufnimmt, und von den darin enthaltenen Salzen Vortheil habe, von Werth sein können. Dass dieses bei gewissen epiphytischen *Bromeliaceen* der Fall ist, war nach Mittheilungen von Duchartre (1857) und (1868) und Cailletet (1871) unzweifelhaft, ist aber erst von Schimper (1884) in befriedigender Weise studirt und in Bezug auf einige Wüstenpflanzen später von Volkens (1886) nachgewiesen worden.

Dass die Wasser- und Salzzufuhr durch Thau für unsere gewöhnlichen europäischen Pflanzen nicht von grösserer Bedeutung sein kann, wurde von Sachs (1861) gezeigt, welcher mittels Wägungen nachwies, dass die von den Pflanzen aufgesaugte Quantität Thau eine sehr geringe ist, wozu, wie er hervorgehoben hat, noch kommt, dass der Thaufall bei uns in Europa erst dann in reichlicherer Menge aufzutreten pflegt, wenn der Boden sich von Regen so durchnässt zeigt, dass sein Wassergehalt für die auf ihm wachsenden Pflanzen vollständig ausreichend ist.

Auf diesem Standpunkt befand sich die Frage, über deren historische Seite ich hier das Wichtigste nach Osterwald's[1]) vortrefflichen literaturhistorischen Studien über diesen Gegenstand kurz berichtet habe, als im Anfange des Jahres 1884 eine Abhandlung von Axel N. Lundström „Pflanzenbiologische Studien I. Die Anpassungen der Pflanzen an Regen und Thau. Upsala 1884" erschien, deren

[1]) K. Osterwald, Die Wasseraufnahme durch die Oberfläche oberirdischer Pflanzentheile. Berlin, 1886. (Wissenschaftl. Beil. z. Progr. d. städtischen Progymnasiums.)

Hauptaufgabe zufolge des Verf. (S. 59) es war „nicht zu zeigen, in welchen verschiedenen Hinsichten der direct auffallende Regen den Pflanzen nützlich ist, sondern hervorzuheben, dass es bei den höheren Pflanzen besondere Anpassungen für den atmosphärischen Niederschlag giebt, welche schwerlich anders als in Zusammenhang mit diesen erklärt werden können."

Derartige Behauptungen finden wir allerdings bereits früher angedeutet. Bonnet sah in den Haaren aufsaugende Organe, und Sachs (Experimentalphysiologie, S. 159) schreibt: „Es ist daher wahrscheinlich, dass die kleine Menge des Thauwassers, welches die Blätter aufsaugen, durch die Haare und die Epidermis der Nerven eintritt." Hanstein („Ueber die Organe der Harz- und Schleimabsonderung in den Laubknospen. Botanische Zeitung, 1868") nimmt an, dass die Gummiabsonderung gewisser Knospenschuppen eine solche Function habe. Wiesner (Studien über das Welken von Blüthen nnd Laubsprossen. Sitzungsbericht der Akademie der Wissenschaften in Wien. B. 86. Abtheil. I, Jahrgang 1882) deutet die Möglichkeit einer Anpassung für das oberirdisch aufgenommene Wasser an, indem er sagt (l. c. S. 40): „Durch weiter fortgesetzte Untersuchungen werden sich gewiss viele Beziehungen zwischen dem anatomischen Bau der Pflanze einerseits und andererseits der Fähigkeit der Blätter, von aussen Wasser aufzunehmen und der natürlichen Wasserbewegung der Pflanzen überhaupt ergeben." Pfeffer (Pflanzenphysiologie B. I, Leipzig 1881, S. 69) äussert über denselben Gegenstand: „Ob die Ansammlung von Regenwasser in den Blattscheiden von *Dipsacus sylvestris, Umbelliferen, Bromeliaceen* u. a. einige Bedeutung für die Wasserbewegung dieser Pflanzen hat, ist noch nicht näher untersucht." Diese Literaturangaben scheinen Lundströms Aufmerksamkeit entgangen zu sein.

Als „besondere Anpassungen" für die Absorption von Regenwasser nennt Lundström (l. c. S. 60)

1) Einsenkungen:
   a. Schalen, b. Grübchen, c. Rinnen.
2) Haargebilde:
   a. Haarbüschel, b. Haarränder.
3) Benetzbare Epidermis-Membranen.
   a. Flecken, b. Streifen.

Ausserdem zählt er auch eine ganze Menge Anordnungen auf, welche dazu beitragen sollen, das Regenwasser aufzufangen, zu leiten und festzuhalten, und welche bei den meisten oberirdischen Theilen der Pflanze vorkommen sollen (siehe Lundström l. c. S. 59—62).

Was nun diese letzten Angaben betrifft, so habe ich darüber keine Controluntersuchungen angestellt, sondern meine Aufmerksamkeit nur allein auf die Wasseraufnahme, von welcher L. an mehr als dreissig Stellen in seiner Abhandlung spricht, gerichtet; denn diese ist ja für die Frage unbedingt das wichtigste, und damit muss nothwendig die ganze Lundström'sche Hypothese stehen oder fallen.

2. Allgemeine Bemerkungen.

Wenn man die „Anpassungen" gewisser Pflanzen für die Aufnahme von Wasser durch oberirdische Organe beweisen will, da man ja weiss, dass diese Pflanzen ebensogut wie diejenigen, welche keine „Anpassungen" besitzen, viel, ja beziehungsweise sehr viel Wasser durch die Wurzeln aufnehmen, so dürfte man wohl zuerst nachzuweisen haben, dass und weshalb diese Arten solches auf aussergewöhnlichem Wege zugeführtes Wasser bedürfen. Dieses hat Schimper (Die Epiphyten Westindiens. Botanisches Centralblatt. B. 17.) gethan, indem er darauf hinweist, dass diese Pflanzen keine oder nur sehr schwach entwickelte Wurzeln haben, sodass sie ihren Bedarf an Wasser nicht durch diese befriedigen können. Volkens (Zur Flora der ägyptisch-arabischen Wüste. Sitzungsber. d. Acad. d. Wissensch. zu Berlin. 1886 No. 6) hat später ebenfalls die Nothwendigkeit dieser ungewöhnlichen Wasserzufuhr für einige Wüstenpflanzen wie *Reaumuria* dargethan. Aber einen solchen Nachweis sucht man in Lundströms Abhandlung vergebens; im Gegentheil, er führt unter den Pflanzen, welche besondere Apparate haben sollen, um sich die wenigen Tropfen Regen- oder Thauwasser, das an ihnen hängen bleibt, zunutze machen zu können, auch folgende, vorzugsweise im Schatten oder auf feuchtem Boden wachsende Pflanzen an: *Stellaria media, Parnassia palustris, Cornus suecica, Mulgedium alpinum, Valeriana officinalis, Linnaea borealis, Pinguicula vulgaris, Pedicularis palustris, Naumburgia thyrsiflora, Lathyrus palustris, Rubus chamaemorus, Comarum palustre, Spiraea ulmaria, Epilobium origanifolium, E. alpinum, Peucedanum palustre, Mercurialis perennis, Anemone nemorosa, Ranunculus aconitifolius* und vielleicht noch mehrere, ausserdem noch Bäume und Sträucher mit einem ausserordentlich reichen Wurzelsystem wie *Fraxinus excelsior* und *Syringa vulgaris*.

Anstatt einen Grund anzugeben, warum diese und die übrigen aufgezählten Pflanzen, mehr als andere, besondere wasseraufsaugende und wasserauffangende Apparate nöthig haben, nennt Lundström (l. c. S. 57) in sieben Punkten nur „die wichtigsten Hinsichten, in denen das so aufgefangene Regenwasser für die Pflanze Bedeutung besitzen kann.“ Ich werde diese 7 Punkte hier einer näheren Betrachtung unterwerfen.

No. 1. „Es trägt zur Reinigung der Pflanze bei.“ Es ist doch wohl nicht als eine „Anpassung der Pflanze für das aufgefangene Regenwasser“ anzusehen, dass dasselbe „von den Theilen, die von Regen nicht benetzt werden können,“ Staub und dergleichen abwäscht. Uebrigens dürfte es eine ganz natürliche Sache sein, dass Pflanzen, welche keinen gegen Regen geschützten Stand haben, vom Regen benetzt oder wenn man so will, gewaschen werden; dazu ist keine der von Lundström aufgezählten „Anpassungen“ nöthig.

Von *Syringa vulgaris* sagt Lundström (l. c. 30): „Vollkommen entwickelte Blätter haben die Spitze abwärts gerichtet, und ein grosser Theil des auf sie fallenden Wassers sammelt sich an der Spitze, von wo es tropfenweise herabfällt. Indessen fallen wegen der gegenseitigen Stellung der Blätter und Zweige die meisten Tropfen nicht direkt auf den Boden, sondern auf untersitzende Blätter, an deren Spitzen sie sich wiederum ansammeln. Auf diese Weise wird das eine Blatt nach dem anderen gewaschen.“ Auch diese Verhältnisse können schwerlich als eine specielle Anpassung für den Regen betrachtet werden, da wir ja Kräfte kennen, wie den Heliotropismus und die eigene Schwere des Blattes, deren Einfluss auf seine Stellung ein viel grösserer ist; im Vergleich mit ihnen dürfte die Rücksicht auf das Auffangen von Regenwasser wohl erst in die zweite Reihe zu stellen sein. Was nun speciell die abwärts gerichtete Stellung der Blattspitzen von *Syringa* anbetrifft, so dürfte diese ihren Grund genügend in einer starken Abnahme des mechanischen Gewebes (Collenchym) gegen die Spitze des Blattes hin haben, wodurch dieses die Kraft verliert, seiner Schwere einen solchen Widerstand zu bieten, dass es die Spitze gerade zu halten vermöchte: ein Verhältniss, das man nicht nur bei „unsern gewöhnlichen Bäumen und Sträuchern, wie *Acer, Ulmus, Tilia, Prunus Padus* u. a.“ (l. c. S. 30), wo Lundström es auch als eine „Anpassung“ für Regen oder Thau auffassen zu wollen scheint, sondern auch bei einer grossen Zahl anderer Pflanzen, bei Gräsern, *Cyperaceen* und vielen andern mit langen Blättern findet, welche L. nicht als regenauffangend anführt. Man könnte hier fragen: welche Stellung hat ein Blatt einzunehmen, damit dieselbe nicht als specielle Anpassung für Regen oder Thau gedeutet werde?

No. 2. (Lundström l. c. S. 57) wird am zweckmässigten zusammen mit No. 3. (L. l. c. S. 57) behandelt.

Zufolge von No. 2. soll das Regenwasser, nachdem es verdunstet oder absorbirt ist, zur Erhöhung der Transpiration beitragen „dadurch, dass auf der Cuticula ausgebreitete, erstarrte, gummi- oder schleimartige, möglicherweise auch zuckerartige Stoffe gelöst werden oder anschwellen." Zufolge von No. 3. soll das Regenwasser auch folgende Bedeutung haben: „es kann solche Sekrete (Gummi, Gummiharz, Zucker etc.) lösen und über Theile der Oberfläche der Pflanzen ausbreiten, welche für die Pflanze dadurch Bedeutung besitzen können, dass sie, wenn sie erstarrt sind, eine zu starke Transpiration bei trockenem Wetter verhindern."

Die Untersuchungen, welche von Wilson (The cause of the excretion of water on the surface of nectaries. Unters. a. d. bot. Institut z. Tübingen, herausg. v. Pfeffer B. I, 1881) ausgeführt wurden, zeigen indessen, wie zu erwarten war, dass Stückchen feuchten Zuckers oder Salzlösungen auf der Oberfläche der Blätter von *Buxus*, *Ilex* u. a. einen Wasserstrom aus dem Innern nach dem Aeussern der Membran erzeugen. Wenn nun L. von dünnen Lagen von Zucker und andern osmotisch wirksamen Stoffen, welche entweder gar nicht oder nur schwer diosmiren, die Wirkung voraussetzt, dass sie beim Eintrocknen auf einer wasserhaltigen Membran diese vor Eintrocknung schützen, so hat man das Recht, Versuche zu fordern, welche eine solche Annahme beweisen; denn a priori lässt sich annehmen, dass im Gegentheil der auf das Blatt gebrachte Stoff unter solchen Verhältnissen eine gewisse, wenn auch verhältnissmässig geringe wasseranziehende Kraft ausübt, selbst wenn er eine Zeitlang eingetrocknet gewesen ist, und dass es also versuchen wird, Wasser aus der Nähe zu sich heranzuziehen, von wo er es nur immer erhalten kann, also hier zunächst von der wasserhaltigen Membran. L. operirt indessen wiederholt mit dieser unbewiesenen und gegen unser heutiges Wissen streitenden Annahme. Bei *Lobelia Erinus* (l. c. S. 24) lässt er „einen klebrigen Stoff, wahrscheinlich Gummischleim mit Harz gemischt" — welcher durch die Vorblätter ausgeschieden werden soll, als Organ für die Wasseraufnahme dienen. Ebenso soll bei *Alchemilla vulgaris* (l. c. S. 22) ein Sekret — „am wahrscheinlichsten ein Gummischleim", dazu beitragen, Wasser, wenn solches vorhanden ist, aufzunehmen, andernfalls aber soll es die Transpiration vermindern. Aehnliches nimmt er auch von mehreren anderen Pflanzen an. Für diese bequeme Doppelfunktion mehrerer in ihrer Art unbestimmter Secrete hat Lundström keinen andern Autor angegeben; doch hat er hier nur auf Sekrete im allgemeinen übertragen, was Hanstein von dem Gummischleim in den Knospen einiger Pflanzen annimmt. Hanstein sagt nämlich (Bot. Zeit. 1868, Sp. 770): „Giebt die umgebende Luft wässerige Niederschläge ab, so kann der Wasserbedarf des Sekrets durch diese gedeckt werden, und zu welchem Uebermass die Schleimerzeugung dann gelangen kann, ist oben schon erwähnt. Ist aber die Luft trocken, so wird das Gummi auf der derselben ausgesetzten Fläche der Organe austrocknen, und nun auch auf diese Weise die Ausdünstung hemmen.“ Diese Annahme Hanstein's, welche L. aufgenommen und erweitert hat, ist, wie man sieht, unklar; auch steht sie in Widerspruch mit den physikalischen Gesetzen der osmotischen Phänomene, was wohl 1868 zu entschuldigen war, aber nicht 1884; denn in der Zwischenzeit hatte man durch Pfeffers „osmotische Untersuchungen“ in die Mechanik der osmotischen Phänomene einen tiefen Einblick gethan.

In No. 2. führt L. (von der Annahme Wiesners ausgehend) an, dass das Nasswerden der Pflanzen ihre Transpiration begünstige und „die Aufnahme und Assimilation von Nährstoffen“ befördere. Selbst wenn man die Wiesnerschen Versuche in dieser Hinsicht gelten lassen will, so stellen sich der Anwendung dieser Annahme doch Schwierigkeiten entgegen, wenn mit ihr, wie L. gethan, die Anpassungen der Pflanzen an Regen und Thau bewiesen werden sollen. Es giebt nämlich eine grosse Menge von Pflanzen, welche vom Wasser beinahe ganz und gar benetzt werden, mithin diesen angeblichen Vortheil in hohem Grade besitzen; aber wie kann es wohl dann als eine besondere Anpassung gelten, wenn dieser Vortheil vermindert wird, was geschieht, wenn die Pflanzen nur an einigen Stellen von geringer Ausdehnung vom Wasser benetzt werden können.

Ferner sagt L. (l. c. S. 57): „Dagegen vermindert der aufgefangene Regen anfangs die Transpiration dadurch, dass er während seiner Abdunstung die Temperatur senkt.“ Was hiermit gemeint ist, wird nicht recht klar. Ist es die Temperatur der Luft oder die der Pflanzen, welche auf Grund des abgedunsteten Wassers sinkt? Auf alle Fälle ist die Bedeutung, welche L. hierin sieht, zu gross; denn die Temperatur dürfte schon durch den Regen und die Abkühlung, welche infolge der Verdunstung des Wassers von der Erde entsteht, bedeutend herabgesetzt, auch die Feuchtigkeit der Luft dann sehr gross und damit die Abdunstung von den Pflanzen in einem so hohen Grade vermindert sein, dass die Wirkung der wenigen Tropfen, welche die Pflanze mit ihren „Anpassungen“ aufzufangen vermag, ausser Rechnung gelassen werden kann. Ausserdem ist es ja, wie L. soeben angegeben, für die Pflanzen ein Vortheil, dass die Transpiration vermehrt wird; aber wie kann es für sie wohl dann gleichzeitig ein Vortheil sein, dass diese vortheilhafte Transpiration eine Zeit lang gehemmt ist.

No. 4. „Es kann von der Pflanze absorbirt werden, und dadurch einen verlorenen Turgor wieder ersetzen.“ L. giebt an, dass er dieses „durch zahlreiche Exempel“ dargethan habe. Um zu zeigen, mit wie wenig Kritik in diesem Punkte verfahren ist, werde ich eins seiner Exempel einer näheren Betrachtung unterwerfen. S. 40 sagt L.: „*Solanum tuberosum* L. Das Regenwasser wird an den eingesenkten Blattnerven und den Haarrändern des Stengels festgehalten. Die Pflanze bekommt nach Regen ein sehr frisches Aussehen und einen hohen Grad von Turgescenz.“ Wie man sieht, wird hier der hohe Turgor ohne weiteres als dadurch entstanden aufgefasst, dass Wasser durch die oberirdischen Theile aufgenommen worden ist. Es scheint L. gar nicht in den Sinn zu kommen, dass *Solanum* auf eine andere Weise turgescent geworden sein kann. Wie ich später zeigen werde, ist das durch die oberirdischen Organe aufgenommene Wasser gar nicht hinreichend, um den Pflanzen ihren verloren gegangenen Turgor wiederzugeben. Indessen hat schon Sachs gezeigt, dass eine solche Annahme keineswegs nothwendig ist, indem der verlorene Turgor auf einem viel einfacheren Wege ersetzt werden kann: nämlich, wenn die Transpiration, wie es bei Regenwetter geschieht, vermindert wird, die Wasserzufuhr durch die Wurzeln aber ununterbrochen fortdauert, in welchem Falle der Turgor in kurzer Zeit selbstverständlich ganz bedeutend steigt, selbst wenn die Pflanze durch ihre oberirdischen Organe auch nicht ein Milligramm Wasser aufnehmen kann. In Betreff dieser Frage verweise ich übrigens auf die physiologischen Versuche, welche ich weiter unten mittheilen werde.

No. 5. (l. c. S. 58). „Es kann wahrscheinlich, weil es Kohlensäure nebst Nitraten und Nitriten u. a. enthält, der Pflanze ausser Wasser direkte Nahrung zuführen.“ Ueber diese Frage äussert sich ein so erfahrener Physiologe wie Sachs (Vorlesungen. S. 306) auf folgende Weise: „Allein das Alles beweist nicht, dass den Landpflanzen irgendwie erhebliche Mengen von Wasser und darin gelösten Salzen durch die Blätter zugeführt werden und dass auf diese Weise die Thätigkeit der Wurzeln und die Transpiration unterstützt werde.“ Dieses ist a priori auch nicht wahrscheinlich, denn Regen und Thau haben nur einen sehr geringen Gehalt an Salzen. Nach einer Zusammenstellung von Analysen hierüber, welche sich bei A. Mayer (Agriculturchemie. 2. Aufl. B. I, S. 188—190) finden, enthält Regenwasser im Maximum 16,00, im Mittel aber wohl nur 5—7 Milliontel Salpetersäure, und im Maximum 16,3 und im Mittel ungefähr 3—6 Milliontel Ammoniak; im Thau fand Boussingault 3,1—6,2 Milliontel

Ammoniak. Also gestalten sich die Nitrate und Nitrite, welche in den bei Regenwetter an den Pflanzen hängen bleibenden Wassertropfen enthalten sind, zu wirklich homöopathischen Dosen.

Hierzu kommt aber noch Eins. Wie schon Saussure gezeigt hat, ist das Wasser im Stande, den Blättern der Pflanze Salze zu entziehen, und wie dürfte sich dieses Verhältniss dann im Freien bei Regenwetter gestalten? Die Pflanzen werden an ihren netzbaren Stellen sehr bald nass, und fährt es dann fort zu regnen, so spülen die neu herabfallenden Regentropfen die vor ihnen herabgefallenen immer wieder ab; bei einem längeren Regenwetter findet sich also eine ununterbrochene Gelegenheit zum Fortführen von Salzen aus den Pflanzen, indem von den in den Pflanzen enthaltenen Salzen ein Theil in das abfliessende Wasser diffundirt; erst wenn es aufgehört hat zu regnen, dürften einige wenige Tropfen Wasser übrig bleiben, deren Milliontel von Nitraten und Nitriten von den Pflanzen aufgenommen werden können. Zwar ist die Menge des Salzes, welches den Pflanzen auf diese Weise geraubt wird, nur eine äusserst geringe; doch ist diejenige, welche ihnen durch das Regenwasser zugeführt wird, auch nur höchst unbedeutend, so dass sich auf alle Fälle schwerlich ohne weiteres die Behauptung aufstellen lassen dürfte, dass die Pflanzen von diesem Austausch einen Gewinn haben.

No. 6. (l. c. S. 58). Hier giebt L. an, dass den Pflanzen auf ihnen befindliche Thierexcremente zu gute kommen. Hiergegen lässt sich die Bemerkung machen, dass der grösste Theil dieser Excremente bei Regenwetter abgewaschen wird. Was die Aufnahme von Salz anbetrifft, so verweise ich auf meine physiologische Behandlung dieser Frage.

No. 7. (l. c. S. 58). Dass Regen oder im allgemeinen Wasser eine Bewegung erzeugen kann, ist eine längst bekannte Thatsache; ebenso ist es von Niemand bestritten worden und seit lange bekannt, dass Staubbeutel, viele Sporangien u. a. in dieser Hinsicht wirkliche Anpassungen besitzen, und das Beispiel, welches L. anführt, ist schon früher von Detmer eingehend untersucht worden.

Wie man sieht, ist der Nutzen, welchen die Pflanzen nach L. von ihren Anpassungen an Regen und Thau haben, äusserst problematisch und nicht im Stande, den Ausdruck „Anpassungen" für anderes als den schon längst bekannten Punkt 7 zu rechtfertigen.

Ich werde jetzt die Beweise näher untersuchen, welche L. in seiner Abhandlung vorbringt, um darzuthun, dass diese „besonderen Anordnungen" wirklich zur Aufnahme von Wasser da sind. Das Richtigste würde unbestreitbar gewesen sein, dass L. durch Experimente nachgewiesen hätte, ob diese Anordnungen auch wirklich im Stande sind, eine nennenswerthe Menge Wasser aufzunehmen. Aber wissenschaftlich ausgeführte Experimente fehlen in L's. Abhandlung gänzlich; denn als solche sind die von ihm mitgetheilten nicht anzusehen. So führt zum Beispiel Lundström (l. c. S. 8) von *Stellaria media* folgendes an: „Dadurch dass man Exemplare, die etwas von ihrem Turgor verloren, so dass sie schlaff sind, mit Regenwasser versieht an den Theilen, die benetzt werden können, und die Transpiration durch eine niedrigere Temperatur und Finsterniss verhindert, kann man ihnen ihren Turgor sehr leicht wiedergeben. Ich habe dieses Experiment unzählige Male wiederholt." Man vermisst hier Alles, was von einem wissenschaftlichen Versuch gefordert werden kann. Die Methode ist nicht angegeben, die Zeit, welche der Versuch in Anspruch genommen, nicht genannt und auch die äusseren Verhältnisse nicht beschrieben. Ebensowenig sind L's. Experimente mit *Trifolium repens* und *Alchemilla vulgaris* in Uebereinstimmung mit den Forderungen der Wissenschaft ausgeführt.

Lundström sieht es als wahrscheinlich an, dass der Inhalt der sekretführenden Haare von *Trifolium repens* (l. c. S. 18), *Alchemilla vulgaris* (l. c. S. 21) und *Vaccinium Vitis idaea* (l. c. S. 30) Wasserdampf aus der Luft aufnehmen kann. Was die Annahme betrifft, dass ein Gummi- oder schleimartiger Inhalt der Pflanzenzellen hygroskopisch Wasser aus der Luft aufzunehmen vermag, so hätte L. Aufklärungen darüber in dem Kapitel von Pfeffers „Physiologie" erhalten können, dem seine Literaturangaben über die Aufnahme von Wasser durch oberirdische Organe entnommen sind; denn dort steht (l. c. S. 70): „Dagegen vermag keine Pflanze Wasserdampf derart zu condensiren, dass Herstellung eines turgescenten Zustandes erreicht wird." Dass ganz ausgetrocknete Membranen hygroskopisch wirken können, weiss man ja aus mehreren Beispielen, z. Beisp. von den *Geranium*- und *Erodium*früchten; aber dass der Inhalt einer Zelle, deren Wand wasserhaltig ist, aus der ausserhalb dieser Zellwand befindlichen Luft Wasserdampf zu condensiren vermag, ist ganz und gar unmöglich.

Bei *Populus tremula* sagt L. (l. c. S. 53): „Die Zuckerlösung könnte auch dazu beitragen, Feuchtigkeit aus der Luft aufzunehmen." Der einzige Beweis, den L. für diese Annahme anführt, ist folgender (l. c. S. 53): „Wenn eine Gummi-, Schleim- oder Harzabsonderung in Zusammenhang mit dem Regen für die Pflanzen Bedeutung haben kann, kann ich nicht einsehen, warum eine Zuckerabsonderung nicht von derselben Bedeutung sein könnte." Es scheint hieraus hervorzugehen, dass L. glaubt, der Zucker habe in diesen Beziehungen dieselben physikalischen und chemischen Eigenschaften wie Gummi, Schleim und Harz [1]).

Das Collenchym hat bei *Mercurialis perennis,* wie L. annimmt, ausser seiner mechanischen Bedeutung auch diejenige eines „Schwellgewebes", was „im Zusammenhang mit dem aufgefangenen Regen steht." Ferner sagt L. von *Scutellaria altissima* (l. c. S. 38): „Die Ränder der Rinnen schwellen durch Regen deutlich an," und von *Hypericum quadrangulum* (l. c. S. 49): „Ich habe alle vier Kanten nach einem Regen merkbar angeschwollen gefunden." Wie hieraus hervorzugehen scheint, nimmt L. an, dass das Collenchym als „Schwellgewebe" Dienst

1) Um die Menge des Wassers, welches von einer Zuckerlösung aus feuchter Luft aufgenommen werden könnte, näher zu bestimmen, habe ich ein Paar Versuche angestellt, die zwar keinen Anspruch auf absolute Genauigkeit erheben können, die aber in vollständig befriedigender Weise zu zeigen vermögen, wie wenig L's. Hypothese mit den faktischen Verhältnissen übereinstimmend ist. Ich liess nämlich 31,143 gr. von einer nicht ganz gesättigten Rohrzuckerlösung in einem Glase, das 18,130 gr. wog und einen inneren Diameter von 22 mm. hatte, bei welchem mithin die mit der Luft in Berührung stehende Fläche der Lösung auf ungefähr 380 mm^2 oder, wenn man den Meniscus berücksichtigt, auf etwas mehr als 380 mm^2 berechnet werden kann, 24 Stunden in einer von Wasserdampf gesättigten Atmosphäre stehen. Nach Verlauf dieser Zeit zeigte die Zuckerlösung eine Gewichtsvermehrung von 0,011 gr., hatte also 0,035% Wasser aufgenommen. Ich setzte jetzt einen Ueberschuss von Zucker zu, welcher am Boden des Glases liegen blieb und mit der Lösung zusammen 34,944 gr. wog. Nach 24 Stunden zeigte sich dieses Gewicht um 0,029 gr. vermehrt, und nach ferneren 24 Stunden um 0,027 gr., also betrug die Wasseraufnahme in 24 Stunden 0,084%. Wie schon gesagt worden ist, sind diese Zahlen nicht ganz genau, indem das zum Wiegen angewandte Gewicht keine sichere Ablesung der Milligramme zuliess, an der innern Seite des Glases auch Wassertropfen sich angesetzt hatten, die ich nicht vollständig abzutrocknen vermochte. Ebensowohl wie am Glase konnte Thau in Folge der Abkühlung sich auch auf der obern, mit der Luft in Verbindung stehenden Fläche der Zuckerlösung gebildet haben, sodass die Zunahme des Gewichtes zum Theil auch darauf beruhen kann; aber da dieses letztere Verhältniss auch in der freien Natur eintreffen dürfte, kann man diese Möglichkeit hier ausser Rechnung lassen. Die Versuche zeigen indessen, dass die Wassermenge, welche im günstigsten Falle (eine mit Wasserdampf gesättigte Atmosphäre und eine übersättigte Zuckerlösung) von den geringen Quantitäten der Zuckerlösung an der Aussenseite von Pflanzen aufgenommen werden könnte, ganz minimal ist. Aber hierzu kommt noch, dass eine nur einigermassen concentrirte Zuckerlösung eine grosse endosmotische Kraft besitzt und daher, wie Wilson (l. c.) gezeigt hat, Wasser aus den Zellen an sich zu ziehen sucht, bis sie hinreichend verdünnt ist; auch sinkt die Menge des von der Zuckerlösung aus feuchter Luft aufgenommenen Wassers, wie wir gesehen, ausserordentlich schnell, sobald die Auflösung verdünnt wird.

thue; doch sagt er nicht, ob dieses durch Messungen constatirt ist oder es nur bei einer oberflächlichen Betrachtung der Pflanzen so ausgesehen hat; diesem letztern könnte natürlicherweise da, wo es sich um die Beurtheilung so geringer Vergrösserungen handelt wie diejenigen, welche hier in Frage kommen können, keine Bedeutung beigemessen werden. Es ist allerdings ein alter Irrthum, dass das Collenchym ein Gewebe ist, das stark anschwellen und viel Wasser aufnehmen kann. Diese Fehlauffassung ist von Ambronn (Collenchym S. 516. Pringsheims Jahrb. B. XII.) widerlegt worden, wird aber jetzt, mehrere Jahre nachdem Ambronns Abhandlung erschienen, von L. ohne jeden Beweis reproducirt.

Bei der Besprechung von *Vaccinium Vitis idaea L.* schreibt Lundström (l. c. S. 29): „An älteren Blättern und nach langer Dürre werden sie (die Drüsenzotten) braun und zusammengeschrumpft, persistiren aber und schwellen wieder auf, wenn sie mit Wasser in Berührung kommen. Diese Anschwellung wird noch erhöht dadurch, dass das Sekret sehr viel Gerbsäure enthält.“ Wenn L., ohne auch nur einen einzigen Versuch angestellt zu haben, der Gerbsäure eine grosse endosmotische Kraft zuschreibt, so hat ihn offenbar hierzu nichts anderes veranlasst als H. de Vries Annahme von einer grossen endosmotischen Kraft einiger organischen Säuren, welche Annahme L. als ein bewiesenes Factum auch auf die Gerbsäure, von welcher H. de Vries nichts sagt, ausdehnt. Eine solche Art und Weise Schlüsse zu ziehen, ist selbstverständlich durchaus unberechtigt, und dies in diesem Falle um so mehr, als hier wirkliche Untersuchungen über die osmotische Kraft der Gerbsäure von J. Baranetzky (Osmotische Untersuchungen, Poggendorffs Annal. B. 147. S. 234 u. a.) vorliegen. Baranetzky findet, dass, wenn eine 10% Lösung von arabischem Gummi in 24 Stunden durch Pergamentpapier 2,5 cc. Wasser aufnehmen kann, eine 10% Tanninlösung in derselben Zeit 1,0 cc. Wasser aufzunehmen vermag. Nun hat aber Pfeffer (Osmotische Untersuchungen) gezeigt, dass Gummi arabicum gleich andern Colloiden eine verhältnissmässig schwache osmotische Kraft besitzt. Die Gerbsäure gehört also nach den vorliegenden Untersuchungen den osmotisch schwach wirkenden Stoffen an. Wir geben zu, dass Baranetzky's Untersuchungen nicht nach Methoden ausgeführt sind, welche dem gegenwärtigen Standpunkt der Wissenschaft entsprechen; gleichwohl aber sind sie für das, um was es sich hier handelt, vollständig beweisend. So viel ich habe finden können, sind sie auch die einzigen Untersuchungen, welche man über die osmotischen Wirkungen der Gerbsäure angestellt hat; man ist daher nicht berechtigt, sie, wie

L. es gethan, zu ignoriren, ohne ihre Unrichtigkeit durch neue, nach bessern Methoden ausgeführte Versuche dargethan zu haben.

Dass Wasser sich an gewissen Stellen der Pflanzen lange halten kann, ehe es verschwindet, scheint von L. als ein Beweis dafür angesehen zu werden, dass es von den Pflanzen dort aufgenommen wird: von *Thalictrum simplex* (l. c. S. 14) in den Blattscheiden, von *Fraxinus excelsior* (l. c. S. 19) und *Cornus suecica* (l. c. S. 23) in den Rinnen, von den *Silphium*-Arten (l. c. 26) in den Schalen, von *Hydrophyllum* (l. c. S. 41) und *Lupinus* (l. c. S. 44) durch die Blätter und von den *Polygoneen* (l. c. S. 52) in den Achseln. Die Meisten würden dieses wohl als einen Beweis dafür ansehen, dass das Wasser, wenn es sich lange halten kann, ehe es verschwindet, von der Pflanze nicht aufgenommen wird. Schimper erwähnt (l. c. S. 321), dass bei *Tillandsia usneoides*, welche unzweifelhaft eine wasseraufnehmende Pflanze ist, die auf ihre Blätter fallenden Wassertropfen nach spätestens 1 Minute verschwunden sind.

Es würde hier zu weit führen, alle die von L. in seiner Abhandlung ohne Beweis vorgebrachten Unwahrscheinlichkeiten zu besprechen. Ich will daher nur noch ein Beispiel anführen, wie ausserordentlich leicht L. Anpassungen für Regen zu finden glaubt. Von *Alyssum calycotrichum* Boiss. giebt er zuerst an (l. c. S. 50), dass diese Pflanze den Regen in kleinen Schalen auffängt, welche sich an der Basis der Blätter finden, worauf er sagt: „Indessen, die Wasserperle benetzt nicht die Stelle, wo sie liegt, folglich scheint eine Wasseraufnahme unmöglich. Wahrscheinlich ist dies Wasser von Bedeutung für die Pflanze, um ihre Temperatur und Transpiration zu reguliren.“ Diese Pflanze sollte also in der Sommerwärme eine Art von kaltem Umschlag anwenden. Sehen wir nun zu, wie ein solcher wirken würde. Da die Wassertropfen die Membran nicht benetzen, können sie ja nicht dazu dienen, die Transpiration nach der Wiesner'schen, von L. (l. c. S. 57) auf genommenen Vorstellung zu befördern. Die Tropfen können die Transpiration nur herabsetzen, indem sie, wie L. (l. c. S. 57) vom Regen annimmt, während ihrer Verdunstung die Temperatur und damit auch die Transpiration senken. L. nimmt zwar (l. c. S. 57 No. 2) im allgemeinen an, dass es für die Pflanze von Vortheil ist, die Transpiration vermehrt zu erhalten; aber vorausgesetzt, dass man in diesem Falle annehme, es bedeute für *Alyssum* einen Vortheil, wenn die Transpiration gehemmt wird, so erübrigt noch zu untersuchen, ob diese Wassertropfen wirklich im Stande seien, einen solchen Effect hervorzubringen. Die Tropfen sammeln sich nämlich während eines Regenwetters oder des Nachts, wo die Temperatur schon an und für sich niedrig und die

Transpiration der Pflanzen in hohem Grade herabgesetzt ist. Beginnt jetzt die Temperatur zu steigen, so werden die Wassertropfen auf den Pflanzen erwärmt, bis sie die Temperatur der umgebenden Luft haben; zugegeben, dass die verdunstenden Tropfen im Stande sind, die Temperatur der Pflanzen um den Bruchtheil eines Grades zu senken, so wird dieses doch nur während einer kurzen Zeit geschehen können; denn die Wassertropfen sind bald verdunstet, und wenn dann an einem warmen Sommertag die Sonnenstrahlen kräftig zu wirken anfangen, so hat die Pflanze diese Wassertropfen bereits verloren. Wenn diese also irgendeine Wirkung in der von L. angenommenen Richtung hervorbringen können, so ist dies nur eine Senkung der Temperatur und Transpiration der Pflanze zu einer Zeit, wo diese schon an und für sich niedrig sind und der Pflanze nicht schaden können.

3. Anatomische Studien.

Ich gehe nun auf eine nähere Prüfung der von L. angeführten Beispiele und der anatomischen Verhältnisse ein, auf welche er seine Behauptungen von den Anpassungen gewisser Organe an Regen und Thau gegründet hat. Eine solche Controluntersuchung scheint mir hier um so mehr am Platze zu sein, als ich bei vorläufigen Untersuchungen bemerkt habe, dass einige der Bauverhältnisse, auf welche L. seine Hypothese basirt, in ihrem Vorkommen etwas variabel sind, so dass sie sogar recht oft fehlen können. L. sieht zum Beispiel (l. c. S. 18) in den langen Haaren am Blattrande von *Trifolium repens* einen Beweis dafür, dass diese Pflanze Anpassungen für das Auffangen von Regen hat. Ich fand indessen unter 12 im Garten der landwirthschaftlichen Hochschule in Berlin gesammelten Exemplaren nicht ein einziges mit solchen Haaren und unter 50 bei Tegel, $^1/_2$ Meile nördlich von Berlin, von verschiedenen Individuen gesammelten Exemplaren nur 2, welche am Endblatte ein oder zwei Haare hatten; die übrigen waren alle glatt[1]). Bei *Alchemilla vulgaris* fasste L. die in den Blattschalen vorkommenden Haare als Organe zum Aufnehmen von Wasser auf; doch hat Prof. Warming, wie er mir mitgetheilt, unter 45 gesammelten Exemplaren 16 gefunden, welche ganz glatt waren. Ich selbst habe auch glatte *Alchemillen* an verschiedenen Orten gesehen, doch ohne zu zählen, wie viele derselben Haare zeigten und wie viele nicht.

---

1) Nach meiner Heimkehr habe ich auch in Schweden *Trifolium repens* in dieser Beziehung untersucht; von 54 Blättern, aus eben so vielen verschiedenen Individuen gesammelt, habe ich nur zwei mit einigen Haaren besetzt gefunden, die übrigen waren glatt.

Zu meinen anatomischen Controluntersuchungen habe ich einige von **Lundströms** Hauptbeispielen erwählt; es stand mir für meine Untersuchungen nur von einigen ein reiches Material zu Gebote, und ich bestimmte mich daher für solche Pflanzen, welche entweder im Garten der landwirthschaftlichen Hochschule wuchsen oder in Berlins nächster Umgebung leicht zu finden waren.

Um Missverständnissen vorzubeugen, will ich hier hinzufügen, dass ich mich, da der Zweck dieser Untersuchungen nur der war, L's. Angaben zu controliren, zuweilen damit begnügt habe zu constatiren, ob diese richtig sind oder nicht, ohne dass ich dabei auf eine nähere Behandlung der anatomischen Verhältnisse, die an und für sich wenig Interesse haben, eingegangen wäre.

Stellaria media Cyrill.

Lundström sagt (l. c. S. 6) von den Haaren an den Haarrändern dieser Pflanze, dass sie „fast immer von einem gummi- oder schleimartigen Stoffe feucht oder klebrig sind." Die Gegenwart dieses Secrets will L. auf die Weise beobachtet haben, dass er die Haare über einen Objectträger geführt und auf diesem sodann nasse Streifen gefunden habe. Ich will hier nicht auf alle die Fehlerquellen eingehen, welche bei einer derartigen Untersuchungsmethode auftreten können, sondern nur bemerken, dass ich vergebens versucht habe, diese nassen Streifen mit Haaren solcher Internodien hervorzurufen, welche sich im Zimmer entwickelt hatten und somit vor den Verunreinigungen bewahrt gewesen waren, denen die Pflanzen in der freien Natur ausgesetzt sind.

L. sagt (l. c. S. 6): „Die Querwände zwischen der Fusszelle und der Epidermis sind uhrglasförmig und zeigen sich punktirt, wahrscheinlich sind sie dennoch nicht perforirt." In der Erklärung der Figuren (Taf. I, Fig. 4) dagegen giebt er an, dass die punktirte Membran zwischen der Fusszelle und der über dieser liegenden Zelle ihren Platz habe: „b. die nächstfolgende Zelle, welche durch eine punktirte (oder perforirte?) Membran von a (die Fusszelle) getrennt ist." Es dürfte wohl diese letztere Angabe sein, welche man als die richtigere zu betrachten hat. Fig. 4 dürfte übrigens in einer schiefen Stellung abgebildet sein, da der Anschluss der Haare an die andern Epidermiszellen sonst nicht auf diese Weise hervortritt. Dass die Wand als uhrglasförmig beschrieben ist, hat seinen Grund wohl ebenfalls in dieser schiefen Stellung; auf alle Fälle habe ich keine hervortretende Uhrglasform finden können. Die Membran zwischen den Zellen, welche **Lundströms** Fig. 4a und 4b entsprechen, war indessen nicht punktirt, aber da die Mikrosome dicht an der Wand liegen, so können diese, wenn die Zelle schief liegt, leicht für Punkte oder Poren genommen werden.

Ferner sagt L. (l. c. S. 7), indem er zuerst erwähnt, dass die Zellen der Haare bei der Behandlung mit Glycerin und Alkohol platt werden: „die stärkste Zusammenziehung zeigen oft die Basalzellen (b, b. Fig. 3). Dies scheint davon abzuhängen, dass die Wände dieser Zellen am leichtesten Wasser durchlassen.“ Ebenso an derselben Stelle: „Sie enthalten einen Stoff, der mehr schwellend ist als der anderer Zellen.“ Zu allererst will ich hier bemerken, dass ich zwischen dem Inhalt der Basalzellen im Vergleich mit demjenigen der übrigen Zellen des Haares keinen andern Unterschied habe finden können, als dass jener vielleicht etwas mehr protoplasmareich ist. Vielleicht hat aber L. mit einem „Stoff, der mehr schwellend ist,“ gerade das Protoplasma gemeint?

Um die Richtigkeit von L's. Angabe zu untersuchen, dass die Wände der Basalzelle mehr permeabel seien, habe ich einige plasmolytische Versüche mit Kochsalzlösung ausgeführt. Es zeigte sich dann an der abgeschnittenen Kante eines Blattstieles, dass sich zuerst das Protoplasma der Zellen des Blattrandes, sodann dasjenige der Fusszelle, der Basalzelle u. s. w. nach der Reihe zusammenzog. Als jetzt Wasser zugesetzt wurde, fand die Ausdehnung des Protoplasmas bei der Aufnahme von Wasser in derselben Ordnung statt. Mit andern Worten: die Aussenwände aller Haarzellen sind nur wenig permeabel und die Basalzelle unterscheidet sich nicht in höherem Grade von den andern Zellen; da aber die Querwände der Haare permeabel sind, kann das Haar seines Wassers beraubt werden und dasselbe von den Zellen des Blattrandes zurückerhalten, in welchem Falle die Wirkung von unten nach oben geht, sodass zuerst die Basalzelle Reaction zeigt.

Ferner sagt L. (l. c. S. 7): „Dass die Basalzellen (b, b. Fig. 3) und Fusszellen (a. Fig. 4) der Haare nebst den angrenzenden Theilen der Epidermis gewissermassen ein Centrum für Wasseraufsammeln sind, scheint mir aus den feinen Rändern der Cuticula hervorzugehen, welche von der Basis der Haare radial ausstrahlen.“ Wie dieses ein Beweis für die Aufnahme von Wasser an dieser Stelle sein kann, ist nicht leicht einzusehen; hingegen lässt es sich leicht erklären, wie diese radialen Cuticularstreifen entstehen; man findet nämlich, dass die Epidermiszellen der Internodien Cuticularstreifen in der Längsrichtung haben, und da nun die Haare ebenfalls Cuticularstreifen in der Längsrichtung besitzen, müssen die Cuticularstreifen auf der Grenze zwischen dem Haar und der Epidermis ein radiirendes Aussehen zeigen.

L. sagt zwar (l. c. S. 7): „Da die Basalzellen der Haare hier, wie wir gesehen, einen schwellenden oder wasseraufsaugenden Inhalt und permeable Wände haben," giebt hierfür aber keinen Beweis; denn das kurz vorher besprochene Verhältniss, dass sie sich bei Behandlung mit Glycerin oder Alkohol stark zusammenziehen, ist nicht beweisend genug, „um die physikalischen Eigenschaften dieser Haare näher zu erforschen." Wie ich oben gezeigt habe, sind die Basalzellen nicht in grösserem Grade permeabel, und wie meine weiter unten angeführten physiologischen Versuche zeigen, können die Haarreihen nur unter gewissen Umständen und in sehr geringem Grade Lösungen von sehr leicht diosmirendem Lithionsalz aufnehmen, sind aber keineswegs dazu eingerichtet, Wasser von aussen aufzunehmen und in dieser Hinsicht weit von einer Anpassung entfernt.

Dabei scheint Lundström übersehen zu haben, dass die Internodien von *Stellaria* auch in den Haarreihen Spaltöffnungen haben, was bei der Deutung der Haarreihen als wasseraufnehmende Apparate hätte zur Vorsicht mahnen müssen; denn es wäre eigenthümlich, wenn *Stellaria* besondere Apparate zur Aufnahme von Wasser hätte, an denselben Stellen wie diese, und um sie herum gleichzeitig andere Apparate zur Abgabe von Wasser (Wasserdampf) besitzen sollte. Dass die Haare von *Stellaria* auch Chlorophyll in der Form kleiner Körner enthalten, sei hier gelegentlich bemerkt.

Zum Zwecke eines Vergleiches habe ich die Haare von *Möhringia trinervia* mit denen von *Stellaria* einer Untersuchung unterworfen, obschon *Möhringia* von L. nicht untersucht worden ist. Die Ueber einstimmung ist im Ganzen genommen sehr gross; doch dürfte es schwerlich jemandem einfallen, den dickwandigen Haaren von *Möhringia* eine wasseraufnehmende Function zuzuschreiben. *Möhringia trinervia* hat an den Blattstielen ähnliche Haargebilde wie *Stellaria media* und auf den Internodien zuweilen zwei Reihen Haare, mitunter auch Haare rund um die Internodien; doch waren bei den untersuchten Exemplaren in solchem Falle die zwei Haarreihen deutlicher hervortretend. Die Internodien werden leicht in ihrem ganzen Umfang benetzt. Die Haare waren in den untersuchten Fällen nach unten gebogen; sie zeigten sich sehr dickwandig und mit einer Cuticula versehen, welche bei den äussersten Zellen punktförmige Verdickungen hat, die nach unten zu lang gestreckt sind und gegen die Basis der Haare hin in ähnliche radiirende Cuticularfalten übergehen wie bei *Stellaria media*. Diese Falten sind hier indessen nur über ein kleines Stück der Fusszelle deutlich bemerkbar, und gehen dann in die undeutlichen, längs laufenden Cuticularstreifen der Epidermiszellen über. Auch hier haben die Internodien Spaltöffnungen sowohl innerhalb wie ausserhalb der Haarreihen. Die Blüthenstiele sind rundum behaart; am Kelche aber finden sich keine Drüsenhaare, wohl aber kleinere Haare von ungefähr demselben Aussehen wie diejenigen der Internodien. Als Curiosum kann angeführt werden, dass ich bei einem Individuum einige Exemplare von *Pleurococcus vulgaris* zwischen den Haaren vegetirend fand.

Wahrscheinlich wird es sich zeigen, dass ähnliche Gebilde bei den *Alsinaceen* ziemlich allgemein sind, ohne dass wir bis jetzt eine plausible Hypothese über die physiologische Function derselben aufzustellen vermögen.

Melampyrum pratense L.

Das von L. (l. c. S. 11) beschriebene Aussehen dieser Art, durch welches sie sich im allgemeinen von *Melampyrum sylvaticum* unterscheiden soll, zeigen nur ziemlich kleine Exemplare, während die grösseren länger auslaufende, beinahe horizontale Zweige haben. Ebenso soll die erstere dieser Arten auf den niedersten Internodien der Zweige im allgemeinen nur eine Haarreihe besitzen, nämlich an der Unterseite, während *M. sylvaticum* zwei Haarreihen, eine an der Unter- und eine an der Oberseite hat. Dieses ist aber, wie L. übrigens selbst angiebt, kein constantes Verhältniss; ich habe nämlich in Tegel, nördlich von Berlin, Exemplare von *M. pratense* gefunden, welche zwei Haarreihen hatten, und mitunter konnte ich auf denselben Individuen auch Zweige finden, welche auf den untersten Internodien eine, auch zwei Haarreihen hatten, und letzteres kam nicht nur auf aufrechten Zweigen, wo L. es gesehen, sondern auch auf sehr langen, ungefähr horizontal auslaufenden vor. Das Vorkommen dieser Haarreihen dürfte daher nicht so zu verwenden sein, wie L. es thut, wenn er mit Bezug auf sie sagt: „Diese beiden Pflanzen scheinen mir daher eine der besten Illustrationen zu liefern zum Kapitel von den regenauffangenden Pflanzen."

L. nennt bei *M. pratense* (l. c. S. 11) zwei Arten von Haaren, nämlich 1) „kurze drüsige Köpfchenhaare (Fig. 6 a) mit einem dicken, im Wasser schwellenden Secret" und 2) „längere oder kürzere 2—5 zellige protoplasmaführende Haare, welche auch leicht von Wasser genetzt werden." L. sagt von diesen Haaren ferner, dass sie sich ausser an den Stammtheilen auch „längs der eingesenkten Hauptnerven der Blätter und an dem abwärts gewendeten Blattrande" finden, und dass sie „auch hier zum Festhalten des Regenwassers" dienen. Die „drüsigen Köpfchenhaare" kommen indessen noch reichlicher an der Unterseite der Blätter vor, wo sie unter normalen Verhältnissen vom Regen nicht benetzt werden können, indem sie der zurückgebogene Rand des Blattes schützt. Eigenthümlich ist es, dass sie an der Unterseite des

Blattes in Gruppen von 4—5 und mehreren um eine ovale wenig hervortretende Epidermisbildung stehen, welche aus 4 lang gestreckten parallelen oberen Zellen und einer Basalzelle zu bestehen scheint, deren Bau ich aber nicht näher studirt habe. Die „drüsigen Köpfchenhaare" kommen, doch weniger zahlreich, auch am Kelche vor.

Ich habe bei diesen sogenannten drüsigen Köpfchenhaaren vergebens nach einem Secret gesucht. Die Membran zeigte sich nicht verändert und die Cuticula nirgends, wie Hanstein bei den *Colleteren* beschreibt, zersprengt; ebensowenig war ein an der Aussenseite hervortretendes Secret durch Färbung nachweisbar [1]). Die Zellen der Haare enthalten grosse Körner und sind reich mit Protoplasma gefüllt, das dann, wenn es älter wird, eine bräunliche Farbe annimmt. Da L. speciell die andere Art ovn Haaren als protoplasmaführend beschreibt, so dachte ich an die Möglichkeit, dass er damit meinen könne, das „dicke, im Wasser schwellende Secret" sei im Innern der Haarzellen eingeschlossen; aber diese zeigten sich nicht besonders wasseraufnehmend; auch ist es mir nicht geglückt, durch Anwendung verschiedener Reagentien zwischen dem Zellinhalt der Haare und demjenigen der Epidermis einen anderen Unterschied nachzuweisen, als dass die Haare reicher an Protoplasma sind als die Epidermis, und kein Melampyrin zu enthalten scheinen, das dagegen in den Epidermiszellen in Menge auftritt. Ich kann zwar nicht die Möglichkeit verneinen, dass die Haarzellen eine der mittels Reaction schwer nachweisbaren Gummi- oder Gummischleimarten enthalten können; es wäre aber gut gewesen, wenn L. angegeben hätte, was für ein „dickes, im Wasser schwellendes Secret" es war, das er in den Haarzellen gefunden, ebenso auf welche Weise er es nachgewiesen hat. Die andere Art von Haaren, welche von L. protoplasmaführend genannt worden, sind in Wirklichkeit sehr arm an Protoplasma; ja sie haben sogar grosse Safträume, sodass sie nach allgemeinem Sprachgebrauch eher saftführend zu nennen wären, obschon sie, wie alle lebenden Zellen, eine protoplasmatische Wandbekleidung haben. Die Cuticularstructur der Wände, welche mit der bei *Möhringia trinervia* beschriebenen eine gewisse Uebereinstimmung zeigt, ist einem Einblick in diese Zellen übrigens ziemlich hinderlich; ich habe jedoch gesehen, dass sich in ihnen Chlorophyllkörner finden, wenn auch nicht in solcher Zahl und von solcher Grösse wie in den Epidermiszellen. Ganz ebenso wie die Haare der andern Art, kommen auch diese an der Ober- und Unter-

---

1) Wie bekannt, kommen bei mehreren *Melampyrum*-Arten an den Hochblättern einige grosse Schuppen vor, welche einen zuckerhaltigen Stoff secerniren; sie sind aber anders gebaut als die gewöhnlichen Haare.

seite des Blattes und am Kelche vor, sind an diesen Stellen im allgemeinen aber viel kürzer, nur aus 1—2 Zellen bestehend. L. sagt (l. c. S. 11): „Die Cuticula und die übrige, nach aussen gekehrte Membran sind dagegen deutlich dünner bei den Zellen des Haarrandes als an andern Stellen, was man sehr gut sehen kann an einem Querschnitt durch das erste Internodium der Zweige. Dies hat an der Oberseite Zellen mit sehr dicken Aussenwänden; an der Unterseite dagegen sind die Wände dünner, insbesondere in der Nähe der Haare.“ Um zu untersuchen, ob das hier Gesagte richtig sei, stellte ich mit Zeiss' Immersion L. und dem Ocular 3, was eine Linearvergrösserung von ungefähr 1,100 Mal giebt, eine Anzahl Messungen an. Als äusserste Grenze von 12 Messungen fand ich auf dem untersten Internodium eines Zweiges, dass die Aussenwand der Epidermis an der untern Seite, wo die Haarreihe vorkam, eine Dicke von 4,5—5,5 μ, an der oberen Seite von 3,5—6,5 μ hatte. Da die Cuticula im Ganzen nicht 1 μ an Dicke erreichte, so war ich nicht im Stande, zu entscheiden, ob sie irgendwo, wie L. gefunden, merklich dünner war. Als äusserste Grenzen von 12 Messungen fand ich auf dem dritten Internodium eines Zweiges die Aussenwand der Epidermiszellen an der Seite der drüsigen Köpfchenhaare (die Dicke der Aussenwand der Basalzelle der Haare konnte ich nicht mit Sicherheit messen) von einer Dicke von 3,5—5,5 μ, und an den Seiten, wo sich keine Haarreihen fanden, von einer Dicke von 3,5—5,5 μ. Wie man sieht, lässt sich unter solchen Verhältnissen nicht sagen, dass die Wand an der einen oder andern Seite merklich dünner sei, und am allerwenigsten lassen sich hieraus Schlüsse ziehen, selbst wenn dies Verhältniss bei den einzelnen Individuen ein verschiedenes sein könnte.

L. sagt ferner (l. c. S. 11): „Bei Querschnitten durch die einseitig behaarten Zweige löst sich gerade der Theil des Schnittes ab, wo die Haare sitzen, oder er faltet sich und es zeigt sich deutlich, dass dies daher kommt, weil der dahingehörende Theil der Epidermis, besonders die Cuticula, schwächer oder weicher ist. Dies spricht wiederum für eine grössere Permeabilität.“ Dieses dürfte jedoch ein etwas überhasteter Schluss sein. Es hat mir übrigens keinerlei besondere Schwierigkeiten gemacht, ganze Querschnitte zu erhalten.

Die Spaltöffnungen fanden sich hier nicht in den Haarreihen, sondern längs einem schmalen Streifen an jeder der vier Kanten des Stammes und der Zweige. Eigenthümlich ist es, dass die Haarreihen ein Heim für Pilz- und Flechtensporen zu sein schienen, die zu keimen angefangen; dieselben traten auf allen untersuchten Individuen in solcher Menge auf, dass es unmöglich war, ein Gesichtsfeld zu finden, auf dem ihrer nicht mehrere vorhanden waren. In ein paar Fällen sah ich auch kleine Colonien von *Pleurococcus vulgaris;* Hyphen, die von den Flechtensporen zwischen den Haaren hervorgewachsen waren, hatten begonnen dieselben zu umspinnen; wir haben hier also den Anfang einer Flechtenbildung vor uns.

Fraxinus excelsior L.

Von den schildförmigen Drüsenschuppen sagt L. (l. c. S. 19): „Sowohl an den eingesenkten Nerven und den kleinen Einschnitten am Blattrande als besonders an den Rinnenöffnungen und in der Rinne selbst finden sich kleine schildförmige Drüsenschuppen". Doch kamen solche bei den von mir untersuchten Individuen auch hier und da an der ganzen Oberseite des Blattes, in der Regel zwar an den Nerven, doch auch ausserhalb derselben vor; ausserdem finden sie sich ebenso zahlreich, wenn nicht zahlreicher, an der Unterseite des Blattes, welche unter normalen Verhältnissen vom Regen nicht benetzt werden kann. In der Rinne selbst waren sie hingegen ziemlich selten, und auf Blättern, welche in den letzten Tagen des Juni untersucht wurden, waren sie hier zum grossen Theil abgestorben.

Von diesen Haarbildungen sagt L. (l. c. S. 19): „Die Drüsenschuppen haben einen Inhalt, der sich durch Alkohol wenigstens nicht ganz auflöst und durch Anilinviolett ziegelroth gefärbt wird." Da die Zellen ziemlich protoplasmareich sind und das Protoplasma in Alkohol nicht löslich ist, so ist die erstere Bemerkung überflüssig. Die Zellen enthalten zwar zuweilen auch etwas von einer andern, von mir nicht näher untersuchten Substanz, die im Verhältniss zum Protoplasma auf alle Fälle nur in geringer Menge vorkommt. Die ziegelrothe Farbe, von welcher L. spricht, suchte ich lange vergebens hervorzurufen; denn mit der Hanstein'schen violetten Anilintinctur färbten sich diese Zellen ebenso violett wie die umgebenden protoplasmatischen Epidermiszellen. Zuletzt fand ich aber, dass der Inhalt der Schuppen, deren Zellen abgestorben oder im Absterben begriffen waren, im Allgemeinen eine braune oder röthliche Farbe hatte, welche im Verein mit dem Anilinviolett eine ziegelrothe Nuance geben konnte, während die lebenden Zellen niemals eine solche Farbe zeigten.

L. macht diese Schuppen, wie man sieht, ohne weiteres zu Drüsenschuppen, ungeachtet sie von de Bary (Anatomie S. 67) nicht unter den Drüsen aufgeführt sind. Prillieux (Ann. d. sc. Nat. Ser. 4, Tfl. 5 S. 5) sagt auch nichts von ihrem Secret, und Hanstein bemerkt (l. c. Sp. 734): „*Fraxinus* scheint in manchen Beziehungen abzuweichen, doch ist diese Gattung noch genauer zu beobachten." L. hat übrigens auch gar keinen Grund angegeben, weshalb diese

Schuppen Drüsen sein sollen; auch ist seine Abbildung derselben (l. c. Tfl. IV, Fig. 10) ungenau, denn sie sind von oben an nicht rund, sondern oval. Die Wände strahlen ebenfalls nicht, wie L.'s Abbildung zeigt, gleich Radien in einem Zirkel aus, sondern sie haben eine Anordnung, welche stark an die Zelltheilung bei gewissen Embryonen erinnert. Ausserdem bestehen sie normal aus 16 Zellen, wie de Bary angiebt, und nicht aus 17, welche Zahl L.'s Abbildung zeigt. Zwar können sie eine grössere Anzahl von Zellen aufweisen, und ich habe bei ihnen schon 18, 20 und 24 getroffen, doch scheint die Zahl derselben stets eine grade zu sein.

Auf den untersuchten Blättern habe ich keine „Bündel von secretführenden langen Haaren" in der Oeffnung der Rinne finden können; wohl aber habe ich in dieser selbst, oft auch neben derselben, vorzugsweise aber längs den grösseren Nerven an der Unterseite des Blattes kürzere oder längere Haare gesehen, welche aber nicht secretführend waren und Ende Juni meist abgestorben zu sein schienen. Wenn aber die von L. untersuchten Individuen diese von ihm beschriebenen langen Haarbildungen hatten, so ist doch dieses Verhältniss, wie man sieht, nicht constant.

L. sagt (l. c. S. 19): „Die gewöhnlichen Epidermiszellen der Rinne haben eine dünne Cuticula, welche wenigstens an durchschnittenen Zellen unter dem Microscope wellenförmig erscheint." Ich habe in Bezug hierauf Messungen vorgenommen und bei einer 1100maligen Vergrösserung gefunden, dass die überall deutlich hervortretende Cuticula in der Rinne nicht messbar dünner ist als an andern Stellen (sie hat überall eine Dicke von ungefähr 1 μ); dahingegen zeigten sich die Zellwände in der Rinne dünner als an der Aussenseite des Blattstieles. Die Cuticula erschien an dem untersuchten Querschnitt überall wellenförmig, was auch bei den Epidermiszellen an der Unterseite des Blattes eine ziemlich allgemeine Erscheinung ist. Wenn L. sagt (l. c. S. 19): „in den geschlossenen Rinnen bleibt das Wasser sehr lange, ohne abzudunsten," so dürfte dieses, wie ich oben bereits angedeutet, wohl eher als ein Beweis dafür gelten, dass Wasser hier von der Pflanze nicht aufgenommen wird als dafür, dass dies, wie L. meint, geschieht.

Lobelia Erinus L.

Der Zwischenraum zwischen dem Stamme, dem Blüthenstiel und dem denselben stützenden Blatte wird von L. (l. c. S. 23) als „vorzüglich geeignet, das Regenwasser aufzusammeln" dargestellt, wogegen sich indessen bemerken lässt, dass sich das Regenwasser auch leicht in allen vegetativen Blattwinkeln sammelt. Die von L. erwähnten 1—2 gerade ausstehenden Haare können beim Festhalten des Regenwassers keine Rolle spielen, indem sie zu weit von einander abstehen, und sich auch nicht sehen lässt, dass sie das Wasser auf irgend eine Weise aufdämmen; ähnliche Haare finden sich übrigens auch an der Basis der vegetativen Blätter, und dazu oft in einer viel grösseren Anzahl. Alle vegetativen Blätter der Pflanze werden leicht vom Wasser benetzt. Was nun die Vorblätter anbetrifft, welche nach L. die speciellen Organe für die Aufnahme des Wassers sind, so stehen diese oft ein Stückchen am Blüthenstiel aufwärts, bei einem Exemplar sogar 3 mm. In ihrem Bau gleichen sie stark reducirten Stützblättern. Unten sind sie grün, mit einem sehr reducirten Gefässbündel und 1—2 Haaren, ähnlich denjenigen der Stützblätter am Rande. Die Spitze der Vorblätter ist röthlich und beinahe rund, ganz wie diejenige der Stützblätter. Die Vorblätter haben. gleichwie die Spitze der Stützblätter, Spaltöffnungen nur an der morphologisch oberen Seite; doch sind diese Oeffnungen bei den Vorblättern, wie zu erwarten, weniger zahlreich als bei den Stützblättern, wohl aber von demselben Bau wie jene; nach diesem Bau zu urtheilen, sind diese Oeffnungen an beiden Stellen Wasserporen, ungeachtet sie sich in ihrer Grösse von den Luftporen nicht unterscheiden.

Wir finden also, dass von den Gründen, welche L. (l. c. S. 25) dafür anführt, dass diese Vorblätter wasseraufnehmend seien, folgende zwei: „Denn erstens finden sich Spaltöffnungen an der Oberseite des Organs, die dem Blüthenstiele zugekehrt ist, was vom morphologischen Gesichtspunkte aus nicht erklärlich ist, zweitens sind diese Spaltöffnungen Wasserporen, nicht Luftporen," auch von der auf ganz dieselbe Weise gebauten Spitze des Stützblattes gelten; aber da dieses die Blattspitze beinahe ohne Ausnahme nach oben kehrt, so kommt das Regenwasser mit der Spitze des Blattes nur äusserst kurze Zeit in Berührung. Bei de Bary (l. c. S. 54) findet sich über das Vorkommen der Wasserporen folgende Mittheilung: „Die Wasserspalten liegen immer über den Enden von Gefässbündeln; daher meist nahe dem Blattrande, auf den Zähnen desselben und zwar in den meisten bekannten Fällen an der Oberseite dieser." Das Vorkommen dieser Wasserspalten an der Oberseite der Vorblätter von *Lobelia* ist also kein abnormes Verhältniss, sondern im Gegentheil das normale.

Wir wollen jetzt übergehen zur Untersuchung des dritten von L. angeführten Grundes (l. c. S. 25): „drittens ist das Organ wasseraufsaugend mittelst der schwellenden Stoffe, die in demselben vorhanden sind und durch die Spaltöffnungen sich ausgiessen." Um die richtige Bedeutung hiervon zu verstehen, ist es nothwendig, auf L.'s anatomische Beschreibung dieser Vorblätter (l. c. S. 23—24) zurückzugreifen.

„Der Epidermis der Unterseite fehlen Spaltöffnungen, und es liegen dieser Epidermis am nächsten 1—2 Lagen von chlorophyllführenden, gerundeten Zellen. Dagegen sind die Spaltöffnungen sehr zahlreich an der Oberseite des Vorblattes, insbesondere gegen die Spitze, zwischen welcher und dem Blüthenstiele das Wasser am längsten bleibt. Unter dieser Epidermis findet sich ein Parenchym, gebildet aus kleinen, rundlichen chlorophyll-freien Zellen mit einem dick-fliessenden Inhalte. Diese Zellen sondern einen klebrigen Stoff ab — wahrscheinlich Gummischleim mit Harz gemischt — der in den Räumen unterhalb der Spaltöffnungen angesammelt wird und sich sogar oft durch diese Oeffnungen über die Oberseite des Organes ergiesst. Es ist hauptsächlich jene Eigenschaft anzuschwellen, welche die Vorblätter zu Organen des Aufsaugens macht, wenn sie von Wasser umschlossen werden." Etwas weiter unten auf derselben Seite sagt er: „Die unteren Blätter des Stengels aber, welche nicht blüthenstützend sind, liegen mehr horizontal und sind grösser und mit mehreren deutlichen herabgebogenen Zähnen versehen, deren Spitzen ungefähr das Aussehen und die Structur der Vorblätter haben." Hierein kann ich vollständig einstimmen; die kleinen Blattzähne, welche an den vegetativen Blättern und insonderheit an den Endspitzen der Stützblätter der Blüthen vorkommen, zeigen beinahe ganz denselben Bau wie die Vorblätter; gleichwohl schreibt L., nachdem er dieses bemerkt hat (l. c. pag. 23): „Sie weichen indessen in ihrer anatomischen Structur beträchtlich von anderen Blattorganen ab." Sofern wir die Vorblätter als Blätter auffassen, welche so stark reducirt sind, dass vom Blatte kaum mehr als der Endzahn mit seinen Wasserspalten übrig ist, so sind sie vollkommen normal gebaut. Es ist mithin normal, dass die Epidermis auf der Unterseite der Wasserporen ermangelt und dass diese sich an der Oberseite (de Bary, l. c. S. 54) finden. Das, was L. unter der Epidermis der Oberseite als „ein Parenchym, gebildet aus kleinen, rundlichen, chlorophyll-freien Zellen mit einem dick-fliessenden Inhalt" beschreibt, ist folglich nichts anderes, als das sog. Epithema (de Bary, l. c. S. 391), das man ja allgemein unter den Wasserporen und über dem Ende der Gefässbündel findet, und das Protoplasma in diesen Zellen kann man natürlicherweise ebenfalls als „einen dick-fliessenden Inhalt" bezeichnen. Nach dieser Orientirung ist es leicht einzusehen, wie das Secret, welches L. erwähnt und als „wahrscheinlich Gummischleim mit Harz gemischt" bezeichnet, aufzufassen ist. Es ist allgemein bekannt, dass die Wasserporen nicht nur Wasser und kohlensauren Kalk ausscheiden (de Bary, l. c. S. 54), sondern auch andere Stoffe, welche sich über den nächsten Umkreis der Wasserporen ergiessen; dass dieses auch bei *Lobelia Erinus* der Fall ist, dürfte um so wahrscheinlicher sein, als ich gesehen habe, dass an der Epidermis der Blattzähne sowohl als der Vorblätter eine Menge verschiedener Körperchen um die Wasserporen herum hängen geblieben sind.

Als Resultat ergiebt sich also, dass die Vorblätter in der physiologischen Bedeutung, welche sie für die Pflanze haben, mit den mit Wasserporen versehenen Blattzähnen zu vergleichen sind, die, so viel wir bis jetzt wissen, dazu dienen, die Pflanzen von tropfförmigem Wasser mit den darin gelösten Stoffen zu befreien. Wenn L. nun typische Wasserporen zu besonderen wasseraufsaugenden Organen machen will, so hat man zum mindesten das Recht, für seine Annahme einen Beweis zu fordern; denn als ein solcher kann es wohl nicht aufgefasst werden, dass diese Poren „während trockener Witterung zusammenschrumpfen, bei Berührung mit Regenwasser aber allmählich anschwellen", da es ja eine Thatsache ist, dass diese Zellen, gleichwie andere, wenn das Wasser aus ihnen verdunstet, in Folge des sinkenden Turgors zusammenschrumpfen. Dass minimale Quantitäten Wasser unter gewissen Umständen durch die Wasserporen eindringen können, will ich nicht bestreiten; doch ist ein weiter Sprung bis zu dem Versuche, sie zu Anpassungen für die Aufnahme von Wasser zu machen.

Zuletzt will ich nur noch bemerken, dass, wenn ein so stark reducirtes Organ wie die Vorblätter bei *L. Erinus* bei einer Art, die dieser im Grossen und Ganzen so unähnlich ist wie *L. Dortmanna*, ganz fehlt, man selbstverständlich daraus auf die Function dieses Organs bei *L. Erinus*, wie L. (l. c. S. 25) gethan, in keinerlei Weise schliessen kann.

Ich habe es nicht für nothwendig erachtet, von den von L. angeführten Beispielen noch mehrere anatomisch zu untersuchen; denn das bereits Mitgetheilte dürfte vollständig zur Beurtheilung der anatomischen Gründe genügen, auf welche L. seine Hypothese von den Anpassungen der Pflanzen an Regen und Thau basirt hat.

4. Physiologische Studien.

Ungeachtet das bereits Angeführte hinreichend ist, um die Unhaltbarkeit der in L.'s Abhandlung für die Anpassung der Pflanzen an Regen und Thau angeführten Gründe darzuthun, so ist doch noch immer die Möglichkeit vorhanden, dass die eine oder andere der dort genannten Pflanzen im Stande ist, durch ihre oberirdischen Organe grössere Quantitäten Wasser aufzunehmen; denn dadurch, dass sich die für eine Hypothese angeführten Beweise als falsch erwiesen haben, ist noch immer nicht dargethan, dass auch die Hypothese selbst falsch ist. Aus diesen Gründen hegte ich die Absicht, eine Anzahl Versuche anzustellen, um zu ermitteln, in welchem Grade die Epidermis bei einigen von L.'s sogenannten besten Exempeln für Wasser und Salzlösungen permeabel ist. Bei meiner Ankunft in Berlin theilte mir indessen Prof. Kny mit, dass er in dieser Hinsicht schon seit längerer Zeit Versuche mit einigen von L. als wasseraufnehmend angeführten Pflanzen angestellt habe. Da Prof. Kny die Angaben Lundströms direct durch Anbringung von Wasser an den von L. als wasseraufsaugend bezeichneten Stellen controlirte[1]), eine naheliegende und gute Methode, welche auch ich zum Theil anzuwenden gedacht hatte, so entschied ich mich für eine andere Methode, indem ich es für überflüssig ansah, die von Kny ausgeführten Versuche zu wiederholen. Ich beschloss jetzt, eine Lösung von Lithiumsalz anzuwenden und das Lithium in der Pflanze dann auf gewöhnliche Weise spectroskopisch nachzuweisen, eine Methode, deren ich mich um so leichter bedienen konnte, als Prof. Frank mit grösster Zuvorkommenheit alles zu meiner Disposition stellte, was ich dazu nöthig haben konnte.

Ich werde hier, ehe ich zur Darstellung der Ergebnisse meiner Versuche übergehe, erst etwas näher auf die Schlussfolgerungen eingehen, zu denen man an der Hand dieser Versuche gelangen kann. Ich wandte bei allen meinen Versuchen Lithiumchlorat und, ein paar Fälle aus-

---

[1]) Nachdem meine Abhandlung schon fertig war, ist eine vorläufige Mittheilung über Kny's Untersuchungen erschienen (Tageblatt der 59. Vers. deutsch. Nat. u. Aerzte. No. 6. p. 191). Kny hat folgende von Lundström aufgezählten Pflanzen: *Stellaria media, Leonurus Cardiaca, Ballota nigra, Fraxinus excelsior, Fr. oxycarpa, Alchemilla vulgaris, Trifolium repens, Silphium ternatum, S. perfoliatum*, und noch dazu *Dipsacus Fullonum* und *D. laciniatus*, von denen, wie ich erwähnt habe, Pfeffer (Pflanzenphysiologie) eine Wasseraufnahme durch oberirdische Organen in Frage gestellt hat, die aber von Lundström gar nicht erwähnt sind, untersucht. Kny sagt: „Als Resultat hat sich ergeben, dass unter den gewonnenen Arten allein bei *Dipsacus laciniatus* und *D. Fullonum* von einer besonderen Anpassung der oberirdischen Organe an die Aufnahme tropfbar-flüssigen Wassers die Rede sein kann". Dies Urtheil steht, wie man finden wird, mit meinen Untersuchungen in dem vollständigsten Einklang.

In der Diskussion theilte auch Dr. Volkens mit (Tageblatt p. 193) „dass Safthaare, welche in allen ihren Zellen plasmaerfüllt sind, ganz im Allgemeinen niemals der Wasseraufnahme dienen." Dies stimmt auch, wie man sieht, mit meinen Untersuchungen überein. Lundström hat aber nur oder jedenfalls hauptsächlich grade solche Haare als besondere Organe der Wasseraufnahme beschrieben.

genommen, welche ich besonders besprechen werde, stets 1 % Lösung an; dass diese Concentration keinen schädlichen Einfluss auf die Pflanzen ausübte, geht daraus hervor, dass eine *Stellaria media* und 3 Exemplare von *Lobelia Erinus,* welche auf einem mit dieser Lösung durchtränkten Boden wuchsen, sich vollständig normal entwickelten.

Da die Lithiumsalze zu den am leichtesten diffundirenden Salzen gehören, so lässt sich annehmen, dass die Zeit, welche vergeht, ehe Lithium spectroskopisch in einem gewissen Abstand von dem Punkte, an dem es angebracht ist, nachgewiesen werden kann, für Lösungen anderer Salze in keinem wesentlichen Grade kürzer sein dürfte. Wir können aber, ohne einen grossen Fehler befürchten zu müssen, annehmen, dass keiner der von L. (l. c. S. 58) genannten Stoffe: „Nitrate und Nitrite, Harnstoff, Hippursäure, Guanin etc." in dieser Hinsicht sich dem Lithiumchlorat in einem bedeutendern Grade überlegen zeigen dürfte; ja man hat im Gegentheil allen Grund zu der Annahme, dass ihm mehrere derselben bedeutend nachstehen.

Wir kommen jetzt zu der Frage, ob eine Lithiumlösung auch zur Bestimmung der Geschwindigkeit des Wasserstromes angewendet werden kann. Diese Frage beantwortet Sachs (Vorlesungen S. 279) wie folgt: „Die Lithiumlösung hat, wie ich mich mit Hilfe des vorhin genannten Papierstreifens überzeugte, die gute Eigenschaft, dass sie unzersetzt emporsteigt; das Lithium wird nicht stärker als das Wasser von den Zellwänden angezogen". Dieses zeigte sich auch bei 3 halbwelken Exemplaren von *Lobelia Erinus,* welche ich mit 1 % Lithiumlösung behandelte. Sobald nämlich die obersten Zweigspitzen turgescent geworden waren, konnte ich mit Hilfe des Spectroskopes in ihnen auch Lithium nachweisen. Wir können mithin auch annehmen, dass das Lithium sich mit derselben Geschwindigkeit wie das Wasser bewegt, wenigstens dann, wenn es durch die Wurzeln aufgenommen wird, und es im Innern der Pflanze entweder diosmotisch oder, wie Sachs mit seinem Papierstreifen gezeigt hat, wenn es Imbibitionswasser ist.

Etwas anders gestaltet sich diese Frage, sobald es sich um die diosmotische Aufnahme von Lithiumlösung durch die Epidermis und die Cuticula handelt; denn dann haben wir drei Möglichkeiten: 1) Es kann das Wasser der Lithiumlösung diosmiren, aber die Lithiummolecule könnten zu gross sein, um zwischen den Micellen der Cuticula hindurch zu gehen, was bekanntlich aber nicht der Fall ist; meine Versuche zeigen, dass das Lithium durch die Cuticula der untersuchten Pflanzen aufgenommen wurde, sobald die Bedingungen für eine osmotische Bewegung überhaupt gegeben waren, und Sachs (Vorlesungen,

S. 305) sagt, dass die mit Lithiumsalpeter getränkten Blätter Lithium an das sie umgebende Wasser abgeben. Dass Cellulose- und Protoplasmamembranen die Lithiummolecule ebenfalls durchlassen, geht aus dem oben Gesagten hervor. 2) Die Wassermolecule können durch die Cuticula verhältnissmässig schneller diosmiren als die Lithiummolecule. Dass dieses eintreffen kann, ist nicht unwahrscheinlich, dürfte aber auf die Richtigkeit meiner Untersuchungen nicht einwirken; denn ein solches Verhältniss würde nur dazu führen, dass in die Zellen eine verdünntere Lithiumlösung aufgenommen wird, als die, welche auf der Epidermis angebracht ist; man kann aber mit einem so scharfen Reagens, wie es die spectroskopische Untersuchung ist, Lithium in so kleinen Quantitäten nachweisen, dass dieser Umstand für die hier in Frage stehenden Untersuchungen keine Bedeutung haben kann. 3) Lithium kann mit grösserer Energie aufgenommen werden als Wasser, oder Lithium kann in die Zellen aufgenommen werden, während diese dafür Wasser an die aussen befindliche Lithiumlösung abgeben. Dieses kann eintreffen, wenn die auf der Pflanze angebrachte Lithiumlösung eine hinreichend grosse endosmotische Kraft hat, also concentrirt genug ist. Um dieses zu veranschaulichen, wollen wir die endosmotische Kraft der Lithiumlösung mit E, die endosmotische Kraft in den Zellen mit c, den hydrostatischen Druck in den Zellen mit t, den Widerstand gegen den eindringenden Strom mit M und den Widerstand gegen den hinausgehenden Strom mit m bezeichnen; wir werden dann einen nach aussen, von der Zelle nach der Lithiumlösung gehenden Wasserstrom erhalten, sofern

$$\frac{e \div t}{M} < \frac{E}{m}$$

und gleichzeitig werden Lithiummolecule in die Zellen dringen. Das Gleichgewicht würde selbstverständlich eintreffen, sobald

$$\frac{e \div t}{M} = \frac{E}{m},$$

was aber unter den vorausgesetzten Verhältnissen kaum geschehen kann, indem das Wasser, das zur Salzlösung herausdringende ebensowohl wie das der Salzlösung angehörende, nach und nach abdunstet und die Salzlösung ausserhalb der Zellen solchergestalt immer mehr und mehr concentrirt wird. Unter solchen Verhältnissen dürfte in den Zellen der Pflanzen Lithium nachzuweisen sein, ungeachtet diese Zellen Wasser abgegeben haben. Dass dieses Verhältniss bei mehreren meiner Versuche mitgespielt hat, lässt sich schon deshalb annehmen, weil Lithium erstens eher nachzuweisen war, wenn ich eine 50%, als wenn ich eine 1% Lösung anwandte, und weil es zweitens bei *Stellaria media* erst dann nachgewiesen werden konnte, wenn der auf der

Pflanze angebrachte Tropfen durch Verdunstung concentrirt war. Bei *Stellaria media*, ebenso bei *Lobelia Erinus* zeigte es sich, dass die Zellen, auf denen Lithiumlösung angebracht gewesen, auf Grund ihrer Abgabe von Wasser an die durch Verdunstung concentrirte Lithiumlösung den Turgor verloren hatten.

Wir können daher sagen: nehmen die Epidermiszellen Wasser auf, so nehmen sie gleichzeitig auch Lithium auf, wenn auch vielleicht nicht in demselben Verhältniss; doch kann Lithium auch aufgenommen werden, ohne dass Wasser aufgenommen wird, was man bei den im Folgenden erwähnten Versuchen nicht vergessen darf.

Eine Lithiumlösung ist also, wie man sieht, vortrefflich geeignet, die Wanderung leicht diosmirenden Salzes in der Pflanze zu controliren, kann aber für die Wanderung des durch die Epidermis aufgenommenen Wassers zu hohe Werthe geben. Die Lithiumsalze haben aber auch ihre Nachtheile. Ein solcher, welchen man bei genügender Vorsicht aber überwinden kann, liegt in der ausserordentlich leichten Nachweisbarkeit dieses Stoffes, so dass die geringste Unvorsichtigkeit, z. B. eine unvollständige Reinigung des zum Einäschern angewandten Tiegels, des zum Glühen benutzten Platinadrahtes oder beschädigte Stellen an der Epidermis der jungen Pflanze leicht eine Lithiumreaction an unrechter Stelle hervorrufen kann. Eine zweiter Uebelstand ist der, dass, wie W. O. Focke (Uebers. d. Vork. v. Lithium im Pflanzenreiche und Neue Beobacht. über Lithium, Abhandl. der nat. Ges. in Bremen) nachgewiesen hat, eine grosse Anzahl Pflanzen in natürlichem Zustande selbst Lithium enthalten. Um die Irrthümer zu vermeiden, welche hiervon eine Folge sein können, habe ich die zu Versuchsobjecten ausersehenen Pflanzen erst einer spectroskopischen Untersuchung unterworfen und nur solche gewählt, bei denen ich auch nicht eine Spur von Lithium entdecken konnte. Selbstverständlich eignen sich zu Versuchen nur solche Exemplare, bei denen die Oberhaut nicht beschädigt ist. Mehrere Versuche, welche ich mit Exemplaren von *Stellaria media* anstellte, bei denen die Epidermis bei Berührung, durch Druck u. s. w. Schaden gelitten hatte, misslangen, und ein Versuch mit einem Individuum, das von einem Insekt beschädigt worden war, zeigte eine auffallend schnelle Aufnahme von Lithiumchlorat.

Zuletzt will ich noch bemerken, dass ich, um Platz zu sparen, nicht alle von mir ausgeführten Versuche, deren Zahl sich auf ungefähr 100 beläuft, sondern nur einige derselben anführe. Ich gehe jetzt dazu über, die untersuchten Pflanzen: *Stellaria media, Melampyrum pratense, Fraxinus excelsior* und *Lobelia Erinus*, jede für sich, zu besprechen.

Stellaria media.

Legt man diese Pflanze mit ihren auf den Internodien befindlichen Haarreihen in eine Lösung von Lithiumchlorat, die so schwach ist, dass sie keinen Wasserstrom aus den Zellen hervorzurufen vermag, und die Pflanze nicht welkt, in welchem Falle die endosmotische Kraft in den Zellen bedeutend vermehrt werden würde, so wird Lithium auch nicht nach Verlauf von 16½ Stunden aufgenommen. (Versuch 1). Dieses stimmt mit dem überein, was Dotmer (Lehrb. d. Pflanzenphysiologie, S. 112) sagt, ebenso mit dem ersten Theil von dem, was Sachs (Vorlesungen, S. 305) bemerkt: „Ist die ganze Pflanze, speciell die Blätter mit Wasser strotzend erfüllt, so wäre nicht einzusehen, wie diese letztern von aussen her Wasser in sich aufnehmen sollten; sind sie dagegen welk, nicht ganz mit Wasser erfüllt, so wird es auf die Beschaffenheit der Cuticula ankommen, ob und wie rasch sie im Stande sind Wasser aufzusaugen.“ Was den letztern Theil dieser Bemerkung anbetrifft, so findet derselbe auch bei *Stellaria* Bestätigung. Meine Versuche zeigen, dass dann, wenn ein Lithiumtropfen in einem Blattwinkel (und einer Haarreihe) eines abgeschnittenen Zweiges angebracht und dieser Zweig sodann starkem Sonnenschein ausgesetzt wurde, sodass er seinen Turgor verlor, nach Verlauf von 3½ Stunden noch kein Lithium nachweisbar war, wohl aber nach 6½ Stunden in einem Abstand von 1—2 cm. von der Stelle, wo der Tropfen gelegen (Versuch 2 und 3). Da in diesem Falle die Lithiumlösung durch Abdunstung stark concentrirt war, so kann die Aufnahme sich möglicherweise auch hiervon herleiten.

Wenn wir diese Erfahrungen nun dazu anwenden, um an der Hand derselben zu sehen, welchen Effect Lundströms „besondere Anpassungen“ für die Aufnahme von Wasser durch die oberirdischen Organe bei *Stellaria media* in der freien Natur haben, so finden wir folgendes: wenn die Pflanze turgescent ist, was der Fall ist, sobald die Transpiration bei Regenwetter oder während der Nacht eine Zeit lang herabgesetzt ist, so nimmt sie keine nachweisbare Menge Wasser auf; mithin werden Thau- und Regentropfen in der Regel abdunsten, ohne in die Pflanze einzudringen. Aber vorausgesetzt, dass ein Regenwetter so plötzlich eintrifft, dass die Pflanze nass wird, noch ehe sie ihren Turgor wiedererlangt hat, so würde sie im Stande sein, eine gewisse Menge Wasser nicht nur durch die nach L. hierfür eingerichteten „besonderen Anpassungen“, sondern auch an allen Stellen aufzunehmen, wo sie überhaupt benetzt wird. Meine Versuche zeigen aber, dass Lithium und somit höchst wahrscheinlich auch Wasser so langsam aufgenommen werden, dass sie $3\frac{1}{2}$—$6\frac{1}{2}$ Stunden brauchen, um 2 cm. in der Pflanze vorzudringen, und damit wird bewiesen, dass die Pflanze nur eine äusserst geringe Menge aufsaugt.

Zum Vergleiche wollen wir nun sehen, wie es sich mit dem durch die Wurzel aufgenommenen Wasser verhält. Was zwar *Stellaria* anbetrifft, so kann ich diese Frage nicht direct beantworten, denn ich habe mit ihr keine diesbezüglichen Versuche angestellt; ich werde aber einige andere Pflanzen anführen, welche anstatt ihrer zu einem Vergleiche dienen können. Die Menge des Wassers, welches die Pflanze durch die Wurzeln aufnimmt, lässt sich nach demjenigen berechnen, das sie bei der Transpiration abgiebt, und man erhält dann bei vielen Pflanzen ziemlich grosse Zahlen. Hier einige Beispiele nach Sachs (Vorlesungen, S. 274): „Dass eine einigermassen kräftige Tabakpflanze zur Blüthezeit, ebenso eine Sonnenrose von Manneshöhe, eine Kürbispflanze mit 15 oder 20 grossen Blättern in dem Zeitraum eines warmen Julitages 800—1,000 Cubikcentimeter Wasser aufnimmt und verdunstet, ist gewiss keine Seltenheit u. s. w.“ Selbst wenn eine *Stellaria* im Verhältniss zu ihrer transpirirenden Oberfläche viel weniger aufnehmen sollte, würde man doch leicht einsehen, dass das von ihr durch die oberirdischen Organe aufgenommene Wasser zu dem durch die Wurzeln aufgenommenen sich verhält, wie „ein Tropfen zum Meere.“ Ebenso würde es sich mit den für die Pflanze nützlichen Verbindungen im Regenwasser verhalten; denn diese finden sich darin, wie ich bereits erwähnt, in nur wenigen Millionteln, und sind im Vergleich zu den Mengen derselben Stoffe, welche der Pflanze mit dem Transpirationsstrom aus den Wurzeln zugeführt werden, gradezu verschwindend.

Das durch die Wurzeln aus der Erde aufgenommene Wasser bewegt sich in der Pflanze mit einer unglaublichen Geschwindigkeit, nach Sachs (Arbeiten d. bot. Inst. in Würzburg, 1878, II) zwischen 50 und 100 cm. in der Stunde, und man kann mithin leicht sehen, dass das während eines Regenwetters aus der Erde aufgenommene Wasser alle Bedürfnisse der Pflanze an Wasser und Salz befriedigt haben kann, noch ehe dieselbe im Stande gewesen ist, eine unbestimmbare Quantität Wasser mit den darin gelösten Stoffen durch die nach L.'s Ansicht „besonderen Anpassungen“ für die Aufnahme von Regen aufzusaugen.

Versuch 1.

Um 6 Uhr Nachm. wurde ein abgeschnittener *Stellaria*zweig mit einem Internodium und zwei Knoten in schwache Lithiumlösung (¼ %) gebogen, die Pflanze im Uebrigen aber nicht benetzt. Nachdem dieser Zweig 16½ Stunden unter einer Glasglocke gestanden, unter welcher die Luft feucht erhalten worden, wurde der oberste Theil des Zweiges, der mit der Lithiumlösung nicht in Berührung gekommen war, abgeschnitten und spectroskopisch untersucht, von dem rothen Lithiumstreif aber keine Spur gefunden.

Versuch 2 und 3[1]).

Ein Tropfen Lithiumlösung wurde um 9½ Uhr Vorm. auf einen Knoten gebracht, von wo er in die Haarrinne drang. Um 11½ Uhr wurde ein Tropfen (nur ½%) zugesetzt und um 12½ Uhr noch einer. Hierauf durfte der Zweig bis um 4 Uhr Nachm. stehen, wo sich dann von der Flüssigkeit nur noch wenig auf dem Knoten vorfand, der Zweig seinen Turgor verloren hatte und über den Rand des Glases herabhing. Der obere Theil des Zweiges wurde jetzt 2 Cm. vom Knoten entfernt abgeschnitten und spectroskopisch untersucht, von Lithium aber nur schwache Spuren gefunden.

Melampyrum pratense.

Es zeigte sich, dass auch hier eine Lithiumlösung nur zum geringen Theil aufgenommen werden konnte, und zwar wahrscheinlich etwas rascher als von *Stellaria media.* Bei einer Zimmertemperatur von ungefähr 18° C. und bei einem nicht allzu welken Zustande der Individuen war Lithium nach Verlauf von 2 Stunden in der Entfernung von 1,5—2 cm. von der Stelle, wo der Tropfen aufgetragen war, nicht nachzuweisen, wohl aber nach Verlauf von 6 Stunden, wo dann die Pflanzen ziemlich stark welk waren. (Vergl. Vers. 4 u. 5.)

Unter Umständen, welche aber in der freien Natur nicht vorkommen dürften und auf künstlichem Wege erzeugt waren, konnte Lithium viel schneller aufgenommen werden. Ich brachte nämlich an einem schönen Sommertage (bei einer Temperatur von ungefähr 30° C.) Lithiumtropfen auf wachsende Individuen von *Melampyrum pratense* um 12 Uhr Mittags. Nach einer halben Stunde war der Lithiumtropfen beinahe ganz abgedunstet, und das Spectroskop zeigte, dass das Lithium in einer Zeit von 40 Minuten mehr als 1,5 und weniger als 4 cm. und in 1 Stunde und 15 Minuten mehr als 4 cm. in der Pflanze vorgedrungen war (Versuch 6); ich vermag jedoch keine genaueren Grenzen aufzustellen; denn dazu sind die Versuche nicht zahlreich genug. Wie schon gesagt, geschah dieses unter Verhältnissen, welche für die Aufnahme von Wasser durch die oberirdischen Organe

[1]) Es ist für den ersten und andere im Laboratorium ausgeführte Versuche zu bemerken, dass das Laboratorium von 2—6 Uhr Nachm. directes Sonnenlicht erhielt und die Temperatur in ihm während dieser Zeit höher war als zu anderen Tageszeiten, daher während derselben die Verdunstung sehr stieg.

ungleich günstiger waren, als sie in der freien Natur vorkommen dürften; denn bei einer Wärme, wo die Transpiration zu einer solchen Höhe hinaufgetrieben ist, dass ihre Forderungen nicht einmal von dem Wasser befriedigt werden können, das durch die Wurzeln aufgenommen wird, dürfte die Pflanze keine Gelegenheit haben, einige Tropfen Wasser auf ihren oberirdischen Organen zu sammeln, sondern nur unter Umständen, wo die Transpiration bedeutend herabgesetzt ist. Ein Umstand, welcher bestimmt zu dieser verhältnissmässig schnellen Aufnahme von Lithium beigetragen hat, war auch der, dass die Concentration der Lösung auf Grund der starken Verdunstung in hohem Grade stieg. Dass dieses die Aufnahme des Salzes sehr begünstigte, zeigte sich bei einer gleichzeitig angewandten 50% Lösung; denn hier konnte Lithium spectroskopisch 5,5 cm. von der Stelle, wo die Lösung aufgetragen war, schon nach Verlauf von 35 Minuten nachgewiesen werden (Versuch 7); aber diese Aufnahme geschieht, wie ich bereits gezeigt habe, auf Unkosten des eigenen Wassers der Pflanze.

Versuch 4.

Ein Tropfen Lithium wurde um 9 Uhr 45 Minut. Vorm. auf einem Blattpaar angebracht, von wo er auf das erste Zweigpaar und von diesem dann auf das folgende glitt, auf dem er hängen blieb. Um 12 Uhr wurde ein Zweig 2 cm. von der Stelle abgeschnitten, an der die Lithiumlösung sich befunden, und spectroskopisch untersucht, in ihm aber keine Lithiumlösung entdeckt.

Versuch 5.

Von dem zu No. 4 benutzten Exemplar wurde der Hauptstamm (ungefähr 2 cm. von der Stelle, an welcher das Lithium aufgetragen gewesen) um 4 Uhr Nachm. abgeschnitten, zu welcher Zeit das Lithium schon längst eingetrocknet war und das Individuum sich stark welk zeigte. Die spectroskopische Untersuchung zeigte einen deutlichen Lithiumstreif.

Versuch 6.

Auf Individuen, welche bei Tegel, in der Nähe von Berlin, in starker Sonne (ungef. 30° C.) wuchsen, wurde um 12 Uhr Mittags eine Lithiumlösung in einem Astwinkel und über das ganze anstossende Internodium angebracht. Um 12 Uhr 40 Min., wo die Lösung beinahe eingetrocknet war, wurde der Zweig 1,5 cm. von der benetzten Stelle abgeschnitten und in zwei Theile getheilt, von denen der untere, der 2,5 cm. lang war, bei der spectroskopischen Untersuchung schwache Spuren von Lithium zeigte, was der obere nicht that. Zwei ähnliche Theile von dem gegenständigen Zweige, welcher um 1 Uhr 15 Min.

abgeschnitten wurde, zeigten beide Lithium, der untere jedoch stärker als der obere.

Versuch 7.

Das Exemplar stand neben dem vorigen. Um 12 Uhr wurde eine 50% Lithiumlösung auf ihm auf gleiche Weise wie auf dem vorigen angebracht, und um 12 Uhr 35 Minuten von ihm ein Zweig abgeschnitten und in 2 Theile getheilt. Lithium war nachweisbar in dem obersten dieser Theile, welcher 5,5 cm. von der mit Lithium benetzten Stelle begann.

Fraxinus excelsior.

Diese Pflanze zeigte sich für die Lithiumlösung, welche in der Rinne eines Blattstieles angebracht war, in hohem Grade unempfänglich; denn während der Zeit, in der abgeschnittene Blätter, die ohne Wasser lagen, sich überhaupt lebend erhielten, wurde gar kein Lithium aufgenommen (Versuch 8). Da die Lithiumlösung, wenn man mit ihr die Rinne des Blattstieles füllte, sich im allgemeinen längs der Mittelnerven der Blattfiedern ausbreitete, so konnte ich zur spectroskopischen Untersuchung nichts anderes verwenden als die Ränder der Fiederblättchen, also Theile, welche von der mit Lithium hauptsächlich benetzten Stelle 3—5 cm. entfernt lagen, und so weit hatte das Lithium in 6 Stunden nicht vordringen können.

Versuch 8.

Auf einem abgeschnittenen Blatte wurde Lithium um 10 Uhr Vorm. an 4 Stellen (da, wo die Kleinblätter sitzen) angebracht, von wo dasselbe theils nach innen floss und die Rinne des Blattstieles erfüllte, theils auch sich längs des Mittelnervens der Fiederblättchen ausbreitete. Da die Lösung sehr schnell abdunstete, wurde bis um 1 Uhr und zwischen 3 und 4 Uhr Nachm. allmählich etwas destillirtes Wasser zugesetzt. Spectroskopisch wurden die Fiederblättchen um 11 Uhr Vorm., 12 Uhr Mittags und um 3 Uhr Nachm. und das Endblättchen um 4 Uhr Nachm. untersucht, von Lithium aber keine Spur entdeckt.

Lobelia Erinus.

Mit dieser Pflanze habe ich die meisten Versuche angestellt; denn es war leicht, reiches Material zu erhalten. Man sollte meinen, dass diese Pflanze zu denjenigen gehöre, welche Wasser und Salzlösungen durch die oberirdischen Organe mit Leichtigkeit aufzunehmen vermögen; denn sie kann überall leicht benetzt werden, auch haben die Epidermiszellen der Blätter eine sehr dünne Aussenwand, Spaltöffnungen finden sich sowohl am Stammtheil als auch an der Ober- und Unterseite der Blätter, und dies alles sind ja doch Verhältnisse, welche die Aufnahme von Wasser begünstigen. Wie bereits erwähnt worden, sagt L. in seiner Abhandlung, dass es bei *Lobelia Erinus* die Vorblätter seien, in denen die wasseraufnehmenden Organe dieser Pflanze sich befinden. Wäre dieses richtig, so würde Lithium selbstverständlich nur in denjenigen Blattachseln, in denen die blüthentragenden Zweige mit ihren Vorblättern sitzen, auf alle Fälle hier aber leichter aufgenommen werden können, als in den vegetativen Blattachseln; alle Versuche aber, welche ich anstellte, zeigten, dass dieses nicht der Fall ist. Lithium wird ebenso leicht und ebenso rasch in den vegetativen Blattachseln aufgenommen wie in denjenigen, wo Blüthen sitzen (Versuch 9 u. 10); ja es zeigte sich sogar, dass Lithium in dem Stützblatte früher nachzuweisen war als in dem Blüthenstiel[1]) (Versuch 10), ungeachtet dieser nach L. besondere Anpassungen für die Aufnahme von Wasser besitzt.

Ferner ergab sich, gleichwie bei *Melampyrum pratense,* dass die Pflanzen das Lithium besser aufnehmen, wenn die Lösung mehr concentrirt ist (Versuch 11, 12 u. 13); ebenso dass Lithium viel schneller aufgenommen wird, wenn man die Lösung auf einem sehr jungen Blatte anbringt (Versuch 13), dessen Epidermiszellen keine so entwickelte Aussenwand haben wie die älteren Blätter, was natürlich um so deutlicher hervortritt, je jünger die Theile sind, auf denen die Lösung angebracht wird; auch dass ältere Blätter, welche eine gelbliche Farbe haben und im Absterben begriffen sind, Lithium auffallend schnell aufnehmen. Ausserdem zeigen diese Versuche, dass die schnellere oder langsamere Aufnahme des Lithiums in Uebereinstimmung mit individuellen Eigenthümlichkeiten variirt. Die Versuche, welche ich mit *Lobelia Erinus* angestellt habe, beweisen erstens, dass die von Lundström als besondere Anpassungen für die Aufnahme von Wasser gedeuteten Vorblätter den vegetativen Blättern nachstehen, und zweitens dass Wasser durch die oberirdischen Organe so langsam und im Vergleich zu dem durch die Wurzeln aufgenommenen in so geringer Menge aufgesaugt wird, dass es für die Pflanze ohne Bedeutung ist.

Versuch 9.

Ein Tropfen Lithiumlösung wurde um 10 Uhr Vorm. in einem vegetativen Blattwinkel angebracht, welcher einen ungefähr 1 cm. langen Axillarspross hatte. Der Tropfen wurde eintrocknen gelassen, ohne

[1]) Es ist zu bemerken, dass ich bei allen Versuchen mit *Lobelia Erinus* den zur Untersuchung bestimmten Theil der Pflanze so nahe als möglich der Stelle, wo die Lithiumlösung angebracht gewesen, also kaum 0,5 cm. von ihr entfernt abgeschnitten habe.

dass ein Zusatz von Wasser geschah. Um 1 Uhr Nachm. war Lithium spectroskopisch sowohl in dem äusseren Theil des Blattes wie auch in dem über dem Blatte befindlichen Theil des Hauptstammes nachweisbar.

Versuch 10.

Auf dem zum Versuch 9 benutzten Individuum wurde gleichzeitig ein Lithiumtropfen in der Achsel eines Stützblattes in der Weise angebracht, dass die Vorblätter vom Tropfen bedeckt waren, der dann eintrocknete. Um 1 Uhr liess sich Lithium spectroskopisch in dem Stützblatte nachweisen, dagegen aber nicht in dem Blüthenstiel.

Versuch 11.

Ein Lithiumtropfen wurde um 10 Uhr Vorm. in der Achsel eines Stützblattes und auf den Vorblättern angebracht und durch Zusatz von destillirtem Wasser bei einem gleichen Concentrationsgrad erhalten. Die spectroskopische Untersuchung um 4 Uhr Nachm. zeigte weder im Blatte noch in dem Blüthenstiel Lithium.

Versuch 12.

Eine 50% Lithiumlösung wurde um 10 Uhr 30 Min. Vorm. in der Achsel eines vegetativen Blattes angebracht. Bei der spectroskopischen Untersuchung um 12 Uhr 15 Min. Nachm. war Lithium im Blatte vorhanden.

Versuch 13.

Eine 50% Lithiumlösung wurde um 9 Uhr 30 Min. Vorm. in der Achsel eines sehr jungen Blattes angebracht. Bei der spectroskopischen Untersuchung eine halbe Stunde später zeigte sich eine deutliche Lithiumlinie.

5. Schlussbemerkungen.

Es lässt sich nicht leugnen, dass die Selectionstheorie für die botanische Forschung viel Gutes mit sich gebracht hat; denn auf Grund derselben hat man angefangen, sich mehr mit der Function der Organe, der Gewebe und der Zellen zu beschäftigen; doch hat sie durch die Uebertreibungen, zu denen sich viele ihrer Anhänger haben hinreissen lassen, auch Schaden angerichtet.

Der Satz, dass in der Natur alles zweckmässig eingerichtet ist, ist nur zum Theil wahr. Selbst aus der Selectionstheorie lässt sich mit logischer Consequenz der Beweis erbringen, dass in der Natur Dinge vorkommen können, welche weniger zweckmässig, ja geradezu schädlich, und noch mehrere, welche indifferent sind. Eine reiche Phantasie kann indessen auch bei diesen letztern die eine oder andere Zweckmässigkeit auffinden; und sofern solche Speculationen über eine oft wenig untersuchte Sache nicht sofort widerlegt werden, wird dieses als ein Beweis für die Richtigkeit der Hypothese angesehen. Dieses Suchen nach Zweckmässigkeit mag an und für sich sehr verlockend sein; dazu kommt, dass derartige Betrachtungen das grosse Publikum in hohem Grade ansprechen, das die Sache als causal erklärt ansieht, sobald sie in der einen oder andern Hinsicht als zweckmässig, als eine Anpassung für den einen oder anderen Zweck dargestellt wird.

Keiner der Zweige der Botanik ist wohl in solchem Grade ein Feld für diese Anpassungsjagd gewesen als derjenige, den man mit dem unbestimmten Begriff Biologie bezeichnet. Die Schwierigkeiten, welche sich hier der Anstellung beweisender Experimente entgegenstellen, geben der Phantasie einen viel grösseren Spielraum als z. B. in der Physiologie, wo ihr physikalische und chemische Gesetze unübersteigliche Schranken setzen. Aber deshalb möge man ja nicht glauben, dass physiologische Fragen ganz frei ausgehen konnten; denn es steht für sie stets die Möglichkeit offen, sie biologisch zu behandeln, wie das Lundström in seiner hier besprochenen Abhandlung mit der Frage von der Aufnahme von Wasser durch die oberirdischen Organe der Pflanzen gethan hat.

Es kann ja wohl möglich sein, dass das eine oder andere der von Lundström angeführten 16 Hauptbeispiele und auch verschiedene der circa 120 von ihm ausserdem genannten Pflanzen Regenwasser leichter aufnehmen als die vier seiner Hauptbeispiele, welche ich untersucht habe; aber selbst wenn dieses der Fall sein sollte, so ist es erst durch neue und wissenschaftliche Untersuchungen zu beweisen.

Hiermit will ich jedoch keineswegs die Bedeutung des Zweckmässigkeitsprincipes verneinen, auch nicht bestreiten, dass es Pflanzen mit einem Baue giebt, der sie in den Stand setzt, durch ihre oberirdischen Organe eine solche Menge Wasser aufzunehmen, dass dieses für das Leben der Pflanze von Bedeutung ist. Dass dies bei *Tillandsia usneoides* und einigen andern epiphytischen Bromeliaceen der Fall ist, kann man nach Schimper's (l. c.) gleichzeitig mit Lundström's, aber viel gründlicher als jene ausgeführten Untersuchungen nicht bezweifeln. Ebenso scheint es auch bei einigen Wüstenpflanzen wie *Reaumuria hirtella, Dipotaxis Harra* u. a. unzweifelhaft zu sein, wie die von Volken (l. c.) später angestellten Untersuchungen, über welche man von demselben Verfasser binnen Kurzem vollständige Mittheilungen zu erwarten hat, ergeben. Den Untersuchungen dieser beiden Forscher ist es zuzuschreiben, dass die Frage von den „Anpassungen der Pflanze an Regen und Thau" noch nicht in das Reich der Fabel verwiesen ist.

Pflanzenphys. Instit. d. Landwirthsch. Hochschule in Berlin. August 1886.

Ueber den Einfluss von Dehnung auf das Längenwachsthum der Pflanzen.

Von

Dr. Max Scholtz.

Einleitung.

Während wir eine ganze Reihe von interessanten Erfahrungen über die Wirkung von Druckkräften auf das Wachsthum besitzen[1]), sind die Kenntnisse über den Einfluss von Dehnung auf wachsende Gewebe noch äusserst gering.

Allerdings ist in der Pflanzenphysiologie eine ganz bestimmte Ansicht über die Art dieses Einflusses verbreitet: allgemein findet man die Erwartung ausgesprochen, dass stärker gedehnte Gewebe schneller wachsen werden, als schwächer gedehnte. Diese Annahme gründet sich auf die Hypothese, durch welche gegenwärtig allgemein das Flächenwachsthum der Zellenhäute mechanisch erklärt wird. Die passive Dehnung der Zellmembran durch Turgor spielt nach derselben in sofern bei dem Wachsthum die wichtigste Rolle, als sie dasselbe allererst möglich macht.

Dass nicht nur Dehnung der Membran durch Turgor, sondern auch durch äusseren Zug als ein wesentlicher, das Wachsthum beschleunigender Factor zu betrachten ist, hält Sachs für wahrscheinlich[2]).

Auf Grund dieser Lehre hat sich die Meinung gebildet, dass allgemein mit der Steigerung der Dehnung eines Gewebes das Wachsthum desselben vermehrt, mit der Verminderung gehemmt werde[3]).

---

1) Pfeffer, Physiologie. Bd. 2, pag. 151 ff. — Detmer in Schenk's Handbuch der Botanik, Breslau 1882, Bd. 2, pag. 504 ff.

2) Vorlesungen, pag. 694.

3) Pfeffer, Physiologie. Bd. 2, pag. 57 ff. — H. de Vries in Arbeiten des botan. Instituts in Würzburg. Bd. 1. 1874. pag. 519. — Detmer in Schenk's Handbuch der Botanik. Bd. 2, pag. 504.

Wiederholt wurde diese Ansicht auch benützt zur mechanischen Erklärung von Wachsthumserscheinungen. Sachs erklärt die Thatsache, dass die Epidermiszellen langer Internodien, sowie langer Blätter vorwiegend in longitudinaler Richtung wachsen, während breite Blätter polygonal gestaltete Epidermiszellen besitzen, dadurch, dass im ersteren Falle die Zellen hauptsächlich in longitudinaler Richtung gedehnt werden, während im letzteren Zerrungen der Zellen allseitig in der Blattfläche stattfinden [1]).

Pfeffer [2]) ist der Ansicht, dass es eine wesentliche Folge eines mechanischen Zuges sei, dass *Ranunculus fluitans*, Arten von *Potamogeton* und anderer Wasserpflanzen in schnell fliessendem Wasser länger werden als in ruhigerem Wasser. Ferner käme eine auslösende Wirkung von Druck- und Zugkräften möglicherweise in Betracht bei dem durch Krümmungen von Zweigen erzielten Auswachsen von Knospen und Zweigen [3]).

Wiesner [4]) erklärt durch „Zugwachsthum" die hakenförmigen Krümmungen der Zweigenden von *Ampelopsis hederacea*, sowie die Krümmung des unteren Stengeltheils eines einseitig beleuchteten Keimlings von Kohl oder Kresse und spricht dieser Art des Wachsthums eine grosse Bedeutung zu bei der Annahme der fixen Lichtlage der Blätter. Detlefsen [5]) lässt die verschiedenen Zellformen in einem in die Dicke wachsenden cylindrischen Organe durch Wachsthum entstehen, welches den vorhandenen Spannungen folgt und dieselben mehr oder minder ausgleicht.

Dagegen kommt Krabbe [6]) ebenfalls auf Grund der Beobachtung der Verschiedenheit der Zellformen innerhalb eines Organes zu dem Schluss, dass die Gültigkeit des Satzes: Dehnungen spielen beim Wachsthum eine wesentliche Rolle, mindestens eine sehr beschränkte ist. Direct experimentell wurde diese Frage bisher noch nicht untersucht. Zwar sammelte Baranetzky [7]) während seiner Untersuchungen über die tägliche Periodicität im Längenwachsthum der Stengel bei-

---

1) Sachs, Lehrbuch. 4. Auflage. pag. 781.

2) Physiologie. Bd. 2, pag. 153.

3) Vöchting, Organbildung im Pflanzenreich. Erster Theil, pag. 194.

4) Wiesner, Das Bewegungsvermögen der Pflanzen. 1881. pag. 135 ff.

5) Arbeiten des botan. Instituts in Würzburg. 1878. Bd. 2, pag. 18.

6) G. Krabbe, Das gleitende Wachsthum bei der Gewebebildung der Gefässpflanzen. Berlin 1886.

7) J. Baranetzky, Die tägliche Periodicität im Längenwachsthum der Stengel. Mém. de l'acad. imp. des sciences de St. Petersbourg. VIIe série, 1879, pag. 20.

läufig einige Erfahrungen über dieselbe; aber die Beobachtungen von ihm sind nicht ausreichend, um eine Verallgemeinerung mit denselben vorzunehmen, noch geben sie Gesichtspunkte an, von denen aus weiter untersucht werden könnte. Er fand, dass ein mit einem Gewichte gespannter Stengel immer bedeutend langsamer wächst, als wenn er ganz frei geblieben wäre.

„Diese Beobachtung wurde wiederholt an *Gesnera tubiflora* und zwar an solchen Stöcken gemacht, wo aus einer Knolle zwei gleich starke Stengel gewachsen waren. Wurde der eine von ihnen, behufs der Messungen mit einem Gewichte (von etwa 10 g) gespannt, während der andere frei blieb, so wuchs der letztere jedesmal rascher und überholte bald den anderen. Und doch wurde zum Zweck der Messungen ein möglichst kräftig aussehender Stengel gewählt, von dem eben eine grössere Wachsthumsfähigkeit zu erwarten war."

Zum Zwecke der Bestimmung des etwaigen Einflusses der mechanischen Dehnung auf den Verlauf der täglichen Wachsthumsperioden wurden zwei Mal parallele Versuche mit *Gesnera tubiflora* angestellt, wo eine Pflanze mit einem Gewichte von 10 g, die andere mit einem solchen von 30 g gespannt war.

„Aus diesen Versuchen ist aber auf eine das Wachsthum etwa begünstigende Wirkung der stärkeren Ausdehnung des Stengels nicht zu schliessen." „In einem anderen Versuche, mit einem halb etiolirten Stengel von *Helianthus tuberosus*, wechselte im Laufe einer und derselben Beobachtungsreihe das spannende Gewicht von 2—5 g auf 35 g und dann wieder auf 5 g, ohne dass die Intensität des Wachsthums, wie der Verlauf der Wachsthumsperioden sich dementsprechend in irgend einer Weise änderte."

Eine ausreichende experimentelle Prüfung des Einflusses einer äusseren Dehnung auf das Wachsthum ist also bisher noch nicht vorgenommen worden.

Ich selbst habe mich im Pflanzenphysiologischen Institut der Königlichen Universität Breslau an einer grösseren Zahl von Versuchsreihen mit dieser für die Wachsthumsmechanik so wichtigen Frage eingehend beschäftigt, und wende mich nun zur Darstellung meiner Versuche. Vorher ist es mir eine angenehme Pflicht, Herrn Professor Ferdinand Cohn, sowie Herrn Privatdocenten Dr. Frank Schwarz für die Anregung zu dieser Arbeit und die vielfältige Unterstützung mit Rath und That meinen herzlichsten Dank auszusprechen.

Methode der Untersuchung.

Die Versuche wurden ausgeführt an Keimlingen von *Helianthus annuus* L., *Tropaeolum majus* L., *Linum usitatissimum* L., *Fagopyrum esculentum* Mnch., *Ipomaea purpurea* Lam., *Sinapis alba* L., *Cucumis sativus* L., welche in einem Warmhause des Pflanzenphysiologischen Instituts gezogen und beobachtet wurden. Es war durch geeignete Vorrichtungen, indem alles seitliche Licht abgehalten wurde, dafür gesorgt, dass die Pflanzen keine heliotropischen Krümmungen machen konnten. Die spannenden Gewichte betrugen — je nach der Pflanze verschieden —. 5, 10, 15, 20, 30, 40, 50, 60, 100, 150 g.

Die Methode bestand im Allgemeinen darin, dass von derselben Pflanzenart zwei Gruppen zusammengestellt wurden, von denen die eine mit Zug, die andere ohne Zug unter sonst denselben äusseren Bedingungen wuchs. Aus dem Wachsthum sämmtlicher Exemplare jeder Gruppe wurde der Mittelwerth für das Wachsthum eines Individuums derselben bestimmt, und diese Zahlen wurden mit einander verglichen. Es wurde dabei vor allem auf eine sehr sorgfältige Auswahl der Versuchspflanzen geachtet, indem dieselben alle möglichst gleich kräftig genommen wurden.

Das Verfahren bei jeder einzelnen Pflanze war folgendes:

Diejenigen Keimlinge, welche zur Bestimmung des normalen Wachsthums dienten, die also ohne Zug wuchsen, wurden mit zwei Tuschmarken versehen, von denen sich die eine unmittelbar am Grunde des Stengels, wo er aus der Erde heraustrat, befand, die andere unmittelbar unterhalb der Cotyledonen resp. der Stiele der ersten Laubblätter. So waren diese Pflanzen für die Messung fertig. Bei derjenigen Gruppe, die mit Zug wuchs, musste zunächst dafür gesorgt werden, dass die Pflanzen durch das Gewicht nicht aus der Erde gezogen wurden. Dies wurde erreicht durch Befestigung eines Stückchens Gutta-Percha mittelst Nadeln auf der Erde, in der die Pflanze wurzelte. Die Erdtheilchen waren dadurch inniger unter einander und mit den Wurzeln verbunden und es war verhindert, dass beim Giessen die Erde um die Pflanze herum weggespült wurde, und diese ihren Halt verlor. Die Oeffnung in dem Gutta-Perchastückchen, durch welche der Stengel hindurchging, war so weit, dass letzterer überhaupt nicht berührt wurde. Darauf wurde am freien Ende des Stengels ein weicher, nicht einschneidender Seidenfaden mittelst einer Schlinge befestigt, über eine in ihren Achsenlagern leicht bewegliche kleine Messingrolle geführt und an seinem Ende das spannende Gewicht befestigt. Die Schlinge wurde so weit geknüpft, dass ein Dickenwachsthum des Stengels nicht gehemmt wurde, und jene sich immer an der Ansatzstelle der Cotyledonen resp. der ersten Blattstiele befand, und der Stengel nicht über sie hinauswuchs. Die Gewichte bestanden aus Reagenzgläschen, in welche feines Schrot langsam geschüttet wurde, so dass die Spannung des Stengels allmählich erfolgte. Nachdem auch diese Pflanzen am Grunde mit einer Tuschmarke versehen waren — als oberste Marke diente die unterste Linie der Schlinge — konnten die Messungen beginnen. Bei Anwendung grosser Gewichte jedoch wurden die Pflanzen zunächst etwa drei Stunden sich selbst überlassen, weil man nach dieser Zeit erst sicher ist, dass sie nicht reissen, noch aus der Erde gezogen werden. Es sind aber 150 g bei *Helianthus annuus,* 60 g bei *Tropaeolum majus,* 50 g bei *Cucumis,* 40 g bei *Linum usitatissimum,* 30 g bei *Fagopyrum esculentum* die höchsten Gewichte, die man anwenden kann, ohne dass die Pflanzen zerrissen werden. In der Regel wurde die Längenzunahme innerhalb 24 Stunden gemessen mittelst einer auf einem Messingstabe eingravirten Millimeter-Eintheilung; die Messungen der einzelnen Pflanzen geschahen natürlich immer in derselben Reihenfolge.

Alle Messungen wurden in Tabellen, wie die auf pag. 356—364 abgedruckten, eingetragen, und die Mittelwerthe der Längenzunahme berechnet. Im Folgenden sind diese Tabellen nicht vollständig wiedergegeben. Es ist nur verzeichnet die Temperatur, bei der die Pflanzen wuchsen, in Graden des 100-theiligen Thermometers, die Stunden, nach Verlauf deren gemessen wurde, die Mittelwerthe der Längenzunahme innerhalb dieser Zeiten nebst Angabe der Pflanzen, welche der Berechnung jener Werthe zu Grunde lagen. Nicht angeführt sind die Längenzunahmen der einzelnen Exemplare.

Durch Vorversuche wurde bestimmt, ob die Schwankungen im Wachsthum der einzelnen Individuen gross oder klein sind; ergaben sie sich als gross, so wurde der Berechnung der Mittelwerthe eine grössere Zahl von Pflanzen zu Grunde gelegt, als im andern Falle.

Für die Keimlinge von *Helianthus annuus,* mit denen die grösste Anzahl der Experimente angestellt wurde, wurden drei Versuche vorgenommen, welche feststellen sollten, ob zehn Pflanzen genügen, um die individuellen Schwankungen des Wachsthums in den Mittelwerthen verschwinden zu lassen. Es wurden je 2 Gruppen von je 10 Pflanzen zusammengestellt, und das Wachsthum innerhalb gleicher Zeiten gemessen.

In Versuch 1 sind die Mittelwerthe des Zuwachses:

	in 24	24	24	8	40	24 Std.[1]).	
bei Gruppe I.	14.85	16.30	15.35	5.65	13.28	3.72	S. 69.15 mm,
„ Gruppe II.	16.50	17.39	14.78	6.50	11.05	3.94	S. 70.16 mm.
T. ° C.	19	18	18	17	18	16	

In Versuch 2 ergeben sich folgende Zahlen:

bei Gruppe I.	9.40	12.35	15.05	9.75	9.05	5.65	3.95	2.35	S. 67.55 mm,
„ Gruppe II.	6.90	10.85	11.80	9.80	9.75	8.10	4.80	4.50	S. 66.50 mm.
T. ° C.	15	15	14	14	15	14	13	14	

In Versuch 3 endlich, bei:

Gruppe I.	11.60	15.30	22.15	17.15	14.10	S. 80.30 mm.
Gruppe II.	12.85	17.15	22.35	17.70	14.55	S. 84.60 mm.
T. ° C.	15	17	18	19	19	

Obwohl also zehn Pflanzen genügend übereinstimmende Resultate ergeben, wurden doch der grösseren Sicherheit wegen bei den meisten Versuchen mehr als zehn Exemplare genommen.

Alle Durchmesserbestimmungen wurden mittelst eines Hartnack'schen Ocularmikrometers, dessen Theilstriche eine Länge von 0.04 mm bezeichneten, ausgeführt. Diese Bestimmungen ergaben einen aus je 20 Pflanzen berechneten Mitteldurchmesser der hypo- resp. epicotylen Glieder der Keimlinge zu Anfang der Versuche von:

1.80 mm bei *Helianthus annuus*,
0.70 „ „ *Linum usitatissimum*,
1.07 „ „ *Ipomaea purpurea*,
1.44 „ „ *Tropaeolum majus*,
0.82 „ „ *Sinapis alba*,
0.86 „ „ *Fagopyrum esculentum*,
1.57 „ „ *Cucumis sativus*.

Betrug das angewendete Gewicht 5, 10 oder 15 g, so musste untersucht werden, ob ein so geringes Gewicht überhaupt Dehnung des betreffenden Pflanzentheiles bewirkt, oder nicht. Diese Untersuchung geschah unter dem Mikroskop mit Hülfe des oben angegebenen Ocularmikrometers. Nachdem die Pflanze unterhalb der Ansatzstelle der Blätter mit Tuschmarken versehen war, wurde sie mittelst feiner, mit Nadeln angesteckter Korklamellen auf einer Korkplatte befestigt und diese durch Klemmschrauben an den Objektträger des Mikroskops angeschraubt. Unmittelbar unterhalb der Ansatzstelle der Blätter

---

[1]) Wo im Folgenden die Angabe der Stunden weggelassen ist, wurde immer nach 24 Stunden gemessen. S bedeutet die Summe der auf derselben Zeile stehenden Zahlen.

wurde an den Stengel ein Seidenfaden angeknüpft, der über eine in gleicher Höhe mit dem Objektträger befindliche Stelle lief und zur Befestigung der Gewichte diente. Gemessen wurden die Entfernungen der Tuschstriche vor und nach Anhängung des Gewichtes und nach Wiederabnahme desselben.

Experimenteller Theil.

A. Isolirung der einzelnen Ursachen aus dem Complex der durch das Experiment neu hinzugefügten, die Längenzunahme beeinflussenden Umstände.

Der Vorgang, den wir als Wachsthum bezeichnen, wird bedingt durch einen Complex von Ursachen, die in innere und äussere eingetheilt werden können. Zu den inneren Ursachen gehören alle die, welche aufzufassen sind als ererbte Eigenthümlichkeiten des betreffenden Pflanzentheils. Während die Bestimmung dieser inneren Ursachen noch sehr wenig vorgeschritten ist, kennen wir die äusseren Bedingungen bei weitem besser. Ausser dem Vorhandensein von Bau- und Bildungsstoff müssen bestimmte Temperatur- und Feuchtigkeitsverhältnisse gegeben sein, und im allgemeinen ist auch freier Sauerstoff nothwendig. Neben diesen nothwendigen Bedingungen, ohne die Wachsthum überhaupt nicht stattfindet, kommt noch eine Reihe von auslösenden Kräften in Betracht, wie die Schwerkraft, das Licht, bestimmte Druckverhältnisse u. s. w., welche das Wachsthum qualitativ und quantitativ in bestimmter Weise beeinflussen. Wir haben zu diesen allgemeinen äusseren Einwirkungen in den Versuchen noch eine neue hinzugefügt, eine Zugkraft.

Es ist aber nicht zu vergessen, dass ausser dem mechanischen Zuge noch ein anderer Einfluss hinzukommt, der durch die Art und Weise, wie das spannende Gewicht angebracht wurde, unmittelbar mit gegeben ist, und von dem es von vornherein gar nicht ausgemacht ist, ob er auf das Wachsthum einwirkt, oder nicht. Es ist dies ein Druck, den die um den Stengel gelegte Schlinge auf diesen an der Berührungsstelle ausübt, und dessen Grösse abhängig ist von der Grösse des spannenden Gewichtes. Wenn wir also die Wirkung des Zugs rein bestimmen wollen, ohne die gleichzeitige Nebenwirkung des eben angegebenen Einflusses, so muss es uns gelingen, diesen letzteren für sich allein zu beurtheilen, und dies ist leicht auszuführen.

Wenn wir in der bei der Untersuchungsmethode angegebenen Weise einen Seidenfaden an der Pflanze befestigen, aber kein Gewicht anhängen, sondern nur entsprechend fest zuziehen, und dann das Wachsthum vergleichend mit demjenigen einer Pflanze beobachten, die ohne Seidenfaden, aber sonst unter genau denselben Bedingungen wächst, so haben wir die Wirkung des Druckes bestimmt. Unter der berechtigten Annahme nun, dass diese Wirkung dieselbe bleibt, auch wenn noch ein Zug hinzukommt, können wir leicht den Einfluss dieses letzteren für sich allein beurtheilen.

Aber auch nachdem wir die Wirkung des Druckes aus dem Complex der neu hinzugefügten äusseren Wachsthumsbedingungen ausgeschieden haben, dürfen wir die erhaltenen Zahlen nicht ohne weiteres als Wachsthum bezeichnend ansehen. Denn auch an nicht wachsenden Pflanzentheilen bewirkt ein äusserer Zug von gewisser Grösse eine Längenzunahme, und eine solche rein mechanische Dehnung ist kein Wachsthum. Es gelingt nun aber, allerdings nur annähernd, diese auf blosser Dehnung beruhende Längenzunahme zu bestimmen, wodurch wir dann in den Stand gesetzt sind, die unmittelbar abgelesene Längenzunahme in zwei Theile zu zerlegen, von denen der eine Wachsthum, der andere Dehnung bezeichnet.

Diese Abscheidung der Dehnung wurde nur bei den Keimlingen von *Helianthus annuus,* die unter einem Zuge von 150 g wuchsen, ausgeführt; dort war sie nöthig, weil die unmittelbar abgelesenen Längenzunahmen umsoweniger das eigentliche Wachsthum bezeichnen, als diese Keimlinge relativ stark dehnbar sind.

Das Verfahren dabei war folgendes. Nachdem die Pflanzen soweit vorbereitet waren, dass nur das Gewicht an das freie Ende des Fadens angehängt zu werden brauchte, wurden sie in einen Eiskasten, in dem die Temperatur 6 ° C. betrug, gestellt, und nach Verlauf einiger Stunden das Gewicht angebracht. Neben diesen Pflanzen befanden sich noch einige frei wachsende Exemplare, die zur Controlle dienten, ob bei 6 ° C wirklich das Wachsthum der Keimlinge unterdrückt sei. Es stellte sich heraus, dass dies in der That der Fall ist. Das hypocotyle Glied der Pflanzen, an die das Gewicht angehängt wurde, war von der Ansatzstelle der Cotyledonen an nach unten zu mit feinen Tuschmarken versehen, die je 1 mm von einander entfernt waren. An den Vergleichspflanzen war behufs der Messungen eine Tuschmarke am Grunde und eine am oberen Ende des Stengels angebracht. Da bei grossen Gewichten die von ihnen verursachte Dehnung auch von der Einwirkungszeit abhängt[1]), verblieben die Pflanzen 48 Stunden in dem Eiskasten; die Abstände der Tuschmarken wurden zum ersten

---

[1]) E. Detlefsen, Ueber die Biegungselasticität von Pflanzentheilen; in Arbeiten des botan. Instituts in Würzburg. Bd. 3. Heft 1, pag. 145—151.

Male nach Verlauf von 10 Stunden gemessen, und als die Messung am Ende der Zeit wiederholt wurde, ergab sich keine Veränderung der nach 10 Stunden erhaltenen Zahlen. Das Resultat des Versuches war folgendes.

Während die Vergleichspflanzen gar keine Längenzunahme zeigten, verhielten sich die gedehnten Exemplare so, dass bei allen die von de Vries[1]) beobachtete Thatsache bestätigt wurde, dass die Dehnung von oben nach unten abnimmt; innerhalb der Zone des stärksten Wachsthums waren die Dehnungen — von der Spitze des Stengels nach seiner Basis zu — bei einem Individuum folgende:

erstes mm gedehnt um 1/4 mm
zweites mm " " 1/4 mm
drittes mm " " 1/4 mm
viertes mm " " weniger als 1/4 mm
fünftes mm " " " " 1/4 mm.

Bei den übrigen zwei Exemplaren wurden die ersten vier mm um weniger als 1/4 mm gedehnt, das fünfte zeigte keine Dehnung mehr.

Betrachten wir nun den Bruch 1/4 als Constante für die Dehnung eines Millimeters Stengel aus der Zone des grössten Wachsthums, so ermöglicht uns diese Zahl, die Dehnung zu berechnen, welche ein Gewicht von 150 g an einem beliebiglangen Zuwachsstücke eines Keimlings von *Helianthus annuus* bewirkt.

Da bei gleichem Stoff und gleichem Durchmesser die Dehnung cylindrischer Körper durch ein gleiches Gewicht proportional ihrer Länge ist, erhält man durch das Produkt $a \cdot c$ die Dehnung einer Länge von a mm, wenn c diejenige von 1 mm angiebt. Wenn wir mit Hülfe dieser Gleichung die Dehnung eines während seines Wachsthums durch ein Gewicht gespannten hypocotylen Gliedes von *Helianthus annuus* bestimmen wollen, so setzen wir voraus, dass durch die Wirkung des Gewichtes die Dehnbarkeitsverhältnisse der zuwachsenden Stengeltheile sich nicht ändern. Dafür spricht in der That der Umstand, dass bei Abnahme des Gewichtes sich der Stengel zu Ende des Versuches ebenso verhält, wie zu Anfang desselben: die beobachtete Verkürzung ist in beiden Fällen gleich. Wenn also wie in Tab. 8, pag. 363 bei den mit Gewicht wachsenden Pflanzen in 11 Tagen eine Gesammt-Längenzunahme von 113 mm gemessen wurde, so kommt auf Zuwachs $\frac{4.113}{5} = 90.40$ mm, und auf Dehnung 22.60 mm, da 1 mm um 1/4 mm gedehnt wird, also 5/4 Millimetern direct abgelesener Längenzunahme 1 mm Wachsthum entspricht.

---

[1]) H. de Vries, Ueber die Dehnbarkeit wachsender Sprosse; in Arbeiten des botanischen Instituts in Würzburg. 1874. Bd. I, pag. 535.

Die Zahlen, die man auf diese Weise für das reine Wachsthum erhält, fallen etwas zu niedrig aus. Erstens ist 1/4 mm die höchst beobachtete Dehnung; dies wird aber z. T. wieder dadurch ausgeglichen, dass oberhalb der am stärksten wachsenden Zone sich eine Strecke von grösserer Dehnbarkeit befindet; dann aber ist nicht Rücksicht genommen auf das Dickenwachsthum, durch welches der Durchmesser vergrössert, die Dehnung also vermindert wird, die sich ceteris paribus dem Querschnitte umgekehrt proportional verhält.

B. Analyse der durch die Messungen gefundenen Zahlen.

Nachdem wir in dem vorigen Abschnitt gezeigt haben, dass es möglich ist, die in Betracht kommenden Ursachen zu isoliren, können wir an die Verarbeitung der gefundenen Zahlen herantreten. Wir theilen dabei die Ergebnisse in drei Gruppen ein.

Die erste Gruppe bilden drei Versuche mit *Helianthus annuus*, *Linum usitatissimum* je mit 5 g, *Sinapis alba* mit 15 g. Eine Dehnung der Pflanzen fand bei dem angewandten Gewichte nicht statt.

Die Mittelwerthe des Zuwachses sind bei *Helianthus annuus*:

		in 24	24	24	24	48 Std.	
(Versuch 4)	13 o. G.[1])	11.77	11.08	12.38	6.69	11.23	S. 53.15 mm,
	6 G. 5 g	10.83	12.17	14.00	9.33	10.66	S. 56.99 mm.
	T. ° C.	17	18	18	19	18	

Dieser Versuch ist insofern mangelhaft, als nur 6 Pflanzen mit Gewicht wuchsen, in den aus ihnen berechneten Mittelwerthen die individuellen Schwankungen des Wachsthums also nicht vollständig ausgeglichen sind.

Bei *Linum usitatissimum* sind die Zahlen folgende:

	10 o. G.	12.35	13.85	7.60	2.80	0.80	S. 37.40 mm
(Versuch 5)	10 G. 5 g	13.05	12.15	6.65	3.15	1.20	S. 36.20 mm
	T. ° C.	18	17	17	19	22	

wie man sieht, ein sehr übereinstimmendes Wachsthum.

Bei *Sinapis alba* wurden je 15 Keimlinge nur einmal nach 24 Stunden gemessen und es ergaben sich die übereinstimmenden Zahlen von 9.57 mm bei den mit Gewicht wachsenden Pflanzen, und 9.12 mm bei den Vergleichspflanzen; die Temperatur betrug 23° C. (Versuch 6).

Es hatte also bei diesen Versuchen auch der Druck der Schlinge keinen Einfluss auf das Wachsthum.

---

[1]) o. G. bedeutet: bei derjenigen Gruppe, die ohne Gewicht wuchs; G. bedeutet: bei derjenigen Gruppe, die mit Gewicht wuchs. Die Grösse des angehängten Gewichtes ist immer unmittelbar hinter G. angegeben. Die Zahlen vor o. G. resp. G. geben die Anzahl der Exemplare an, aus denen die Mittelwerthe der Längenzunahme berechnet wurden.

Bei der zweiten und dritten Gruppe wurden die Pflanzen wirklich gedehnt; und zwar ergaben die Untersuchungen über die Grösse der Dehnung, die in der bei der Methode der Untersuchung angegebenen Weise ausgeführt wurden, (vgl. pag. 328) folgende Resultate.

Bei einem starken Exemplare von *Helianthus annuus* betrug die Entfernung zweier Tuschstriche auf der Zone des grössten Wachsthums

vor Befestigung des Gewichtes 0.52 mm,
nach Anhängung von 10 g 0.52 mm,

also keine Dehnung.

Bei einem schwächeren Keimlinge von *Helianthus annuus*, von der Stärke wie sie meist zum Experiment benutzt wurden, betrug der Abstand zweier Tuschstriche der gleichen Zone

vor der Dehnung 0.56 mm,
nach Anhängung des Gewichtes von 10 g 0.60 mm,
nach Abnahme des Gewichtes 0.56 mm.

Bei *Fagopyrum esculentum* war der Abstand zweier Tuschstriche

vor der Dehnung 0.80 mm,
nach Anhängung von 15 g 0.88 mm,
nach Abnahme des Gewichtes 0.84 mm.

Bei *Tropaeolum majus* war die Entfernung zweier Tuschstriche

vor der Dehnung 0.40 mm,
nach Anhängung von 15 g 0.44 mm,
nach Abnahme des Gewichtes 0.40 mm.

Bei *Linum usitatissimum* betrug der Abstand zweier Marken

vor der Dehnung 1.00 mm,
nach Anhängung von 15 g 1.04 mm,
nach Abnahme des Gewichtes 1.00 mm.

Das Gewicht blieb immer so lange hängen, bis keine Verschiebung mehr sichtbar wurde, was sehr bald geschah, da bei kleinen Gewichten die Dehnung nicht von der Zeit abhängig ist.

Von den Versuchen nun, bei denen das Gewicht gross genug war, um wirklich Dehnung zu bewirken, stellen 6 Versuche die zweite Gruppe der Ergebnisse zusammen. Man beobachtet bei diesen Versuchen eine dauernde Verzögerung des Wachsthums. Sie beträgt bei *Ipomaea purpurea* bei einem spannenden Gewichte von 15 g 31 %:

	7 o. G.	2.07	3.17	3.58	3.75	3.25	S.	15.82 mm,
(Versuch 7)	7 G. 15 g	1.36	2.08	2.58	2.75	2.58	S.	11.35 mm,
	T. ° C.	24.5	24	24	22	25		

bei *Linum usitatissimum* 22%:

	10 o. G.	18.90	15.35	6.75	S.	41.00 mm,
(Versuch 8)	10 G. 15 g . . .	15.55	12.20	4.55	S.	32.30 mm.
	T. ° C.	18	20	21		

bei dem gleichen Gewichte, 20% bei einem solchen von 40 g:

	14 o. G.	9.00	10.79	6.93	3.75	2.07	1.32	S.	33.86 mm,
(Versuch 9)	14 G. 40 g	7.50	9.11	5.54	2.79	1.65	0.75	S.	27.34 mm,
	T. ° C.	15	15	17	18	19	19		

Bei *Tropaeolum majus,* wo das Gewicht 60 g war, stellte sich die Verzögerung in einem Versuche auf 37%:

	7 o. G.	9.43	10.57	4.93	2.79	2.00	0.21	S.	29.93 mm,
(Versuch 10)	8 G. 60 g	9.00	8.25	1.44	0.44	0.25	0.00	S.	19.38 mm,
	T. ° C.	28	28	25	25	22	25		

in einem anderen Versuche ebenfalls auf 37%:

(Versuch 11)	10 o. G.	12.05	15.80	11.45	5.05	1.40	S.	45.75 mm,
(Tab. 1, p. 356)	9 G. 60 g	11.11	11.61	4.83	1.50	0.29	S.	29.33 mm,
(vgl. Curve I.)	T. ° C.	25	24	22	24	25		

Bei einem anderen Versuche mit *Tropaeolum majus,* der so angestellt wurde, dass von den beiden Blattstielen der ersten beiden Blätter immer der eine ohne Gewicht, der andere unter der Einwirkung eines spannenden Gewichtes von 60 g wuchs, ergab sich eine Verzögerung der mit Gewicht wachsenden Blattstiele um 31 %. (Versuch 12; Tab. 4, pag 359.)

Durch ein geringeres Gewicht (15 g) wird bei *Tropaeolum majus* der verzögernde Einfluss nur eben angedeutet, wie aus folgenden zwei Versuchen zu ersehen ist; bei dem einen sind die Zuwachse im Mittel:

(Versuch 13)	8 o. G.	7.75	9.69	4.00	2.31	1.44	0.62	0.19 mm,
(Tab. 2, p. 357)	8 G. 15 g	10.37	11.50	4.19	0.81	0.50	0.12	0.19 mm,
	T. ° C.	23	27	30	25	25	25	25

und bei dem anderen:

(Versuch 14)	20 o. G.	14.27	13.17	6.92	2.82	1.32	0.60 mm,
(Tab. 3, p. 358)	12 G. 15 g	14.50	11.25	4.92	1.29	0.25	0.04 mm,
	T. ° C.	22	22	23	23	24	23

Während hier die Wachsthumscurven der beiden verglichenen Gruppen in ihrem ganzen Verlaufe sich nahe an einander halten, zeigen bei einem Gewichte von 60 g die Ordinaten durchweg eine geringere Länge als bei den Vergleichspflanzen (vgl. die Curven II, III).

Man darf nicht vergessen, dass die für die Verkürzung angeführten Zahlen um etwas zu klein sind, da die rein mechanische Dehnung, welche bei *Linum usitatissimum* mit 40 g und *Tropaeolum majus* mit 60 g nicht gering ist, von der unmittelbar abgelesenen Längenzunahme nicht abgezogen wurde.

Es frägt sich nun, ob diese Verzögerung des Wachsthums Wirkung der Dehnung oder des Druckes der Schlinge ist.

Darüber geben uns die Tabellen 5 und 6, pag. 360, 361 Aufschluss. Es ist in diesen Tabellen das Wachsthum von Keimlingen von *Linum* resp. *Tropaeolum* dargestellt, die ohne spannendes Gewicht, aber unter dem Einfluss einer entsprechend fest zugezogenen Schlinge wuchsen. Bei *Linum* beobachtet man eine Verzögerung von 16 % (Tab. 5):

	ohne Schlinge	12.35	13.85	7.60	2.80	0.80	S. 37.40 mm,
(Versuch 15)	mit Schlinge	10.55	11.45	6.17	2.50	0.55	S. 31.22 mm,
	T. ° C.	18	17	17	19	22	

bei *Tropaeolum* eine solche von 31 % (Tab. 6):

	ohne Schlinge	14.27	13.17	6.92	2.82	1.32	0.60	S. 39.10 mm,
(Versuch 16)	mit Schlinge	8.17	11.83	4.27	1.43	1.20	0.27	S. 27.17 mm,
	T. ° C.	22	22	23	23	24	23	

(vgl. Curve IV).

Der Druck der Schlinge verzögert also in der That bei diesen Pflanzen das Wachsthum; aber sein Einfluss reicht nicht aus, um die Gesammtverlangsamung zu erklären. Denn während bei *Linum* die Schlinge allein um 16 % verlangsamt, verursacht die Schlinge plus Spannung eine Verzögerung von 22 %; und bei *Tropaeolum* wirkte die Schlinge allein um 31 % verlangsamend, dagegen Schlinge plus Spannung um 37 %. Es ergiebt sich also schon aus diesen Versuchen, dass ein spannendes Gewicht verzögernd auf das Wachsthum wirken kann. Zur Deutung der Verzögerung bei *Ipomaea* wird man ebenfalls beide Momente in Anspruch nehmen können.

Genaueren Aufschluss über die Art dieser Verzögerung erhalten wir, wenn wir die dritte Gruppe der Ergebnisse mit den eben besprochenen vergleichen. Bei dieser dritten Gruppe beobachten wir eine vermehrte Längenzunahme der mit Gewicht wachsenden Pflanzen.

Im Folgenden sind zunächst die nach der auf pag. 327 angegebenen Weise verkürzten Tabellen der hierher gehörigen Versuche angeführt.

	in	21	22	23	. . . .	Std.
Helianthus annuus	10 o. G.	8.75	17.75	14.11	. . . .	mm.
(Versuch 17).	10 G. 10 g	6.40	17.95	18.05	. . . .	"
	T. ° C.	15	14	14		

	in	20	24	23	. . . .	Std.
Helianthus annuus	10 o. G.	12.70	22.95	14.85	. . . .	mm.
(Versuch 18).	10 G. 10 g	10.87	26.87	16.75	. . . .	"
	T. ° C.	15	15	15		

	in	21	24	24	. . . .	Std.
Helianthus annuus	10 o. G.	6.25	10.90	10.25	. . . .	mm.
(Versuch 19).	10 G. 10 g	8.20	10.45	11.55	. . . .	"
	T. ° C.	14	14	15		

	in	24	24	24	24	24	24	Std.
Helianthus annuus	5 o. G.	**10.10**	**11.20**	**15.20**	**9.20**	**6.70**	**8.70**	mm.
(Versuch 20,	5 G. 10 g	**9.80**	**12.90**	**19.00**	**17.80**	**12.60**	**9.40**	"
Tab. 7, pag. 362).	T. ° C.	15	14	13	14	14	14	

	in	24	24	24	. . . .	Std.
Helianthus annuus	15 o. G.	**12.80**	**7.40**	**8.87**	. . . .	mm.
(Versuch 21).	15 G. 10 g	**6.68**	**9.78**	**4.80**	. . . .	"
	T. ° C.	17	19	20		

	in	24	24	24	24	. . . . . .	Std.
Fagopyrum esculentum	10 o. G.	**26.80**	**26.55**	**8.22**	**1.22**	. . . . .	mm.
(Versuch 22).	10 G. 15 g	**24.28**	**88.28**	**17.78**	**4.44**	. . . . .	"
	T. ° C.	20	21	18	17		

	in	24	24	24	24	. . . . . .	Std.
Fagopyrum esculentum	12 o. G.	**21.12**	**18.54**	**9.21**	**8.54**	. . . . . .	mm.
(Versuch 23).	12 G. 15 g	**17.42**	**22.50**	**11.86**	**8.86**	. . . . . .	"
	T. ° C.	17	17	19	20		

	in	24	24	20	28	. . . . . .	Std.
Fagopyrum esculentum	23 o. G.	**29.61**	**20.48**	**2.85**	**4.28**	. . . .	mm.
(Versuch 24).	21 G. 30 g	**28.07**	**28.71**	**10.19**	**5.94**	. . . . . .	"
	T. ° C.	24	24	21	23		

	in	21	22	23	. . . .	Std.
Helianthus annuus	10 o. G.	**8.75**	**17.75**	**14.11**	. . . .	mm.
(Versuch 25).	10 G. 100 g	**6.65**	**16.00**	**15.85**	. . . .	"
	T. ° C.	15	14	14		

	in	24	24	24	24	24	. .	Std.
Helianthus annuus	15 o. G.	**18.67**	**14.47**	**17.88**	**14.27**	**12.77**	. .	mm.
(Versuch 26)	15 G. 10 g	**14.47**	**17.87**	**21.10**	**19.90**	**16.07**	. . .	"
	T. ° C.	17	16	15	16	16		

	in	24	24	24	24	24	24	24	Std.
Cucumis sativus	23 o. G.	**15.15**	**9.52**	**7.88**	**8.44**	**7.96**	**6.82**	**1.46**	mm.
(Versuch 27).	14 G. 50 g.	**15.71**	**15.82**	**9.14**	**5.61**	**7.58**	**8.92**	**0.75**	"
	T. ° C.	25	25	27	27	28	27	25	

	in	21	24	24	. . . .	Std.
Helianthus annuus	10 o. G.	**6.25**	**10.90**	**10.25**	. . . .	mm.
(Versuch 28).	10 G. 100 g	**6.45**	**14.95**	**14.80**	. . . .	"
	T. ° C.	14	14	15		

	in	20	24	23	. . . .	Std.
Helianthus annuus	10 o. G.	**12.70**	**22.95**	**14.85**	. . . .	mm.
(Versuch 29).	10 G. 150 g	**12.65**	**80.00**	**18.05**	. . . .	"
	T. ° C.	15	15	15		

	in	24	24	24	24	24	24	Std.
Helianthus annuus	10 o. G.	**15.70**	**15.10**	**12.80**	**4.67**	**11.22**	**8.00**	mm.
(Versuch 30).	10 G. 150 g	**16.00**	**21.25**	**16.40**	**11.10**	**10.20**	**4.50**	"
	T. ° C.	19	18	18	17	18	16	

		in 24	23	24	24	. . . .	Std.
Helianthus annuus	8 o. G.	28.62	16.62	9.50	4.19	. . . .	mm.
(Versuch 31).	8 G. 10 g	26.81	19.81	9.94	6.81	. . . .	„
	T. ° C.	23	20	20	22		

		in 24	24	24	24	24	24	24	Std.
Cucumis sativus	10 o. G.	18.50	12.55	6.65	4.05	4.65	4.40	8.90	mm.
(Versuch 32).	10 G. 15 g	15.45	18.65	8.20	5.89	9.86	8.48	3.14	„
	T. ° C.	30	25	25	26	25	25	26	

		in 24	24	24	24	24	24	.	Std.
Helianthus annuus	10 o. G.	14.85	16.80	15.85	5.65	18.28	8.72	.	mm.
(Versuch 33)	10 G. 20 g	16.85	22.94	21.67	14.89	18.28	7.22	.	„
	T. ° C.	19	18	18	17	18	16		

		in 24	24	24	24	24	24	24	Std.
Helianthus annuus	10 o. G.	6.90	10.85	11.80	9.80	9.75	8.10	4.80	mm.
(Versuch 34).	10 G. 20 g	8.60	14.70	17.00	14.80	14.00	9.72	6.28	„
	T. ° C.	15	15	14	14	15	14	13	

		in 24	24	24	48	24	. .	Std.
Helianthus annuus	15 o. G.	16.87	21.50	16.00	80.47	5.98	. .	mm.
(Versuch 35)	15 G. 150 g	28.08	80.48	21.08	88.32	5.48	. .	„
	T. ° C.	19	22	18	19	17		

		in 24	24	24	24	24	24	24	24	24	24	.	Std.
Cucumis sativus	15 o. G.	14.88	9.67	6.10	5.64	5.86	4.77	8.54	4.86	8.50	2.50	.	mm.
(Versuch 36).	15 G. 15 g	15.82	15.62	10.21	7.50	7.86	5.08	5.96	10.21	7.68	4.28	.	„
	T. ° C.	27	27	27	27	28	28	30	28	30	28		

		in 24	24	24	24	24	24	24	24	24	24	Std.
Helianthus annuus	15 o. G.	5.88	9.40	10.87	8.98	8.58	6.97	6.98	7.80	6.57	8.18	mm.
(Versuch 37).	15 G. 150 g	7.71	14.57	16.18	15.18	14.46	18.14	14.48	16.18	18.98	6.29	„
	T. ° C.	13	13	12	11	10	10	15	18	16	21	

		in 24	24	24	24	24	24	24	24	24	24	24	Std.
Helianthus annuus	10 o. G.	6.90	10.85	11.80	9.80	9.75	8.10	4.80	4.50	4.50	2.60	2.55	mm.
(Versuch 38,	9 G. 150 g	11.55	19.50	21.05	18.00	15.05	10.78	5.94	4.00	2.94	2.22	2.00	„
Tab. 8, p. 363).	T. ° C.	15	15	14	14	15	14	13	14	15	15	15	

		in 24	24	24	24	24	24	24	24	24	24	24	24	Std.
Hel. annuus	15 o. G.	5.97	9.18	9.20	11.98	11.17	8.78	7.60	5.88	8.48	2.89	2.07	0.96	mm.
(Vers. 39)	15 G. 150 g	7.07	12.18	18.98	16.67	17.98	12.67	10.00	5.89	4.86	2.28	1.82	0.86	„
	T. ° C.	11	12	13	14	12	12	12	12	13	13	13	12	

Eine Betrachtung der einzelnen Wachsthumstage zeigt, dass, während vom zweiten Tage ab durchgängig eine Beschleunigung des Wachsthums stattfindet, die Pflanzen am ersten Tage sich verschieden verhalten. Bald ist die Längenzunahme geringer als die der Vergleichspflanzen (Versuch 17—25), bald ebenso gross (Versuch 26—30), bald grösser (Versuch 31—39). Betrachten wir das Wachsthum am ersten Tage genauer, so beträgt in den Fällen, wo sich eine Verlangsamung desselben ergiebt, letztere:

Versuch	%		Zuwachs		
In Versuch 17	33 %	o. G. . .	8.75	mm in 21 Std.	*(Helianthus.)*
		G. 10 g .	6.40	„ „ „ „	
„ „ 18	33 %	o. G. . .	12.70	„ „ 20 „	
		G. 10 g .	10.37	„ „ „ „	
„ „ 19	33 %	o. G. . .	6.25	„ „ 21 „	
		G. 10 g .	3.20	„ „ „ „	
„ „ 20	10 %	o. G. . .	10.10	„ „ „ „	
		G. 10 g .	9.30	„ „ „ „	
„ „ 21	46 %	o. G. . .	12.80	„ „ „ „	
		G. 10 g .	6.63	„ „ „ „	
„ „ 22	11 %	o. G. . .	26.80	„ „ „ „	*(Fagopyrum)*
		G. 15 g .	24.28	„ „ „ „	
„ „ 23	19 %	o. G. . .	21.12	„ „ „ „	
		G. 15 g .	17.42	„ „ „ „	
„ „ 24	7 %	o. G. . .	29.61	„ „ „ „	
		G. 30 g .	28.07	„ „ „ „	
„ „ 25	22 %	o. G. . .	8.75	„ „ „ „	
		G. 100 g .	6.65	„ „ „ „	*(Helianthus.)*

Auch bei diesen Zahlen muss man sich erinnern, dass sie um etwas zu klein sind, wenn sie nur die Verzögerung des Wachsthums bezeichnen sollen; denn auch hier wurde die blosse Dehnung nicht abgerechnet; und zwar macht sich der Einfluss der Dehnung der grösseren Gewichte wegen bei den Versuchen 24 und 25 stärker bemerkbar, als bei den übrigen.

Messungen von Stunde zu Stunde, resp. von zwei Stunden zu zwei Stunden ergaben, dass sich die Wachsthumsverzögerung gleichmässig über die ersten 24 Stunden vertheilt und nicht auf den Anfang des ersten Tages beschränkt ist.

Während nun in den Versuchen 17, 18, 19 die Verlangsamung ganz gleich ist, stellt sie sich in Versuch 20 um 23 % geringer, im Versuch 21 um 13 % grösser. Hiermit vergleiche man die Versuche 26 und 31. Bei 26 ergiebt sich eine Verzögerung gleich 0:

o. G. . . . . 13.67 mm,
G. 10 g . . . 14.47 mm,

und in 31 ist das Wachsthum der mit Gewicht wachsenden Pflanzen sogar um 8 % grösser als das der Vergleichspflanzen:

o. G. . . . . 23.62 mm,
G. 10 g . . . 26.31 mm.

In allen Fällen waren es aber Keimlinge von *Helianthus annuus* und das spannende Gewicht betrug 10 g.

Wenn man sich auch bei derartigen Untersuchungen auf nicht unbedeutende Schwankungen in den Zahlen gefasst machen muss, so sind die hier erhaltenen doch zu gross, als dass man nicht nach den besonderen Ursachen derselben suchen sollte; um so mehr, als die Versuche 17, 18, 19 so übereinstimmende Resultate ergeben. Vergleicht man die einzelnen Wachsthumstage der betreffenden Versuche, so findet man, dass bei 20 und 31 die Pflanzen dem Experimente unterworfen wurden, als ihre Wachsthumscurve noch von ihrem höchsten Punkte entfernt war, und zwar weiter als bei den Pflanzen der Versuche 17, 18, 19. Hier liegt das Maximum des Wachsthums am zweiten Versuchstage, bei 20 und 31 am dritten. Die Pflanzen des Versuchs 26 wurden dem Einfluss des Gewichts ausgesetzt, als sie sich gerade im Maximum ihres Wachsthums befanden, während in Versuch 21 die Keimlinge ihr Wachsthumsmaximum schon hinter sich hatten und sich in dem Stadium befanden, wo das Wachsthum dauernd abnimmt. Es scheint also hiernach, dass der Einfluss eines spannenden Gewichtes weniger störend ist, wenn letzteres auf die Pflanze wirkt, während ihre Wachsthumscurve ihrem höchsten Punkte zustrebt, als wenn letztere nach Erreichung des höchsten Punktes sich der Abscissenachse wieder nähert; dass der störende Einfluss um so geringer ist, je näher noch der aufsteigende Ast der Curve an der Abscissenachse verläuft, dass er am geringsten ist, wenn nicht gleich 0, auf dem höchsten Punkte der Curve. Jedoch ist hierbei die Voraussetzung gemacht, dass die obigen Zahlen das Maass für die Wirkung nur einer Ursache seien; und dass sie nicht das Zusammenwirken mehrerer Ursachen bezeichnen. Wie es sich in Wirklichkeit mit dieser Annahme verhält, wird man im Folgenden sehen (pag. 348).

Auch hier ist die Frage, ob die beobachtete Verzögerung des Wachsthums wirklich ein Einfluss der Spannung ist, oder vielmehr des Druckes der Schlinge. Tab. 9, pag. 364, zeigt das Wachsthum von *Helianthus annuus* ohne Zug, aber mit entsprechend fest zugezogener Schlinge; und man sieht, dass diese ganz ohne Einfluss bleibt; die Pflanzen wachsen mit ihren Vergleichspflanzen gleichmässig:

ohne Schlinge . . . . 18.65 mm,
mit Schlinge, die einem Druck von 15 g entspricht, 19.85 mm,
mit Schlinge, die einem Druck von 150 g entspricht, 18.80 mm.

Es ist also auch bei den Pflanzen, welche die dritte Gruppe der Ergebnisse zusammensetzen, wie bei denjenigen, welche die zweite Gruppe bilden, die Spannung, welche Verzögerung verursacht.

Während aber bei den Pflanzen der zweiten Gruppe (*Ipomaea, Linum, Tropaeolum*) sowohl der Druck, wie die Spannung eine Wachsthumsverlangsamung bewirken, thut dies bei den Pflanzen der dritten Gruppe, wie es wenigstens für *Helianthus* bewiesen ist, nur die Spannung, während der Druck keinen Einfluss ausübt.

Wenn bei Keimlingen von *Helianthus annuus* beziehungsweise *Fagopyrum esculentum* ein spannendes Gewicht von 10 resp. 15 g innerhalb der ersten 24 Stunden eine Verlangsamung des Wachsthums erzeugt — bei *Helianthus* wenigstens dann, wenn die Keimlinge sich nicht gerade im Maximum ihres Wachsthums befinden — so ist es nach der Art dieses Einflusses wahrscheinlich, dass grössere Gewichte dieselbe Wirkung haben. Freilich darf man sich nicht vorstellen, dass die Wirkung proportional der Ursache sein werde; denn eine Reizwirkung, und als solche characterisirt sich der Einfluss eines spannenden Gewichtes innerhalb der ersten 24 Stunden, ist bekanntlich weder bei thierischen noch pflanzlichen Organismen proportional der Ursache.

Die schon angeführten Versuche 24 und 25, sowie 30, 27 und 28, wenn man bei den beiden letzteren berücksichtigt, dass die Dehnung in Folge der grossen Gewichte nicht unbedeutend ist, beweisen, dass auch grössere Gewichte wirklich verzögernd einwirken:

bei Versuch 24 sind die Mittelwerthe der Längenzunahme:	o. G. . .	29.61 mm		(*Fagopyrum*)
	G. 30 g	28.07	"	
bei Versuch 25 dto. dto. :	o. G. . .	8.75	"	(*Helianthus.*)
	G. 100 g	6.65	"	
" " 30 dto. dto. :	o. G. . .	15.70	"	(*Helianthus.*)
	G. 150 g	12.80[1])	"	
" " 27 dto. dto. :	o. G. . .	15.15	"	(*Cucumis.*)
	G. 50 g	15.71	"	
" " 28 dto. dto. :	o. G. . .	6.25	"	(*Helianthus.*)
	G. 100 g	6.45	"	

Einen weiteren Beweis für obige Annahme liefert das Auftreten von Krümmungen, die auf einen störenden Einfluss des Gewichtes zurückzuführen sind und die gerade bei grossen Gewichten, wo eine Verlangsamung des Wachsthums nicht direct beobachtet werden kann, ganz regelmässig auftreten, während sie bei kleineren oft ausbleiben. Auf diese Krümmungen kommen wir am Schlusse zurück. (Pag. 351.)

Es sei aber hier schon bemerkt, dass uns die Biegungen, da sie bei kräftigen Pflanzen durch Wachsthum wieder ausgeglichen werden,

[1]) Nach Abzug der Dehnung.

zu dem Schlusse berechtigen, dass der Reiz allmählich zu wirken aufhört, so dass er dann als Wachsthum verzögerndes Moment in Wegfall kommt.

Wir müssen also annehmen, dass in allen Fällen, wo bei *Helianthus* innerhalb der ersten 24 Stunden — wenigstens bei solchen Exemplaren, die noch nicht ihr Wachsthumsmaximum erreicht haben — die Pflanzen, die mit Gewicht wachsen, eine grössere Längenzunahme zeigen, als ihre Vergleichspflanzen (Versuch 33, 34, 35, 37, 38, 39), dieses Plus durch neue hinzukommende Umstände bewirkt werde, welche in den Fällen, wo sich ein mit dem der Vergleichspflanzen übereinstimmendes Wachsthum ergiebt (Versuch 28, 29, 30), gerade das Minus der Reizwirkung ausgleichen.

Als solche Umstände sind anzusprechen die grössere mechanische Dehnung und ein anderer bisher nicht berücksichtigter Einfluss der Spannung, der sich bei geringeren Gewichten in der Regel erst vom zweiten Tage an kund giebt, bei grösserer Spannung der Pflanzen dagegen schon innerhalb der ersten 24 Stunden mitwirkt. Diesen letzteren, Beschleunigung des Wachsthums bewirkenden Einfluss der Spannung betrachten wir jetzt.

Es sei vorher noch bemerkt, dass die im Folgenden unter S angeführten Zahlen, sowie die procentischen Berechnungen sich auf das Wachsthum der Pflanzen vom zweiten Versuchstage an beziehen.

Bei *Cucumis sativus* ergiebt sich bei 15 g spannendem Gewichte in sechs Tagen eine Beschleunigung von 50 % (Versuch 32):

o. G. . (13.50[1]) 12.55 6.65 4.05 4.65 4.40 3.90 S. 36.20 mm,
G. 15 g. (15.45) 18.65 8.20 5.89 9.86 8.43 3.14 S. 54.17 mm,

in einem anderen correspondirenden Versuche in neun Tagen 59 % (Versuch 36):

o. G. (14.33) 9.67 6.10 5.64 5.36 4.77 3.54 4.86 3.50 2.50 S. 45.94 mm,
G. 15 g (15.32) 15.32 10.21 7.50 7.36 5.03 5.96 10.21 7.68 4.28 S. 73.55 mm,

während dieselbe Pflanze bei 50 g in sechs Tagen 19 % ergiebt. (Versuch 27.)

o. G. . . (15.15) 9.52 7.33 3.44 7.96 6.32 1.46 S. 36.03 mm,
G. 50 g. (15.71) 15.82 9.14 5.61 7.58 3.92 0.75 S. 42.82 mm.

Bei *Fagopyrum esculentum* unter dem Einflusse von 15 g in drei Tagen 53 % (Versuch 22):

o. G. . . (26.80) 26.55 8.22 1.22 S. 35.99 mm,
G. 15 g . (24.28) 33.28 17.78 4.44 S. 55.50 mm;

---

[1]) Die Zahlen in Klammern geben die Längenzunahme am ersten Tage an.

bei einer anderen gleichartigen Beobachtungsreihe in derselben Zeit nur 22 % (Versuch 23):

o. G. . . (21.12) 18.54 9.21 3.54 S. 31.29 mm,
G. 15 g . (17.42) 22.50 11.36 3.86 S. 37.72 mm;

bei einem spannenden Gewichte von 30 g dagegen, ebenfalls in drei Tagen 67 % (Versuch 24):

In . . . . . 24 24 20 28 Std.
o. G. . . (29.61) 20.48 2.85 4.23 S. 27.56 mm,
G. 30 g . (28.07) 28.71 10.19 5.94 S. 44.84 mm.

Bei *Helianthus* sind die Zahlen, welche Beschleunigung des Wachsthums bezeichnen, folgende. Ist das Gewicht 10 g, so ergiebt sich innerhalb zweier Tage eine Förderung des Wachsthums von

12 % (Versuch 17):
In . . . . . 21 22 23 Std.
o. G. . . (8.75) 17.75 14.11 S. 31.86 mm,
G. 10 g . (6.40) 17.95 18.05 S. 36.00 mm,

16 % (Versuch 18):
In . . . . . 20 24 23 Std.
o. G. . . (12.70) 22.95 14.85 S. 37.80 mm,
G. 10 g . (10.37) 26.87 16.75 S. 43.62 mm,

5 % (Versuch 19):
In . . . . . 21 24 24 Std.
o. G. . . (6.25) 10.90 10.25 S. 21.15 mm,
G. 10 g . (3.20) 10.45 11.55 S. 22.00 mm,

27 % (Versuch 21):
o. G. . . (12.80) 7.40 3.87 S. 11.27 mm,
G. 10 g . (6.63) 9.73 4.30 S. 14.03 mm;

in drei Tagen bei demselben Gewichte

17 % (Versuch 31):
In . . . . . 24 23 24 24 Std.
o. G. . . (23.62) 16.62 9.50 4.19 S. 30.31 mm,
G. 10 g . (26.31) 19.31 9.94 6.31 S. 35.56 mm;

in vier Tagen und dem gleichen Gewicht

27 % (Versuch 26):
o. G. . . (13.67) 14.47 17.33 14.27 12.77 S. 58.84 mm,
G. 10 g . (14.47) 17.87 21.10 19.90 16.07 S. 74.94 mm;

in fünf Tagen bei dem gleichen Gewicht

56 % (Versuch 20):

o. G. . .	(10.10)	11.20	15.20	9.20	6.70	3.70	S. 46.00 mm,
G. 10 g .	(9.30)	12.90	19.00	17.80	12.60	9.40	S. 71.70 mm.

Waren zur Spannung 20 g verwandt, so ergab sich in fünf Tagen eine Beschleunigung von

48 % (Versuch 33):

In	24	24	24	8	40	24	Std.
o. G. . .	(14.85)	16.30	15.35	5.65	13.28	3.72	S. 54.30 mm,
G. 20 g .	(16.35)	22.94	21.67	14.39	13.28	7.22	S. 79.50 mm;

in sechs Tagen

38 % (Versuch 34):

o. G. .	(6.90)	10.85	11.80	9.80	9.75	8.10	4.80	S. 55.10 mm,
G. 20 g	(8.60)	14.70	17.00	14.80	14.00	9.72	6.28	S. 76.50 mm.

Bei einer Spannung von 150 g war die Beschleunigung:

0 % in zwei Tagen (Versuch 29),
8 % in fünf Tagen („ 30),
43 % in neun Tagen („ 37),
17 % in zehn Tagen („ 38),
8 % in elf Tagen („ 39).

Bei der Berechnung dieser Zahlen wurde die blosse mechanische Dehnung in der auf pag. 331 angegebenen Weise abgezogen.

Die unmittelbar abgelesenen Längenzunahmen waren folgende:

	In		20	24	23	Std.
Versuch 29.	o. G. . .	(12.70)	22.95	14.85		S. 37.80 mm,
	G. 150 g .	(12.65)	30.00	18.05		S. 48.05 mm,

also 38.44 mm Wachsthum, und 9.61 mm Dehnung.

Versuch 30.
o. G. . (15.70) 15.10 12.80 4.67 11.22 3.00 S. 46.79 mm,
G. 150 g (16.00) 21.25 16.40 11.10 10.20 4.50 S. 63.45 mm,

also 50.76 mm Wachsthum, und 12.69 mm Dehnung.

Versuch 37.
o. G. . (5.83) 9.40 10.37 8.93 8.53 6.97 6.93 7.80 6.75 3.13 S. 68.63 mm,
G. 150 g (7.71) 14.57 16.18 15.18 14.46 13.14 14.43 16.18 13.93 6.29 S. 124.36 mm,

also 99.49 mm Wachsthum, und 24.87 mm Dehnung.

Versuch 38.
o. G. . (6.90) 10.85 11.80 9.80 9.75 8.10 4.80 4.50 4.50 2.60 2.55 S. 69.25 mm,
G. 150 g (11.55) 19.50 21.05 18.00 15.05 10.78 5.94 4.00 2.94 2.22 2.00 S. 101.48 mm,

also 81.18 mm Wachsthum, und 20.30 mm Dehnung.

Versuch 39.	o. G. .	(5.97) 9.13 9.20 11.93 11.17 8.73 7.60 5.33 3.43 2.39 2.07 0.96 S. 71.94 mm,
	G. 150 g	(7.07) 12.13 13.93 16.67 17.93 12.67 10.00 5.89 4.36 2.28 1.32 0.86 S. 98.04 mm,

also 78.43 mm Wachsthum, und 19.61 mm Dehnung.

Bei denjenigen Versuchen, wo die Längenzunahme durch Dehnung nicht abgerechnet wurde, fallen die Zahlen für die Wachsthumsbeschleunigung etwas zu gross aus; aber sie sind so, dass sich nach Abzug der Dehnung noch ein deutliches Plus des Wachsthums ergeben würde.

Betrachten wir die Ergebnisse von *Cucumis* bei 15 g und *Helianthus* bei 10 g, so ergiebt sich Proportionalität zwischen der Wachsthumsbeschleunigung und der Zeit der Beobachtungstage.

Bei *Helianthus* ist jene Beschleunigung

	in 2 Tagen im Mittel	15 %	(Versuch 17, 18, 19, 21),
	in 3 Tagen	17 %	(Versuch 31),
	in 4 Tagen	27 %	(Versuch 26),
	in 5 Tagen	56 %	(Versuch 20),
Bei *Cucumis*	in 6 Tagen	50 %	(Versuch 32),
	in 9 Tagen	59 %	(Versuch 36).

Dass sich dies Verhältniss ergeben musste, sieht man schon aus der Vergleichung der Curven irgend einer dieser mit Gewicht wachsenden Pflanzen und der ihrer Vergleichspflanze. Die erstere verläuft vom zweiten Tage an dauernd über der letzteren (vergl. Curve V).

Die Schwankungen der Zahlen innerhalb gleicher Versuchsreihen (Versuch 17, 18, 19, 21 — *Helianthus* mit 10 g — resp. 22, 23 — *Fagopyrum* mit 15 g —) erklären sich durch die verschiedenartige Dehnbarkeit der einzelnen Individuen — bei *Helianthus* erfolgte bei stärkeren Exemplaren bei 10 g Gewicht noch keine Dehnung (pag. 333) — und dem das Wachsthum hemmenden Einfluss, den das Gewicht in der Regel nur am ersten Tage ausübt, der sich aber auch bisweilen weiter erstreckt, wie in den Versuchen 17 und 19, wo durch ihn das Wachsthumsmaximum der Pflanzen um 24 Stunden verzögert wird:

		in 21	22	23 Std.
Versuch 17	o. G. .	8.75	17.75	14.11 mm,
	G. 10 g	6.40	17.95	18.05 mm.

		in 21	24	24 Std.
Versuch 19	o. G. .	6.25	10.90	10.25 mm,
	G. 10 g	3.20	10.45	11.55 mm.

Ferner besitzen die Pflanzen nicht immer dieselbe Empfindlichkeit für diesen Reiz; so zeigt *Fagopyrum* in Versuch 22 am ersten Tage eine durch denselben bewirkte Verzögerung von 11 % und in den folgenden 3 Tagen eine Gesammtbeschleunigung der Längenzunahme durch die Dehnung von 53 %; in Versuch 23 dagegen sind die entsprechenden Zahlen 19 % und 22 %. Bei *Cucumis* ist ein Gewicht von 15 g noch zu gering, um am ersten Tage Verlangsamung des Wachsthums zu bewirken, während 50 g eine solche bedingt, wie aus der Zusammenstellung folgender Zahlen hervorgeht:

Versuch 32	o. G.	13.50 mm,
	G. 15 g	15.45 mm.
Versuch 36	o. G.	14.33 mm,
	G. 15 g	15.32 mm.
Versuch 27	o. G.	15.15 mm,
	G. 50 g	15.71 mm,

(man berücksichtige, dass die blosse Dehnung nicht abgezogen ist).

Zwischen der Grösse des spannenden Gewichtes und der Wachsthumsbeschleunigung besteht hingegen keine Proportionalität, was folgende Uebersicht unmittelbar ergiebt:

Cucumis sativus

bei 15 g in 6 Tagen eine Beschleunigung von 50 % (Versuch 32),
„ 50 g „ „ „ „ „ „ 19 % (Versuch 27).

Helianthus annuus

bei 10 g in 5 Tagen eine Beschleunigung von 56 % (Versuch 20),
„ 20 g „ „ „ „ „ „ 48 % (Versuch 33),
„ 150 g „ „ „ „ „ „ 8 % (Versuch 30).

Hierzu kommen noch die Resultate der Versuche 25, 28, 35. Bei Versuch 35 — *Helianthus* mit 150 g — erhält man eine Verlangsamung des Wachsthums von 3 %:

	in 24	24	24	48	24 Std.	
o. G. . . .	(16.37)	21.50	16.00	30.47	5.93	S. 73.90 mm,
G. 150 g .	(23.03)	30.43	21.03	33.32	5.43	S. 90.21 mm,

also 72.17 mm Wachsthum und 18.04 mm Dehnung; und bei Versuch 28 und 25, wo das Gewicht 100 g beträgt, würde sich nach Abzug der Dehnung ebenfalls eine Verlangsamung ergeben:

		in 21	24	24 Std.	
Versuch 28	o. G. . . .	(6.25)	10.90	10.25	S. 21.15 mm,
	G. 100 g .	(6.45)	14.95	14.30	S. 29.25 mm;

		in 21	22	23 Std.	
Versuch 25	o. G. . .	(8.75)	17.75	14.11	S. 31.86 mm,
	G. 100 g .	(6.65)	16.00	15.85	S. 31.85 mm.

Fagopyrum esculentum ergiebt bei 15 g in 3 Tagen eine Beschleunigung von 37 % im Mittel (Versuch 22, 23),
bei 30 g in derselben Zeit 67 % „ „ (Versuch 24).

Vergegenwärtigen wir uns die gefundenen Zahlen in ihrer Gesammtheit, so erkennen wir, dass ein spannendes Gewicht zwei entgegengesetzte Wirkungen auf wachsende Pflanzen ausübt. Einmal eine Wachsthumsverzögerung, die entweder direct zur Beobachtung kommt, oder auf die wir da, wo sie sich der unmittelbaren Wahrnehmung entzieht, als ebenfalls vorhanden schliessen müssen (pag. 340); und zweitens eine Beschleunigung des Wachsthums, die entweder schon am ersten Tage oder erst vom zweiten Tage an direct messbar ist. Beide Wirkungen finden gleichzeitig statt, heben sich entweder gegenseitig auf, oder die Verlangsamung oder die Beschleunigung herrscht vor. Da es nun undenkbar ist, dass ein und dieselbe Ursache an demselben Objecte gleichzeitig zwei entgegengesetzte Wirkungen ausübe, können wir das beschriebene Verhalten der Pflanzen nur so erklären, dass die Spannung auf verschiedene Theile oder verschiedene Thätigkeiten der Zellen in verschiedener Weise einwirkt.

Wachsthum eines vielzelligen Organes ist Vergrösserung durch Stoffzunahme in den neu gebildeten, wie den schon vorhandenen Zellen. Für uns kommt besonders die Volumenzunahme der schon vorhandenen Zellen in Betracht, da die Versuche an in Streckung begriffenen Pflanzengliedern angestellt sind, welche den grössten Theil ihres Wachsthums durch die Vergrösserung der früher gebildeten Zellen bestreiten. Die Bildung neuer Zellen durch Zelltheilung ist eine Funktion des Protoplasmas, d. h. ist bedingt und gebunden an gewisse Lebensvorgänge in demselben. Ebenso ist die Umsetzung der Stoffe in membranogene Substanz, deren Vorhandensein die conditio sine qua non für das Wachsthum ist, von solchen Lebensvorgängen abhängig.

Die Volumenzunahme der Membran hat man sich nach **Sachs** so vorzustellen, „dass das Wachsthum überall erst durch die Imbibition und den Turgor vorbereitet wird, dass die dadurch hervorgerufenen Spannungen der Molecularkräfte es sind, welche die Einschiebung neuer fester Partikel ermöglichen [1])“. Es bleibt hiernach unbestimmt, ob man sich die Zellhaut oder den Zellinhalt oder beide als aktiv vorzustellen habe, oder ob z. B. das Protoplasma nur die Stoffe liefere,

[1]) Sachs, Lehrbuch. 4. Aufl. 1874. pag. 762.

welche das Wachsthum der Membran bestreiten, während es sich sonst nicht direkt an dem Vorgange der Einlagerung betheilige.

Der Annahme nun, dass sich das Protoplasma aktiv verhalte, widersprechen die von uns beobachteten Thatsachen. Wir haben gefunden, dass das Gewicht auf das Protoplasma einen störenden Reiz ausübt, d. h. die Lebensvorgänge in demselben herabdrückt. Es ist nun im höchsten Masse unwahrscheinlich, dass gerade die Thätigkeit des Protoplasmas, welche zur Einlagerung neuer Cellulosemicellen führt, nicht gestört würde, während die übrigen Vorgänge in demselben, die zur Vermehrung durch Zelltheilung führen, gehemmt würden; oder umgekehrt. Wir schliessen hieraus, dass entweder die Neubildung von Zellen, oder die Erzeugung von Bau- und Bildungsstoff für die Membran, oder endlich die Volumenvergrösserung der vorhandenen Zellmembranen nicht Funktion des Protoplasmas sei. Daran aber, dass die Zelltheilung, sowie die Umsetzung der Stoffe in membranbildende Substanz bedingt ist durch Lebensvorgänge des Protoplasten, wird niemand zweifeln; es bleibt also nur übrig, dass sich das Plasma nicht activ betheilige bei der Volumenzunahme der Membran durch An- oder Einlagerung von Cellulose. Wir nehmen vielmehr an, dass beim Wachsthum der Zellhaut diese selbst sich aktiv verhalte, und zwar in der Weise, dass die im Protoplasma fertig gebildeten und vorräthig liegenden Theilchen membranogener Substanz von den Cellulosemicellen der Membran angezogen und festgehalten werden; dass ferner die Theilchen der Membran, wenn sie durch Dehnung von einander entfernt sind, wo ihre gegenseitige Anziehung selbst vermindert ist, jene Substanz aus dem Protoplasma kräftiger an sich ziehen, und zwar um so energischer, je grösser die Dehnung ist.

Unter dieser Voraussetzung hätten wir uns die Wirkung eines spannenden Gewichtes folgendermassen vorzustellen. Indem letzteres einerseits die Lebensvorgänge im Protoplasma stört, wird die Vermehrung der Zellen durch Theilung, sowie die Umsetzung der Stoffe in membranogene Substanz gehindert, und dies führt zu einer Verlangsamung des Wachsthums; gleichzeitig aber dehnt das Gewicht die Membran und erhöht dadurch die Anziehung der Cellulosemicellen zu den Theilchen des Zellhaut bildenden Stoffes im Protoplasma, wodurch Einlagerung neuer Cellulose in die Wand, d. h. Wachsthum erzeugt wird. Nachdem Einlagerung stattgefunden hat, wird die Membran von neuem gedehnt; es findet wiederum Einlagerung statt und so wiederholt sich der Vorgang. Je nach dem gegenseitigen Verhältniss beider Einflüsse beobachten wir eine Verzögerung, eine Verstärkung oder keine Aenderung der Längenzunahme. Wenn der störende Reiz allmählich auf das Protoplasma zu wirken aufhört, was von der Empfindlichkeit der Pflanzen abhängig ist, so kommt nur noch der wachsthumfördernde Einfluss des Gewichtes in Betracht.

An der Hand dieser Hypothese erklären sich die gefundenen Thatsachen ohne Widerspruch.

Wir haben gesehen, dass die Verlangsamung durch den Reiz im Allgemeinen nur bei kleinen Gewichten wirklich gemessen werden kann, während sie bei starker Dehnung verdeckt wird. (Vergl. Versuch 17, 18, 19, 20, 21, 22, 23 mit Versuch 33, 34, 35, 37, 38 am ersten Beobachtungstage resp. pag. 341.) Dieser Umstand erklärt sich so, dass bei geringerer Spannung die gegenseitige Anziehung der schon in der Membran vorhandenen Cellulosemicellen weniger vermindert wird, wie bei starker Dehnung, und dass in Folge dessen im letzteren Falle die Anziehung von membranbildendem Stoffe aus dem Plasma energischer stattfindet, als im ersteren. Was aber die Unregelmässigkeiten der Zahlen am ersten Wachsthumstage betrifft, wenn ein gleich grosses Gewicht auf die Pflanzen einwirkt, während sich dieselben in verschiedenen Wachsthumsperioden befinden (vgl. pag. 339), so erklären sich diese dadurch, dass die zum Wachsthum der Membran nöthige Cellulose entweder direct aus dem Zellinnern hergegeben oder aber von anderen Bildungs- resp. Vorrathsplätzen des Pflanzenleibes nach den Stellen des Verbrauchs transportirt wird. Dass bei jüngeren Pflanzen sich eine geringere Verlangsamung ergiebt als bei älteren, ist hiernach dadurch bedingt, dass im ersteren Falle die Zellen noch reicher an Protoplasma und Zellhautsubstanz sind, als im letzteren, und dass ein Transport von Bau- und Bildungsstoff aus den Cotyledonen schneller von statten geht, da der Weg noch kürzer ist. Während des Wachsthumsmaximums erhalten wir durch das Gewicht keine Verzögerung, weil die Versorgung des Stengels mit membranbildender Substanz während dieser Zeit am ausgiebigsten stattfindet. Wenn der Spross nahezu ausgewachsen ist, sind seine Zellen selbst arm an Zellhautsubstanz, aber indem solche von anderen Orten an die Stellen des Bedarfs hingeschafft wird, ergiebt sich nach einiger Zeit eine Beschleunigung des Wachsthums. In allen angegebenen Fällen aber setzen wir die Wirkung des Verzögerung bedingenden Reizes im wesentlichen als gleichmässig voraus.

Allerdings ist im allgemeinen die Reizbarkeit der Zellen in verschiedenen Altersstadien nicht gleich; so sind z. B. jugendliche Ranken bis zur Erreichung eines gewissen Alters für einen Contact nicht reizbar; wenn sich dann die Reizbarkeit eingestellt hat, ist sie zuerst schwach, nimmt immer zu bis zur Erreichung eines Maximums, sinkt von diesem langsam herab und erlischt endlich ganz. Ausser dem Umstande aber, dass wir nirgends eine analoge Vertheilung der Reizbarkeit finden, wie sie angenommen werden müsste, wenn wir die genannten Unregelmässigkeiten des Wachsthums erklären wollten aus einer verschiedenen Reizbarkeit der Pflanzen in verschiedenem Alter, ist zu berücksichtigen, dass in den Fällen, wo eine solche Vertheilung der Reizbarkeit stattfindet, jene für die Pflanze zweckmässig ist. Das Moment der Zweckmässigkeit aber kann bei einem spannenden Gewicht nicht in Betracht kommen. Den Einfluss des letzteren muss man sich vielmehr als einen pathologischen vorstellen, analog allen denen, welche bei genügender Stärke Starre, endlich Tod des Protoplasten bedingen. Die Grösse der Empfindlichkeit der Pflanzen in verschiedenen Alterszuständen wird hiernach nicht wesentlich schwanken; man wird aber mit Recht behaupten können, dass sie bei jungen Pflanzen etwas stärker sei als bei älteren; also gerade das Umgekehrte von dem, was wir annehmen müssten, wenn wir uns die Verschiedenheiten der unmittelbar abgelesenen Längenzunahme unter den gleichen äusseren Einflüssen als bedingt durch verschiedene Reizbarkeit der Pflanzen in verschiedenem Alter vorstellen wollten. Eine weitere Konsequenz der Annahme, dass der das Wachsthum hemmende Einfluss als ein pathologischer Reiz vorzustellen ist, würde sein, dass die störende Wirkung desselben bei grösserem Gewichte stärker ist, als bei kleinerem. Damit stimmen die Beobachtungen gut überein.

Während bei *Cucumis* mit 15 g der eine Versuch in 6 Tagen eine Beschleunigung des Wachsthums von 50 % ergab (Versuch 32), der andere in 9 Tagen eine solche von 59 % (Versuch 36), erhielt man bei 50 g in 6 Tagen nur 19 % (Versuch 27), und dabei starb eine grosse Zahl der Pflanzen ab, so dass von 14 Exemplaren, die dem Versuche unterworfen wurden, nur 6 gesunde übrig blieben, die zur Messung verwendet werden konnten. Ganz analog liegen die Verhältnisse bei *Tropaeolum majus*: während 15 g eine Verzögerung nur eben merklich machen, tritt dieselbe bei 60 g sehr characteristisch hervor (Versuch 13, 14 und 10, 11). Bei *Helianthus annuus* war bei 10 resp. 20 g in fünf Tagen die Beschleunigung 56 % beziehungsweise 48 % (Versuch 33), während sich bei 150 g in derselben Zeit nur 8 % (Versuch 30) ergaben.

Durch unsere Versuche wird die von Sachs (pag. 346) aufgestellte Theorie über das Wachsthum der Zellhäute an einer ihrer Konsequenzen bestätigt, indem thatsächlich mechanische Dehnung Beschleunigung des Wachsthums erzeugt.

Was wir von hypo- und epicotylen Gliedern bewiesen haben, gilt auch von allen Internodien gleichen Baues, und wenn die zur Erklärung der Vorgänge aufgestellte Hypothese zutreffend ist, für alle Zellen überhaupt, auch wenn die Ursache der Spannung der Membran eine andere ist, als ein äusserlich angebrachtes Gewicht.

Es ist sehr wahrscheinlich, dass der störende Einfluss auf das Protoplasma dann gänzlich wegfällt, wenn die Dehnung eine sich allmählich steigernde ist, und dieses findet statt, wenn Pflanzentheile während ihrer natürlichen Entwickelung von aussen durch andere benachbarte Gewebe, oder von innen her durch Turgor gedehnt werden. Es würde also in solchen Fällen die Spannung nur beschleunigend auf das Wachsthum wirken.

Einfluss der Dehnung auf das Dickenwachsthum.

Der Einfluss des Gewichtes auf das Dickenwachsthum wurde nicht eingehender untersucht. Es wurde nur festgestellt, dass ein solches stattfindet, und zwar mindestens nicht schwächer, als unter den gewöhnlichen Wachsthumsbedingungen. Die gefundenen Zahlen für den Durchmesser vor und nach dem Versuche scheinen sogar eine Zunahme des Dickenwachsthums anzudeuten. Es ergab sich nämlich bei *Linum usitatissimum* (Versuch 9) vor dem Versuche der Durchmesser im Mittel 0.70 mm, nach dem Versuche bei den Pflanzen, die mit 40 g gewachsen waren 0.72 mm, bei den Vergleichspflanzen 0.76 mm. Bei *Helianthus annuus* aus dem Versuche 37 vor Befestigung des Gewichtes der Durchmesser im Mittel 1.80 mm, nach Abnahme desselben bei den Pflanzen, die mit 150 g gewachsen waren, 2.00 mm, bei den dazu gehörigen Vergleichspflanzen 2.27 mm. Bei den Pflanzen des Versuches 35 waren die Zahlen so, dass von dem Durchmesser 1.80 mm ausgehend, die mit Gewicht wachsenden Pflanzen wie die ohne Gewicht wachsenden, beide die Stärke von 2.00 mm erreichten. Endlich bei *Tropaeolum* vom Versuche 11 war der Durchmesser vor dem Versuche 1.44 mm und betrug zu Ende desselben bei den frei wachsenden Pflanzen 2.35 mm, bei den mit 60 g gespannten 2.04 mm.

Wenn man berücksichtigt, dass durch die grossen Gewichte bei diesen Versuchen die Pflanzen eine nicht unbeträchtliche Dehnung erfuhren, ihr Durchmesser also verringert wurde, so sprechen diese Zahlen wohl für eine absolute Steigerung des Dickenwachsthums. Allerdings sind die Versuche nicht ausreichend, um die Frage nach der Einwirkung eines Zuges auf das Dickenwachsthum zu beantworten. Zu dieser Entscheidung waren die benutzten Pflanzen, die an und für sich ein geringes Dickenwachsthum zeigen, überhaupt nicht die geeigneten Versuchsobjecte.

Biegungen der Pflanzen, welche durch das angehängte Gewicht verursacht wurden.

Bei Gelegenheit der Zugwachsthumsversuche, deren Ergebniss wir nunmehr kennen, kamen noch Krümmungen des gespannten Pflanzentheiles zur Beobachtung, auf welche pag. 340 schon hingedeutet wurde.

Der Stengel krümmte sich so, dass die Stelle, wo der Faden befestigt war, seitwärts gewendet wurde; in nicht allzu seltenen Fällen war die Krümmung so stark, dass geradezu eine Abwärtsbiegung des Sprosses erfolgte. So lange der Faden gespannt blieb, wurden die Krümmungen natürlich nicht sichtbar; sobald aber das Gewicht entfernt wurde, bog sich die Pflanze zuerst sehr schnell herum, um dann noch eine Zeitlang diese Wegwendung der Spitze langsamer fortzusetzen. Sehr schöne Beobachtungsobjecte sind dafür *Ipomaea purpurea, Sinapis alba;* bei *Helianthus annuus* sind die Krümmungen bisweilen auch sehr auffallend, obwohl meist schwächer wie bei den zuerst genannten Pflanzen. Bei *Tropaeolum majus, Fagopyrum esculentum, Linum usitatissimum, Cucumis sativus* traten sie auch auf, manchmal schwächer, manchmal stärker. Die Krümmungen waren meist nach 24 Stunden von Beginn des Versuches an nachzuweisen und zeigten sich in ihrer Intensität abhängig von der Grösse des am Faden befestigten Gewichtes. Während sie z. B. bei *Helianthus* bei 15—20 g Gewicht nicht bei allen Individuen und überhaupt nur schwach eintraten, waren sie bei 150 g durchgängig zu beobachten, und ein entsprechendes Verhältniss wiederholte sich bei den übrigen Pflanzen. Es wurde ferner beobachtet, dass die Krümmungen entweder bleibende waren, d. h. noch eintraten, wenn man das Gewicht erst wegnahm, nachdem die Pflanze zu wachsen aufgehört hatte, wie z. B. bei *Sinapis,* oder aber wie bei *Helianthus* in vielen Fällen nicht mehr eintraten, die Pflanze also durch Wachsthum die nach 24 Stunden auch hier beobachteten Biegungen wieder ausgeglichen hatte.

Der Umstand, dass die Vergleichspflanzen, die doch sonst unter genau denselben Bedingungen wuchsen, keine Spur derartiger Krümmungen zeigten, beweist zunächst, dass wir es hier mit Biegungen zu thun haben, die wirklich durch den Einfluss des spannenden Gewichtes bedingt sind. Dass es sich aber um Krümmungen handelte, die durch Wachsthum erzeugt waren, wurde constatirt, indem die Pflanzentheile in eine 10procentige Lösung von Kalisalpeter gelegt wurden, wo dieselben gekrümmt blieben.

Man könnte nun zunächst meinen, diese Krümmungen seien die Wirkung ungleicher Druck- und Zugvertheilung, so dass die Seite, welche stärker gedehnt wird, stärker wächst und hierdurch zur Biegung die Veranlassung giebt. Diese Annahme würde mit dem Früheren, wonach Dehnung verstärktes Wachsthum bewirkt, nicht im Widerspruch stehen; aber wie wir gleich sehen werden, ist sie dennoch ausgeschlossen. Erinnern wir uns an die Art und Weise, wie der das Gewicht tragende Faden an die Pflanze befestigt war, so erkennen wir leicht, dass in den Fällen, wo er nur so fest zugezogen wurde, dass er ein Dickenwachsthum nicht hemmte, der Pflanzenstengel auf der einen Seite einen etwas stärkeren Druck und Zug empfing als auf der entgegengesetzten. Indem sich die Schlinge nämlich schräg nach oben stellt, wird sie an der einen Seite fester an den Stengel angepresst, als an der anderen. Wenn der Faden fest zugezogen werden musste, um ein Abgleiten desselben über den Stengel zu vermeiden, wie bei *Tropaeolum*, war diese ungleiche Vertheilung von Druck und Zug zwar auch vorhanden, aber schwächer. Nun hätte doch die concave Seite der Krümmung, wenn letztere durch ungleiche Zugvertheilung bedingt sein sollte, immer in ein und derselben Richtung in Bezug auf die Stelle des grösseren Zuges liegen müssen; thatsächlieh aber lag jene bald an derjenigen Seite wo der Zug grösser war, bald an der entgegengesetzten, bald zwischen beiden Punkten. Ferner aber müssten, wenn der angenommene Causalzusammenhang der richtige wäre, die Biegungen während der Dauer der Einwirkung des spannenden Gewichtes nicht schwächer, sondern vielmehr immer kräftiger werden; denn wir haben gefunden, dass, wenn überhaupt die durch ein angehängtes Gewicht bewirkte Dehnung das Wachsthum beschleunigt, diese Beschleunigung dauernd stattfindet.

Vielmehr führt uns der Umstand, dass in kräftigen Pflanzen die Krümmungen bei anhaltender Wirkung des Gewichtes verschwinden, darauf hin, dass wir es mit einer Reizwirkung des spannenden Gewichtes zu thun haben. Die Reizschwelle liegt relativ hoch; jedenfalls höher, als die Schwelle für denjenigen Reiz des spannenden Gewichtes, welcher Wachsthumsverlangsamung bewirkt. Denn während 10 g bei *Helianthus annuus* deutlich verzögernd auf das Wachsthum wirkte, traten bei diesem Gewichte noch keine Krümmungen ein.

Eine Analogie für unsere Biegungen scheinen die von Sachs[1]) an wachsenden Wurzelspitzen beobachteten zu bieten.

Letztere verhalten sich nämlich, wenn sie auf der einen Seite einem festen Körper angedrückt sind, ähnlich, nur viel träger wie Ranken, indem sie sich an der berührten Seite concav krümmen. Aber der schon oben angeführte Umstand, dass die Concavität der Krümmung

---

[1]) Sachs, Vorlesungen, pag. 876.

durchaus nicht immer auf derjenigen Seite des Stengels liegt, wo die Schlinge den grösseren Druck ausübt, sondern unabhängig hiervon verläuft, hindert uns, diese Analogie anzunehmen. Dagegen sind die von Wiesner berichtigten Beobachtungen Darwins[1]), dass Wurzeln, deren Spitze mit festen Körpern in Berührung gebracht wird, sich von diesen fortkrümmen, mit den von uns beobachteten Krümmungen auf gleiche Stufe zu stellen. Wiesner[2]) hat gezeigt, dass der feste Körper einen störenden Einfluss auf die Wurzel ausübt, indem er die Zellen, die er berührt, tödtet; wurden die Zellen nicht getödtet, so traten keine Krümmungen ein. Bei unseren Versuchen wird durch das angehängte Gewicht ebenfalls ein störender, wenn auch nicht tödtlicher Einfluss auf die Zellen der oberen Stengelregion ausgeübt, was durch die Verlangsamung des Wachsthums bewiesen ist. Dieser Einfluss ist die Ursache, dass die Spitze der Pflanze von dem Orte des Angriffspunktes des Gewichtes weggebogen wird. Die näheren Ursachen, wie diese Wegkrümmung zu Stande kommt, sind uns hier ebensowenig bekannt, wie bei dem angegebenen Verhalten der Wurzeln; jedenfalls ist aber die Beobachtung von biologischem Interesse.

Zusammenfassung der Ergebnisse.

Fassen wir am Schluss die Resultate unserer Untersuchungen zusammen, so haben wir — mit Ausschluss alles Hypothetischen — folgende Thatsachen constatirt: Ein spannendes Gewicht übt auf einen wachsenden Stengel zwei entgegengesetzte Einflüsse aus, erstens einen das Wachsthum verzögernden, zweitens einen dasselbe beschleunigenden. Beide finden gleichzeitig statt, und von ihrem gegenseitigen Verhältniss hängt es ab, ob ein in Bezug auf die Vergleichspflanzen gleiches, verzögertes oder beschleunigtes Wachsthum stattfindet. Bei empfindlicheren Pflanzen *(Ipomaea purpurea, Linum usitatissimum, Tropaeolum majus)* hat der Verzögerung bedingende Einfluss dauernd das Uebergewicht; bei weniger empfindlichen *(Helianthus annuus, Cucumis sativus, Fagopyrum esculentum)* kommt eine Verzögerung nur am ersten Versuchstage zur unmittelbaren Messung, wenn das spannende Gewicht nur so gross ist, dass es noch weit davon entfernt ist, die Pflanze zu zerreissen; bei grösseren Gewichten jedoch ist auch am ersten Tage der Verlangsamung bedingende Einfluss nicht unmittelbar wahrzunehmen, muss aber als vorhanden geschlossen werden. Während aber bei empfindlicheren Pflanzen der Verzögerung bewirkende Einfluss dauernd

---

[1]) Darwin, Das Bewegungsvermögen der Pflanzen. Deutsche Uebersetzung 1881, pag. 109.

[2]) Wiesner, Bewegungsvermögen etc. pag. 139.

anhält, verschwindet er bei weniger empfindlichen allmählich. Bei denjenigen Pflanzen, wo nur am ersten Tage, oder auch hier nicht, eine Verlangsamung direkt zu messen ist, kommt die Beschleunigung des Wachsthums, die durch den zweiten Einfluss bedingt ist, zur unmittelbaren Beobachtung; dabei zeigen sich von der Grösse des Gewichtes und von dem Alter der Pflanze abhängende Verschiedenheiten, welche durch die verschiedene Quantität der Wirkungen beider Einflüsse zu erklären sind.

Das Dickenwachsthum der Pflanzen wird nicht gehemmt.

Endlich wurden noch Krümmungen des gespannten Pflanzentheiles beobachtet, welche bei Abnahme des Gewichtes eintraten, und die dahin zielten, die Stelle des Stengels, wo der Faden befestigt war, seitlich oder nach unten wegzuwenden.

Bemerkungen zu den Tabellen und Curven.

Für das Verständniss der Tabellen ist nur zu bemerken, dass die Zahlen in den Rubriken rechts von der Rubrik „Anfangslänge“ die Stunden bedeuten, nach Verlauf deren der Zuwachs gemessen wurde.

Z bedeutet den Mittelwerth der Längenzunahme. Die Temperaturangaben beziehen sich auf die Zeit des Messens; die Angaben über die Grösse des Durchmessers auf die Pflanzen zu Anfang des Versuches.

Die Curven I stellen das Wachsthum von *Tropaeolum majus* dar, welches zahlenmässig in Tab. 1 aufgeführt ist (spannendes Gewicht 60 g); die Curven II und III das derselben Pflanze aus den Tab. 2 resp. 3 (spannendes Gewicht 15 g), und IV ebenfalls *Tropaeolum* nur mit einer festzugezogenen Schlinge wachsend von Tab. 6. Die Curven V beziehen sich auf *Helianthus annuus* von Tab. 7 (spannendes Gewicht 15 g); diejenigen unter VI. auf *Helianthus* von Tab. 8 (spannendes Gewicht 150 g). Die Mittelwerthe der Längenzunahme innerhalb 24 Stunden sind als Ordinaten abgetragen, diese Zeiten selbst sind auf der Abscissenache aufgezeichnet. Die ausgezogenen Curven entsprechen überall dem Wachsthum der mit Gewicht versehenen Pflanzen, die unterbrochenlinigen dem der Vergleichspflanzen; die punktirte Curve bei VI bezeichnet die unmittelbar abgelesenen Längenzunahmen der mit 150 g wachsenden Pflanzen, also ohne Abzug der Dehnung. Zur Construction der Curven wurden die Zahlen auf die Ganzen abgerundet.

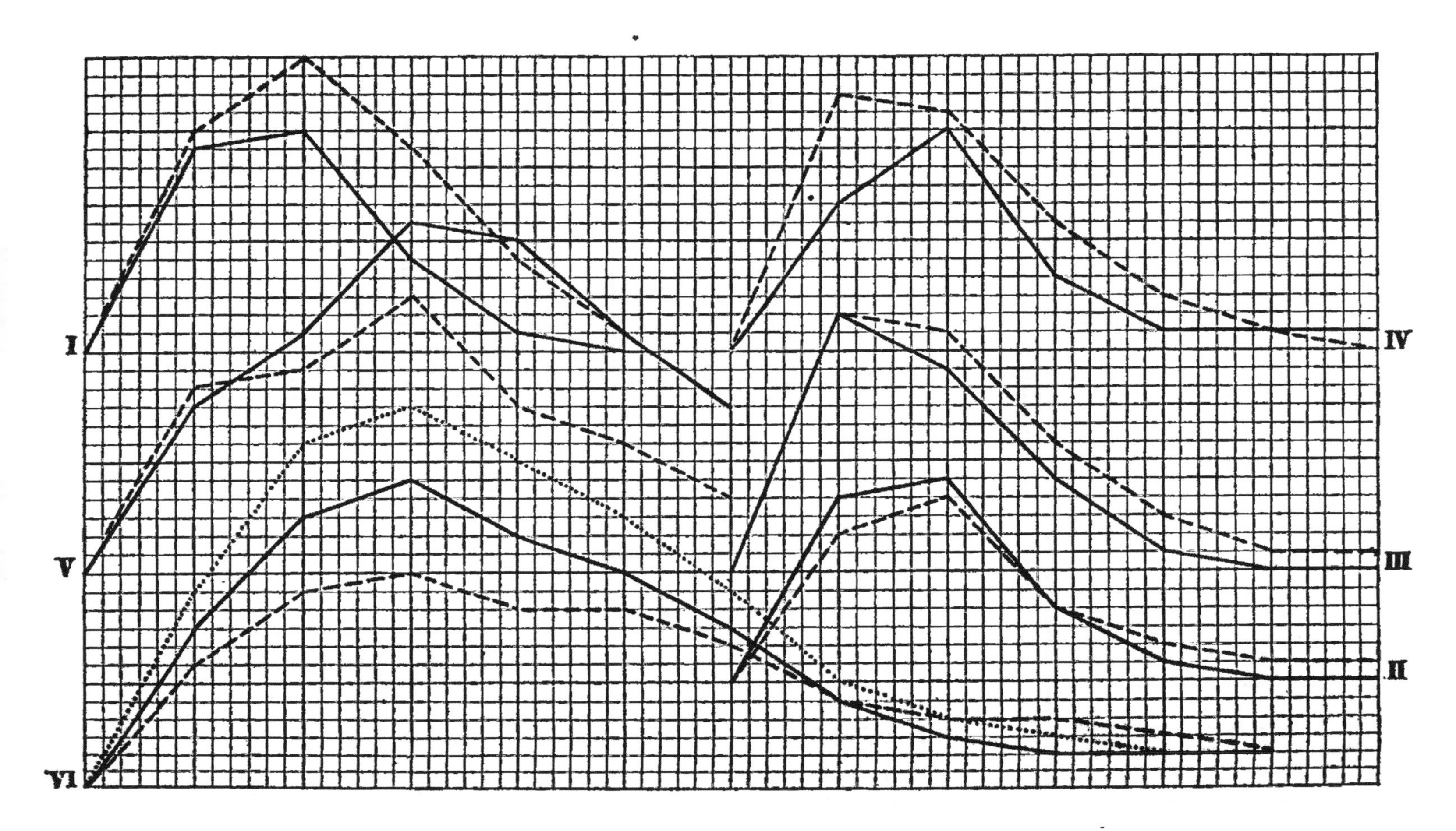

I
V
VI
IV
III
II

Tabelle 1.

Tropaeolum majus. Durchmesser des epicotylen Gliedes im Mittel 1·44 mm.

Ohne Gewicht.

Datum		10/6	11/6	12/6	13/6	14/6
T. ° C.		25	24	22	24	.25
Nummer	Anfangslänge	24	24	24	24	24
1	18.5	8.5	12.5	10.5	7.5	2
2	15	8.5	13.5	8.5	4	0.5
3	13	8.5	16	12	6	2
4	21	9	17	8.5	3.5	1
5	20	14.5	16	11.5	6	1
6	15.5	8.5	11	13	6	2
7	24	15	20	12.5	4.5	1
8	23	17	20	19	5	3
9	19	13	16	8	5	1
10	23	18	16	11	3	0.5
Z		12.05	15.80	11.45	5.05	1.40

Spannendes Gewicht 60 g.

Nummer	Anfangslänge	10/6	11/6	12/6	13/6	14/6
11	16.5	13	20.5	11	3	0.5
12	13	12	12.5	6.5	2	0.5
13	28	9	8	3.5	1	0.5
14	15	12	11	6	0.5	0
15	20	9.5	6.5	2.5	1.5	0
16	16.5	10	8.5	2	1	0.5
17	17	11.5	14.5	5	1.5	0
18	15	11	10	3	1	0.5
19	15	12	13	4	2	0
Z		11.11	11.61	4.83	1.50	0.28

Tabelle 2.

Tropaeolum majus. Durchmesser des epicotylen Gliedes im Mittel 1 · 44 mm.

Ohne Gewicht.

Datum		7/7	8/7	9/7	10/7	11/7	12/7	13/7
T. ° C.		23	27	30	25	25	25	25
Nummer	Anfangslänge	24	24	24	24	24	24	24
1	18	7	9	3.5	2.5	2	0.5	0.5
2	16.5	7.5	11	4.5	2.5	2	1	0
3	17	8	8	2.5	1.5	1	0	0
4	14.5	9.5	13.5	7.5	2	2	1	0
5	15	7	9	4	3	1.5	1.5	0
6	16	7	10	5	3	1	1	0
7	15	7	8	2	2	1	0	1
8	15	9	9	3	2	1	0	0
Z		7.75	9.69	4.00	2.31	1.44	0.62	0.19

Spannendes Gewicht 15 g.

9	15.5	9.5	11	3	1	0.5	0.5	0
10	13	12	18	6	1	0	0	1
11	12	9.5	10.5	4	1.5	1.5	0	0
12	11	13.5	10	3.5	0.5	0.5	0	0
13	12	11	15	6.5	0.5	0	0	0
14	11.5	8.5	10	5.5	1	0	0	0.5
15	19	11	10.5	3.5	0	0.5	0.5	0
16	9	8	7	1.5	1	1	0	0
Z		10.37	11.50	4.19	0.81	0.50	0.12	0.19

Tabelle 3.

Tropaeolum majus. Durchmesser des epicotylen Gliedes im Mittel 1·44 mm.

Ohne Gewicht.

Datum		19/7	20/7	21/7	22/7	23/7	24/7
T. ° C.		22	22	23	23	24	23
Nummer	Anfangslänge	24	24	24	24	24	24
1	29	12.5	8	2.5	1.5	0.5	0
2	22.5	16	10.5	4	1	1	0
3	24	12	8.5	4	2	0.5	0.5
4	25	15	9	4	2.5	0.5	0
5	20.5	14.5	10.5	4.5	2	1	0
6	15	15.5	19.5	12	4	2.5	0.5
7	25	16	12	6	4.5	2	0.5
8	15	14	18	12	4	2	1
9	14	14	18.5	10.5	4	2	1
10	20.5	14	13.5	8	2	2.5	0
11	12.5	14	17.5	7.5	3	0.5	1.5
12	28	15	8	4	2.5	1.5	0.5
13	17	13	12	8	3.5	1.5	1
14	20	15	10.5	5.5	3	1	1
15	13.5	17.5	22	14.5	5	1.5	1
16	25.5	16.5	14	7.5	3.5	0.5	1
17	17	16	21	10	3	2	1
18	22.5	16.5	12.5	6.5	2	1	1
19	27.5	11.5	9	4.5	1.5	1	0
20	28	7	9	3	2	1.5	0.5
Z		14.27	13.17	6.92	2.82	1.32	0.60

Spannendes Gewicht 15 g.

Nummer	Anfangslänge	19/7	20/7	21/7	22/7	23/7	24/7
21	22	16	14	4	1	1	0
22	23	26.5	6	6.5	3	0	0
23	11.5	9.5	11	7	1	0	0
24	15	17.5	16	4.5	0.5	0.5	0
25	18.5	9	8.5	3	1	1	0
26	11	12	8	4	2	0	0
27	10.5	14.5	11.5	4.5	1	0	0
28	17	19	15	5.5	1	0	0.5
29	22	8.5	5	1.5	1	0	0
30	18	10.5	8.5	2	0	0.5	0
31	22.5	17	19.5	11	2	0	0
32	17.5	14	12	5.5	2	0	0
Z		14.50	11.25	4.92	1.29	0.25	0.04

Tabelle 4.

Tropaeolum majus. Von den beiden Blattstielen der ersten beiden Blätter wuchs immer der eine ohne spannendes Gewicht, der andere unter der Einwirkung eines solchen von 60 g. Der Durchmesser der Blattstiele betrug im Mittel 0 · 64 mm. Die mit Gewicht wachsenden Blätter wurden gelb und starben ab.

Datum	18/6		24/6		26/6	
T. ° C.	22		30		28	
Nummer	Anfangslänge		144		48	
Gewicht	0	60	0	60	0	60
1	37	38	53	42	30	4
2	30	29	76	57	10	2
3	30	30	53	57	12	3
4	28	29	58	51	7	0
5	25	25	72	50	8	2
6	36	38	68	45	9	1
Z			63.33	50.33	12.67	2

Tabelle 5.

Linum usitatissimum. Die Pflanzen der Gruppe I. wuchsen ohne Gewicht; an die Pflanzen der Gruppe II. wurde in der gewöhnlichen Weise eine Schlinge angebracht und dieselbe so stark zugezogen, als es ein Gewicht von 15 g thut.

I.

Datum		15/7	16/7	17/7	18/7	19/7
T. ° C.		18	17	17	19	22
Nummer	Anfangslänge	24	24	24	24	24
1	25	10	10	2	1	1
2	22.5	14.5	10	6	1.5	1
3	20.5	13.5	10.5	0	0	0
4	19	9	13.5	8.5	5	1
5	19	11	16	13	4.5	0.5
6	24	15	13	6	1.5	0.5
7	24	17	16	8	2	0
8	20.5	15.5	20	14	5	2
9	16	5	11	8	4.5	0
10	24	13	18.5	10.5	3	2
Z		12.35	13.85	7.60	2.80	0.80

II.

Nummer	Anfangslänge	15/7	16/7	17/7	18/7	19/7
11	19	9	12	10	3	0
12	17	14	19	13	7	3
13	18	12	11	4	2.5	0.5
14	19	10	14.5	10.5	4	0.5
15	26	13	12	6	1.5	0.5
16	19	12	7.5	1.5	1	0
17	21.5	9.5	10	5	1	0
18	15.5	13.5	14	—	—	—
19	25	7	9	4	1	0
20	23.5	5.5	5.5	1.5	1.5	0.5
Z		10.55	11.45	6.17	2.50	0.55

Tabelle 6.

Tropaeolum majus. Beide Gruppen wuchsen ohne Gewicht; an die Pflanzen der Gruppe II. wurde in der gewöhnlichen Weise eine Schlinge befestigt und dieselbe so fest zugezogen, wie es ein Gewicht von 60 g thut.

I.

Datum		19/7	20/7	21/7	22/7	23/7	24/7
T. ° C.		22	22	23	23	24	23
Nummer	Anfangslänge	24	24	24	24	24	24
1	29	12.5	8	2.5	1.5	0.5	0
2	22.5	16	10.5	4	1	1	0
3	24	12	8.5	4	2	0.5	0.5
4	25	15	9	4	2.5	0.5	0
5	20.5	14.5	10.5	4.5	2	1	0
6	15	15.5	19.5	12	4	2.5	0.5
7	25	16	12	6	4.5	2	0.5
8	15	14	18	12	4	2	1
9	14	14	18.5	10.5	4	2	1
10	20.5	14	13.5	8	2	2.5	0
11	12.5	14	17.5	7.5	3	0.5	1.5
12	28	15	8	4	2.5	1.5	0.5
13	17	13	12	8	3.5	1.5	1
14	20	15	10.5	5.5	3	1	1
15	13.5	17.5	22	14.5	5	1.5	1
16	25.5	16.5	14	7.5	3.5	0.5	1
17	17	16	21	10	3	2	1
18	22.5	16.5	12.5	6.5	2	1	1
19	27.5	11.5	9	4.5	1.5	1	0
20	28	7	9	3	2	1.5	0.5
Z		14.27	13.17	6.92	2.82	1.32	0.60

II.

Nummer	Anfangslänge	19/7	20/7	21/7	22/7	23/7	24/7
21	17	9.5	13.5	3.5	1.5	0	0
22	16	8	14	6	1	1	1
23	13	9	15	4	2	0	1
24	17	5	11	4	3	1	1
25	20	3.5	8.5	4	4	1	1
26	18	4.5	11.5	4	3	1	0
27	25	9	6	1	0	2	0
28	11	10	21	5	1	2	0
29	19	8	12	3	0	2	0
30	15	8	14	4	1	1	0
31	16	12	16	6	0	3	0
32	12	7	11	8	4	3	0
33	22	11	6	3	0	0	0
34	20.5	9,5	7	3	0.5	0	0
35	11.5	8.5	11	5.5	0.5	1	0
Z		8.17	11.83	4.27	1.43	1.20	0.27

Tabelle 7.

Helianthus annuus. Durchmesser des hypocotylen Gliedes im Mittel 1 · 80 mm.

Ohne Gewicht.

Datum		5/2	6/2	7/2	8/2	9/2	10/2
T. ° C.		15	14	13	14	14	14
Nummer	Anfangslänge	24	24	24	24	24	24
1	35	12	12	15	7	5	5
2	41	11	13	24	16	14	8
3	33.5	8.5	10	12	8	6	3
4	31	9	10	14	9	5.5	2.5
5	33	10	11	11	6	3	0
Z		10.10	11.20	15.20	9.20	6.70	3.70

Spannendes Gewicht 15 g.

6	17	9	12	28	24	17	13
7	23	8.5	14.5	12	18	13	10
8	20	8	13	21	18	15	8
9	26	10	14	16	14	9	6
10	25	11	11	18	15	9	10
Z		9.30	12.90	19.00	17.80	12.60	9.40

Tabelle 8.

Helianthus annuus. Durchmesser des hypocotylen Gliedes im Mittel 1·80 mm.

Ohne Gewicht.

Datum		5/4	6/4	7/4	8/4	9/4	10/4	11/4	12/4	13/4	14/4	15/4
T. °C.		15	15	14	14	15	14	13	14	15	15	15
Nummer	Anfangslänge	24	24	24	24	24	24	24	24	24	24	24
1	12.5	5.5	6	7.5	9.5	10	11.5	6.5	7.5	8	4.5	4
2	17.5	7.5	11	10.5	11.5	12	11	9	8	6.5	4.5	3
3	21.5	4.5	10.5	13	10.5	12	9	3.5	3	4.5	4	3
4	21	8	12	12	12	10	8.5	2.5	2	2	1	2
5	21	10.5	14.5	16	13	11	10.5	6.5	3	4	2	3
6	17	6	11	13	13	16	13	7.5	8	7	5	4.5
7	16.5	5.5	6.5	8.5	5	5.5	3.5	2.5	3.5	3	1	1
8	19	7	12	11	7	5	4	3	3	3	2	2
9	22.5	9	13.5	14	6	8	4	3	4	4	2	2
10	17	5.5	11.5	12.5	10.5	8	6	4	3	3	0	1
Z		6.90	10.85	11.80	9.80	9.75	8.10	4.80	4.50	4.50	2.60	2.55

Spannendes Gewicht 150 g.

Nummer	Anfangslänge	5/4	6/4	7/4	8/4	9/4	10/4	11/4	12/4	13/4	14/4	15/4
11	26.5	15	24	25.5	20	16.5	9	4	3.5	1	2	2
12	24.5	13.5	16	18	16	15.5	10.5	7.5	4	2.5	1	0.5
13	13.5	8.5	12.5	14.5	12	8	6	2	1.5	2.5	0.5	1.5
14	18	14	27	20	17	9.5	12.5	6	3	1.5	1	0.5
15	26	13.5	25.5	26	23	18.5	12.5	6	4	3	2	2
16	26	11.5	20.5	23	20	14	8	4	3	1.5	0.5	2
17	21.5	11	18.5	25.5	21.5	20.5	17.5	11	10	10	9.5	6.5
18	25	9.5	17.5	19	15.5	16.5	9	6	3	2	2	2
19	25.5	7.5	14	18	17	16.5	12	7	4	2.5	1.5	1
Z		11.55	19.50	21.05	18.00	15.05	10.78	5.94	4.00	2.94	2.22	2.00

Tabelle 9.

Helianthus annuus. **Alle drei Gruppen wuchsen ohne spannendes Gewicht; an den Pflanzen unter II. und III. waren Schlingen befestigt, und dieselben bei II. so fest zugezogen, wie es ein spannendes Gewicht von 15 g thut, bei III. so wie es ein solches von 150 g thut.**

I.

Datum		1/8
T. ° C.		21
Nummer	Anfangslänge	24
1	16	21
2	19	22.5
3	14	18
4	19	23
5	15	15
6	16.5	19.5
7	18	16
8	15	14
9	17	17
10	17	20.5
Z		18.65

II.

Datum		1/8
T. ° C.		21
Nummer	Anfangslänge	24
11	19.5	19.5
12	19.5	19.5
13	19	20
14	17.5	20
15	17	22
16	17	21
17	16	17.5
18	19	15.5
19	21	24
20	15.5	19.5
Z		19.85

III.

Datum		1/8
T. ° C.		21
Nummer	Anfangslänge	24
21	17	22
22	19	21
23	17.5	20.5
24	18.5	19.5
25	19	17
26	17	16
27	18	20
28	18	16.5
29	22	22
30	18.5	13.5
Z		18.80

Pflanzenphysiologisches Institut der Universität Breslau.

Februar 1887.

Ueber Tabaschir.

Von

Prof. Ferdinand Cohn in Breslau.

Hierzu Taf. XVI.

Weder in dem Pflanzen- noch in dem Thierreich giebt es wohl einen Körper, welcher merkwürdiger ist als der Tabasheer[1]).
David Brewster.

Ungeachtet des aussergewöhnlichen Interesses, welches der berühmte englische Physiker dem Tabaschir durch obigen im Jahre 1828 niedergeschriebenen Ausspruch zuerkannte, hat sich doch seit jener Zeit kein Naturforscher gefunden, der unsere Kenntnisse über diesen Körper durch selbstständige Untersuchungen weiter gefördert hätte; die Botaniker, denen die Erforschung seiner Entstehungsweise im Bambusrohr doch zunächst oblag, haben denselben so vollständig aus dem Gesicht verloren, dass Tabaschir bereits zu den vielen verschollenen Substanzen der alten Materia medica zu gehören schien und kaum noch in einer wissenschaftlichen Sammlung anzutreffen ist. Um so dankenswerther ist es, dass Dr. Theodor Schuchardt, der Chef der bekannten chemischen Fabrik in Görlitz, auf meine Bitte grössere Quantitäten von ostindischem Tabaschir aus Bombay kommen liess, wo dasselbe von Hindu's wie von Mahomedanern äusserlich und innerlich als kühlendes tonisches, pectorales Medicament in Gallenfiebern,

---

[1]) Einiges über die Naturgeschichte und die Eigenschaften des Tabasheer, der Kieselconcretion im Bambusrohr von David Brewster. Aus „Edinburgh Journal of science No. XVI. S. 285", übersetzt von L. F. Kämtz im Jahrbuch für Chemie und Physik für 1828, herausgegeben von Dr. J. S. C. Schweigger und Dr. Fr. W. Schweigger-Seidel. Band I. S. 412. Halle 1828, auch unter dem Titel: Schweigger, Journal der Chemie und Physik Bd. LII. und Jahrbuch der Chemie und Physik. Bd. XXII. 1828.

Dysenterie, Gelbsucht und Aussatz, und besonders in Lungenerkrankungen verwendet, auch als Aphrodisiacum angesehen wird.

Wie wir weiter unten zeigen werden, wurden medicinische Eigenschaften dem indischen Tabaschir schon von den Aerzten der römischen Kaiserzeit — offenbar auf Grund uralter orientalischer Tradition — zugeschrieben; einen Weltruf erlangte dasselbe durch die grossen arabischen Aerzte des 10. und 11. Jahrhunderts; und noch bis auf den heutigen Tag gilt Tabaschir im ganzen Orient, von Constantinopel bis Peking, so weit derselbe noch gegenwärtig unter dem Einfluss der arabischen Medicin steht, als ein Heilmittel ersten Ranges.

Don Garcia d'Orta, dem wir die ersten im Lande selbst geschöpften Nachrichten über Indiens Pflanzenschätze verdanken, gab 1563 auch die ersten authentischen Berichte über Tabaschir, die durch die lateinische Bearbeitung des Clusius (1567) zur allgemeinen Kenntniss gelangten [1]); doch wurde nach dem Zeugniss des Matthiolus (1569) Tabaschir damals nicht mehr nach Europa exportirt. Genauer wurde dieser Körper der europäischen Naturwissenschaft erst durch einen Brief bekannt, welchen Dr. Patrik Russel am 26. November 1788 aus Vizagapatam in Ostindien an Sir Joseph Banks richtete, und der in der Sitzung der Royal Society zu London am 16. Juli 1790 vorgelesen wurde [2]).

Dr. Russel hatte die medicinische Verwendung des Tabaschir schon in Syrien, wo er als Arzt in Aleppo sich längere Zeit aufhielt, kennen gelernt, da dasselbe nach seinen Beobachtungen in der Türkei noch häufiger gebraucht ward als selbst in Ostindien. Hier hatte Russel nicht nur die verschiedenen Sorten gesammelt, welche in den Bazaren zum Verkauf gestellt werden, sondern er konnte auch die Entstehung des Tabaschir in den lebenden Bambusrohren untersuchen, die er als *Arundo Bambos L.* bestimmte.

Die von Russel nach London geschickten Tabaschirstücke wurden von Mr. Macie (dem späteren Mr. Smithson) zu einer gründlichen chemischen und physikalischen Untersuchung benutzt [3]), in welchen das, was wir gegenwärtig über die Eigenschaften des Tabaschir wissen, bereits der Hauptsache nach ermittelt wurde.

---

[1]) D. Garcia ab Horto, Aromatum et Simplicium apud Indos nascentium historia, latina facta et in Epitomen contracta a Carolo Clusio. Antwerpen Christoph. Plantin 1567. lib. I. cap. XII. p. 60 (de Tabaxir).

[2]) Dr. Patrik Russel, An Account of the Tabasheer. Philos. Transact. of the Royal Society. Vol. LXXX. P. II. London 1791. S. 273—283.

[3]) Macie, Account on some chemical experiments on Tabasheer, vorgetragen in der Sitzung der Royal Society vom 7. Juni 1791, Philos. Transact. LXXXI. P. I. p. 368. London 1791.

Macie unterschied im wesentlichen nur zwei Sorten; die eine entspricht dem rohen, frisch aus den Bambusstengeln entnommenen Tabaschir; sie besteht aus weicheren, schmutzig weissgelb, braun bis schwarz gefärbten Stücken, die in der Hitze 10,75 % Wasser abgaben, beim Glühen erst schwarz, dann rein weiss wurden und sich dadurch in die zweite Sorte, calcinirtes Tabaschir, umwandelten, die nämliche, welche in den Bazaren von Hyderabad verkauft wird.

Das calcinirte Tabaschir ähnelt dem Cachelong Chalcedon; es ist bald rein weiss und undurchsichtig, bald bläulich weiss, durchscheinend, gegen das Licht gehalten aber durchsichtig und feuerfarben; es ist härter als das rohe, hat einen erdigen Geschmack und ein specif. Gewicht von 2,188 (nach Cavendish 2,169); in der Löthrohrflamme bleibt es weiss, sintert bei starker Erhitzung ein wenig zusammen, schmilzt aber nicht; mit Kali und Soda schmilzt es leicht zu Glas. Beide Sorten Tabaschir, das rohe wie das calcinirte sind gemeine Kieselerde (common siliceous earth), die in flüssigen Alkalien sich zu einer schleimigen Flüssigkeit löst und aus dieser Lösung durch Säurezusatz als Kieselgallert ausgefällt werden kann; das rohe Tabaschir enthält ausser Wasser noch etwas vegetabilische Materie, die beim Glühen verschwindet.

Im Jahre 1804 brachte Alexander von Humboldt ein Tabaschir nach Europa, das derselbe aus einem südamerikanischen Bambusrohr in der Nähe des Pichincha gesammelt hatte. Vauquelin und Fourcroy untersuchten dasselbe und fanden es aus 70 % Kieselerde und 30 % Kali und Kalk zusammengesetzt [1]).

1819 erhielt David Brewster eine Menge Tabaschir zur Untersuchung, welche Dr. Kennedy aus Indien an die Royal Society in Edinburgh geschickt hatte; er gab eine sehr eingehende Untersuchung seiner merkwürdigen physikalischen und insbesondere optischen Eigenschaften, die er der Royal Society von London in einem aus Edinburgh an Sir Joseph Banks gerichteten Briefe vom 2. März 1819 [2]) mittheilte.

Schon Macie hatte beobachtet, dass Tabaschir, auf heisses Eisen gelegt, sofort mit einem schwachen Lichtscheine umgeben sei (with a feeble luminous auréole); die Eigenschaft zu leuchten verschwinde bei Rothglühhitze, sei aber nach zwei Monaten wiederhergestellt.

---

[1]) Mémoires de l'Institut de France. Tom. VI. p. 382. Paris.

[2]) On the optical and physical properties of Tabasheer. Philos. Transact. of the London Royal Society 1819. P. II. p. 283; übersetzt von Meineke in Schweigger Journal für Chemie und Physik XXIX. S. 411. Nürnberg 1820.

Brewster fand bei seinen Versuchen über Phosphorescenz der Mineralien, dass Tabaschir auf heisses Eisen gelegt, stärker leuchte als die am besten phosphorescirenden Mineralien.

Macie hatte angegeben, dass Tabaschir stark an der Zunge hängt, dass es in Wasser gelegt, eine grosse Menge Luftblasen austreten lässt, und fast sein gleiches Gewicht Wasser aufnimmt und dass dabei die weissen undurchsichtigen Stücke etwas durchsichtiger, die bläulichen opalähnlichen fast so durchsichtig wie Glas werden.

Brewster studirte diese Verhältnisse genauer: Tabaschir theilt mit dem Hydrophanopal die Eigenschaft, Wasser einzusaugen und dann durchsichtig zu werden, aber es behält, was beim Hydrophan nicht stattfindet, bis zu einem grösseren oder geringeren Grade seine Durchsichtigkeit auch nach dem Trocknen; dagegen wird es durch geringes Anfeuchten ganz undurchsichtig, was kein anderer Körper thut. Tabaschir besitzt ein ungewöhnlich schwaches Lichtbrechungsvermögen, das zwischen Luft und Wasser steht, geringer als irgend ein fester oder tropfbar flüssiger Körper [1]).

Tabaschir saugt alle flüchtigen und fetten Oele, überhaupt alle Flüssigkeiten leicht ein; durch geringe Oelabsorption wird es undurchsichtig, mit Oel gesättigt dagegen völlig durchsichtig wie Glas. In Buchoel wird selbst die undurchsichtige kreideartige Varietät des Tabaschir vollkommen durchsichtig. Durch Einsaugung gefärbter Flüssigkeiten wird das Tabaschir selbst gefärbt, durch essigsaures Kupfer smaragdgrün, durch Alkannaöl rubinroth, durch Apfelsäure erhält es die Farbe des Goldtopas u. s. w. Beim Rothglühen verschwinden diese Farben wieder.

Merkwürdig ist, dass ein mit Alkannaöl durchsichtig rubinroth gewordenes Stück Tabaschir, auf kaltes Blei gelegt, wieder undurchsichtig wird, wie ein Stück rother Ziegel, in warmer Zimmerluft aber seine Durchsichtigkeit zurück erhält; noch stärker erwärmt, tropft

---

[1]) Brewster bestimmte den Brechungsexponent für Tabaschir zwischen 1,1115 und 1,1825 (Luft 1,00, Wasser 1,3358, Flintglas 1,600, Diamant 2,470.) Die absolute lichtbrechende Kraft des Tabaschir berechnet Brewster sogar als weit geringer als bei irgend einem andren bekannten Stoff.

Jedoch beziehe sich diese geringe Brechbarkeit nur auf den gewöhnlichen lufthaltigen Zustand des Tabaschir; die feste Substanz allein habe ein viel höheres Brechungsvermögen, nämlich 1,5, gleich dem von Buchoel; jenes sei nur das Mittel zwischen dem Brechungsindex der Luft und der Tabaschirsubstanz, etwa wie die Brechung eines Gemisches von Alkohol und Wasser das Mittel aus dem Brechungsvermögen der beiden Flüssigkeiten ist; Tabaschir sei das einzige Beispiel, wo eine Menge von Luft mit einem festen Körper eine gemeinschaftliche optische Wirkung in derselben Art ausübt, die sonst nur chemischen Verbindungen eigen ist.

ein Theil des Oels aus; beim Erkalten wird es dann wieder undurchsichtig. Der Verlust der Transparenz schreitet von aussen nach innen fort, so dass in einem solchen Stücke eine Schichtung durchsichtiger und undurchsichtiger Partieen zu beobachten ist wie am Achat.

Reines Tabaschir bleibt beim Glühen unverändert weiss; wird dasselbe aber in Papier eingewickelt und so der Hitze ausgesetzt, so färbt es sich braunschwarz bis schwarz, hat einen schwarzen Bruch und giebt ein schwarzes Pulver. Beim Rothglühen erhält das geschwärzte Tabaschir seine frühere weisse Farbe wieder. Dieser Versuch lässt sich 50mal mit gleichem Erfolg am selben Stück wiederholen.

Auch Joddampf wird von trocknem wie von wasserhaltigem Tabaschir eingesaugt, welches dadurch orangegelb bis granatroth wird; undurchsichtige Stücke werden durch Aufnahme des Joddampfs durchsichtig.

Das specif. Gewicht des mit Wasser gesättigten Tabaschir wurde von Brewster auf 1,396 bestimmt, das der Kieselerde allein auf 2,412; hiernach berechnet derselbe das Verhältniss der Zwischenräume zur Masse der Substanz in der undurchsichtigen Varietät wie 2,307 : 1, in der durchsichtigen wie 2,5656 : 1. Brewster nimmt an, dass diese Zwischenräume mit Luft, oder durch Verdrängung derselben mit Wasser, Oel und andern Flüssigkeiten erfüllt sind; jedoch findet nicht immer ein vollständiges Austreiben der Luft statt, vielmehr kann in den Zwischenräumen noch etwas Luft zurückbleiben, woraus sich die überraschenden Veränderungen der Durchsichtigkeit je nach der grösseren oder geringeren Wasseraufnahme erklären.

Im Jahre 1828 vervollständigte Brewster seine Untersuchungen durch die schon oben citirte Abhandlung „über die Naturgeschichte und die Eigenschaften des Tabaschir“ [1]); er benutzte hierfür eine grosse Sammlung, welche der Gouverneurs-Secretär zu Calcutta, Georg Swinton angelegt hatte; ausserdem standen ihm die Notizen zu Gebote, die der gelehrte Herausgeber des Susruta, des medicinischen Hauptschriftstellers der Sanskritliteratur, Dr. Wilson, Präsident der medicinischen und Secretär der asiatischen Gesellschaft in Calcutta über den medicinischen Gebrauch des Tabaschir im indischen Alterthum für ihn excerpirt hatte; indess enthält die neue Abhandlung keine wesentliche Bereicherung der schon früher von Russel, Macie und Brewster selbst bekannt gemachten Beobachtungen. Auch die chemische Analyse, welche Turner mit dem von Brewster erhaltenen Tabaschir

---

[1]) Im Auszug auch in Poggendorf, Annalen Bd. XIII.

anstellte [1]), bestätigte Macie's Ergebniss, dass das ostindische Tabaschir reine Kieselerde sei, der höchstens 0,4 % Kalk und im unreinen Zustande etwas vegetabilische Substanz beigemengt ist.

Von Botanikern hat meines Wissens nur Meyen in seiner Pflanzenphysiologie [2]) des Tabaschir eingehender gedacht; er hatte auf seiner Weltumseglungsreise Musterstücke von Tabaschir, bläuliche opalartige, weisse kreideähnliche, und selbst dunkelbraunrothe bis schwarze in Bambusrohren der Insel Luzon selbst gesammelt; indem sich Meyen auf Brewster bezieht, giebt er nur über die Abscheidung des Tabaschir im Bambus eigene Bemerkungen, auf die ich noch zurückkommen werde. Seit dieser Zeit hat meines Wissens — abgesehen von einigen chemischen Analysen, durch welche die Untersuchungen von Macie und Turner bestätigt wurden [3]), und den gelegentlichen Bemerkungen einzelner Reisenden in Indien und den benachbarten Inseln — Niemand sich mit Tabaschir beschäftigt.

Ueber die Entstehung des Tabaschir besitzen wir nur dürftige Nachrichten, so dass die Bedingungen, unter denen dasselbe erzeugt wird, noch immer nicht hinreichend aufgeklärt sind. Avicenna (980—1037) hatte berichtet, Tabaschir (Tabarzed) werde aus den verbrannten Wurzeln des Bambusrohrs gewonnen [4]); Gerard von Cremona, der Uebersetzer des Rhazes (850—923) hatte für Tabaschir geradezu Spodium d. h. Knochenasche gesetzt, und diesem Beispiel waren nicht nur alle lateinischen Uebersetzer der arabischen Aerzte im Mittelalter gefolgt, sondern noch bis auf den heutigen Tag findet sich in wissenschaftlichen und populären Schriften die Angabe, dass Tabaschir in der Asche der Waldbrände gesammelt werde, die angeblich häufig in den undurchdringlichen Bambusdickichten Indiens durch gegenseitige Reibung der Stengel während der heissen Jahreszeit entstehen sollen [5]).

Demgegenüber berichtete bereits Don Garcia d'Orta [6]) (1563), Tabaschir stamme von baumartigen Rohren, die gross und schlank wie

---

1) Vorgetragen in der Royal Society of Edinburgh am 3. März 1828, abgedruckt im Edinburgh Journ. of Science. V. XVI. S. 325, übersetzt von L. F. Kämtz in Schweigger-Seidel, Journal für Chemie und Physik. Bd. LVII. 1828.

2) l. c. Band II. S. 541. 1838.

3) Bleekrode, Repert. de Chimie appliq. II. 141. Rost v. Tönningen, Tydschrift van Nederlands Indie über javanisches Tabaschir XIII. 290.

4) Canon lib. 2. cap. 617.

5) So bei Dymok, vegetable materia medica of Western India 2. ed. Bombay 1885 p. 856.

6) l. c. p. 61.

Pappeln, manchmal jedoch auch kleiner sind, und deren aufrechte Aeste zahlreiche, etwa eine Spanne von einander abstehende Knoten zeigen; in den Internodien werde eine süsse Flüssigkeit erzeugt, welche geronnen dick wie Stärkekleister und ebenso weiss sei, manchmal viel, manchmal aber auch sehr wenig; doch finde Tabaschir sich nicht in allen Rohren, noch in allen Aesten, sondern werde nur in Bisnager[1]), in Batecala und einem Theile von Malabar gesammelt. Garcia bemerkt noch, die geronnene Flüssigkeit, *liquor concretus,* in den Internodien sei manchmal nicht weiss, sondern schwarz oder aschgrau, diese Farbe rühre aber nicht her vom Verbrennen der Bäume; denn auch in vielen Aesten, die kein Feuer betroffen, werde schwarzes Tabaschir gefunden.

Rumph (1626—1702) hat zwar durch seine Beschreibungen und Abbildungen den Grund zur botanischen Kenntniss der baumartigen Bambusgräser des indischen Archipels gelegt, die er als *Arundarbor* bezeichnet; von Tabaschir aber, das er dem Stärkemehl oder feinem weissen Zucker ähnlich schildert und zu seiner 30—50 Fuss hohen *Arundarbor vasaria* (Bulu der Javaner) zieht, bemerkt er ausdrücklich, es würde nur in einzelnen Provinzen von Indien, nicht aber in Amboina gesammelt und hier nur sehr selten gefunden[2]). Die Entstehung desselben bringt auch er in Beziehung zu der klaren, trinkbaren, wässrigen Flüssigkeit, welche die Internodien junger Bambusrohre erfüllt und später verschwindet.

Dr. Russel war der erste Europäer, der Gelegenheit hatte, die Art und Weise der Tabaschirbildung in verschiedenen Zuständen an grünen Bambusrohren selbst zu verfolgen, die ihm im April 1788 aus den Bergen von Vellore nach Vizagapatam geschickt worden waren. Uebereinstimmend mit Garcia's mehr als zwei Jahrhunderte älterem Berichte bestreitet er, dass Tabaschir von verbrannten Bambusrohren gesammelt werde; die Eingeborenen erkennen vielmehr an einem Rasselton beim Schütteln der Bambusstengel, ob dieselben Tabaschir enthalten; durch Spalten solcher Rohre stellte Russel fest, dass Tabaschir sich nicht in allen, sondern nur in einzelnen Gliedern des Rohrs finde, gewöhnlich der Scheidewand anhaftend, welche von jedem Knoten aus die innere Höhlung des Rohrs quer durchsetzt; und zwar sitzen die Stücke ebenso oft an der obern wie an der untern, und häufig sogar an beiden Seiten des Septum, auch wohl an den Seitenwänden in der Nähe desselben, nie aber in der Mitte der Höhlung fest; sie

---

[1]) Nach Russel kommt Tabaschir nicht von Bisnagur, sondern vom Atkurpass in Kanul und von Emnabad, das meiste von Masulipatam.

[2]) Rumphius Georg Eberhard M. D. von Hanau: Herbarium amboinense vol. IV. ed. Burmann 1753. cap. 4. p. 10.

lösen sich leicht ab und liegen dann, meist in mehrere Stücke zerbrochen, frei in der Höhle des Internodium. Von 37 Rohren, die Russel öffnete, fand er in neun gar kein Tabaschir, bei den übrigen solches nur in einem, zwei, und nie mehr als in drei Gliedern, auch immer nur wenig und kleine Stücke von so geringem Gewicht, dass es scheint, als hätte Russel das normale Vorkommen des Tabaschir gar nicht zu Gesicht bekommen [1]). Dagegen gelang es ihm, unfertige Zustände des Tabaschir zu beobachten; einzelne Internodien enthielten nämlich eine Flüssigkeit, deren Anwesenheit sich schon durch ein Geräusch beim Schütteln des Rohrs kund gab, höchstens 2—3 Drachmen in einem Gliede, stets durchsichtig: wenn verdünnt fast wie Wasser, mit grünlichem Schein, schwach salzig und adstringirend im Geschmack; wenn verdickt, schleimig bis zur Honigconsisteuz. In einem Rohr, das am 23. Oct., dem Geräusch nach zu urtheilen, Flüssigkeit enthalten hatte, fand sich beim Aufschneiden am 2. November im obersten Internodium $\frac{1}{2}$ Drachme einer zu Schleim verdickten Flüssigkeit auf dem Boden der Höhlung; im folgenden Internodium lag lose vollkommnes Tabaschir; das dritte Glied war leer und enthielt nur wenige Körnchen, die den Seiten der Höhle anhafteten; das vierte Glied enthielt am Boden pulpöse Flüssigkeit, das unterste $\frac{1}{2}$ Drachme einer Substanz, die dicker und härter als weisses Wachs war.

Brewster [2]) konnte 1828 in Edinburg mit eigenen Händen Tabaschir aus den noch nicht geöffneten Internodien von Bambusrohren herausnehmen, die er aus Calcutta erhalten; da er Tabaschir nur in einer geringen Zahl der Bambusrohre fand, so schliesst er daraus, dass es kein normales, sondern ein durch besondere Umstände veranlasstes Produkt sei; gegen die Vermuthung, dass Stiche von Insecten, die von aussen sich einbohren, die Ursache seien, spricht nach Brewster, dass er selbst Tabaschir in vielen Internodien fand, an denen keine von Insecten herrührende Löcher vorhanden waren; er sucht daher die Ursache jener Entstehung vielmehr in einem krankhaften Zustande der Scheidewandgewebe, welcher die Ergiessung von Saft in die Höhlung der Internodien veranlasst; in einzelnen Gliedern lagen Tabaschirstücke bis zu 1,285 gm (20 gran) Gewicht; in Gliedern mit durchbohrter Aussenwand waren die Stücke braun und schmutzig — wie er meint, durch eingedrungenen Staub; oft fanden sich die Insecten,

---

[1]) Ein Bambusstengel von 7 Gliedern enthielt nur in 4 Internodien Tabaschir, zur Hälfte als Pulver oder Körnchen den Seitenwänden der inneren Höhle anhaftend, im Gesammtgewicht von 1,75 gramm (27 gran); von 27 Rohren gewann er im Ganzen nur 2 Drachmen Tabaschir.

[2]) l. c. Schweigger, Journal der Physik und Chemie Bd. LII. p. 413 u. f.

von denen der Stich herrührte (Holzkäfer nach Meyen) unter den Fragmenten. In unverletzten Gliedern war das Tabaschir theils halbdurchsichtig, ähnlich dem Halbopal oder Cachelong, theils undurchsichtig weiss wie Kalk.

Dass selbst in den Gewächshäusern Europas Tabaschir von Bambusen erzeugt werden kann, scheint aus einer Mittheilung von Macie hervorzugehen, wonach Sir Josephs Banks aus dem Internodium eines Bambus im Treibhause des Dr. Pitcairn zu Islington, das durch seinen Rasselton die Anwesenheit von Tabaschir im Innern vermuthen liess, beim Spalten ein rundliches dunkelbraunes Steinchen (a solid pebble) herausnahm, von der Grösse einer halben Erbse und so hart, dass es Glas ritzte[1]).

Welche Bambusarten Tabaschir ezeugen, ist noch nicht festgestellt; gewöhnlich wird *Bambusa arundinacea* angeführt; nach Birkwood (Bombay Products p. 95) und Dalzell[2]) wird auch aus *B. stricta* Roxb., *B. vulgaris* Schreb., *B. arundo* Klein u. a. A. Tabaschir gewonnen. Dass Tabaschir aus einer Flüssigkeit abgeschieden werde, welche zu Zeiten die hohlen Bambusinternodien erfüllt, nehmen auch neuere Reisende an. So berichtet Theobald aus Burma, die Glieder des Bambus enthalten klares wohlschmeckendes Wasser, das beim Eintrocknen milchig werde und einen Kuchen von gallertartiger opalisirender Kieselerde am Boden des Gliedes zurücklasse[3]). Theobald fügt eine Bemerkung hinzu, welche den alten Avicenna zu rechtfertigen scheint: man könne die kleinen Tabaschirscheiben (Disk's) im Bambuswald auflesen, wenn die Stämme, in denen sie sich gebildet hatten, verwest oder durch Feuer zerstört sind; alsdann stellen diese calcinirten weissen Scheiben ein bemerkenswerthes Vorkommen am Boden dar, namentlich wenn Regen die weisse staubige Asche weggespült hat.

Auch Sulpiz Kunz erzählt, dass in den Bergen Java's die Reisenden ihren Durst gern mit dem klaren Wasser löschen, das die Bambusglieder füllt, und dass Tabaschir Secret oder Residuum dieser Flüssigkeit sei. Dieselbe Auffassung theilt auch Dietrich Brandes auf Grund seiner Beobachtungen in den indischen Forsten[4]).

Meyen giebt eine abweichende Darstellung; nach seiner Ansicht

---

1) Philos. Trans. Lond. Roy. Soc. 1791 LXXXI. p. 387.

2) Dalzell und Gibson, Bombay Flora, citirt bei Dymok.

3) Mason, Burmah. 1860 p. 503; 2. Auflage von Theobald, 1883 vol. II. p. 102; ich verdanke diese Notizen der gütigen Mittheilung des Dr. Brandes.

4) Steward and Brandes, the Forest Flora of North West and Central India p. 566. Auf diese Stelle hat mich Dr. Thysselton Dyer freundlichst aufmerksam gemacht.

wird Tabaschir theils in kugligen concentrisch geschichteten Massen in kleineren Lücken des Knotengewebes, theils in grösseren Stücken von den Wänden der grossen Centrallücke zunächst dem Knoten secernirt, und zwar immer schichtenweise; daher werden die zuerst ausgeschiedenen Schichten von den späteren weiter nach innen gedrängt, wobei die noch weichen Massen von entgegengesetzten Wänden der Centrallücke aus in der Mitte zusammenstossen und mit einander verkleben sollen [1]). Meyen vergleicht die Excretion des Tabaschir in den Lücken der Bambusstämme mit der des Harzes in den Lücken der Coniferenrinde oder des Kalks bei manchen Saxifragen.

Es ist selbstverständlich in Europa nicht möglich, ein Urtheil über die Vorgänge bei der Entstehung des Tabaschir abzugeben, das nur durch neue Untersuchungen an Ort und Stelle begründet werden könnte, und es ist daher sehr dankbar anzuerkennen, dass Herr Dr. Dietrich Brandes, mit dem ich mich wegen dieser Fragen in Verbindung gesetzt, und der mich auch mit Literaturnachweisen zu unterstützen die Güte hatte, durch einen Aufruf im „Madras Forester" die Forstbeamten Ostindiens zur Untersuchung der vielen noch unaufgeklärten Punkte in der Bildungsgeschichte des Tabaschir aufgefordert hat; durch seine Vermittlung hoffe ich selbst noch in den Besitz von neuem Material zu eigner Prüfung zu gelangen.

Von vornherein ist anzunehmen, dass die Abscheidung des Tabaschir im Innern der Bambusglieder mit den biologischen Eigenthümlichkeiten dieser merkwürdigen Gramineen in Zusammenhang steht [2]). Bekanntlich gehen selbst die stärksten Bambusstämme, die über 40 Meter hoch werden und 30 Centimeter im Durchmesser erreichen, genau so wie unsere schmächtigsten Grashalme, aus Knospen hervor, die am unterirdischen Rhizom entstehen, und die Erde durchbrechend, in wenig Wochen ihr gesammtes Längen- und Dickenwachsthum vollenden. Diese Knospen spalten als fussdicke Kegel die Erde, und sind nicht nur selbst ausserordentlich wasserreich, sondern sie scheiden anscheinend auch Wasser aus ihren derben Blattscheiden, so dass sie nach der Beschreibung von Rivière in der Hamma bei Alger den Boden in ihrer Umgebung durchnässen. Während der Wachsthumsperiode sind die jungen Gewebe des Bambusstammes sehr weich, zart und saftig, so dass sie als Gemüse genossen werden können;

---

[1]) Pflanzenphysiologie II. 541.

[2]) Die folgenden Bemerkungen finden sich in der anziehenden und lehrreichen Abhandlung von Schroeter: Der Bambus und seine Bedeutung als Nutzpflanze. Zürich 1885; Neujahrsblatt der Naturforschenden Gesellschaft in Zürich für 1886. LXXXVIII.

erst nach Abschluss des ungewöhnlich raschen Wachsthums, das bei einem Bambus zu Kew in 24 Stunden 91 cm betrug, beginnt die Verholzung und mechanische Festigung der Gewebe, so wie die Verzweigung des anfangs einfachen Stammes; mitunter brechen die Zweige erst im zweiten Jahre aus den Achselknospen der Stammknoten hervor. Offenbar saugen die Wurzeln in der Periode des Wachsthums, welche in die Regenzeit fällt, Wasser aus dem Boden mit ungewöhnlicher Energie ein; es würde nur mit allbekannten Erscheinungen übereinstimmen, wenn in der Zeit, wo die erst in Entwicklung begriffenen Blätter nur beschränkte Transpiration gestatten, die in den Scheidewänden der Knoten verflochtenen Gefässbündel aus blinden Enden soviel Wasser auspressen, dass die Höhlungen der Internodien durch den Blutungssaft mehr oder weniger gefüllt werden. Dass zugleich mit dem durch die Bambuswurzeln eingesaugten Wasser auch beträchtliche Mengen Kieselsäure aus dem Boden aufgenommen werden, wird schon durch die starke Verkieselung der Epidermis angezeigt, aus der bekanntlich bei älteren Bambusstämmen der Stahl Funken herausschlägt. Vermuthlich enthält der die hohlen Internodien des Bambus erfüllende Blutungssaft auch andere Salze und organische Verbindungen in Lösung; wenigstens sprechen die Berichte von Garcia und Russel dem concentrirteren Safte einen schwachen bald süssen, bald salzigen oder adstringirenden Geschmack zu, während die verdünnte Flüssigkeit als trinkbar und wohlschmeckend, d. h. wohl als geschmacklos geschildert wird; wenn die chemische Analyse im Tabaschir von solchen Salzen variable Mengen, in der Regel aber wenig oder gar nichts nachweist, so ist zu vermuthen, dass, sobald bei gesteigerter Transpiration das ausgeschiedene Wasser von den Zellwänden der die Centralhöhle begrenzenden Grundgewebe wieder eingesaugt wird, auch die Salze wieder in die Gewebe des Stammes zurückwandern; in Folge dessen bleibt die colloidale Kieselsäure, gewissermassen durch Dialyse von den fremden Stoffen gereinigt, fast rein in der Höhlung zurück, und erhärtet allmählich nach vollständiger Absorbtion des Wassers als fester Rückstand [1]). Wahrscheinlich wurde die Kieselerde schon vorher durch Salze oder auch durch Kohlensäure aus ihrer verdünnten Lösung als Kieselgallert abgeschieden, welche alsdann durch Dialyse gereinigt und durch Wasserabsorption getrocknet wird. Maschke hat schon 1855 die Bildung des Tabaschir durch die Beobachtung zu erklären versucht, dass in einer Flüssigkeit, welche Kieselsäure in

---

[1]) Ueber Erzeugung reiner Kieselsäure durch Dialyse vergl. Graham in Poggendorfs Annalen B. 114. S. 181. 1861.

Lösung enthält, diese durch geringe Mengen gleichzeitig vorhandenen kohlensauren Alkalis, oder durch Neutralsalze zum Gelatiniren gebracht wird; bei einem gewissen Concentrationsgrade wird die Flüssigkeit dicklich, syrupartig und erstarrt schliesslich zu Gallert[1]). Aus solcher feuchter Kieselgallert, die er in einer Atmosphäre von Kohlensäure über Schwefelsäure 10 Monate langsam trocknete, erhielt Maschke 1872 grössere durchscheinende Tabaschir- und selbst Opalartige Stücke mit glänzender Bruchfläche[2]).

Hoffentlich wird es bald gelingen, durch directe Beobachtungen in Indien diese Theorie zu prüfen; vorläufig vermag nur die Untersuchung des Tabaschir selbst, zu der wir jetzt übergehen, uns noch neue Aufschlüsse über seine Entstehung zu gewähren. Diese Untersuchung wird uns zugleich in den Stand setzen, die in Vergessenheit gerathenen Beobachtungen von Macie und Brewster zu bestätigen, zu vervollständigen und unter allgemeine Gesichtspunkte zusammenzufassen, welche auf wichtige Fragen der Zellenlehre wie der Bildung von Mineralien und Versteinerungen überraschendes Licht werfen, und den als Motto diesem Aufsatz vorangeschickten Ausspruch Brewsters „dass Tabaschir eine der merkwürdigsten Substanzen in der Natur sei", in vollem Masse rechtfertigen.

Wie schon oben bemerkt, besteht das von Dr. Schuchardt importirte Tabaschir aus zwei Sorten, die auch von allen früheren Beobachtern unterschieden werden: rohes und calcinirtes Tabaschir. Ersteres ist das unmittelbar durch Spaltung aus den Bambusrohren entnommene Product; das calcinirte wird nach der Schilderung von Capitän Playfair in Nazareebagh (1827) aus dem rohen so dargestellt, dass eine Quantität des letzteren in einem offenen oder auch bedeckten Gefäss aus getrocknetem Thon etwa $\frac{3}{4}$ Stunden lang auf ein Kohlenfeuer gestellt und durch einen Blasebalg zum Rothglühen gebracht wird; das Tabaschir wird zuerst schwarz und entwickelt einen aromatischen Geruch; durch das Rothglühen verliert es ein Drittel seines Gewichts und wird weiss; in diesem Zustand wird es als calcinirtes Tabaschir in den Handel gebracht[3]).

---

[1]) Vorläufige Mittheilungen über Kieselsäurehydrat und die Bildungsweise des Opal und Quarz. Zeitschr. d. deutsch. geolog. Ges. 1855. S. 438.

[2]) Studien über amorphe Kieselsäure. Pogg. Ann. 1872. S. 90.

[3]) Citirt bei Brewster Edinb. Journ. of Science XVI; Schweigger Journ. d. Phys. und Chem. LII. 1828. S. 415. Nach Dymok (veg. mat. med. of western India 1885) kostet das Pfd. rohes Tabaschir in Bombay $3\frac{1}{4}$ anna (43,4 Pfennig), calcinirtes 8 anna (etwa 1 Mark); Bombay bezieht sein rohes Tabaschir zumeist aus Singapore und calcinirt es selbst; aus dem geringen Preise lässt sich auf die massenhafte Gewinnung schliessen.

Die rohen Tabaschirstücke zeigen sehr bedeutende Verschiedenheiten in Grösse, Form, Farbe, Glanz, Durchsichtigkeit, Härte und spec. Gewicht. Dass das rohe Tabaschir durch einfaches Glühen in das calcinirte umgewandelt wird, lässt sich durch einen Versuch leicht bestätigen; hierbei verliert es seinen Gehalt an Wasser und organischer Substanz und wird im Allgemeinen fester, härter und milchweiss, wenn auch in verschiedenen Nuancen; es verändert dagegen nicht merklich Gestalt und Volumen.

Unbeschädigte Tabaschirstücke sind mehr oder minder vollkommene Cylinder mit abgerundeter convexer Basis und sehr verschiedener Höhe; ihre Aussenfläche ist in der Regel fein längsgerieft, wie die der Calamiten (Fig. 3, 5, 8, 9, 10, 11, 12, 15), entsprechend dem Verlauf der Gefässbündel im Internodium; die Tabaschircylinder sind daher zweifellos Abgüsse der Centralhöhle von Bambusinternodien, welche dieselbe von der Scheidewand ab bis zu einer gewissen Höhe vollkommen ausfüllen; sie sind gewissermassen die Steinkerne derselben. Die dünnsten Cylinder sind nur so dick und so lang wie der Finger eines Kindes (Fig. 8, 10, 11); andere haben die Stärke eines Mannesdaumens (Fig. 3, 5, 9, 15), oder sind auch erheblich dicker, dann aber meist kürzer; ich mass Stücke

von	11	mm	Durchmesser	und	45	mm Länge
-	13	-	-	-	37	- -
-	15	-		-	28	- -
-	18	-		-	16	- -
-	24	-		-	15	- -
-	30	-		-	13	- -
-	34	-	-	-	10	- -

Die grossen niedrigen Stücke sind napfförmig; sie haben in der Regel die Gestalt planconvexer Linsen oder kurzer Rotationskörper; die convexe Fläche lag auf der Scheidewand (Fig. 17). Das grösste Stück, welches ich beobachtet habe, besass jedoch unregelmässige Cylinderform, hatte im Durchmesser 27 mm und eine Höhe von 40 mm; es wog 15,74 Gramm. Aus alledem ergiebt sich, dass das von mir untersuchte Tabaschir keineswegs, wie man vermuthen möchte, aus den mächtigen schenkeldicken Bambusstämmen, sondern aus verhältnissmässig dünnen Rohren, also entweder aus jungen Schösslingen, oder vermuthlich aus den Aesten und Zweigen der baumartigen Bambusen gewonnen wird. Don Garcia d'Orta bemerkt letzteres ausdrücklich; von anderen Beobachtern wird es allerdings nicht erwähnt, doch haben auch Russel und Brewster offenbar nur dünne Bambusrohre (5—7 feet lang, mit höchstens 7 Gliedern) bei ihren Tabaschir-Untersuchungen vor sich gehabt[1]).

Durch diese Thatsachen wird freilich die Abscheidung des Tabaschir noch räthselhafter; denn offenbar konnte ein Bambusinternodium, von dem das Stück Fig. 11 den Abguss der Centralhöhle darstellt, und das diese nahezu zur Hälfte ausgefüllt haben muss, nicht stärker sein, als ein Halm von *Arundo Donax* oder gar von *Phragmites*, und man begreift schwer, wie aus der geringen Menge Flüssigkeit, die darin Raum hatte, ein Stück Kiesel, das fast 6 Gramm wog, abgeschieden werden konnte.

Frische rohe Tabaschirstücke sind gewöhnlich durchscheinend oder an den Kanten durchscheinend, von grauer, gelblicher, bläulicher, bräunlicher oder schwärzlicher Färbung, fettglänzend oder schimmernd, gemeinen Quarzkieseln oder selbst den grössern Stücken von Gummi arabicum nicht unähnlich; manche Stücke besitzen Glasglanz und gleichen, wenn dunkelfarbig, sogar Colophoniummassen. Die Aussenseite des rohen Tabaschir ist bald nur oberflächlich, bald mehr oder minder tief, von einer undurchsichtigen weissen oder schmutzigen kreideartigen Rinde überzogen. Der trocknen warmen Zimmerluft ausgesetzt, werden die meisten Stücke in kurzer Zeit ganz undurchsichtig oder nur an den Kanten durchscheinend, verlieren ihren Glanz und zerfallen unter schaliger oder muschliger Absonderung (Fig. 2, 3, 5, 6) in kleinere und immer kleinere Bruchstücke; diese sind anfänglich dicht und besitzen noch matten Schimmer, ähnlich Bruchstücken von Muschelschalen oder Feuersteinsplittern; allmählich jedoch nehmen sie fast sämmtlich eine kreideartige Beschaffenheit an, und zerfallen endlich in sand- oder mergelartige Körner und Stäubchen. In luftdicht verschlossenen Gefässen bleiben die Tabaschir-Stücke dagegen unverändert; gewöhnlich aber sind die ursprünglichen Cylinder oder Kugelsegmente durch Absplitterung an allen Seiten bis zur Wallnuss- oder Haselnussgrösse zerkleinert, mit unregelmässigen, muscheligen oder splittrigen, schimmernden oder matten, derben oder kreideartigen Bruchflächen (Fig. 1—10). In diesem Zustand gleicht das rohe Tabaschir einem groben Kies; das

---

[1]) Capt. Playfair l. c. berichtet, dass das beste Tabaschir, das von Patna kommt und wegen seiner bläulichen Farbe auch als Nil-Kunti bezeichnet wird, auf Hügeln westlich von Behar in dem kleinen Hügelbambus gefunden wird. Von 10 Pflanzen enthält in der Regel nur eine Tabaschir, im Durchschnitt 0,24—0,30 gramm, sehr selten 2, 4—3 gramm. Brewster entnahm aus einem Bambusrohr Tabaschir von 1,2 gramm Gewicht. Stücke von der Grösse und dem Gewicht, wie ich sie oben beschrieben, scheinen bisher nicht beobachtet zu sein.

calcinirte sieht bald Stücken von Milchglas, bald von Kreide, auch wohl grob gehacktem Kandiszucker ähnlich. Im Mittel wiegen grössere calcinirte Tabaschirstücke 2 g. (1,650—2,388 g.), rohe um zwei Drittel bis zum Doppelten mehr.

Ueber den Gehalt des rohen Tabaschir an fremden Stoffen, mit dem die hier berichteten Erscheinungen zusammenhängen, geben nachstehende Bestimmungen Aufschluss, die mir mein College Prof. Poleck freundlichst gestattet hat aus einem von ihm in der botanischen Section der Schles. Gesellschaft gehaltenen Vortrage hier aufzunehmen [1]).

„Auserlesene grössere Stücke des rohen, von Schuchardt bezogenen Tabaschir wurden zerrieben, innig gemischt, und ihr Wassergehalt bei gewöhnlicher Temperatur, und bei 100°, sowie der Glühverlust bestimmt.

„Bei gewöhnlicher Temperatur bis zum constanten Gewicht getrocknet, verlor dies Gemisch nach 2 Tagen 61,9%, bei 100° schon nach wenigen Stunden 62,5% Wasser. Der Glühverlust betrug 63,57%. Beim Trocknen blieb die Farbe ziemlich unverändert grau, auch beim Glühen trat nur eine geringe rasch vorübergehende Schwärzung ein. Nach den vorstehenden Versuchen würde die organ. Substanz ca. 1% betragen.

„In einem zweiten Versuch mit andern Stücken wurden bei 100° 57,7% Wasser und beim Glühen noch 1,6% Glühverlust erhalten, während derselbe beim directen Glühen 58,3% betrug. Auch aus diesem Versuch geht der geringe Gehalt des Tabaschir an organischer Substanz hervor, welcher 1% nicht überschreitet und kaum erreicht.

„Das zu diesen Versuchen dienende Tabaschir war in gut verschlossenen Glasgefässen bezogen und aufbewahrt; es ist selbstverständlich, dass im anderen Falle sehr wechselnder Wassergehalt sich zeigen würde.

„In Wasser ist das rohe Tabaschir etwas löslich. Bei anhaltendem Erwärmen mit erneuten Wassermengen wurden ca. 27% gelöst, in 100 Theilen Wasser 0,05%. Die Lösung reagirte schwach alkalisch und die durch Abdampfen erhaltene Kieselsäure enthielt geringe, durch das Spectroskop nachweisbare Menge Natrium und Spuren von Schwefelsäure. In Kalilauge lösten sich die reineren Stücke leicht und vollständig auf, während die weniger reinen einen unlöslichen Rückstand hinterliessen.

„Bambusrohrstücke aus den Knoten, welche gleichzeitig mit dem Tabaschir bezogen waren, verloren bei 100° getrocknet 7,4% an Ge-

---

[1]) Vorgetragen in der Sitzung der botan. Section vom 3. Febr. 1887.

wicht und gaben heim Verbrennen 2,54 %, Stücke aus den Internodien 2,9 % unverbrennlichen Rückstand, der zum Theil geschmolzen war. Die Asche des Bambusrohr besteht nach der Analyse von Hammerschmidt aus 28,26 % Kieselsäure, 4,48 % Kalk, 6,57 % Magnesia, 0,09 % Eisenphosphat, 34,22 % Kali, 12,76 % Natron, 2,06 % Chlor und 10,7 % Schwefelsäure"[1]).

Die an der Luft durch Wasserverlust allmählig eintretende kreideartige Umwandelung geht in vielen Stücken nicht gleichmässig vor sich, es treten Schichtungen auf, die vorher nicht wahrnehmbar waren. Und zwar wechseln in der Regel parallele Schichten von durchscheinender glas- oder quarzähnlicher und undurchsichtiger kreideartiger Beschaffenheit, wie in Chalcedonen. Die Dicke der einzelnen Schichten kann 1—2 mm betragen. Mitunter sind die undurchsichtigen Schichten nicht weiss, sondern schwarz, und dann machen die Stücke mit ihren wechselnden schwarzen und farblosen Lagen den Eindruck von Onyx (Fig. 14). Fig. 12 und 13 zeigen ein onyxartiges Stück, wo die Schichtung nicht, wie gewöhnlich, quer, d. h. parallel der Scheidewand des Knotens, sondern concentrisch den Wänden des Internodium stattfindet; manchmal sind die abwechselnden weissen und schwarzen Schichten nicht parallel, sondern in einem Winkel gegen einander geneigt. Die grossen runden Scheiben, welche offenbar den Scheidewänden aufgelagert waren, haben nicht selten erdige Beschaffenheit (Fig. 17).

Die durchscheinenden Partieen der Tabaschirstücke besitzen in der Regel, abgesehen von einzelnen Spaltflächen, keine mit blossem Auge erkennbare Structur; in vielen Stücken zeigt sich jedoch die Rinde in dickerer oder dünnerer Schicht von punktförmigen braunen rundlichen Tupfen sehr reichlich durchsetzt (Fig. 7, 16); diese heben sich besonders deutlich von der kreideweissen Substanz vieler Stücke ab. Die grossen schmutzigen erdigen Scheiben sind von diesen braunen Partikeln ganz dicht erfüllt. Liegen derartige Tabaschirmassen in Wasser, so nimmt dieses durch Extraction eines humusartigen Stoffes braune Färbung an. Durch Glühen werden die braunen Partikeln erst verkohlt, dann vollständig zerstört.

In dünneren Schichten, wie sie z. B. kleinere Splitter darstellen, ist das von Wasser durchtränkte Tabaschir vollkommen durchsichtig und farblos; es zeigt auch unter den stärksten Mikroskopobjectiven — abgesehen von Sprüngen und Spaltflächen — nicht die geringste Structur, sondern erscheint durchaus homogen und structurlos, wie Glas; die braunen Tupfen aber sind Gruppen parenchymatischer, durch Vermo-

[1]) Liebigs Annalen der Chemie Bd. 176. S. 87. 1875.

derung braunwandiger Zellen, welche bald kleiner, bald weithöhliger, offenbar aus dem bei Bildung der Centralhöhle im Bambusinternodium zerrissenen Markgewebe und dem Grundgewebe der angrenzenden Wände, sowie der Scheidewand herrühren. (Siehe den Holzschnitt A. a. und b.)

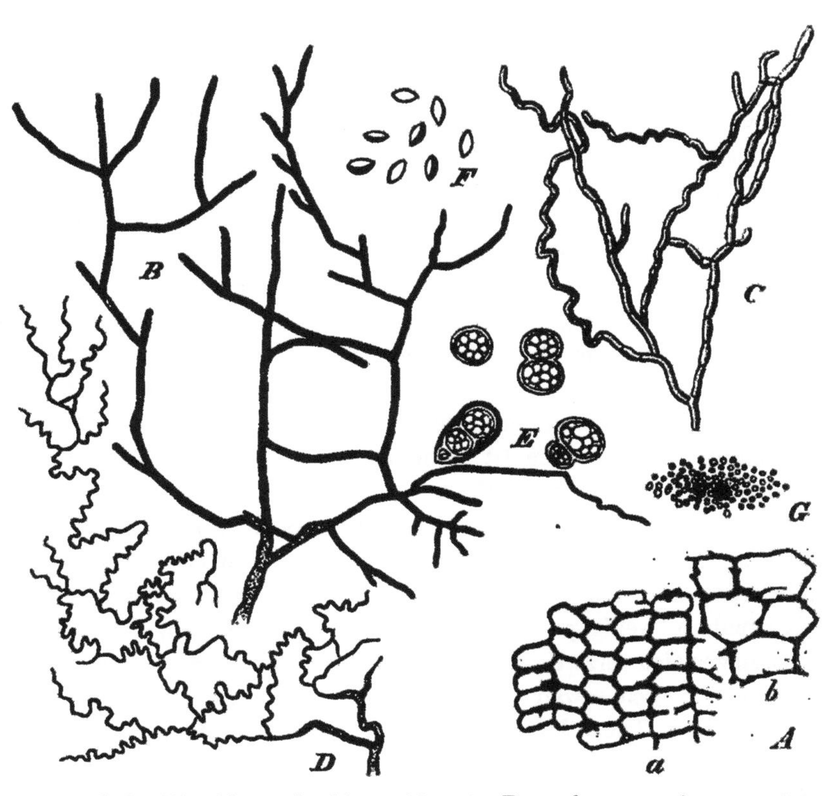

Vegetabilische Einschlüsse im Tabaschir: A. Parenchym aus dem zerstörten Markgewebe des Bambusinternodium, a. kleinzellig, b. grosszellig; B. Mycel mit geradem, C. mit welligem Verlauf der Hyphen, welche oft anastomosiren; D. feinfädiges Mycel mit geschlängeltem Verlauf der Hyphen; E. grössere, zweizellige Sporen; F. kleine bräunliche Conidien; G. brauner Micrococcus.

Häufig sind diese Zellgruppen so vermodert, dass sich der ursprüngliche Bau nicht mehr erkennen lässt. In der Regel geht von diesem Gewebs-Detritus ein dünnfädiges, reich verzweigtes Mycel aus, das nach allen Richtungen hin die Tabaschirmassen durchzieht; die Hyphen sind farblos oder auch braungefärbt, durch Querwände gegliedert, stellenweis aufgeschwollen, dann wieder in feinere und feinere Auszweigungen sparrig verästelt, in den Spaltungsflächen oft fächerartig ausgebreitet, hier und da auch durch Queranastomosen netzförmig verbunden; sie zeigen meist nur auf kürzere Strecken einen graden (Hlzschn. B.), sonst aber welligen, spiraligen oder zickzackartig gebogenen Verlauf (Hlzschn. C. D.). Gewöhnlich ist dieses Mycel steril; doch fanden sich in einzelnen Tabaschir-Stücken auch Sporen eingebettet, und zwar von zweierlei Form: sehr kleine bräunliche, ovale, durch Schrumpfung oft kesselpaukenförmige (F.) — und grössere, zweizellige, farblose (E.). Das Mycel ist in den meisten Tabaschir-Stücken nicht mehr lebendig, und daher der körnige Inhalt der Hyphen durch Luft ersetzt; doch zeigte sich mitunter im Tabaschir, das lange im Wasser gelegen, ein Weiterwachsen der Hyphen, welche allmählig das Stück in eine weisse Wolke einhüllten; auch in einigen Stücken, die mehrere Wochen in Oel gelegen und dadurch sehr erweicht waren, so dass sie leicht in dünnere Scheiben zerschnitten werden konnten, hatte das Mycel lebhaft weiter gesprosst, und liess sich nunmehr aus der abbröckelnden Kieselmasse frei präpariren; die Hyphen schienen, in Oel unter dem Mikroskop betrachtet, röthlichen Inhalt zu haben, doch ist dies nur eine optische Illusion; mit einem Zeiss'schen Apochromat betrachtet, waren sie farblos. Eine Bestimmung der sterilen Pilzmycelien ist nicht möglich; ein an der Luft fructificirendes war gemeines *Penicillium*. Nicht selten fand sich in Tabaschir-Stücken auch ein *Micrococcus* in dünner Schicht namentlich in den Spaltungsflächen ausgebreitet (Hlzschn. G.). In calcinirtem Tabaschir sind alle organischen Einschlüsse zerstört; die Mycelhyphen erscheinen dann als capillare, wellig geschlängelte, lufthaltige Kanälchen, die nach allen Richtungen sich verzweigend, die Masse durchsetzen. Reste von Insecten, die von Anderen erwähnt werden, konnte ich nicht auffinden.

Das rohe Tabaschir besitzt sehr verschiedene Härte. Das erdige lässt sich zwischen den Fingern zerbröckeln, das kreideartige mit dem Nagel, das dichte undurchsichtige und durchscheinende jedoch nicht mit dem Nagel, aber leicht mit dem Messer ritzen, sodass die Härte der verschiedenen Zustände des rohen Tabaschir zwischen 1—2 liegt; das calcinirte hat eine Härte zwischen 2 und 3. Alles Tabaschir, rohes und geglühtes, ist ausserordentlich spröde und leicht zersprengbar; schon zwischen den Zähnen wird es in immer kleinere Splitter und Stäubchen zertrümmert; Schnitte mit dem Messer bleiben nie zusammenhängend, sondern zerbrechen sofort in kleine, scharfkantige Splitter, die beim geringsten Druck in das feinste Pulver zerbröckeln; im Mörser lässt sich Tabaschir äusserst leicht pulvern; unter dem Mikroskop zeigen jedoch auch die kleinsten Fragmente und Stäubchen scharfe krumme Kanten, wie Feuersteinsplitter; die Kanten selbst sind oft dicht und parallel quergestreift oder feinsplittrig ausgezackt. Auf einer matten

Glasplatte lassen sich an die calcinirten Stücke leicht polirte Flächen anschleifen.

Alles Tabaschir klebt fest an der Zunge; wird es in Wasser geworfen, so treten aus seiner Oberfläche Luftbläschen aus, aus dem calcinirten mehr, rascher und durch längere Zeit, als aus dem rohen. Die Luftbläschen folgen einander in stürmischer Entwickelung, und bilden oft ununterbrochene Perlenketten, indem sie an einzelnen Punkten der Oberfläche austreten und durch neue augenblicklich ersetzt werden; es macht den Eindruck, als ob durch Zusatz einer Säure aus einem Stück Kreide die Kohlensäure ausgetrieben würde. Der Vorgang lässt sich leicht unter dem Mikroskop an kleinen Tabaschir-Splittern durch Zuleitung eines Wassertropfens beobachten; die kleinen Luftbläschen sind von Anfang an kuglig, wachsen rasch bis zu einer gewissen Grösse und lösen sich dann von der Oberfläche ab. Die Stellen, wo die Luftperlen ununterbrochen sich hintereinander drängen, sind solche, wo im Innern feine Spalten oder Risse vorhanden sind; so lange die Luftbläschen sich im Innern der capillaren Spalten befinden, sind sie platt zusammengedrückt; sie nehmen Kugelgestalt erst an, wenn sie frei an die Oberfläche gelangt sind. Die Entwicklung der Luftbläschen ist in den ersten Minuten am lebhaftesten, kommt aber erst nach längerer Zeit zu Ende; durch Erhitzen des Wassers wird sie sehr beschleunigt. Das Volumen der aus einem geglühten Tabaschirstücke durch Wasser ausgetriebenen Luft ist, wie schon Turner fand, ebenso gross oder grösser als das des Tabaschirstückes selbst.

Rohes Tabaschir, das eine Zeit lang an der Luft gelegen und dadurch den grössten Theil seines Wassergehaltes verloren hat, saugt, sobald es wieder in Wasser gelegt wird, dieses mit solcher Vehemenz ein, dass es augenblicklich durch die heftige Luftentwickelung in kleinere Stücke gesprengt, und gleichzeitig das Zischen der entweichenden Luftbläschen und das Knallen der Sprengungen hörbar wird; die Klüftung geht bald schalig, bald splittrig vor sich; der Bruch ist matt bis glasglänzend.

In dem Masse als Luft aus dem Tabaschir austritt, und Wasser eingesaugt wird, in eben demselben Masse nimmt im Allgemeinen auch seine Durchsichtigkeit zu; beides schreitet gleichmässig von aussen nach innen vor; in dieser Beziehung stimmt Tabaschir mit dem Hydrophan überein. Zuerst wird die Rinde durchsichtiger, während das Innere einen kreideweissen, undurchsichtigen Kern bildet, der mehr und mehr zusammenschmilzt, bis schliesslich das ganze Stück gleichmässig an Durchsichtigkeit gewonnen hat. Ins Wasser geworfene Tabaschir-Stücke schwimmen zuerst, sinken aber bald unter, sowie die Rinde mit Wasser durchtränkt ist. Der Grad der durch Wassereinsaugung erhöhten Durchsichtigkeit ist bei verschiedenen Stücken verschieden; während die milchglasartigen Stücke im Wasser rasch durchscheinend und selbst halbdurchsichtig werden, bleiben die specksteinähnlichen und kreideartigen längere Zeit undurchsichtig, und werden nur schichtenweis, oder nur an den Kanten durchscheinend. Die Menge des von Tabaschir absorbirten Wassers ist schon von Macie und Brewster bestimmt worden; nach ersterem nahm calcinirtes Tabaschir 92% und 100%, nach letzterem 112% seines Gewichts Wasser, also im Mittel 101% auf; demnach vermag calcinirtes Tabaschir nahezu sein gleiches Gewicht Wasser zu absorbiren; nach Turner nehmen die durchscheinende und durchsichtige Varietät sogar noch mehr Wasser auf (Verhältniss des Trockengewichts zu dem mit Wasser gesättigten = 1 : 2,32 und 1 : 2,24). Frisches rohes Tabaschir, das bereits viel Wasser enthält, nimmt nur noch wenig davon auf, und lässt daher auch nur wenig Luft austreten; das auf S. 377 erwähnte grosse Stück, das 15,74 g. gewogen, hatte nach 24stündigem Verweilen in Wasser nur 0,7 g. aufgenommen. Dagegen enthielt das von Poleck untersuchte rohe Tabaschir 136,4—166,66% seines Gewichts Wasser, welches es durch Trocknen bei 100° verlor.

In derselben Weise, wie reines Wasser, saugt Tabaschir auch alle anderen Flüssigkeiten ein, die meisten mit grösserer Energie als Wasser, was durch rascheres Austreiben der Luftbläschen sich kenntlich macht. Ich constatirte dies mit Alcohol und Aether, Benzin und Petroleum, Cederöl, Nelkenöl, Terpentinöl, Pfeffermünzöl, Olivenöl, mit kohlensauren und kaustischen Alkalien, mit Schwefel- und Salzsäure, mit Apfel-, Citronen- und Oxalsäure, mit den verschiedensten Salzlösungen u. s. w. Die meisten dieser Flüssigkeiten erhöhen die Durchsichtigkeit des Tabaschir bedeutend mehr als reines Wasser; doch werden die Stücke in wässrigen Lösungen in der Regel nur durchscheinend oder milchig; in ätherischen und fetten Oelen werden alle calcinirten Stücke vollkommen durchsichtig, wie Eis oder Glas; die undurchsichtigen, speckstein- und kreideartigen brauchen in Oelen längere Zeit, bevor sie wasserhell durchsichtig geworden; nur die braunen erdigen Scheiben, welche von grossen Massen vermoderten Zellgewebes dicht erfüllt sind, werden nicht transparent. Aetherische Oele durchdringen rascher, fette langsamer das Tabaschir; der Vorgang ist aber immer der nämliche: beim Hineinwerfen schwimmt das Tabaschir, sinkt aber rasch zu Boden; unter steter Entwicklung von Luftbläschen wird das Stück zuerst kreideweiss; alsbald wird dann eine peripherische Schicht wasserhell und durchsichtig, und sticht scharf gegen einen undurchsichtigen weissen Kern ab, der jedoch sich immer mehr zusammenzieht und schliesslich ebenfalls so vollkommen durchsichtig wird, dass es schwer ist, das Tabaschir von der Flüssigkeit, in der es liegt, mit blossem Auge und selbst unter dem Mikroskop zu unterscheiden; mitunter bleiben allerdings wolkenartige Flecken im Innern der Masse übrig. Herausgenommen, besitzt das von Oelen durchtränkte Tabaschir, dessen Brechungsvermögen bedeutend gesteigert ist, ein edelsteinartiges Feuer. Das in Olivenöl gelegene ist citrongelb wie Citrin. Durch Nelkenöl getränktes Tabaschir erhält eine schöne goldbraune Farbe, fast wie Goldtopas.

Rohes, wasserhaltiges Tabaschir bleibt in Oelen undurchsichtig, kreideweiss, nimmt aber gleichwohl etwas Oel auf und wird dadurch erweicht, so dass es sich leichter schneiden lässt.

Alle Tabaschir-Stücke, die calcinirten ebenso, wie die rohen, zeigen, sobald sie von einer Flüssigkeit durchtränkt und dadurch transparenter geworden sind, die schönste Fluorescenz; die Oberflächen reflectiren das Licht mit blauem Schimmer, während sie selbst im durchgehenden Lichte complementär orangegelb erscheinen. Im Wasser ist die Färbung der Tabaschir-Stücke, gegen das Licht gehalten, meist etwas trübe, bräunlich- oder röthlichgelb; in Olivenöl oder Terpentinöl durchsichtig gewordene Stücke erscheinen bei durchgehendem Lichte hell-isabellgelb; Säuren (Schwefelsäure, Salzsäure, Apfelsäure, Citronsäure) ebenso wie Kalilösung und viele andere Flüssigkeiten dagegen erzeugen in den durchsichtiger gewordenen Stücken in der Regel ein feuriges Hyacinthroth, welches lebhaft gegen das von den Oberflächen zurückgeworfene zarte Blau contrastirt. Wird durch ein Brennglas Sonnenlicht in einen Kegel concentrirt und auf ein in Terpentinöl fast unsichtbar gewordenes Tabaschir-Stück geworfen, so wird der blaue Fluorescenzkegel selbst im Innern der wasserklaren Masse sichtbar gemacht. Die feinen Kanälchen, die von den Mycelhyphen übrig bleiben, erscheinen dann im Lichtkegel mit irisirenden Farben. Die bläulichweisse, milchglasähnliche Färbung des calcinirten Tabaschir ist Fluorescenzerscheinung.

Im polarisirten Licht zeigt Tabaschir keine Spur von Doppelbrechung, ist also völlig amorph. Man muss, um sich davon zu überzeugen, Tabaschir-Stücke in einem Medium, in welchem sie durchsichtig werden, z. B. in Terpentinöl unter dem Polarisationsmikroskop prüfen, wo dieselben bei gekreuzten Nicols unsichtbar werden.

Atmosphärische Luft ist nicht das einzige Gas, welches von Tabaschir eingesaugt wird; vielmehr ist anzunehmen, dass alle Gase absorbirt werden. Schon Brewster hat dies vom Joddampf nachgewiesen. In einen Glaskolben, von dessen Stöpsel calcinirte Tabaschir-Stücke, an Fäden aufgehängt, frei ins Innere hineinhingen, wurde etwas regulinisches Jod auf den Boden geschüttet, und durch Erwärmen im Wasserbad der Kolben mit violettem Joddampf erfüllt; nach kurzer Zeit nahmen die Stücke aussen und innen eine gelbe oder rosa Färbung an und wurden an den Kanten fleischroth; schliesslich wurden sie undurchsichtig, matt gelb. Nach 24 Stunden aus dem Joddampf herausgenommen, wurden die Stücke in eine sehr verdünnte Lösung von Stärkekleister geworfen; zuerst entwichen einige Blasen atmosphärischer Luft, die das während der Ueberführung oberflächlich verdampfte Jod augenblicklich ersetzt hatte; bald aber sammelte sich um das Tabaschir durch Diffusion des eingesaugten Jod nach aussen blaue Jodstärcke, die sich theils abwärts senkte, theils in Wirbeln aufstieg, bis schliesslich die ganze Stärkelösung blau wurde. Durch Zerbrechen wurde festgestellt, dass das Jod bis in den innersten Kern der Tabaschir-Stücke eingedrungen war. Alcohol entzog diesen Stücken das absorbirte Jod und färbte sich gelb; das Tabaschir selbst erschien im Alcohol gegen das Licht gehalten durchscheinend feurig hyacinthroth und entfärbte sich allmählich, indem es von den Kanten aus durchsichtig und wasserhell wurde. Ein durch Pfeffermünzöl durchsichtig gemachtes Stück Tabaschir wurde im Joddampf inwendig hyacinthroth, auswendig dunkelpurpur, fast schwarz, zuletzt auch auf dem Bruch glänzend pechschwarz [1]).

Einen überraschenden und lehrreichen Versuch hat Brewster zuerst angestellt. Wie schon oben erwähnt, bleibt calcinirtes Tabaschir, vermittelst eines Bunsen'schen Brenners zum Rothglühen gebracht, weiss; wird aber Tabaschir in Papier eingewickelt und in der angezündeten Papierhülle über der Gasflamme stark erhitzt, so wird es kohlschwarz und zwar bei Wiederholung des Versuches nicht blos oberflächlich, sondern durch seine ganze Masse hindurch; man glaubt ein Stück Steinkohle vor sich zu haben, da auch Bruch und Strich glänzend schwarz sind. Die Erklärung dieser Erscheinung beruht offenbar darauf, dass beim Anzünden des Papiers ein brennbarer Kohlenwasserstoff entwickelt wird; bekanntlich kann man, wenn man eine Papierdüte am breiten Ende in Brand setzt, das aus der durchlöcherten Spitze ausströmende Gas ebenfalls anzünden. Dieses Gas wird

---

[1]) Unzweifelhaft verhält sich Tabaschir in Bezug auf Absorption und Diffusion von Gasen ganz so wie Hydrophan, von dem Reusch gezeigt hat, dass derselbe sich ebenso als diffundirendes Medium eigne, wie z. B. eine dünne Graphitplatte oder ein Gipspfropf nach Graham; letzterer erklärte sogar Hydrophan für das beste Septum bei Gasdiffusion (Reusch, über den Hydrophan von Czerwenitza. Pogg. Ann. CXXIV. S. 431 und: Zwei Abänderungen zu dem Aufsatz über den Hydrophan von Czerwenitza ibid. S. 613. 1865.)

von dem Tabaschir-Stück unter Verdrängung der ursprünglich darin vorhanden gewesenen atmosphärischen Luft sofort absorbirt, und aus ihm durch die Hitze Kohlenstoff abgeschieden, welcher die Tabaschirmasse vollständig durchdringt. Ich habe den Versuch so abgeändert, dass ich durch ein Glasrohr einen Strom von Leuchtgas leitete; wurden nun in das Glasrohr kleine calcinirte Tabaschir-Stücke eingeführt und durch eine unterhalb angebrachte Flamme stark erhitzt, so färbten sie sich ebenfalls schwarz. Hat das Tabaschir viel Kohle aufgenommen, so ist es vollkommen undurchsichtig, auch in den kleinsten Splittern, und kann weder durch Terpentinöl noch durch eine andere Flüssigkeit durchsichtig gemacht werden; derartige Stücke sehen genau so aus wie schwarzer Feuerstein. Ist die Kohle nicht bis ins Innerste eingedrungen, so zeigt das Stück einen weissen Kern, der concentrisch von einer schwarzen Schale umgeben ist. Splitter, die wenig Kohle enthalten, bleiben durchscheinend, von homogener rauchgrauer Farbe, wie Rauchquarz. Werden in einem schwarzen Splitter einzelne Stellen durch die Gasflamme rothglühend gemacht und dadurch weiss gebrannt, so erhält man abwechselnd schwarze und weisse Zeichnungen, wie in gewissen Chalcedonen.

Ein anderes Mittel, Tabaschir mit Kohle zu imprägniren und dadurch schwarz zu färben, ist dem Verfahren nachgeahmt, welches zur Herstellung des künstlichen Onyx schon im Alterthume bekannt war, und seit einem halben Jahrhundert auch in Oberstein angewendet wird. Ich liess Tabaschir in Zuckerlösung sich vollsaugen und brachte dasselbe alsdann in Schwefelsäure; beim Erwärmen wurden die Stücke undurchsichtig schwarz, von Feuerstein kaum zu unterscheiden.

Alle die Methoden, welche bei der Färbung der Achate die Industrie von Idar und Oberstein benutzt, können natürlich auch beim Tabaschir angewendet werden; es ist nur nöthig, die calcinirten Stücke in die gefärbte Flüssigkeit oder in die Lösung eines Metallsalzes einzulegen. Schon Brewster brachte Tabaschir in Buchoel, das mit Alkanna gefärbt war; die Stücke werden darin gleichzeitig rubinroth und vollkommen durchsichtig, und gleichen herausgenommen Rubinen durch ihr Feuer. Ebenso leicht absorbirt Tabaschir die Anilinfarbstoffe; in Methylengrün, z. B. werden die Stücke schön enten- bis himmelblau wie Kupferlasur, und durch Olivenöl durchsichtig gemacht, ähneln sie Saphiren oder vielmehr Sideriten. In Kaliumbichromat wird Tabaschir schön orangegelb; beim Trocknen bildet sich eine hell strohgelbe Rinde, die mit Wasser befeuchtet, ihre frühere Farbenintensität augenblicklich wiedererhält. In Kupfervitriol wird Tabaschir himmelblau, in durchgehendem Lichte betrachtet, aquamaringrün; beim Trocknen bildet sich eine weisse Rinde, die benetzt wieder blau wird. Geglüht wird kupferhaltiges Tabaschir tief serpentingrün, im Bruch matt, während das blaue Tabaschir Glasglanz auf dem Bruch zeigte. Das mit dem Chromat getränkte Tabaschir wird durch Glühen ebenfalls grün. In Eisenchlorid nehmen die Tabaschir-Stücke eine orangegelbe Färbung an, während sie zugleich viel durchsichtiger werden; legt man sie alsdann in eine verdünnte Lösung von Blutlaugensalz, so diffundirt das Eisen nach aussen; es entsteht nur eine blaue Schicht an der Oberfläche des Tabaschir, die aber nicht in die Tiefe eindringt. Wird aber umgekehrt Tabaschir in eine Lösung von Blutlaugensalz gethan, so färbt es sich darin hellgelb mit bläulicher Fluorescenz; ein solches Stück, in eine Eisenlösung gebracht, färbt sich durch seine ganze Masse tief indigoblau, indem es zugleich undurchsichtig wird, wie Lasurstein; in dünnen Splittern bleibt es jedoch an den Kanten durchscheinend, und zeigt unter dem Mikroskop ein homogenes Blau; selbst die kleinsten Fragmente sind durch und durch blau gefärbt. In derselben Weise lässt sich Tabaschir durch Rhodankalium und ein Eisensalz schön roth färben. Tabaschir, das mit schwefelsaurem Kupfer imprägnirt war, verhält sich in einer Lösung von Blutlaugensalz, ähnlich wie das eisenhaltige, d. h. die Kupferlösung diffundirt nach aussen und erzeugt einen braunen Niederschlag an der Oberfläche, während das Blutlaugensalz nicht ins Innere eindringt; umgekehrt aber vermag eine mit Blutlaugensalz imbibirte Tabaschir-Masse noch Kupfersalz aufzunehmen und färbt sich in Folge dessen, namentlich beim Erwärmen, auch im Innern braun.

Die hier zusammengestellten Versuche haben gezeigt, dass Tabaschir Gase (atmosphärische Luft, Joddampf, Kohlenwasserstoff) absorbirt, dass es die verschiedensten Flüssigkeiten imbibirt, dass es auch mit festen Niederschlägen (Kohle, Berlinerblau und anderen Pigmenten) sich imprägnirt. Einen Theil dieser Eigenschaften theilt Tabaschir mit dem mineralischen Vorkommen der Kieselsäure, den Quarzen, und insbesondere den Chalcedonen und Achaten; in den meisten stimmt es überein mit den Opalen, da es gleich diesen eine wasserhaltige amorphe Form der Kieselsäure darstellt. Vor allem sind es die Hydrophane, die gleich dem Tabaschir beim Einlegen in Wasser aufbrausen, durchsichtig werden, und milchblau fluoresciren, den Anilinlösungen ihr Pigment entziehen und festhalten, beim Erhitzen sich schwärzen, beim Rothglühen sich wieder entfärben u. s. w.[1]).

[1]) Vgl. Behrens, Mikroskopische Untersuchungen über die Opale. Sitzungsberichte der Wiener Akademie der Wissensch. mathem. naturw. Klasse Bd. 64. Abth. 1. p. 519. Sitz. v. 9. März 1871. Auch Hydrophane schwimmen auf Wasser und absorbiren nach Behrens 5,25—10% und nach Reusch (l. c.) 16% ihres Gewichts an Wasser, während Tabaschir 100—166% Was-

Tabaschir unterscheidet sich aber von allen Quarzen durch grössere Leichtigkeit und geringere Härte, die nur zwischen 1 und 3 liegt, während sie bei Quarz auf 7, bei Hydrophan auf 6 angegeben wird. Es lag nahe, den Grund der geringeren Dichtigkeit darin zu suchen, dass das Tabaschir bei seiner Entstehung im hohlen Bambusstengel nur eine verhältnissmässig geringe Menge gelöster Kieselsäure in seine Substanz aufzunehmen vermag, während dem Opal in seiner Lagerstätte das Wasser stetig von neuem Kieselsäure zuführt. Ich machte daher den Versuch, die Härte und Dichtigkeit des Tabaschir dadurch zu erhöhen, dass ich dasselbe von neuem Kieselsäure absorbiren liess. Die Möglichkeit des Gelingens liess sich nicht von vornherein absehen, da es zweifelhaft schien, ob die colloidale Kieselsäure gleich anderen Flüssigkeiten vom Tabaschir überhaupt aufgenommen werden könne; es ergab sich jedoch durch den Versuch, dass dies wirklich der Fall ist. Ich brachte Tabaschir in eine 2% wässrige Lösung von Kieselsäure, trocknete dasselbe, nachdem es sich vollgesaugt, im Wasserbade und legte es immer wieder von neuem in die flüssige Kieselsäure ein. Die Operation muss sehr oft wiederholt werden, um bedeutende Veränderungen hervorzurufen, da mit jedem einzelnen Male nur eine sehr geringe Menge Kieselsäure vom Tabaschir aufgenommen werden kann. Rascher zum Ziele führt eine andere Methode; sie bestand darin, dass ich Tabaschir in Natronwasserglas brachte; nachdem es sich mit diesem vollgesaugt, wurden die Stücke mehrere Stunden in verdünnte Salzsäure gelegt, um aus dem absorbirten Natriumsilicat die Kieselsäure auszufällen; schliesslich liess ich die Stücke 24 Stunden in Wasser liegen, um das im Innern derselben gebildete Chlornatrium durch Diffusion auszulaugen; sodann wurden die Stücke im Wasserbade getrocknet und die ganze Operation mehremale von neuem wiederholt. Beide Methoden gaben das nämliche Resultat; das Tabaschir wurde in einen opalähnlichen Körper verwandelt.

Legt man Stücke von calcinirtem Tabaschir in concentrirtes Natronwasserglas, das Syrupdicke besitzt, so lassen dieselben nur wenig Luft austreten; rascher entwickeln sich die Luftbläschen beim Erwärmen; in der Kälte schwimmen die Stücke noch nach 24 Stunden; im Wasserbade erwärmt, sinken sie bald unter; hierbei erhält zuerst die Oberfläche den Anschein eines irisirenden Häutchen und wird durchsichtig, so dass die undurchsichtige weisse Masse unter der hyalinen Deckschicht einen eigenthümlichen Glanz erhält; während die äusseren Schich

---

ser einsaugt. Nach Reusch besteht Hydrophan aus einer durchsichtigen Masse, die von einem System feiner glatter Sprünge nach allen Richtungen durchsetzt ist; nach Behrend giebt die mikroskopische Untersuchung des Hydrophan wenig Aufschluss über die Ursache seiner Imbibitionsfähigkeit.

ten allmählig in eine weiche wasserhelle zähflüssige Substanz übergehen, welche blaue und feuerrothe Fluorescenzfarben zeigt, bildet das Innere längere Zeit hindurch einen mattweissen undurchsichtigen Kern; schliesslich verwandelt sich das ganze Tabaschir, indem die einzelnen Stücke zusammenkleben, in einen zähen, vollkommen durchsichtigen und farblosen Klumpen, der dickem Canadabalsam ähnlich aussieht, und am Glase festhaftet, sich in Faden ausziehen lässt, in Wasser sich langsam, aber vollständig auflöst, oder auch die noch nicht in Gallert umgewandelten Kerne zurücklässt. Wie es scheint, wird die Kieselsäure des Tabaschir durch concentrirtes Natriumsilicat in ein Silicat mit grösserem Kieselsäuregehalt umgewandelt.

In einer mit der gleichen Menge Wasser verdünnten Lösung des nämlichen Natronwasserglas wird die Luft aus den Tabaschir-Stücken rasch verdrängt; dieselben sinken bald unter und werden durchscheinend milchblau, in durchgehendem Lichte orange- bis hyacinthroth, einzelne Stücke auch alsbald vollkommen durchsichtig; zahlreiche Sprünge werden in allen Richtungen sichtbar, besonders in den äusseren Schichten. Werden die Stücke nunmehr in verdünnte Salzsäure gebracht, so wird von neuem noch etwas Luft ausgetrieben und ein Theil des eingesaugten Natriumsilicat diffundirt nach aussen; in der verdünnten Salzsäure scheiden sich Flocken von Kieselgallert aus, und mitunter, besonders beim Erwärmen, gelatinirt die ganze untere Hälfte der Flüssigkeit; in starker Salzsäure ist dies nicht der Fall.

Nachdem das Tabaschir mehrere Stunden in der Salzsäure und sodann in destillirtem Wasser gelegen hat, und durch Diffusion im Wasser das gebildete Kochsalz ausgezogen ist, werden die Stücke vollkommen getrocknet; sie sind nun bedeutend schwerer, dichter und härter geworden, sodass sie nicht mehr mit dem Messer geritzt werden können und an einzelnen Stellen selbst Glas ritzen[1]). In vielen Stücken ist die Rinde glasartig durchsichtig geworden und stellt eine sehr spröde wasserhelle Glasur dar, welche von zahllosen feinen Sprüngen durchsetzt, sich leicht abblättert oder abbröckelt. Durch mehrmalige Wiederholung der Operation ist der grösste Theil der Tabaschir-Stücke in Hydrophan verwandelt, indem sie gleich diesem Glas ritzen; sie besitzen nunmehr ein weisses porzellanartiges Ansehen mit starkem Fett- oder Glasglanz. Andere Stücke gleichen dem Milchopal, wieder andere mit traubig abgerundeter glasartiger Oberfläche, die gewöhnlich auf matter, opak-weisser Masse aufsitzt, dem Hyalit[2]).

---

[1]) Vergl. auch den auf S. 373 erwähnten glasritzenden Kiesel, den Sir Joseph Banks in einem Bambusrohr im Gewächshause des Dr. Pitcairn fand.

[2]) Nachdem eine Anzahl calcinirte Tabaschirstücke im Gesammtgewicht von 3,478 g. 24 Stunden in 50% Lösung von Wasserglas, dann 24 Stunden

Es ist nicht hier der Ort, die Gesichtspunkte weiter auszuführen, welche diese Versuche in Bezug auf die Bildungsweise gewisser Mineralien eröffnen, indem sie nachweisen, dass eine aus sehr verdünnter Lösung abgeschiedene Kieselgallert durch langsame Dialyse und Wasserentziehung zu einer festen Kieselmasse erstarrt, welche durch Infiltration neuer Kieselsäure, gewissermassen durch Intussusception, zu bekannten Mineralspecies aus der Gruppe der Opale sich verdichten, welche ferner nicht nur die verschiedensten Gase absorbiren, sondern auch in Folge späterer Verdrängung der Gase durch eingesaugte Flüssigkeiten zu lebhaftester Gasentwickelung aus capillaren Spalten Veranlassung geben, welche endlich durch Imbibition der verschiedensten Lösungen und selbst des Kohlenstoffs ihren chemischen und physikalischen Charakter wesentlich verändern und dadurch zur Bildung neuer Mineralspecies führen kann [1]).

Auch will ich hier nur daran erinnern, dass Tabaschir uns ein Beispiel der Erzeugung von Steinkernen, und der Einbettung von Zellgewebe in Kieselsubstanz im Innern einer lebendigen Pflanze gegeben hat [2]). Dagegen seien mir noch einige Bemerkungen über die Schlüsse

---

in 10 % Salzsäure und weitere 24 Stunden in Wasser gelegen, schliesslich geglüht waren, wogen sie 4,684 g., hatten also um 1,206 g., oder 34,67 % ihres Gewichts zugenommen. Da beim Glühen durch Absplittern leicht Verluste entstehen, wurde in einem zweiten Versuche das Trocknen im Wasserbade oder im Trockenkasten vorgenommen. Tabaschirstücke im Gesammtgewicht von 23,450 g. wogen nach der ersten Operation 28,671; Gewichtszunahme 5,221 g = 22,26 %. Nach der zweiten Operation betrug das Gewicht 32,693 g; Gewichtszunahme 4,022 g. = 14 %; nach der dritten Operation 34,739 g.; Gewichtszunahme 4,046 g. = 11,3 %; in den drei folgenden Operationen war die Gewichtszunahme viel geringer und betrug im Ganzen nur 3,561 g., so dass die Zunahme jedesmal im Durchschnitt nur 3,1 %, bei der nächsten Wiederholung 3,3 % betrug. In sechsmaliger Wiederholung der Operation war das Gesammtgewicht von 23,450 g. auf 38,300 g., also um 14,85 g. oder um 63,34 % gewachsen; in dem nämlichen Verhältniss hatte natürlich auch das specifische Gewicht zugenommen, so dass die Stücke in Wasser nicht mehr schwammen. Durch öftere Wiederholung würde sich ohne Zweifel Dichtigkeit und Härte noch erheblich steigern lassen.

1) In derselben Weise wie Kieselsäure, kann auch Thonerde, Magnesia u. a. von Tabaschir eingesaugt werden; über die hierauf bezüglichen Versuche behalte ich mir weitere Mittheilungen vor.

2) Nach Analogie der oben mitgetheilten Versuche können wir die Entstehung der Steinkerne und wohl auch der opalartigen Kieselversteinerungen im Allgemeinen uns so vorstellen, dass eine sehr verdünnte Lösung von Kieselsäure in Wasser in und um die Pflanzenreste zuerst zum Gelatiniren gebracht, und die weiche Kieselgallerte durch Infiltration immer neuer Kieselsäurelösung im Laufe sehr langer Zeiträume an Dichtigkeit zugenommen hat. Die nämliche

gestattet, die sich aus obigen Beobachtungen auf die Molecularstructur des Tabaschir ziehen lassen.

Dass Tabaschir trotz des glasigen Bruchs, den viele Stücke besitzen, ein poröser Körper sei, ist nach den hier zusammengestellten Thatsachen selbstverständlich.

Calcinirtes Tabaschir, das den allergrössten Theil seines Wassers verloren und durch Luft ersetzt hat, schwimmt in Terpentinöl, Alcohol, Schwefeläther (spec. Gew. 0,715) und selbst in Petroleumäther (spec. Gew. 0,67)[1]); besitzt also ein spec. Gew. unter 0,67; nach einer Berechnung, für die ich meinem Collegen, Prof. Leonhard Weber dankbar bin, ist dasselbe sogar nur auf 0,54 zu setzen[2]). Derselbe bestimmte das spec. Gewicht des mit Wasser gesättigten Tabaschir auf 1,279, das der Kieselsäure allein auf 2,086. Hiernach ergiebt sich das Verhältniss des Volumen der Kieselsäure zu dem Volumen der Poren im Tabaschir wie 1 : 2,89. Es lässt sich hieraus schliessen, dass von dem Raum, den ein Tabaschir-Stück einnimmt, nur etwa $\frac{1}{4}$ mit Kieselsäure ausgefüllt ist, während nahezu $\frac{3}{4}$ den Poren zugehört, die im trocknen Zustande mit Luft, im imbibirten mit Flüssigkeit erfüllt sind[3]). Aber

---

Entstehungsweise ist wohl auch bei dem Hydrophan und überhaupt bei den Opalen anzunehmen.

[1]) Das zu dieser Bestimmung dienende Tabaschir muss sorgfältig mit einer dünnen Schicht Kautschuk oder Collodium überzogen werden, um das Eindringen der Flüssigkeit abzuhalten.

[2]) Brewster hat das spec. Gew. des lufthaltigen Tabaschir theoretisch auf 0,64 berechnet; das des mit Wasser gesättigten bestimmte er = 1,306, das der Kieselerde allein = 2,412; das Verhältniss des Volumens der letzteren zum Volumen der Poren wie 1 : 2,307 bis 1 : 2,5656.

[3]) Das Volumen eines Stück lufttrocknen Tabaschir (v) wurde von L. Weber durch Verdrängen von Quecksilber auf 2,0592 ccm, sein Gewicht (p) auf 1,1056 g. bestimmt, woraus sich sein spec. Gew. $\left(\frac{p}{v}\right)$ auf 0,5369 ergiebt; dasselbe Stück mit Wasser bis zum constanten Gewicht vollgesaugt, wog (P) = 2,635 g, hatte also 1,529 g Wasser ($p' = P - p$) absorbirt, das heisst etwa 145% seines Trockengewichts (p); das Gewicht des eingesaugten Wassers (p') beträgt demnach 58% des Gesammtgewichts (P), was mit den Angaben früherer Beobachter gut übereinstimmt. Unter der Voraussetzung, dass keine Compression in den Poren des Tabaschir stattgefunden hat, entsprechen die in die Poren aufgenommenen 1,529 g Wasser einem Volumen (v) von 1,529 ccm, und es bleibt daher von dem gefundenen Gesammtvolumen ($V = 2,0572$ ccm) für die Kieselsäure nur ein Raum $v' = V - v = 0,530$ ccm, woraus wieder folgt, dass das Volumen der mit Wasser erfüllten Poren (v) sich zum Volumen der Kieselsäure (v') verhält, wie 1,529 : 0,530 = 2,89 : 1; das Volumen der Kieselsäure beträgt demnach nur $\frac{v'}{V} = 25,7\%$, also nahezu $\frac{1}{4}$ des Gesammtvolumen, während $\frac{3}{4}$ des Raums den Poren zukömmt.

von diesen Poren ist unter dem Mikroskop auch bei den stärksten Vergrösserungen absolut nichts zu sehen. Allerdings ist die Tabaschirmasse von capillaren Spalten und feinen welligen und verzweigten Kanälchen, die von den durch Glühen zerstörten Mycelhyphen herrühren, reichlich durchsetzt; doch erschweren diese das Eindringen von Flüssigkeiten eher als dass sie es begünstigten, da sie eben die Luft capillar festhalten; unter dem Mikroskop lässt sich an kleinen Splittern im Wassertropfen beobachten, dass die Luft nur ganz allmählig aus den sichtbaren Capillarräumen verschwindet, während die eigentliche Kieselsubstanz, in deren Interstitien moleculare Anziehungskräfte wirken, fast momentan vom Wasser durchtränkt wird. Diese erscheint im Mikroskop, wie schon früher bemerkt, so absolut homogen und strukturlos, wie ein Glassplitter, und die Flüssigkeiten, die von ihr absorbirt sind, ob es nun ein Oel, Wasser oder welche gefärbte oder farblose Lösung es immer sei, lassen sich von der Kieselsubstanz optisch ebensowenig trennen, als etwa das von einer Zellmembran imbibirte Wasser sich von der Cellulose optisch unterscheiden lässt. Aber auch unlösliche Niederschläge, wie Kohle und Berlinerblau, sind in der Substanz des Tabaschir so unendlich fein, so gleichmässig und so innig vertheilt, dass diese durchaus homogen gefärbt erscheint, und die Pigmentmolecule innerhalb der Kieselsplitter ebensowenig unterschieden werden können, als etwa die Jod- oder Anilinpartikeln in einer gefärbten Zellmembran. Wenn die Luft aus Tabaschir durch eine Flüssigkeit ausgetrieben wird, so gelangt dieselbe erst zur Sichtbarkeit, sobald sie an die Aussenfläche oder in eine capillare Spalte gelangt ist; innerhalb der Substanz, wo doch in Wirklichkeit die Verdrängung aus den Interstitien stattfindet, ist die Luft ebenso unsichtbar, wie etwa die in den Pflanzenzellen bei der Assimilation oder Respiration ausgeschiedenen Gase, bevor diese an die Aussenfläche ihrer Zellmembranen getreten sind. Mit andern Worten: im Tabaschir sind nicht blos die Molecule der Kieselsäure für das Mikroskop unsichtbar; sondern auch die Zwischenräume, obwohl dreimal grösser als diese Molecule, liegen noch unter der Grenze mikroskopischer Sichtbarkeit; dasselbe gilt von der Grösse der Molecule gasförmiger, flüssiger und selbst fester Substanzen, welche in die Interstitien aufgenommen worden sind[1]).

---

[1]) Die molecularen Structurverhältnisse des Tabaschir werden am leichtesten verständlich, wenn wir auf dieses die von Naegeli für die organisirten Körper entwickelte Micellartheorie übertragen. Wir können uns vorstellen, dass das Gelatiniren einer Lösung von Kieselerde darauf beruhe, dass die im Wasser vertheilten Molecule des Siliciumdioxyd sich zunächst zu grösseren Molecularverbänden, also zu Micellen aneinanderlagern, welche durch Wasser-

Eine Ausnahme machen nur die kreideartigen und erdigen Stücke des Tabaschir; diese haben ein lockereres Gefüge und besitzen wirklich capillare Poren, die daher auch mikroskopisch sichtbar gemacht werden können. Weil die Luft in den capillaren Räumen sehr energisch festgehalten wird, so bleiben solche Stücke im Wasser wie in Oelen opak weiss; selbst ätherische Oele, z. B. Terpentinöl, verdrängen die Luft aus ihnen nur äusserst langsam. Unter dem Mikroskop erkennt man in den kreideartigen Splittern, die in Terpentinöl gelegt werden, dicht gedrängt die kleinen unregelmässigen lufthaltigen Lacunen, welche die ganze Masse schwammartig durchsetzen, und erst ganz allmählig mit Terpentinöl sich füllen. In dem homogenen Tabaschir wird dagegen, wie schon bemerkt, die Luft erst sichtbar, wenn sie in Bläschen an der Aussenfläche der Splitter sich angesammelt hat.

Sehr merkwürdig sind die Diffusionsbewegungen, welche im Tabaschir stattfinden. Tabaschir besitzt eine sehr hohe osmotische Kraft, welche die Einsaugung von Flüssigkeiten und Gasen mit ausserordentlicher Energie und Geschwindigkeit hervorruft; die sowohl von aussen nach innen, als auch in umgekehrter Richtung sich bewegenden Diffusionsströme lassen sich in der Tabaschir-Masse durch optische Veränderungen direct wahrnehmen. Wenn die osmotische Kraft des Tabaschir von der Flächenanziehung der Kieselmolecule (Micellen) abgeleitet werden muss, so zeigen sich dabei natürlich grosse Verschiedenheiten für verschiedene Stoffe. Kommt die Oberfläche des lufthaltigen Tabaschir mit Wasser in Berührung, so dringt dieses in Folge stärkerer Anziehung in die molecularen Interstitien und treibt von aussen nach innen fortschreitend die Luft aus; ist umgekehrt das mit Wasser imbibirte Tabaschir mit Luft in Berührung, so verdunstet das Wasser nach den Gesetzen der Gasdiffusion an der Oberfläche, während augenblicklich Luft an seiner Stelle in die leeren Interstitien eintritt; das Stück verliert an der Luft durch Wasserverlust stetig an Gewicht; nur ein kleiner Rest des Wassers wird hartnäckig hygroskopisch festgehalten und erst bei 100°, oder gar erst durch Glühen vollständig ausgetrieben. Das osmotische Verhalten anderer Flüssigkeiten zum Tabaschir

---

hüllen auseinander gehalten werden. Sobald die Kieselsäuremicellen in Folge der zwischen ihnen wirkenden molecularen Anziehungskräfte in annähernd constanten Abständen verharren, ist die Kieselgallert erstarrt, während die Wassermolecule, welche ihre Interstitien erfüllen, beweglich bleiben, und durch physikalische oder chemische Kräfte in Bewegung gesetzt, oder durch andere Stoffe verdrängt werden können. Die 2% Lösung der Kieselsäure, mit der wir experimentirten, gelatinirte durch blosses Erwärmen oder durch Einwerfen von Tabaschirstücken; in dieser Kieselgallert müssen die mit Wasser erfüllten Interstitien zwischen den Kieselsäuremicellen über 100mal grösser sein, als diese selbst.

verspricht, wie schon das oben angeführte Beispiel von Blutlaugen- und Eisensalz hinweist, bei eingehenderem Studium interessante Aufschlüsse über Diffusion.

In allen Beziehungen zur Absorption und Diffusion von Gasen und Flüssigkeiten verhält Tabaschir sich analog einer organisirten Membran, insofern bei beiden die osmotischen Bewegungen nicht in capillaren, sondern in intermolecularen (intermicellaren) Interstitien vor sich gehen. Jedoch besteht ein wesentlicher Unterschied des Tabaschir von allen Zellmembranen darin, dass ersteres nicht quellbar ist. Während die Interstitien der Membranmicellen veränderliche Grössen sind, die durch Eindringen verschiedener Flüssigkeiten oder Gase erweitert oder verengt werden können und so das Quellen oder Schrumpfen der Membran bewirken, verharren die Micellen der Kieselsäure im Tabaschir in nahezu constanten Abständen; daher vermindert sich beim Verdunsten des Wassers sein Volumen nicht merklich. Aus diesem Umstande erklären sich auch die merkwürdigen optischen Veränderungen, welche die Tabaschir-Stücke in Bezug auf Durchsichtigkeit, Glanz und Farbe eingehen können.

Ein und dasselbe Stück Tabaschir kann, wie wir früher gezeigt, alle Grade der Transparenz von glasartiger wasserheller Durchsichtigkeit bis zur vollkommnen Undurchsichtigkeit, welche alle Lichtstrahlen mit weisser Farbe reflectirt, durchlaufen, je nachdem es mehr oder weniger Luft, Wasser oder andere Flüssigkeit eingesaugt hat.

Brewster hatte bereits gefunden, dass die Kieselsubstanz des Tabaschir an sich ein sehr geringes Brechungsvermögen, das zwischen Luft und Wasser steht, besitzt, dass aber der Brechungsindex eines Tabaschir-Stückes um so höher wird, je stärker lichtbrechend die Flüssigkeit ist, die seine Poren erfüllt[1]). Daher ist Tabaschir, das mit Wasser vollgesaugt ist, stärker lichtbrechend und zugleich durchsichtiger als lufthaltiges, da das Brechungsvermögen der Kieselsubstanz dem Wasser näher steht als der Luft; das mit Oelen durchtränkte zeigt eine noch viel bedeutendere Steigerung der Transparenz und Refraction; in Terpentinöl durchsichtig gemachte Tabaschir-Stücke brechen das Licht fast eben so stark wie das Terpen, so dass sie in ihm schwer zu unterscheiden sind.

Sehr lehrreich in dieser Beziehung ist das Verhalten des Tabaschir zu gefärbten Flüssigkeiten, für die schon Brewster ein prägnantes

---

[1]) Vgl. S. 368. Brewster bestimmte den Lichtbrechungsindex für das lufthaltige Tabaschir = 1,111, für dasselbe mit Wasser getränkt = 1,4012, für dasselbe mit Cassiaöl = 1,6423 (l. c. Schweigger, Journ. der Phys. und Chem. Bd. XXIX. 1820. S. 419).

Beispiel in dem durch Alkanna gerötheten Buchoele gegeben hat; übrigens zeigen andere farbige Flüssigkeiten analoge Erscheinungen.

Ein in gewöhnliches Alkannaöl eine Zeitlang eingelegtes Stück Tabaschir gleicht in Färbung, Durchsichtigkeit und Lichtbrechung beinahe einem Rubin; aus dem Oel heraus genommen und sorgfältig abgetrocknet, verliert es in kühlerer Luft an Glanz und Transparenz, die es in wärmerer Temperatur wiedererhält; beim Erwärmen schwitzt Oel aus seiner ganzen Oberfläche; wird dieses wieder abgewischt und das Stück nunmehr stark abgekühlt, so wird eine dickere oder dünnere Schicht seiner Oberfläche opak, von rothem Carneol kaum zu unterscheiden; aufs neue erwärmt, wird es wieder vollkommen durchsichtig; ich habe diesen Versuch beliebig oft wiederholt, indem ich einen Reagenzcylinder, in welchem sich ein durch Alkannaöl roth gefärbtes Tabaschir-Stück befand, abwechselnd in Schnee und in ein warmes Wasserbad einsenkte und dadurch das nämliche Stück bald dem Rubin bald dem Carneol ähnlich machte [1]). Während ferner das durchsichtige Tabaschir keine Spur von Schichtung zeigt, erscheinen in dem abgekühlten in der Regel concentrische rothe Schichten, welche abwechselnd durchsichtig und undurchsichtig sind, wie in einem Sardonyx; die Oberfläche ist weisslich bereift.

Die Erklärung ist leicht. Das rothe Oel erfüllt bei einer bestimmten Temperatur vollkommen die intermolecularen Interstitien der Tabaschir-Masse, mit der es sich, um Brewster's Ausdruck zu wiederholen, zu gemeinsamer optischer Wirkung verbindet. Dehnt sich durch erhöhte Temperatur das Oel stärker aus, als die Kieselerde, so findet dasselbe nicht mehr Raum in den nahezu constant gebliebenen Interstitien; das überschüssige Oel tritt an die Oberfläche nach aussen heraus, und kann von hier entfernt werden. In Folge von Abkühlung zieht sich das Oel wieder zusammen, wie der Alcohol oder das Quecksilber in der capillaren Thermometerröhre; alsdann vermag seine verminderte Masse nicht mehr die Interstitien vollkommen auszufüllen; in die leeren Zwischenräume tritt sofort Luft; diejenigen Schichten, in denen die Interstitien ein Gemenge von Luft und Oel enthalten, werden wegen des so verschiedenen Brechungsvermögen von Luft, Oel und Kieselerde undurchsichtig [2]). Dehnt sich nun durch Erwärmung das Oel wieder

[1]) Tabaschir in Olivenöl, das durchsichtigem Citrin gleicht, wird durch Abkühlung milchig gelb, durch Erwärmung wieder transparent.

[2]) Brewster hat durch eine schematische Figur gezeigt, wie in Tabaschir, dessen Poren gleichzeitig Luft und Wasser enthalten, das Licht sehr stark gebrochen, nach allen Richtungen zerstreut, und dadurch die Masse undurchsichtig werden muss, während in dem mit Wasser gesättigten Tabaschir die Richtung der Strahlen nur unbedeutend geändert wird. Schweigger, Journ. der Phys. u. Chem. 1820. S. 426 u. 1828, Taf. III. Fig. 9.

aus, so erfüllt es aufs Neue alle Interstitien vollständig, indem es die Luft verdrängt, und das ganze Stück wird wieder transparent. Wenn bei der Abkühlung die Masse sich abwechselnd in durchsichtige und undurchsichtige Schichten differenzirt, so beweist dies, dass das Tabaschir nicht vollkommen homogene Struktur besitzt, sondern dass Schichten mit grösseren, und solche mit kleineren Interstitien, oder was dasselbe ist, dichtere und minder dichte Schichten unter einander abwechseln. Es ist begreiflich, dass bei der durch Abkühlung bewirkten Zusammenziehung des Oels in den Schichten mit grösseren Interstitien diese nicht mehr von Oel vollständig erfüllt werden können, während dies in den dichteren Schichten noch der Fall ist; erstere erscheinen daher opak, während letztere ihre Durchsichtigkeit behalten. So lange das Stück in allen Schichten vollständig mit Oel gesättigt ist, kann natürlich ein solcher Unterschied nicht wahrnehmbar sein, dieses erscheint daher homogen; die Schichtung wird erst sichtbar, wenn die Flüssigkeit nicht mehr ausreicht, um sämmtliche Interstitien vollkommen auszufüllen und die grösseren Poren daher Luft aufnehmen.

Achatähnliche Schichtungen treten im Tabaschir auch durch andere Färbungen auf, insbesondere durch wässrige Anilinlösungen, wie wir dies bereits von Malachitgrün angegeben haben. Wenn ein mit Kupfervitriol durchtränktes Tabaschir-Stück beim langsamen Austrocknen eine weisse Rinde bekömmt, die, mit einem Wassertropfen benetzt, sofort durchsichtig blau wird, so liegt auf der Hand, dass im ersteren Falle die Interstitien der oberflächlichen Schicht in Folge der Verdunstung ausser dem Kupfersalz noch Luft enthalten und daher die Lichtstrahlen total reflectiren, während nach der Benetzung die blaue Kupferlösung die Interstitien wieder ausfüllt, und die Masse transparent macht.

Die abwechselnd schwarz und weiss geschichteten onyxartigen Stücke beweisen ebenfalls die zonenweise Ungleichheit der Dichtigkeit gewisser Tabaschir-Stücke, in denen es vermuthlich die minder dichten Zonen sind, die Kohlenstoff durch Intussusception in sich aufnehmen, die dichteren aber nicht. Durch welche Vorgänge der Kohlenstoff in diesen Tabaschir-Stücken schichtenweise abgeschieden wird, darüber wage ich keine Vermuthung auszusprechen, so lange directe Beobachtungen über die Bildung derselben im Bambusrohr uns fehlen.

Wird ein milchglasartig durchscheinendes Stück Tabaschir an die feuchte Zunge gelegt, so erscheint die Stelle, wo es sich angesaugt hat, undurchsichtig kreideweiss; dasselbe geschicht, wie schon Brewster angab, wenn man einen Wassertropfen auf die Oberfläche fallen lässt, der sofort imbibirt wird[1]). Aehnliche undurchsichtige Flecken entstehen auch an den Stellen, wo ein Tropfen einer andern Flüssigkeit, oder selbst ein Oeltropfen aufgesetzt wird. Die überraschende Erscheinung, dass dieselbe Flüssigkeit, welche in ausreichender Menge eingesaugt, ein Tabaschir-Stück transparent machen würde, tropfenweise zugesetzt, Undurchsichtigkeit bewirkt, erklärt sich, wie schon Brewster erkannte, einfach daraus, dass in ersterem Falle die sämmtlichen Interstitien von der betreffenden Flüssigkeit ausgefüllt werden, während im letzteren diese Interstitien theilweise lufthaltig bleiben, weil die Menge der Flüssigkeit zur Sättigung nicht hinreicht.

Wir können die Regel so ausdrücken: Wenn die intermolecularen Interstitien des Tabaschir von einem einzigen Medium ausgefüllt sind, so erscheint dasselbe mehr oder weniger durchsichtig, und zwar wird die Transparenz des Tabaschir um so vollkommener und zugleich sein Brechungsindex um so höher, je grösseres Brechungsvermögen dem in die Interstitien aufgenommenen Medium zukömmt; sind dagegen in den intermolecularen Interstitien zwei Medien von verschiedenem Brechungsindex enthalten, so wird die Tabaschirmasse undurchsichtig; dasselbe ist der Fall, wenn das Tabaschir von capillaren Poren durchsetzt ist.

Ueber die Brechungsverhältnisse des Tabaschir hat mein College, Prof. C. Hintze interessante Beobachtungen angestellt, welche er mir freundlichst gestattet hat, an dieser Stelle zum Abdruck zu bringen:

„Ein etwa haselnussgrosses Stück Tabaschir wurde mit Terpentinöl imbibirt und dann zu einem Prisma verschliffen, mit einer brechenden Kante von $45^0 4'$. Die Brechungsquotienten für grünes Thallium- und gelbes Natriumlicht wurden mit dem dazu geeigneten Babinet'schen Reflexionsgoniometer mit Horizontalkreis bestimmt, und gefunden das Minimum der Ablenkung $\delta_{Na} = 23^0 27'$, also $n = 1,4689$

und $\delta_{Tl} = 23^0 43'$, $n = 1,4739$.

Als jedoch, wie üblich, die Einstellungen und Ablesungen wiederholt wurden, ergab sich die eigenthümliche Thatsache, dass das Minimum der Ablenkung und damit also der Brechungsquotient schon nach einigen Minuten geringer geworden waren, bei unveränderter brechender Kante. Es wurden nach und nach abgelesen die Einstellungen für Natriumlicht

$\delta = 23^0 19^1/_2$ $n = 1,4666$
$23^0 12$ $1,4642$
$22^0 48$ $1,4567$
$21^0 35$ $1,4336$

---

[1]) Auch Hydrophan wird nach Reusch, wenn lokal benetzt, opak weiss, mit Wasser gesättigt aber durchsichtig.

Alsdann war das Prisma durch die Verdunstung des Terpentinöls zu undurchsichtig geworden, hiermit aber auch die Erklärung für die Veränderlichkeit der Brechungsquotienten gegeben. Das Prisma war nur durch die Durchtränkung mit Terpentinöl durchsichtig geworden, der Brechungsquotient also eine Funktion der Brechungsquotienten von Terpentinöl und Tabaschirsubstanz. Der Brechungsquotient des Terpentinöls beträgt für die Natriumlinie n = 1,4744. Aus obigen Zahlen ergiebt sich, dass der Brechungsquotient der Tabaschirsubstanz selbst geringer sein muss; es wird also der Brechungsquotient des getränkten Prisma mit dem Terpentinölverlust fallen. Der Versuch wurde mit demselben Erfolg mehrfach wiederholt. Nach einigen Tagen jedoch wollte es nicht mehr vollkommen gelingen, das Prisma durch Imbibiren ganz durchsichtig zu machen; ausserdem aber wurde dann beobachtet, dass bei brechender Kante wie anfangs = 45°4′ das Minimum der Ablenkung von 21°59′ nach und nach auf 22°2′, 22°11′ bis auf 22°13′ wieder stieg, letzteres entsprechend n = 1,4456. Aber auch dafür glaube ich die richtige Erklärung gefunden zu haben. Das Prisma wurde zur Messung mit Glasplatten belegt, die mit Canadabalsam angeklebt wurden. Bei der wiederholten Terpentinöl-Durchtränkung wurde natürlich der Canadabalsam vom Terpentinöl gelöst und theilweise auch vom Tabaschirprisma aufgesogen. Ganz im Einklang mit den Beobachtungen des Herrn Professor Ferd. Cohn ist aber nur immer je eine Substanz zur Pellucidisirung des Tabaschirs geeignet, ein Gemisch von Substanzen aber nicht. Daher der immer grössere Widerstand gegen die Pellucidisirung des Prisma; ausserdem ist aber bekanntlich der Brechungsquotient des Canadabalsam (= 1,532) grösser als der des Terpentinöls; sind also beide im Tabaschir aufgesogen, muss der Brechungsquotient durch Terpentinverlust etwas steigen. Durch grössere Aufnahme von Canadabalsam wurde aber auch eine körperliche Ausdehnung des Prismas nach längerer Zeit (etwa 14 Tagen) erzielt: die brechende Kante hatte von 45°4′ auf 45°44′ zugenommen, das Minimum der Ablenkung betrug für Na $\delta = 23°51\frac{1}{2}$, also n = 1,4686.

Ein mit Kieselsäure getränktes Stückchen Tabaschir, dem natürlichen Hydrophan noch ähnlicher, braucht viel längere Zeit, als das ursprüngliche Tabaschir, um durch Terpentinöltränkung durchsichtig zu werden; es gelang erst nach 10 Tagen. Alsdann wurde daraus auch ein Prisma geschliffen, welches bei einer brechenden Kante von 55°3′, ein Minimum der Ablenkung für

$$\text{Tl}\ \delta = 30°7',\ n = 1,4642$$
$$\text{Na}\ \delta = 30°2',\ n = 1,4631$$

ergab. Auch hier wurde mit dem Temperaturverlust ein Abnehmen des Brechungsquotienten beobachtet, aber in geringerem Grade, δ nach und nach = 20°53½′, 29°49′ und vor dem Undurchsichtigwerden = 29°42′, also n = 1,4584. Dieses hydrophanähnliche Tabaschir hat also augenscheinlich schwerer und weniger Terpentinöl aufgenommen und seine Brechungsquotienten sind weniger davon beeinflusst."

Ich beschliesse diese Mittheilungen, welche nicht dazu bestimmt sind, ihren Gegenstand zu erschöpfen, sondern nur die Aufmerksamkeit der Botaniker, der Physiker und der Mineralogen auf einen in Vergessenheit gekommenen merkwürdigen Körper zurückzulenken, mit einem Blick auf die culturhistorisch interessante Frage, ob die Alten unter *Saccharum* das Tabaschir oder den Rohrzucker verstanden haben. Der Zweifel darüber erwachte schon im Zeitalter der Wiedergeburt der Wissenschaften; denn während Johannes Manardi von Ferrara (1462—1536) und Leonhard Fuchs von Zweibrücken (1501—1566) behaupteten, das *Saccharum* des Dioscorides, des Plinius und Galenus sei etwas ganz anderes gewesen als unser Zucker, vertritt Peter Mattioli von Siena (1500—1577), seine Vorgänger bekämpfend, die Ansicht, das alte *Saccharum* sei aus dem nämlichen Zuckerrohr *(Canna mellis)* gewonnen worden, das zu seiner Zeit in Madeira, Sicilien, Creta, Rhodus, Cypern und Aegypten angebaut und dessen Zucker besonders aus Alexandria nach Venedig importirt werde[1]). Die Streitfrage blieb zwischen den späteren Commentatoren der alten griechischen und römischen Botaniker und Aerzte schwebend[2]); sie wurde von Alexander v. Humboldt 1817 in seiner grundlegenden pflanzengeographischen Arbeit[3]) und dann wieder 1847 abschliessend im Kosmos[4]) dahin entschieden, dass die Alten die unklaren, zu ihrer Kenntniss gelangten Nachrichten über den Rohrzucker mit dem Tabaschir zusammengeworfen, dass das Sanscritstammwort *çarkara* (Prakrit *sakkara*, arab. *sokkar* [*assokar*], span. *azucar* u. s. w.)[5]), welches nach Bopp nicht etwas Süsses, sondern etwas Zerbrechliches oder Steinartiges bedeutet, ursprünglich die Bambus-

---

1) *Commentarius in Dioscoridem.* Venezia 1558. S. 244.

2) Salmasius (in C. J. Solini *Polyhistora* S. 718 und *De saccharo Dissertatio,* Utrecht 1679) scheint als der Erste in dem *saccharum* der Alten das Tabaschir erkannt zu haben.

3) *Prolegomena de distributione geographica plantarum.* S. 211.

4) Kosmos Bd. II. S. 143 u. 189, Anmerk. S. 401 u. 425.

5) Vergl. Lassen, indische Alterthumskunde. 2. Aufl. S. 269. Bonn 1847.

steine, d. h. Tabaschir bezeichnet habe, und erst später auf den Rohrzucker übertragen worden sei. Karl Ritter in seiner berühmten Anmerkung zu dem Kapitel „Zuckerrohrpflanzungen in Ahwaz" (Stadt in Chusistan, dem alten Susiana), welche die Verbreitung und Geschichte der Cultur des Zuckerrohrs in Asien mit erschöpfender Gründlichkeit behandelt, kommt zu gleichem Resultat[1]). Es sei mir gestattet, diese Ergebnisse, erweitert und ergänzt aus späteren Quellen, hier in Kürze zusammenzufassen, soweit dieselben zu unseren Tabaschir-Untersuchungen in einiger Beziehung stehen.

Dass das Zuckerrohr eine uralte Culturpflanze sei, ist schon darum anzunehmen, weil dasselbe gegenwärtig nur angebaut oder verwildert, nicht aber in ursprünglich wildem Zustande angetroffen wird[2]); denn so verhalten sich nur solche Pflanzen, welche entweder in Folge sehr langer Cultur sich sehr weit von der wilden Stammart entfernt haben, oder in deren ursprünglicher Heimath die Stammform bereits ausgestorben ist. Auch ist das Zuckerrohr apogam geworden, da es keinen keimfähigen Samen mehr reift — ebenfalls ein Anzeichen sehr alten Anbau's vermittelst Stecklingen. Nur mit hoher Wahrscheinlichkeit kann angenommen werden, dass Indien die Urheimath von *Saccharum officinarum* L. ist. Allerdings giebt A. De Candolle in dem allgemeinen Verzeichniss, mit dem er sein unten citirtes Buch abschliesst, als Vaterland des Zuckerrohrs „Cochinchina (?) und das südwestliche China" an. Von China berichtet jedoch Bretschneider[3]) in Uebereinstimmung mit Pater Cibot und den schon von Ritter benutzten Autoren, dass das Zuckerrohr gegenwärtig, und zwar schon seit Marco Polo's Zeiten, überall südlich vom 30° angebaut werde, aber wahrscheinlich erst gegen Ende des 3. Jahrh. n. Chr. aus Indien eingeführt worden sei; in den klassischen botanischen und medicinischen Schriften der chinesischen Literatur, deren Anfänge bis zu 2700 a. Chr. zurückdatirt werden, fehlt das Zuckerrohr, es wird zuerst im 4. Jahrh. n. Chr. unter dem Namen Chê-Chê und Kan-chê beschrieben. In Japan gab es zu Thunberg's Zeit noch kein Zuckerrohr.

Die Verbreitung des Zuckerrohrs nach Westen lässt sich Schritt

---

1) Ritter, Asien. Bd. VI. Abth. 2 (Neunter Theil) Westasien. Berlin 2. Aufl. 1840. Anmerkung S. 230—291.

2) Vgl. A. de Candolle, Der Ursprung der Culturpflanzen. Leipzig 1884. S. 191.

3) Bretschneider, Physician of the Russian Legation at Peking: On the study and value of Chinese botanical works with notes on the history of plants and geograph. botany from Chinese sources. Foochow.

für Schritt verfolgen. In der armenischen Geographie, welche von Moses von Chorene in der ersten Hälfte des 5. Jahrh. verfasst sein soll, jedoch viele spätere Interpolationen enthält[1]), wird zuerst der Anbau des Zuckerrohrs, Schakharn, in Susiana oder Elymais bei der Stadt Gondisapur am Flusse Kuran (Karun) erwähnt, der östlich vom Tigris sich zugleich mit dem Schat el Arab in das Nordende des Persischen Golfs ergiesst. In Gondisapúr hatten sich mehrere erfahrene griechische Aerzte, von der orthodoxen Kirche verfolgte Nestorianer, niedergelassen, welche die Medicin des Hippocrates im Orient verbreiteten; hier und in dem nahen Ahwaz, wie später in Bagdad am Eufrat, blühte unter den Chalifen eine medicinische Akademie, in welcher die Traditionen der griechischen Naturwissenschaft und Medicin erhalten und fortgebildet wurden; für einzelne Zweige, insbesondere für Chemie und Pharmacie, wurde erst hier das wissenschaftliche Fundament geschaffen. Hier wurde, wenn nicht schon im 8., so gegen Ende des 9. oder Anfang des 10. Jahrh. die Kunst erfunden, aus dem ausgepressten Saft des Zuckerrohrs durch Raffiniren vermittelst Kalk den weissen krystallinischen Zucker zu fabriciren, durch den erst eine exportfähige Handelswaare geschaffen wurde. Bis dahin war das Zuckerrohr zwar schon in Indien und Mesopotamien, und in allmählicher Ausbreitung im ganzen Reiche der Chalifen als allgemeines Genussmittel und Volksnahrung angebaut worden; doch verwerthete man dasselbe in alter Zeit nur durch Aussaugen der grünen Halme, oder durch Auspressen und Einkochen des Saftes bis zur Honigconsistenz, wodurch ein brauner Zuckersyrup gewonnen wurde. Auch die Darstellung eines mehlartigen Staub- oder Sandzuckers (Farin), der mit Salz oder Schnee verglichen wird, durch Eindampfen des Saftes ist der Fabrikation der weissen Raffinade vorangegangen, die erst durch die fortgeschritteneren Methoden chemischer Reinigung, und zwar zuerst als ein Medicament dargestellt, von den arabischen Aerzten im 10. Jahrh. als werthvolles Heilmittel gepriesen, und im Laufe der folgenden Jahrhunderte durch die Araber auf den bekannten Wegen über die Mittelmeerländer verbreitet wurde.

Alles dies schliesst Ritter, da direkte Zeugnisse fehlen, aus der kritischen Vergleichung der gesammten Nachrichten. Eine wichtige Stütze findet seine Annahme in der chinesischen Literatur[2]). Das chinesische Hauptwerk über Botanik, das Ende des 16. Jahrh. von Li-chi-cheu verfasste Pên-tsao-kang-mu, berichtet: der Kaiser Tai-tsung (629—649 n. Chr.) habe Leute nach Si-gy (dem Abendlande) geschickt,

[1]) Nach Ritter kann die betreffende Stelle der armenischen Geographie nicht vor Ende des 7. Jahrhunderts geschrieben sein. l. c. S. 285.

[2]) Vergl. die auf voriger Seite citirte Schrift von Bretschneider.

welche die Kunst der Zuckerbereitung erlernen und im Reich der Mitte, wo sie noch unbekannt war, einführen sollten; das bezieht sich nach Ritter auf die aus Bengalen entlehnte Darstellung des Zuckersyrups. Die Kunst, Mehlzucker zu bereiten, ist erst unter der Dynastie Thang (766 — 780) durch einen indischen Mönch Tseou in China gelehrt worden. Aber erst im Zeitalter Marco Polo's, der in China von 1272 bis 1292 verweilte, ist die Kunst, aus dem eingedickten Zuckersaft die reine weisse Raffinade (chines. schi-mi, Steinhonig) zu fabriciren, nach China durch babylonische Männer gebracht worden, nachdem Hulaku Khan, der Bruder des chinesischen Kaisers Kublai Khan, das Reich der Abassiden 1256 gestürzt und Bagdad ausgeplündert hatte, worauf dessen kunsterfahrene Bewohner sich über Indien und China verbreiteten.

Eine weitere Bestätigung für die erst im frühen Mittelalter erfolgte Erfindung des weissen krystallinischen Zuckers giebt die jüdische Literatur; weder die Bibel noch der Talmud kennen den Zucker; bei der Reichhaltigkeit, mit welcher namentlich das letztere Werk sich über alle Lebensverhältnisse verbreitet, ist mit Bestimmtheit anzunehmen, dass bis zum Ende des 5. Jahrhundert, wo der Talmud abgeschlossen wurde, weder in Syrien noch in Babylonien Zucker im Gebrauch war. Die von R. Simon aus Kahira um 900 n. Chr. verfassten Halachoth gedoloth erwähnen zuerst des Zuckers[1]).

Hiernach finden nunmehr auch die Berichte der griechischen und römischen Autoren ihr richtiges Verständniss. Als die Feldzüge Alexanders des Grossen dem Horizont der griechischen Cultur den Orient und die Tropen aufgeschlossen, und dadurch eine Umwälzung des Handels und Völkerverkehrs, und in ihrem Gefolge eine Renaissance der Kunst und Literatur, insbesondere aber auch die Neuschöpfung der exacten Naturwissenschaften in gleicher Weise ins Leben gerufen hatten, wie sie im 15. und 16. Jahrh. n. Chr. die geographischen Entdeckungen der Portugiesen und Spanier herbeiführten, gelangten ins Abendland die ersten Nachrichten über Indiens Pflanzenschätze. Theophrastos (371—286) erzählt in seiner Pflanzengeschichte von dem indischen Rohr (χαλαμος 'Ινδικος), das am Fluss Akesines (heut Chanab, Nebenfluss des Indus im Pendschab) wächst, mehrere Stengel aus einem Stocke treibt, von mächtiger Grösse, weidenähnlichen Blättern; die Stengel der männlichen Art sind solid und werden zu Speeren

---

[1]) Vgl. Immanuel Loew (Aramaeische Pflanzennamen, Leipzig 1881 S. 345); Loew hat nachgewiesen, dass die von K. Sprengel herrührende und später weit verbreitete Angabe, die Mischna erwähne den Zucker, irrig ist.

benutzt; die der weiblichen sind hohl[1]). Doch erwähnt Theophrast hier weder Zuckerrohr noch Tabaschir; nur in einem seiner Fragmente wird von Rohrhonig (μελι ἐν καλαμοις) gesprochen, als einer dritten Gattung Honig neben dem Blumenhonig und dem Honigthau (auf Eichen- oder Lindenlaub)[2]); in seiner Mineralogie spricht Theophrast als Anhang zu den Gesteinen auch von steinerzeugenden Rohren (καλαμος 'Ινδικος ἀπολελιθωμενος) neben den Corallen[3]). Die reiche Literatur, die von den Begleitern Alexanders, wie Callisthenes, Ptolemaeos Lagi, Chares, Onesicritos, Clitarchos, Duris, Marsyas, Nearchos u. a. über Indiens Wunderwelt Kunde gab, ist verloren gegangen; erst von Eratosthenes, dem grossen alexandrinischen Geographen (276—195 v. Chr.), erfahren wir durch Strabo[4]), dass indische Rohre Honig ohne Bienen bereiten. Reichlicher strömen uns die Nachrichten über das Zuckerrohr aus der römischen Literatur zu, besonders im Beginn der Kaiserzeit. Marcus Varro (166—28 v. Chr.) weiss bereits, dass das Zuckerrohr den Wuchs eines niedrigen Baumes habe, und dass aus seinen Wurzeln der Saft ausgepresst werde[5]); Strabo (66 v. Chr. — 24 n. Chr.) berichtet (l. c.) noch, dass die Wurzeln der grossen indischen Rohre von Natur und ausgekocht süss seien. Dichter, wie Lucanus (39—65 n. Chr.)[6]), Philosophen wie Seneca[7]) (1—65)

---

[1]) Theophrasti Eresii historia plantarum edid. Wimmer. F. Didot 1866. Buch IV. c. 11. 13 S. 78. Ganz ebenso wie Theophrast unterscheidet Russel in seinem Briefe vom 26. Nov. 1788 (vergl. S. 366) den soliden, zu Speeren dienenden *male Bamboo*, und den hohlen *female Bamboo*, in dessen Höhlungen sich das Tabaschir findet — ein interessanter Beleg für die Zuverlässigkeit der Quellen, aus denen Theophrast schöpfte, wie für das hohe Alter der Artenunterscheidung. Nach Dalzell (Bombay Flora, citirt von Dymock 1885) ist *Bambusa stricta* Roxb. (Bás oder Udha der Eingeborenen) die Art, aus der noch heut Jagdspiesse (boar-spears) gemacht werden; *Bambusa arundinacea* ist der weibliche Bambus, der Tabaschir liefert.

[2]) ibid. Fragm. CXC. S. 462.

[3]) ibid. de Lapidibus 38. S. 346 bezieht sich wohl auf Tabaschir.

[4]) Strabo, Geographie Buch XV. S. 3; dieses über Indien handelnde Buch ist erst nach dem Jahre 18 n. Chr. geschrieben.

[5]) Indica non magna nimis arbore crescit arundo,
Illius et lentis premitur radicibus humor,
Dulcia cui nequeunt succo contendere mella.

Der Zuckersaft wird nur aus den untern Internodien des Zuckerrohrs ausgepresst; die oberen sind so zuckerarm, dass sie vorher abgeschnitten werden; daher die Alten meist nur von der Wurzel des Zuckerrohrs sprechen.

[6]) Pharsalia III. 237.

[7]) Epistol. 84; die Briefe stammen aus den Jahren 62—65. Die oben angeführten Zeitbestimmungen nach L. Friedländer, Sittengeschichte des röm. Kaiserreiches. 5. Auflage. 1881. Bd. I. S. XV—XXVII.

erwähnen den honigsüssen Saft der indischen Rohrwurzeln als eine Merkwürdigkeit jenes merkwürdigen Landes; von einer Verwendung in Rom oder von Darstellung eines exportfähigen Fabrikats aus dem Rohrsaft unter besonderem Namen findet sich noch keine Spur.

Doch unmittelbar darauf tritt uns ein solches neues Wort entgegen, und zwar gleichzeitig von verschiedenen Seiten. Zuerst unter Kaiser Vespasian führt ein unter dem Namen *Periplus maris Erythraei* bekanntes, zwischen den Jahren 70 und 75 abgefasstes Verzeichniss der Ausfuhrartikel aus dem indischen Hafen Barygaza (dem heutigen Baroche in dem nördlich von Bombay gelegenen Golf von Cambay) auch einen Rohrhonig auf, der σακχαρι genannt wird. Dass dieses *Saccharum* um die nämliche Zeit in der That nach Rom gebracht und dort als Arznei angewendet wurde, zeigt uns der ältere Plinius (23—79) im 12. Buch seiner Naturgeschichte, das vor dem Jahre 72 verfasst ist, durch eine Beschreibung: *Saccharum* komme aus dem glücklichen Arabien, das werthvollere aber aus Indien; es sei eine besondere Gattung Honig, die in Rohren gesammelt werde nach Art von Gummi, weiss, zwischen den Zähnen brüchig, höchstens von der Grösse einer Haselnuss, nur als Medicin verwendbar [1]).

Offenbar aus derselben Quelle wie Plinius schöpfend, und wohl gleichzeitig berichtet auch der Verfasser der klassischen Materia medica, Dioscorides von σακχαρον ganz das nämliche: es sei eine Art verdichteter Honig, der aus Indien und dem glücklichen Arabien komme und in Rohren gefunden werde, der Substanz nach ähnlich dem Salz und wie Salz zwischen den Zähnen bröckelnd; er rühmt seine Heilkräfte für Magen und Unterleib, bei Blasenstein und Augenleiden [2]). Auch Galenos († 201) vermag über σακχαρ nicht mehr zuzufügen, als dass es gut sei ad *abstergendum, digerendum, desiccandum* [3]).

Was ist nun unter diesem *Saccharum* zu verstehen? Die Beschreibung des Plinius würde im Nothfall auf unsere kleinen gehackten Zuckerstücke bezogen werden können, wenn im ersten Jahrhundert unserer Zeitrechnung die Kunst, raffinirten weissen Zucker zu fabriciren, überhaupt schon erfunden worden wäre [4]). Aber der Zucker-

[1]) Naturalis historia XII. 17.

[2]) De materia medica II. 104.

[3]) De simpl. med. ed. Kühn VII. S. 71.

[4]) Der byzantinische Arzt Paulos von Aegina, der in der ersten Hälfte des 7. Jahrhunderts schrieb (E. Meyer, Geschichte der Botanik II. S. 412), kennt Mehlzucker, den er als indisches Salz (ἅλς Ἰνδικος) bezeichnet, in „Farbe und Substanz gleich dem gemeinen Salz, an Geschmack wie Honig“ und das der Arzt Archigenes gegen Trockenheit der Zunge empfahl (II. cap. 53), während er unter σακχαρ ein anderes Product, nämlich Tabaschir zu verstehen

syrup, den man damals allein in Indien herzustellen wusste, war braun und nicht weiss, und die angegebenen Merkmale, das Sammeln in den Rohren nach Art des Gummi arabicum (nicht künstliche Fabrikation), die Brüchigkeit (nicht Löslichkeit) zwischen den Zähnen, die Haselnussgrösse und der ausschliesslich medicinische Nutzen können von dem Syrup unmöglich ausgesagt werden. Dagegen passen sie Wort für Wort auf das Tabaschir, das im alten Indien als *Sakkar Mambu*, Bambussteine, bezeichnet ward; man braucht nur einen Blick auf die Figuren unserer Tafel zu werfen, um zu der Ueberzeugung zu gelangen, dass Plinius und Dioscorides und die ihnen folgenden Aerzte des römischen Weltreichs unter *σαχχαρ*, *σαχχαρον* und *Saccharum* das *Sakkar Mambu*, d. h. Tabaschir verstanden und angewendet haben, und dass dieses Wort erst von den Arabern auf den später erfundenen, dem Tabaschir ähnlichen krystallinischen Rohrzucker übertragen worden ist[1]).

Breslau, Pflanzenphysiologisches Institut, März 1887.

---

scheint, das an Geschmack weniger süss sei, als unser Honig (*το δε σακχαρ ἡττον μεν γλυκυ του παρ ἡμιν (μελιτος) ἐστιν·* (l. c. VII.). Wenn Paulos Aegineta das Sacchar gleich wie Plinius, Dioscorides und Galenos aus dem glücklichen Arabien kommen lässt, so kann sich dies wohl nur auf den Exporthafen beziehen.

1) Die Namensform Tabaschir ist erst durch die arabischen Aerzte eingeführt worden, wird aber aus dem Sanskrit von *twak-schira* Rindenmilch abgeleitet; in Indien selbst, von woher das Product stammt, heisst dasselbe im Sanskrit, wie gesagt, *sakkar mambu* (Bambussteine), wie schon Don Garcia 1563 berichtet; ein andrer Name ist nach Lassen (l. c.) auch *wança rokana* (Rohrglanz), nach Russel als vulgäre Benennung *wansa lochana*, nach Dymok *bâns lochan*. Ein andrer Name in der Gentusprache ist nach Russel *vedru palu* (Bambusmilch), und in Malabar. *mungel upu* (Bambussalz), nach Dymok tamul. *munga luppa*; ferner nach Russel in der. Warriorsprache *vedru carpuran* (Bambus campher), nach Dymok Hind. Bomb. Beng. *bâns capur*.

Figuren-Erklärung.

Tafel XVI.

Fig. 1—10. Tabaschir-Stücke in natürlicher Grösse photographirt.

Fig. 3, 5, 8, 9, 10 sind cylindrisch, Steinkerne der Höhlung schlankerer (8, 10) oder stärkerer (3, 5, 9) Internodien, an denen Längsstreifung, dem Verlauf der Gefässbündel entsprechend, sichtbar ist. 2, 3, 6 zeigen den muschligen Bruch durchscheinender Stücke, 7 enthält braune Punkte von vermodertem Zellgewebe; 1 zeigt parallele Schichtung.

Fig. 11. Ein cylindrisches Stück als Steinkern eines Internodium, das es fast zur Hälfte oder zu ein Drittel ausfüllte.

Fig. 12, 13. Ein onyxartiges Stück mit abwechselnd weisser glasartiger und schwarzer kohlenhaltiger Schichtung parallel dem Cylindermantel, auswendig längsgerieft, von verschiedenen Seiten gezeichnet.

Fig. 14. Ein onyxartiges Stück mit paralleler Schichtung.

Fig. 15. Ein cylindrisches Stück, das an der Aussenfläche Längsriefen und feine Querstreifung zeigt.

Fig. 16. Ein braun getupftes Stück mit massenhaft in die Kieselsubstanz eingebetteten Zellgewebsfragmenten.

Fig. 17. Ein Stück in Form eines Kugelsegments, das offenbar der Scheidewand eines Knotens aufgelagert war.

Micrococcus ochroleucus

eine neue chromogene Spaltpilzform,

von

Oskar Prove in München.

Mit Tafel XVII.

Im Verlaufe der letzten Decennien sind die Spaltpilze für die verschiedensten wissenschaftlichen und praktischen, insbesondere für die hygienischen und landwirthschaftlichen Zweige von ausserordentlicher Wichtigkeit geworden.

Trotz einer ungemein grossen Zahl bereits ausgeführter Arbeiten ist in dem höchst schwierigen Gebiete noch sehr Vieles dunkel geblieben und es bedarf daher kaum einer Begründung, wenn in vorliegender Arbeit der Versuch gemacht wurde, bei einem dieser Spaltpilze, einer neu entdeckten chromogenen Art, die Lebens- und Funktionsbedingungen desselben genau zu erforschen und vor Allem nachzuweisen, ob durch verschiedene Kombinationen von Nährstoffen, Licht und Wärme er in seinen Formen, in seinen Excretionen und in seiner Entwickelung überhaupt und in welchem Grade Variationen zeigt.

Die der Arbeit zu Grunde gelegten Hauptfragen sind folgende:

Bleibt der *Micrococcus* stets ein solcher, oder wird es möglich, aus ihm ein Bacterium, einen Bacillus oder eine andere Spaltpilzform zu erzielen?

Welcher Form der Vermehrung und Fortpflanzung bedient sich der Pilz unter verschiedenen äusseren Verhältnissen zu seiner Erhaltung?

Wie verhält es sich unter angemessenen Variationen der Vegetationsverhältnisse mit dessen Farbstoff; bleibt derselbe stets gelb, so wie er ursprünglich gefunden wurde, oder verändert er sich so, dass eine andere Farbe entsteht, oder kann er unter Umständen völlig ausbleiben?

Die zur Gruppe der „chromogenen Spaltpilze" gehörenden Formen der niederen Organismen besitzen, wie schon die Bezeichnung sagt, die Fähigkeit, während ihres Lebens unter gewissen Verhältnissen ein intensiv gefärbtes, nachgewiesenermaassen häufig stickstoffhaltiges Pigment abzuscheiden.

Auf welche Art diese Abscheidung geschieht, ferner ob das betreffende Pigment der Membran, oder dem Zellinhalt oder den die Zellen umgebenden Schleimmassen eigen ist, darüber sind bei den meisten Arten die Untersuchungen noch nicht so weit gediehen, dass ein endgültiges Urtheil abgegeben werden könnte.

Auch über die chemische Natur dieser Pigmente herrscht noch viel Ungewissheit, da bis jetzt noch keines derselben in grösserer Menge dargestellt und chemisch genauer studirt wurde.

Aus den bis jetzt über sie vorliegenden Untersuchungen [1]) scheint hervorzugehen, dass einige derselben mit den Anilinfarben verwandt sind, da sie in ihrem chemischen und insbesondere spektroskopischen Verhalten einige Aehnlichkeit mit den Anilinpigmenten zeigen. So verräth z. B. der vom *Micrococcus prodigiosus* abgesonderte rothe Farbstoff in seinen chemischen Reactionen und vor dem Spektroskop einige Aehnlichkeit mit einer rothen Fuchsinlösung [2]).

Andere Pigmente wiederum sind in ihren Reaktionen augenscheinlich den Indigofarben sehr nahe stehend, wie es z. B. mit dem blauen Farbstoff des *Bacillus cyanogenus* der Fall zu sein scheint [3]).

Dass die Pigmentabsonderung an gewisse ziemlich genau bekannte Bedingungen geknüpft ist, wurde bereits für einige Arten experimentell erhärtet.

Bei einigen Formen üben die Zusammensetzung des Nährbodens und dessen Reactionen einen tiefeingreifenden Einfluss auf die Pigmentabsonderung aus. So fand z. B. Hueppe für den *Bacillus cyanogenus* [4]), dass derselbe in sauer reagirender Milch auf Kosten der

---

[1]) Erdmann, Bildung von Anilinfarben aus Proteinkörpern.

Erdmann und Werther, Journal für praktische Chemie 1866. pag. 385 bis 407.

Schroeter, Ueber einige durch Bacterien gebildete Pigmente; Cohn, Beiträge zur Biologie der Pflanzen. I. Band, 2. Heft. pag. 117—118; 121 bis 122.

[2]) Schroeter, Ueber einige durch Bacterien gebildete Pigmente; Cohn, Beiträge zur Biologie der Pflanzen. I. Band, 2. Heft. pag. 118.

[3]) Nach einer privaten Mittheilung des Herrn Dr. Eugling, Director der vorarlberg. landwirthschaftl. Versuchsstation stimmt der fragliche Farbstoff in seinen chemischen Reactionen genau mit Indigofarben überein.

[4]) Hueppe, Untersuchungen über die Zersetzungen der Milch durch Mikroorganismen.

stickstoffhaltigen Bestandtheile dieser einen intensiv cyanblauen Farbstoff absonderte. War die Reaction der Milch dagegen amphoter, so war der Farbstoff mehr grau bis mattblau; auf Zusatz von Säuren jedoch erschien sofort die cyanblaue Farbe wieder. Auf Fleischwasserpeptongelatine[1]) und Lösungen von weinsaurem Ammoniak, Harnstoff, Asparagin und Leucin war der abgeschiedene Farbstoff grün, der nach und nach mit zunehmender alkalischer Reaction des Nährbodens in Gelbbraun überging. Andere Nährböden wie Pepton, Glycerin und Zuckerlösungen, die Pepton als Stickstoffquelle enthielten, waren zur Hervorbringung des Pigmentes ganz ungeeignet.

Ich selbst züchtete den *Micrococcus prodigiosus* auf sehr verschiedenen Nährböden, wobei die diversesten Resultate erzielt wurden:

1) Auf allen Substraten, die reich an stickstoffhaltigen Nährstoffen waren, gleichgültig ob dabei Asparagin, Albumin, Pepton oder Fleischextract zur Verwendung kam, bildete sich stets reichlichst das rothe Pigment.

   Waren die betreffenden Lösungen anfangs auch nicht immer neutral oder alkalisch, sondern schwach sauer, so schied er stets so reichliches Alkali (NH_3?) ab, dass in diesen Fällen die Reaction nach 4—5 Tagen alkalisch wurde.

2) Sobald die stickstoffhaltigen Nährstoffe auf ein Minimum (0,05 %) reduzirt wurden, unterblieb bei sonst sehr üppiger Entwickelung und Vermehrung die Pigmentbildung vollkommen.

Bei manchen chromogenen Spaltpilzarten scheint der freie Zutritt der Luft die Pigmentbildung zu fördern, vielleicht sogar unbedingt dazu nothwendig zu sein. Schroeter[2]) sah z. B. bei dem *Micrococcus prodigiosus*, dass der freie Zutritt von Luft allein die Pigmentbildung eintreten lasse, da bei Kulturen auf Weizenbrei die Rothfärbung nur an der Oberfläche eintrat, während im Innern der Masse der Pilz farblos blieb.

Wieder bei anderen Arten übt das Licht den grössten Einfluss auf die Pigmentabsonderung aus. So gelang es mir beispielsweise vom *Micrococcus ochroleucus*, der von mir im Menschenharn gefundenen chromogenen Spaltpilzform, ganz farblose Kulturen zu erzielen, sobald

---

Struck, Mittheilungen aus dem Kaiserl. Gesundheitsamte. II. Band. 1884. pag. 355—364.

[1]) Ich fand, dass das auf Gelatine (3 % trockenes Pepton, 0,5 % Liebig's Fleischextract, 0,5 % Traubenzucker) von demselben Bacillus erzeugte Pigment grün war.

[2]) Schroeter, Ueber einige durch Bacterien gebildete Pigmente; Cohn, Beiträge zur Biologie der Pflanzen. I. Band, 2. Heft, pag. 111.

ich den Lichtzutritt abschnitt. Setzte ich diese farblosen Kulturen aber dem Einflusse des Lichtes aus, so trat nach Verlauf von 36 bis 48 Stunden eine lebhafte Gelbfärbung derselben ein.

Die Zahl der gelbe Pigmente absondernden chromogenen Spaltpilze ist bis jetzt schon ziemlich gross.

Wir kennen nämlich:

1) *Micrococcus luteus* Cohn

Synon. Bacteridium luteum (Schroeter).

Diesen Pilz fand Schroeter[1]) bei Kulturen auf Kartoffelstücken, auf welchen er sich in Form kleiner hellgelber Tröpfchen ansiedelte. Anfangs sind die Kolonien Mohnsamen gross, erreichen nach 3 Tagen die Grösse eines halben Pfefferkornes und vertrocknen dann schliesslich zu flach schildförmigen Körperchen, deren Mitte nabelförmig hervortritt. Die Zellen sind nach Schroeter elliptisch, etwas grösser als die von *Bacteridium prodigiosum* und zeigen keine Bewegung.

Cohn[2]) liess diesen Pilz in einer Lösung von essigsaurem und weinsaurem Ammoniak wachsen. Auf dieser Nährlösung bildete der *Micrococcus luteus* eine dicke gelbe Haut und am Boden des Reagenscylinders sammelte sich ein gelbes Sudiment an. Die Flüssigkeit selbst blieb während des Versuches farblos, da das abgeschiedene Pigment in Wasser unlöslich ist.

Wie eben erwähnt, ist der gelbe Farbstoff in Wasser unlöslich; Schwefelsäure und Alkalien verändern die gelbe Farbe nicht.

2) *Micrococcus aurantiacus* Cohn

Synon. Bacteridium aurantiacum (Schroeter).

Diese chromogene Spaltpilzform erhielt Schroeter[3]) auf Kartoffelstücken zwischen den lebhaft rosenrothen Tröpfchen des *Bacteridium prodigiosum.* Näher beschreibt Schroeter den Pilz in Kryptogamenflora von Schlesien, III. Bd. Heft 2. pag. 144, No. 125 und erwähnt, dass die Kolonien zu grossen Flecken anwuchsen, von Anfang bis zu Ende dieselbe Pomeranzenfarbe beibehielten und ganz aus unbewegten Körperchen bestanden.

Von Cohn[4]) wurde der Pilz auf einem gekochten Hühnerei und

---

[1]) Schroeter, Ueber einige durch Bacterien gebildete Pigmente; Cohn, Beiträge zur Biologie der Pflanzen. I. Band, 2. Heft. pag. 119.

Kryptogamenflora von Schlesien. III. Bd. Heft 2, pag. 144 No. 126.

[2]) Cohn, Untersuchungen über Bacterien; Cohn, Beiträge zur Biologie der Pflanzen. I. Band, 2. Heft, pag. 153.

[3]) Schroeter, Ueber einige durch Bacterien gebildete Pigmente; Cohn, Beiträge zur Biologie der Pflanzen. I. Band, 2. Heft, pag. 119.

[4]) Cohn, Untersuchungen über Bacterien; Cohn, Beiträge zur Biologie der Pflanzen. I. Band, 2. Heft, pag. 154—155.

in einer Lösung von essigsaurem und weinsaurem Ammoniak gezüchtet. Auf letzterer Nährlösung bildete der Pilz an der Oberfläche eine 2 bis 3 mm hohe goldgelbe Schicht; die Flüssigkeit selbst hatte eine schön orangegelbe Färbung angenommen und wimmelte von zahllosen unbeweglichen Kugelbacterien, die einzeln oder häufiger paarweise, doch auch zu 3, 4 und in grösserer Zahl zu geraden oder verbogenen Torulaketten in unregelmässigen Häufchen verbunden waren. Die Grösse einer einzelnen Zelle bestimmte Cohn zu 1,5 μ.

Das von dem Pilz abgeschiedene Pigment ist in Wasser löslich.

3) *Micrococcus chlorinus* Cohn.

Cohn[1]) fand diesen Spaltpilz auf Hühnereiweiss neben Kolonien von *Micrococcus aurantiacus*. Dieser Pilz besitzt die Fähigkeit ein gelbes oder saftgrünes Pigment abzuscheiden. In eine Lösung von weinsaurem Ammoniak übertragen, bildete der *M. chlorinus* nach 3 Tagen an der Oberfläche der betr. Lösung eine 1 cm hohe, gelblich saftgrüne Schicht; die Flüssigkeit färbte sich allmählich gelbgrün.

Die Zellen sind kuglig. Der Farbstoff ist in Wasser löslich; durch Säuren tritt eine Entfärbung desselben ein.

4) *Micrococcus pyogenes aureus* (Rosenbach).

Gelber Eiterpilz — Ursache der acuten infectiösen Osteomyelitis[2]) — ist bis jetzt nur in der Coccenform beobachtet worden.

Auf gekochten Kartoffeln, Fleischwasserpeptongelatine und Blutserum erzeugt der anfänglich weisse Pilz einen orangegelben Farbstoff.

---

[1]) Cohn, Untersuchungen über Bacterien; Cohn, Beiträge zur Biologie der Pflanzen. I. Band, 2. Heft, pag. 155.

Kryptogamenflora von Schlesien. III. Band, 2. Heft. pag. 144. No. 128

[2]) a. Becker, Mittheilung über den die acute infectiöse Osteomyelitis erzeugende Mikroorganismus; deutsche mediz. Wochenschrift, November 1883.

b. Krause, Ueber einen bei der acuten infectiösen Osteomyelitis des Menschen vorkommenden *Micrococcus*; Fortschritte der Medizin. II. Bd. 1884. pag. 221.

c. Schüller, Zur Kenntniss der *Micrococcen*, bei acuter infectiöser Osteomyelitis. *Micrococcen*heerde im Gelenkknorpel; Centralblatt für Chirurgie 1881. No. 12.

d. Rosenbach, Ueber die die acute Osteomyelitis beim Menschen erzeugenden Microorganismen; Centralblatt für Chirurgie 1884, No. 5.

e. Rosenbach, Beiträge zur Kenntniss der Osteomyelitis; deutsche Zeitschrift für Chirurgie X.

f. Ribbert, die Schicksale der Osteomyelitis Coccen im Organismus; deutsche medizinische Wochenschrift 1884, pag. 682.

Kryptogamenflora von Schlesien. III. Bd. 2. Heft. pag. 147, No. 137.

5) *Bacterium xanthinum* (Ehrenberg) oder *synxanthum* (Schroeter).
Synon. *Vibrio synxanthus* Ehrenberg.
Vibrio xanthogenus Fuchs.

Diese Spaltpilzform wurde als Ursache des Gelbwerdens[1]) gekochter Milch erkannt. Auch auf Kartoffeln, Mohrrüben etc. ist man im Stande den Pilz zu züchten; auf diesen festen Substanzen bildet er citronengelbe Zoogloeen.

Die vegetativen Zellen sind kurz cylindrisch, oblong 0,7—1 μ lang, lebhaft beweglich, isolirt oder in Ketten verbunden.

Wird das Pigment eingetrocknet, so erhält man eine gelbbraune Kruste, die in Alkohol und Aether unlöslich ist, dagegen sich vollkommen in Wasser löst.

Alkalien verändern die gelbe Farbe nicht; Säuren verursachen dagegen eine Entfärbung, die durch Zusatz von Alkalien wieder auf gehoben werden kann.

Vor dem Spektroskop zeigt die Lösung keinen charakteristischen Absorptionsstreifen, sondern nur eine Trübung der Strahlen diesseits und jenseits Gelb.

6) *Bacterium Hyacinthi* Wakker.

Wakker[2]) erkannte diesen Spaltpilz als Erzeuger der gelben Hyacinthenkrankheit. Es beschreibt Wakker diesen Pilz in dem unten citirten Referat als mit *Bacterium Termo* in Form und Grösse übereinstimmend. Die Zellen erscheinen, so lange sie in den von ihnen abgeschiedenen Schleimmassen eingebettet liegen, ruhig, nehmen aber sofort Bewegung an, sobald durch Salzsolution (0,75% Na Cl.) der Schleim verdünnt wird.

7) *Bacillus Hansenii* Rasmussen[3]).

Dieser Pilz wuchs auf Bierwürze, Fleischwasser, Urin etc., indem er an der Oberfläche der Nährlösung ein gelbes bis weissliches Häut-

---

1) a. Ehrenberg, Ueber den Pilz der gelben Milch; Bericht über die Verhandlungen der Berliner Akademie. 1840, No. 54. pag. 202.
b. Fuchs, Beiträge zur Kenntniss der gesunden und fehlerhaften Milch der Hausthiere; Magazin der gesammte Thierheilkunde. Band VII. 2. pag. 194.
c. Schroeter, Ueber einige durch Bacterien gebildete Pigmente; Cohn, Beiträge zur Biologie der Pflanzen. I. Band, 2. Heft, pag. 120 u. 126.

2) Referat von Wakker; botanisches Centralblatt Band XIV, pag. 315—316.

3) Rasmussen, Ueber die Kultur von Mikroorganismen vom Speichel gesunder Menschen. (Om Dyrckning af microorganismen fra spyt af sunde mennesker). Dissertation pag. 80 und 81. Kopenhagen 1883.

chen bildete, das aus 2,8—6 μ langen und 0,6—0,8 μ breiten Stäbchen bestand. Nach 4 Tagen fanden sich 1,7 μ lange und 1,1 μ breite Sporen vor. Auf Kartoffelstücke übertragen bildete der Pilz nach 4 Tagen ein chromgelbes Häutchen, das auch hier aus Stäbchen bestand, die nach einiger Zeit Sporen bildeten. Die anfängliche chromgelbe Färbung wurde später orangegelb, gelbbraun und schliesslich schmutzigbraun.

Das Pigment ist unlöslich in Wasser, Alkalien, Säuren, Alkohol, Aether und Chloroform.

8) *Leptothrix variablis* (Rasmussen).

Syn. Chromogene *Leptothrix*form = *Leptothrix II* Rasmussen[1]).

Rasmussen züchtete diesen Pilz aus dem Speichel gesunder Menschen. Auf Kartoffel oder Nährgelatine übertragen bildet der Pilz graugelbe bis hellgelbe oder röthliche Kolonien. In Urin übertragen erscheinen am 2.—4. Tage gerade und schraubige Fäden.

Während die *Leptothrix*-artigen Fäden bewegungslos sind, zeigen die kürzeren und Schraubenformen einen hohen Grad von Beweglichkeit. Bei allen Fäden ist eine Gliederung in Stäbchen und coccenartige Glieder zu erkennen. In höherem Alter der Kulturen werden die Fäden bewegungslos und schliesslich tritt ein Zerfall derselben ein.

Aehnliche Mannigfaltigkeit in den Formen erhielt Rasmussen bei Kulturen des Pilzes in anderen Nährlösungen und auf Kartoffeln.

9) *Sarcina ventriculi* Goodsir.

Dieser Pilz wurde am häufigsten im Magen gesunder und kranker Menschen gefunden, kommt aber auch in anderen Organen vor. Ausserhalb des Organismus gedeiht der Pilz auf festen pflanzlichen und thierischen Substraten, wurde von Cohn[2]) aber auch in einer Lösung von 1 % weinsaurem und 1 % essigsaurem Ammoniak und von Pasteur im Hefenwasser mit Erfolg gezüchtet. In Nährlösungen bildet der Pilz an der Oberfläche ein gelbes Häutchen, auf festen Substraten dagegen tritt er in Form chromgelber trockner Häufchen auf.

Der Pilz hat die Fähigkeit in seinen Zellen einen schwach gelben Farbstoff abzuscheiden.

Schroeter führt in der Kryptogamenflora von Schlesien, III. Band

---

[1]) Rasmussen, Ueber die Kultur von Mikroorganismen vom Speichel gesunder Menschen (Om Dryckning af microorganismer fra spyt af sunde mennesker). Dissertation pag. 66—69. Kopenhagen 1883.

[2]) Cohn, Untersuchungen über Bacterien; Cohn, Beiträge zur Biologie der Pflanzen. I. Band, 2. Heft, pag. 139.

Kryptogamenflora von Schlesien. III. Band, 2. Heft. pag. 153. No. 164.

2. Heft noch folgende einen gelben Farbstoff abscheidende Pilze auf: *Micrococcus diffluens*[1]), *Micrococcus sordidus*[2]), *Micrococcus pyogenes citreus*[3]), *Micrococcus cereus flavus*[4]), *Sarcina lutea*[5]), *Bacterium termo*[6]), *Bacillus melleus*[7]).

Nachdem ich im Vorhergehenden in Kürze das Wichtigste über die bis jetzt bekannten, ein gelbes Pigment absondernden Spaltpilzformen mitgetheilt habe, will ich nunmehr näher auf die von mir im Menschenharn gefundene, unter gewissen Bedingungen einen schwefelgelben Farbstoff erzeugende Spaltpilzart eingehen.

Im Winter 18$\frac{85}{86}$ beschäftigte ich mich im Laboratorium des Herrn Professor Dr. Harz mit der Untersuchung chromogener Spaltpilzformen. Herr Professor Dr. Harz hatte die Güte, mir einige Portionen Menschenharn, in denen sich verschiedene chromogene Spaltpilzformen vorfanden, zur Verfügung zu stellen.

Die in den erwähnten Harnportionen enthaltenen verschiedenen Spaltpilzformen suchte ich dadurch von einander zu trennen, dass ich verflüssigte Peptongelatine, die sich in Erlenmayer-Kolben befand, mit einer geringen Menge des fraglichen Harn's versetzte. Es fand sich nun bei diesen Versuchen der Trennung stets eine ein gelbes Pigment abscheidende Spaltpilzform ein, die schon in ihren ersten Stadien der Entwickelung, noch bevor eine Pigmentabscheidung eingetreten war, durch den eigenthümlichen Beginn des Wachsthums die Aufmerksamkeil auf sich lenkte.

Es bildeten sich nämlich 24 Stunden nach der Infektion auf dem Substrat kleine Inselchen von Kolonien, die wie ein zartes Häutchen die Oberfläche überzogen. Jede einzelne ca 2 mm. grosse anfangs fast farblose Kolonie war an der Peripherie von einem etwas erhabenen und wellig erscheinenden Saume begrenzt.

Im weiteren Wachsthumsverlaufe erhob sich der centrale Theil der Kolonien ein wenig, während vom Rande aus nach allen Seiten feine Ausläufer ausstrahlten, die sich vielfach wieder verzweigten. Während dieser Ausbreitung des Pilzes an der Oberfläche des Substrats färbten sich die Kolonien intensiv schwefelgelb.

Nur an den äussersten Grenzen, also da wo sich namentlich die

---

[1]) Kryptogamenflora von Schlesien. III. Band, 2. Heft. pag. 144. No. 127.
[2]) Ebendaselbst. pag. 145. No. 131. [3]) Ebendaselbst. pag. 147. No. 138.
[4]) Ebendaselbst. pag. 147. No. 140. [5]) Ebendaselbst. pag. 154. No. 167.
[6]) Ebendaselbst. pag. 155. No. 169. [7]) Ebendaselbst. pag. 158. No. 179.

noch im jugendlichen Zustande befindlichen Zellen vorfanden, trat keine Pigmentbildung auf[1]).

Diese Thatsache berechtigt wohl den Schluss zu ziehen, dass die Zellen erst ein gewisses Alter resp. ihre volle Grösse erreicht haben müssen, ehe sie befähigt sind, Farbstoff zu produziren, wie auch bei den jüngsten Kulturrasen stets erst nach einiger Zeit Farbstoffabscheidung bemerkt werden kann.

Während anfänglich die Nährgelatine vom Pilz fest gelassen wurde, trat in höherem Alter stets eine Verflüssigung derselben ein, wobei ein zähflüssiger, stark alkalisch reagirender, schwach gelb gefärbter Schleim abgeschieden wurde.

Bei der mikroskopischen Untersuchung zeigte es sich, dass Coccen die Erzeuger der Kolonien waren und zwar traten dieselben theils isolirt, theils in Kettenverbänden- sog. Torula- oder Streptococcusformen auf. An der Bildung der Ketten partizipirten 4—6—8—12 Coccen; häufig fand man auch nur 2 Coccen zu sog. Diplococcen vereinigt.

Sämmtliche, sowohl die isolirten, als auch die zu Diplococcen und Streptococcen verbundenen Formen zeigten lebhafte Bewegungserscheinungen. Während die längeren Ketten ausgesprochene Ortsveränderung wahrnehmen liessen, indem sie sich abwechselnd krümmend und wieder streckend weiter bewegten, konnte man bei den isolirten Coccen und den Diplococcen nur eine zitternde oder kreisende Bewegung ohne Ortsveränderung beobachten.

Was den eigenthümlichen Farbstoff dieses Pilzes anbelangt, so ergab sich, dass derselbe in Wasser völlig unlöslich, in Alkohol dagegen leicht löslich ist. Die alkoholische Lösung erschien gelb mit einem Stich ins Grün.

Vor dem Spektroskop liess die Lösung eine schwache Trübung der vor der Linie D und eine stärkere Verdunkelung der über die Linie F hinausliegenden Strahlen erkennen, ohne jedoch charakteristische Absorptionsstreifen zu zeigen.

Alkalien üben auf den Farbstoff keine Wirkung aus; Säuren verursachen eine sofortige Entfärbung, die durch Neutralisation und selbst Uebersättigung mit Alkali nicht wieder gehoben werden kann.

Offenbar war dieser Farbstoff mit den bis jetzt bekannten und näher untersuchten nicht identifizirbar.

Um zunächst den mit vielen anderen Spaltpilzarten verunreinigten

---

[1]) Ganz dieselbe Erscheinung beobachtete ich übrigens auch bei Kulturen von *Micrococcus prodigiosus*. Es war nämlich auch hier der äusserste Rand der Kolonie stets farblos.

Micrococcus ochroleucus zu isoliren, bediente ich mich des bekannten Verdünnungsverfahrens. In 10 ^{cc} = ca. 150 Tropfen destillirten und gut sterilisirten Wassers brachte ich mit Hülfe einer ausgeglühten Platinnadel eine kleine Menge des pilzartigen Materials und schüttelte es kräftig durch. Einen Tropfen dieser Flüssigkeit verdünnte ich wieder mit 10 ^{cc} Wasser und ganz in derselben Weise wiederholte ich dies Verfahren noch einmal, so dass ich schliesslich eine 3,375000fache Verdünnung erzielte. Nach fünfmaliger Wiederholung dieses Verfahrens erhielt ich schliesslich absolute Reinkulturen.

Bei der Kultur des *Micrococcus ochroleucus* wurden folgende Punkte in erster Reihe berücksichtigt:

1. Die für den Pilz passendsten Nährstoffbedingungen;
2. Wuchsformen und Vermehrungsarten desselben;
3. Verhalten gegen verschiedene Temperaturen;
4. Einfluss des Lichtes.

Erstens: Ernährungsbedingungen.

Um festzustellen, welche Ernährungsbedingungen die günstigsten für das Gedeihen des Pilzes seien, wurde ihm die Nahrung sowohl aus verschiedenen Nährstoffen bereitet, als auch die letzteren in verschiedener Form dargereicht.

Ausserdem war auch die Reaction des Nährbodens variabel, um constatiren zu können, welche das Wachsthum am meisten begünstigt.

I. Kulturversuche mit festen Nährstoffen.

A. Mittleres Durchschnittsverhältniss zwischen Eiweissstoffen und Kohlehydraten.

1. Pepton-Gelatine, bestehend aus:

   3% trockenem Pepton,
   0,5% Liebig'schem Fleischextract,
   0,5% Traubenzucker.

   Zur Lösung dieser Stoffe nahm ich gut sterilisirtes Brunnenwasser, wodurch noch die nöthigen Aschenbestandtheile in die Nahrung gelangten.

   Auf 100 Theile dieser Lösung nahm ich 20 Theile Gelatine.

2. Stärkekleister mit Pepton.

   Weizenstärke wird zu diesem Zweck kalt mit einer Lösung von

   3% trockenem Pepton
   0,5% Liebig'schem Fleischextract

angerührt und auf dem Wasserbade erwärmt, bis die Masse zu einem nicht zu steifen Kleister gequollen war.

B. Eiweissstoffe überwiegen die Kohlehydrate bedeutend:

3. Hart gekochtes Hühnereiweiss.

C. Kohlehydrate vorherrschend.

4. Kartoffel.
5. Gelatine mit Traubenzucker bereitet aus:

5% chemisch reinem Traubenzucker
0,05% Liebig'schem Fleischextract.

Auf 100 Theile Lösung kamen 20 Theile Gelatine.

6. Stärkekleister.

II. Kulturversuche mit flüssigen Nährstoffen.

7. Lösung von 3% trockenem Pepton
0,5% Liebig'schem Fleischextract
0,5% Traubenzucker.
8. Milch.
9. Menschenharn.
10. Lösung von 5% Traubenzucker
0,05% Liebig'schem Fleischextract.
11. Salzlösung aus:

0,1035 gr K_2HPO_4
0,016 „ $MgSO_4$
0,013 „ K_2SO_4
0,0055 „ $CaCl_2$
1,000 „ weinsaures Ammoniak.

Die Salze wurden in 1 Lit. sterilisirten Wasser gelöst.

12. Salzlösung mit Harnstoff.

Die sub 11 genannte Lösung wurde mit 2,8% Harnstoff beschickt.

Sämmtliche Materialien und Nährlösungen wurden immer sorgfältigst sterilisirt und zwar je nach ihrer Natur entweder im Papin'schen Topfe, im strömenden Dampfe oder durch discontinuirliche Sterilisation keimfrei gemacht.

Die Impfung geschah bei allen Versuchen folgendermaassen:

„Mit einer ausgeglühten Platinnadel wurde dem vorher auf seine Reinheit geprüften Impfmaterial eine kleine Probe entnommen und in 5 cc. sterilisirten Wasser gut vertheilt. Aus dieser pilzhaltigen Flüssigkeit übertrug ich einen Tropfen auf oder in die zu infizirenden Nährmedien.“

Die Untersuchungen über das Wachsthum des Pilzes geschahen

täglich und zwar derartig, dass jeden Tag einer neuen Reinkultur, die aber sämmtlich zu gleicher Zeit angesetzt waren, das Untersuchungsmaterial entnommen wurde.

Eine Probe wurde im gefärbten, eine andere dagegen im ungefärbten Zustande der mikroskopischen Untersuchung unterworfen.

Die Untersuchungen selbst führte ich mit Hülfe Hartnack'scher Systeme mit homogener Immersion aus.

Die Grössenbestimmungen der Coccen wurden im ungefärbten Zustande derselben vorgenommen, und bediente ich mich dazu eines Hartnack'schen Okularmikrometers.

Die ersten gefärbten Deckglaspräparate stellte ich nach den von Hueppe in seinem Werke Methoden der Bacterienforschung 3. Aufl. pag. 63—65 gegebenen Vorschriften her. Es waren aber die nach diesen Vorschriften angefertigten Präparate zur mikroskopischen Untersuchung nicht geeignet, da der vom *Micrococcus ochroleucus* in grosser Menge abgesonderte Schleim sowohl die Wuchsformen wie deren Verbände nicht scharf erkennen liess.

In der Folge wandte ich deshalb ein von Herrn Professor Dr. Harz gütigst mitgetheiltes Verfahren zur Herstellung von Deckglaspräparaten an.

Das Verfahren ist folgendes:

„Auf einem Deckglas wird eine kleine Probe der bacterienhaltigen Substanz in einem Tropfen sterilisirten Wassens innigst vertheilt, dann mit einer geringen Menge konzentrirter Salzsäure behandelt. Die Dauer der Einwirkung von Salzsäure schwankt je nach der vorhandenen Schleimmenge von 1—2½ Minuten.

Nach dieser Zeit neutralisirt man mit Ammoniak und lässt die ganze Masse im Trockenschrank bei + 50° C. langsam eintrocknen. Ehe man nun die Färbung ausführt, macht man durch dreimaliges Hindurchziehen des Deckglases durch eine Flamme die Schicht vollkommen lufttrocken.

Die Färbung selbst geschah bei gewöhnlicher Temperatur mit einer Lösung von Bismarckbraun in Alkohol und Glycerin.

Nach der Färbung wird das betreffende Präparat gut mit Wasser abgespült, wieder getrocknet und zum Zwecke der Aufbewahrung in Canadabalsam, der mit einer Spur Terpentinöl verdünnt ist, eingeschlossen."

Die nach dieser Methode hergestellten Präparate liessen Wuchsformen und Verbände ungemein scharf erkennen. Die Versuchsanordnung hatte ich so getroffen, dass Licht und Wärme in dieser Versuchsreihe stets dieselben blieben und nur die Nahrung resp. die Reaktion des

Nährbodens sich änderte. Sämmtliche Kulturen befanden sich nämlich in einem Vegetationsapparat, dessen Temperatur durch einen Thermostaten genau auf + 22,5 C. gehalten wurde. Durch eine vorn am Vegetationskasten befindliche, doppelwandige Glasthür war wohl dem Tageslicht der volle Zutritt gestattet, doch durch entsprechende Placirung des Apparates konnte direktes Sonnenlicht die Kulturen nicht treffen.

Die Dauer eines Versuches war in der Regel ein Monat und die Untersuchungen wurden, wie schon oben erwähnt, täglich ausgeführt.

1a) Pepton-Gelatine.

(Zusammensetzung derselben: Siehe oben.)

Beim Kochen dieser Gelatine setzte ich Natriumcarbonat bis zur schwach alkalischen Reaction zu.

Die ersten Spuren von seiner Anwesenheit verrieth der Pilz 24 Stunden nach der Impfung. Es entstanden nämlich nach dieser Zeit an der Oberfläche des Substrats um die Impfstellen farblose, feine Ueberzüge, die von den Kolonien des Pilzes gebildet wurden.

Bis zum 3. Tage hatten die Kolonien eine Ausbreitung von ca. 5 mm erreicht und eine intensiv schwefelgelbe Färbung angenommen. Während bis zum 12. Tage der Pilz sich nur an der Oberfläche des Substrats ausbreitete, nahm er von diesem Zeitpunkt an auch tiefer liegende Regionen zu seiner Ernährung in Anspruch. Es senkten sich dabei die Kolonien langsam in das Substrat und der entstehende Hohlraum füllte sich mit einem zähflüssigen, schwachgelb gefärbten und stark alkalisch reagirenden Schleime an.

Hatten die Kulturen ein Alter von ca. 10—14 Tagen erreicht, so trat ein eigenthümlich penetranter Geruch nach Schwefelverbindungen auf.

Unterm Mikroskop sah man, dass die Kolonien von Micrococcen, die theils isolirt, theils in Verbänden vorhanden waren, gebildet wurden. Als Verbandform war die Torulaform vorherrschend, während Diplococcen in der Minderzahl auftraten.

Sämmtliche Formen zeigten lebhafte Bewegungserscheinungen.

Grösse der Coccen: 0,5—0,8 μ.

1b) Pepton-Gelatine.

Zu diesem Versuch wurde die natürliche Säure der Gelatine nicht abgestumpft, sondern durch wenig Essigsäure noch etwas verstärkt.

Anfänglich ist wohl in Folge der schwach sauren Reaction das Wachsthum des Pilzes langsam; doch bald wird das Hinderniss überwunden, da die aus der Zersetzung der Eiweissstoffe durch den Pilz resultirenden Produkte starke alkalische Reaction zeigen, wodurch eine Neutralisation, ja sogar schliesslich eine Uebersättigung des schwach sauer reagirenden Nährbodens stattfindet.

Auch in diesem Versuch waren Coccen die Erzeuger der Kolonien und fanden sich jene zum Theil isolirt, zum Theil zu Diplococcen und Streptococcen verbunden vor.

Beweglichkeit und Grösse der Cocoen waren dieselben wie im vorhergehenden Versuch.

2) Stärkekleister mit Pepton.

Bereitung des Kleisters s. Seite 418.

Der nicht zu steife, schwach alkalisch reagirende Kleister wurde in sterilisirte Erlenmayer-Kolben gefüllt und zwar so viel, dass eine 5 mm. hohe Schicht den Boden bedeckte. Nach dem Einfüllen machte ich die Masse durch einstündiges Kochen im strömenden Dampfe keimfrei.

Dieser Nährboden behagt dem Pilz offenbar ungemein, da schon 1 Tag nach der Impfung 3—5 mm grosse, wenig gefärbte Kolonien die Impfstellen umgaben.

Die grösste Wachsthumsenergie fand am 4.—7. Tage statt, mit ihr war gleichzeitig eine bedeutende Schleimabsonderung und Farbstoffproduktion verbunden. Der abgeschiedene Farbstoff besass eine intensiv schwefelgelbe Färbung. Vom 7.—14. Tage war die weitere Ausbreitung nur noch gering und hörte nach dieser Zeit gänzlich auf.

Die Ausbreitung des Pilzes geschah auf diesem Substrat nur an der Oberfläche, in das Innere einzudringen besass der Pilz nicht die Fähigkeit.

Ein penetranter Geruch nach Schwefelverbindungen machte sich auch hier bemerkbar.

Die anfänglich schleimigen Kolonien trockneten allmählich aus und stellten schliesslich eine bröckliche Masse dar, wobei gleichzeitig die intensiv schwefelgelbe Färbung der Kolonien verschwand und einer schmutziggelben Platz machte.

Bei der mikroskopischen Untersuchung fanden sich auch hier isolirte Coccen, Diplococcen und Streptococcen vor, doch wechselte im Verlaufe des Versuches das Auftreten der einzelnen Formen bedeutend.

Im jugendlichen Alter der Kolonien (bis zum 4. Tage) traf man neben isolirten Cocoen meist noch Diplococcen an, während die Kettenverbände nur in sehr geringer Anzahl sich vorfanden.

In der Zeit vom 4.—7. Tage, also der Periode des lebhaftesten Wachsthums und der bedeutendsten Schleimabsonderung, konnte man bei der mikroskopischen Untersuchung nur Cocoon in Kettenverbänden finden, während man gegen Ende des Versuchs, namentlich als die

Kolonien anfingen auszutrocknen, wieder isolirte Coccen und auch Diplococcen antraf. Häufig hatten sich im letzeren Falle die Coccen und Diplococcen zu unregelmässig gestalten Haufen vereinigt.

Die ursprünglich lebhafte Beweglichkeit der Formen hatte gegen Ende des Versuchs ganz bedeutend abgenommen, ja schliesslich war gar keine Bewegung mehr zu beobachten.

Grösse der Coccen 0,5—0,8 μ.

3a) Hartgekochtes Hühnereiweiss.

Durch verdünntes Ammoniak wurde der Nährboden schwach alkalisch gemacht.

24 Stunden nach der Impfung hatten sich an der Oberfläche des Substrats 2 - 3 mm grosse, fast farblose Kolonien angesiedelt, die nun rasch sich ausbreitend am 4. Tage eine Fläche von $1\frac{1}{2}$ cm bedeckten.

Gleichzeitig mit dieser rapiden Ausbreitung trat eine bedeutende Schleimabsonderung und eine intensive Gelbfärbung der Kolonien auf.

Das ursprünglich feste Substrat wurde vom Pilz während seines Wachsthums energisch angegriffen und schliesslich zu einer von gelbem Schleim bedeckten schmierigen Masse aufgelöst.

Die anfänglich nur schwache alkalische Reaction gewann im Verlaufe des Versuches ganz bedeutend an Stärke, wie auch der Geruch nach Schwefelverbindungen ungemein stark hervortrat.

Auch bei diesem Versuch war das Auftreten der Coccenverbände ein wechselndes; während nämlich anfänglich nur isolirte Coccen und Diplococcen erschienen, bildeten sich zur Zeit der grössten Schleimabsonderung meistens Kettenverbände. Gegen Ende des Versuches jedoch nahmen Letztere an Zahl wieder ab und dafür traten wiederum isolirte Coccen und Diplococcen auf.

Während die Beweglichkeit aller Formen im jugendlichen Alter der Kulturen eine sehr lebhafte war, hatte sie später an Stärke bedeutend eingebüsst.

Grösse der Cocoen: 0,5—0,8 μ.

3b) Hartgekochtes Hühnereiweiss.

Die Reaction des Nährbodens wurde neutral gehalten.

Die neutrale Reaction des Nährbodens übte auf die Entwickelung und das Wachsthum des Pilzes keinen verändernden Einfluss aus; dagegen wurde der Beginn der Auflösung des Substrats um einige Tage verzögert. Während bei alkalischer Reaction des Nährbodens schon bei 6 Tage alten Kulturen die Auflösung begann, trat selbige im vorliegenden Versuche erst bei 9 Tage alten Kulturen ein. Die Reaction der schleimigen Masse war stark alkalisch.

Als Wuchsformen waren Coccen nachweisbar, die entweder isolirt oder zu Diplococcen und Ketten vereinigt sich vorfanden.

Die Beweglichkeit dieser Formen war am 5. bis 8. Tage der Zeit der lebhaftesten Vermehrung am grössten; gegen Ende des Versuches wurde sie bedeutend schwächer.

Grösse der Coccen: 0,5—0,8 μ.

3c) Hartgekochtes Hühnereiweiss.

Mit verdünnter Essigsäure wurde das Substrat schwach angesäuert.

In Folge der sauren Reaction des Nährbodens trat eine sehr merkliche Verzögerung sowohl in der Entwickelung als auch im ferneren Wachsthume des Pilzes ein.

Die ersten sehr vereinzelt auftretenden Kolonien zeigten sich 48 Stunden nach der Impfung. Bis zum 4. Tage hatten sie sich mehr zu einem Rasen ausgebreitet, dessen Rand erhaben und wellig erschien. Die zu jener Zeit ungemein viel Schleim absondernden Kolonien hatten gleichzeitig eine intensiv schwefelgelbe Färbung erhalten.

Die Reaction einer Kolonie war sehr schwach alkalisch.

Am 10. Tage begann die Verflüssigung des Substrats und indem von jetzt an die Reaction stark alkalisch wurde, war der weitere Verlauf ganz derselbe wie bei den vorhergehenden Kulturen.

Als Wuchsformen erschienen auch hier bewegliche Coccen, die entweder isolirt oder zu Diplococcen und Ketten verbunden waren.

Grösse der Coccen: 0,5—0,8 μ.

4a) Kartoffel.

Durch verdünntes Ammoniak wurde der Nährboden schwach alkalisch gemacht.

Es zeigte sich sofort bei diesem Versuch, dass Kartoffeln, obgleich sie alkalisch gemacht waren, keinen günstigen Nährboden für den Pilz darstellen, denn erst 60—72 Stunden nach der Impfung machen sich die ersten Spuren von seiner Anwesenheit bemerkbar.

Um diese Zeit färben sich nämlich die Impfstellen dunkler mit einem Stich ins Violett, aber erst am 4. Tage wurden einzelne gelbe Kolonien von der Grösse eines Mohnsamens sichtbar.

Bis zum 7. Tage hatten sich die zuerst vereinzelt aufgetretenen Kolonien mehr vereinigt und bedeckten eine Fläche von 1—1½ cm. In der Folge nahm die Ausbreitung nicht mehr wesentlich zu, dafür verdickten sich die einzelnen Kulturrasen ganz bedeutend. Auffallend war bei diesen Versuchen die geringe Schleimabsonderung, in Folge dessen die Kolonien ein ziemlich trockenes Aussehen erhielten.

Der während des lebhaften Wachsthums abgeschiedene Farbstoff hat eine schwefelgelbe Färbung, nimmt jedoch später, wenn die Kolonien trockener werden, einen grünlich-gelben Ton an.

Coccen waren auch hier die Erzeuger der Kolonien und zwar fanden sich meist isolirte Coccen und Diplococcen, seltener Kettenverbände vor. Die auftretenden Ketten waren stets kürzer (höchstens 4—6 Coccen vereinigten sich zu einer Kette) als die bei Kulturen auf eiweissreicher Nahrung auftretenden. Letzteren Umstand schreibe ich der bei Kulturen auf Kartoffeln nur in geringem Grade stattfindenden Schleimproduktion zu.

Ausser den oben erwähnten Formen traf man in alten schon ziemlich eingetrockneten Kulturen noch unregelmässig gestaltete Haufen von Coccen an.

Die anfänglich ziemlich lebhafte Beweglichkeit sämmtlicher Formen nahm rasch ab und gegen Ende der Versuche war sie ganz verschwunden.

Grösse der Coccen: 0,5—0,8 μ.

4b) Kartoffel.

Die Reaction des Nährbodens blieb neutral.

Im Verlaufe dieser Versuche trat es noch deutlicher hervor, dass der *Micrococcus ochroleucus* Kartoffeln als Nährboden nicht liebt, denn er entwickelte sich hier langsamer als im vorhergehenden Versuch. Die ersten Kolonien fanden sich 5—6 Tage nach der Impfung ein. Dieselben nahmen dann bis zum 9.—10. Tage etwas an Grösse zu, zeigten von da ab aber kein weiteres Wachsthum mehr.

Die Schleimabsonderung war auch hier nur sehr spärlich, so dass bereits am 16. Tage die Kulturen anfingen, zu einer bröcklichen Masse einzutrocknen, wobei wieder die schwefelgelbe Färbung der Kolonien verschwand und einer grünlich-gelben Platz machte.

Die auftretende Reaction ist schwach alkalisch.

Bei der mikroskopischen Untersuchung ergab sich, dass hier bewegliche Coccen und Diplococcen vorherrschten, wogegen Streptococcen nur in beschränkter Anzahl sich vorfanden.

In alten Kulturen traten Haufen, die von Coccen gebildet wurden, in grösserer Anzahl auf, dabei hatte die Beweglichkeit sämmtlicher Formen sich auf ein Minimum reducirt.

Grösse der Coccen: 0,5—0,8 μ.

4c) Kartoffel.

Durch verdünnte Essigsäure erhielt der Nährboden schwachsaure Reaction.

Die Folge dieser sauren Reaction des Nährbodens war, dass der Pilz nicht zur Entwickelung gelangen konnte.

Eine saure Reaction des Nährbodens ist demnach in erhöhtem Grade dann der Entwickelung des *Micrococcus ochroleucus* schädlich, wenn gleichzeitig die Zusammensetzung jenes für die Ernährung des Pilzes ungünstig ist.

5) Gelatine mit 5% Traubenzucker und 0,05% Liebig'schem Fleischextrakt.

Beim Kochen der Gelatine setzte ich Natriumcarbonat bis zur schwach alkalischen Reaction zu.

Trotzdem in vorstehender Nährkomposition die Einweissstoffe auf ein Minimum reducirt waren, so war das Wachsthum des Pilzes immerhin noch energisch zu nennen.

24 Stunden nach der Impfung siedelte sich an der Oberfläche um die Impfstellen ein von den Kolonien des Pilzes gebildeter fast farbloser Kulturrasen an, dessen Rand erhaben war und wellig erschien.

Am 6. Tage nahmen die inzwischen schwach gelbgefärbten Kolonien einen Raum von 8 mm ein.

Auffallend war auch hier einerseits die sehr geringe Schleimabsonderung, andererseits die spärliche Farbstoffproduktion. Es deutet diese Erscheinung darauf hin, dass beide Momente — Schleimabsonderung sowohl als auch Farbstoffproduktion[1]) — von der Zusammensetzung der Nahrung beherrscht werden.

Uebrigens konnte ich auch bei diesen Versuchen nicht den penetranten Geruch nach Schwefelverbindungen, wie solcher sich namentlich bei den Kulturen auf Hühnereiweiss stark bemerkbar machte, wahrnehmen.

Die Kolonien bestanden aus beweglichen isolirten Coccen, Diplococcen und einigen kürzeren Ketten. Längere Ketten waren zu keiner Zeit zu beobachten, da in Folge der geringen Schleimabsonderung die Coccen nicht im Zusammenhange bleiben konnten.

Grösse der Coccen: 0,5—0,8 μ.

6) Stärkekleister.

Bei dieser höchst kümmerlichen Ernährung wurde der Pilz nicht allein in seiner Wachsthumsenergie ungünstig beeinflusst, sondern auch die Grösse der einzelnen vegetativen Zellen hatte bedeutend abgenommen.

---

[1]) In später noch zu beschreibenden Versuchen werde ich klarlegen, welchen bedeutenden Einfluss das Licht auf die Farbstoffproduktion des Pilzes ausübt.

Die ersten nur sehr schwach gelbgefärbten Kolonien zeigten sich 3 Tage nach der Impfung auf der Oberfläche des Substrats. Bis zum 10. Tage breiteten sie sich noch weiter aus, von da an aber hörte jedes fernere Wachsthum auf. Ein Verdicken der Kolonien fand nicht statt, sondern es durchzog der Pilz als hellgelb gefärbte dünne Striche das Substrat.

In Folge des sehr geringen Eiweissgehaltes der Nahrung war die Schleimabsonderung nur sehr schwach und erschienen die Kolonien ziemlich trocken.

Als Wuchsformen liessen sich Coccen, die eine schwach zitternde Bewegung zeigten, wahrnehmen. Es waren dieselben theils isolirt, theils zu Diplococcen verbunden.

Kettenverbände waren dagegen zu keiner Zeit nachweisbar, was auch hier die Folge einer geringen Schleimabsonderung war.

Grösse der Coccen: 0,3 μ.

7) Lösung von 3% trockenem Pepton,
0,5% Liebig'schem Fleischextract,
0,5% Traubenzucker.

Die Reaction dieser Nährlösung wurde neutral gehalten.

Von der Lösung wurden 10 cc. in gut sterilisirte Fläschchen, deren Inhalt 20 cc. betrug, gefüllt und nachher im strömenden Dampfe keimfrei gemacht.

In der völlig klaren Nährlösung entstand 60 Stunden nach der Impfung eine schwache wolkige Trübung, die bis zum 10. Tage noch stärker wurde. Ungefähr am 8. Tage machte sich am Rande des Glases eine schwach gelbgefärbte Schleimschicht bemerkbar, welche bis zum 21. Tage die ganze Oberfläche der Lösung bedeckte. Ein Sediment auf dem Grunde des Gefässes konnte ich nicht bemerken.

Die Reaction der Lösung wurde im Verlaufe des Versuches stark alkalisch.

Die oben erwähnte Schleimschicht wurde von beweglichen Coccen, Diplococcen und kürzeren Ketten gebildet; auch in der stets trüb bleibenden Lösung fanden sich diese Formen vor.

Grösse der Coccen: 0,5 μ.

8) Milch.

Das Wachsthum des Pilzes äusserte sich am 2. Tage nach der Impfung dadurch, dass sich am Rande des Glases in der Milch eine schwache Blaufärbung zeigte, die aber bereits am 3.—4. Tage wieder verschwand und dafür eine gelbe Färbung auftreten liess.

In den folgenden 6 Tagen breitete sich diese gelbe Färbung über die ganze Oberfläche aus, war aber namentlich intensiv an den Stellen, an denen sich Rahm angesammelt hatte[1]).

Bis zum 20. Tage blieb dieser Zustand erhalten, von da ab jedoch wurde das Casein der Milch vom Pilz aufgezehrt und das Milchserum nahm eine bernsteingelbe Färbung an. Während dieses Vorganges wurde die Reaction der Milch stark alkalisch.

Die vom Pilz an der Oberfläche der Milch erzeugte schwach gelbgefärbte Schleimschichte blieb auch fernerhin erhalten.

Als Wuchsformen waren Coccen vertreten, die zu vieren vereinigt kurze Ketten bildeten. Die Gliederung dieser Ketten in Coccen war nur mit Hülfe sehr starker Vergrösserungen zu erkennen; bei schwächerer Vergrösserung erhielten die Formen das Aussehen von Bacterien.

Neben den Ketten fanden sich vereinzelt isolirte Coccen und Diplococcen vor.

Grösse der Coccen: 0,4 μ.

9) Menschenharn.

48 Stunden nach der Impfung bemerkte man eine schwache Trübung in dem bis dahin völlig klar gebliebenen Harn, die bis zum 6. Tage noch stärker wurde.

Gegen Ende des Versuches hatte sich am Boden des Gefässes ein schwach gelb gefärbtes Sediment abgelagert.

Die Reaction des getrübten Harns war stark alkalisch.

Wurde ein Tropfen des stark getrübten Harns auf Hühnereiweiss übertragen, so hatten sich nach 3 Tagen intensiv schwefelgelb gefärbte Kolonien eingefunden, die von beweglichen Coccen, Diplococcen und Streptococcen erzeugt wurden.

Die Bestandtheile des Sediments aus dem Harn waren bewegliche isolirte Coccen und Diplococcen; Streptococcen traf man dagegen seltener an.

Grösse der Coccen: 0,3—0,5 μ.

10) Lösung von 5% Traubenzucker
0,05% Liebig'schem Fleischextrakt.

Die Reaction der Lösung war neutral.

Am 4. Tage nach der Impfung machte sich das Wachsthum des Pilzes durch eine in der Lösung auftretende wolkige Trübung bemerk-

---

[1]) Auch bei Kulturversuchen des *Micrococcus prodigiosus* auf Milch tritt die intensivste Färbung stets in der Rahmschicht auf.

bar. Bis zum 7. Tage wurde die Trübung noch stärker, dann sistirte jedoch jedes fernere Wachsthum, weil in Folge zunehmenden Säuregehaltes die Lösung für die fernere Ernährung des Pilzes untauglich wurde.

Es besitzt also der *Micrococcus ochroleucus* die Fähigkeit, je nach der Ernährung verschiedene Zersetzungen zu erzeugen, und zwar ruft er in und auf Substraten, die reich an Eiweissstoffen sind, eine Zersetzung hervor, deren Endprodukte alkalische Reaction nachweisen lassen, während von demselben Pilz in Lösungen von Traubenzucker und gewissen Salzlösungen Zersetzungen mit saurer Endreaction veranlasst werden.

In Folge der starken Reduction der Eiweissstoffe trat bei diesem Versuche keine Farbstoffproduktion auf, auch blieb die Lösung so dünnflüssig, dass eine merkliche Schleimabsonderung nicht stattgefunden haben konnte. Die ganze Thätigkeit des Pilzes beschränkte sich in diesem Falle nur auf die Erzeugung einer Trübung in der Lösung.

Von auftretenden Formen bemerkte man bewegliche Coccen und Diplococcen; sehr vereinzelt fanden sich auch kurze Ketten vor.

Grösse der Coccen: 0,4 μ.

Impfte man hartgekochtes Hühnereiweiss mit einer Spur der getrübten Nährlösung, so entstanden nach 2—3 Tagen schwefelgelb gefärbte Kolonien, die aus isolirten Coccen, Diplococcen und längeren Kettenverbänden bestanden.

Die Grösse dieser Coccen war 0,5—0,8 μ.

11) Salzlösung aus 0,1035 gr. $K_2\ HPO_4$
0,016 " $Mg.\ SO_4$
0,013 " $K_2\ SO_4$
0,0055 " $Ca\ Cl_2$
1,0000 " weinsaures Ammoniak.

Eine am 2. Tage nach der Impfung in der Salzlösung entstehende Trübung verrieth die Anwesenheit des Pilzes. Bis zum 4. Tage wurd ediese Trübung etwas stärker, dann blieb bis zum 28. Tage der Zustand sich gleich. Nach diesem Zeitpunkt trat eine Klärung der Flüssigkeit ein und am Boden der Kulturgefässe bildete sich ein schwach gelbgefärbtes Sediment.

Die Reaction der Nährlösung wurde im Verlaufe des Versuches deutlich sauer.

Das Sediment bestand aus sich schwach bewegenden Coccen, Diplococcen und einigen kurzen Ketten.

Grösse der Coccen: 0,3 μ.

12) Salzlösung mit Harnstoff.

Der unter 11 genannten Salzlösung wurden noch 2,8% Harnstoff zugefügt.

Bis zum 6. Tage nach der Impfung blieb die Nährlösung völlig klar, dann trat eine schwache Trübung auf, die bis zum 9. Tage noch intensiver wurde.

Gleichzeitig mit dem Auftreten der Trübung ging die anfänglich neutrale Reaction der Lösung in eine stark alkalische über.

Nach 4 Wochen klärte sich die Lösung und am Grunde sammelte sich ein schwach gelb gefärbtes Sediment an. Die Bestandtheile des Sediments waren isolirte Coccen, Diplococcen und kurze Ketten, die sämmtlich Bewegungserscheinungen erkennen liessen.

Grösse der Coccen: 0,3 μ.

Die Resultate dieser ersten Versuchsreihe lassen folgende Schlussfolgerungen berechtigt erscheinen:

1) Der günstigste Nährboden für den *Micrococcus ochroleucus* ist derjenige, welcher Eiweissstoffe in genügender Menge enthält und dessen Reaction gleichzeitig entweder schwach alkalisch oder neutral ist. Saure Reaction des Nährbodens ist unter allen Umständen der Entwickelung des Pilzes nicht zusagend.
   Feste Nährböden sind dem Pilz im Allgemeinen zuträglicher als flüssige und erreicht derselbe in diesen Medien niemals die Grösse, wie in und auf festen Nährböden.
2) Bei einseitiger Ernährung mit Kohlehydraten werden Schleim- und Farbstoffabsonderung gemindert, selbst sistirt.
3) Unter allen obigen Verhältnissen bleibt die Coccenform erhalten. Schwankend war nur die Grösse der einzelnen vegetativen Kugelzellen.
4) Die Koloniebildung ist in hohem Grade abhängig von der Ernährung. In allen Fällen, bei denen die Schleimabsonderung bedeutend ist, also namentlich bei reichlicher Ernährung mit Eiweiss, entstehen längere Kettenverbände von 8—12 Coccen; dagegen treten überall dort, wo die Schleimabsonderung nur in geringem Maasse oder gar nicht stattfindet, — wie es bei einseitiger Ernährung mit Kohlehydraten und in gewissen Salzlösungen der Fall ist — die Coccen entweder isolirt oder nur zu zweien, höchstens vieren mit einander verbunden auf.

Sonach tritt der *Micrococcus ochroleucus*, je nach der Ernährung:

a) als isolirter *Micrococcus*, Coccus oder Kugelbacterie,
b) als *Streptococcus*, sogenannte Rosenkranz- oder Torulaform auf. Würde man hier, wie bereits anderwärts offenbar irrthümlich geschehen, nur schlechthin nach der Form unterscheiden und klassifiziren [1]), so müsste man in dem vorliegenden Falle einen

und denselben Spaltpilz in und auf verschiedenen Nährlösungen kultivirt einmal als

Micrococcus ochroleucus,

das andere Mal dagegen als

Streptococcus ochroleucus

bezeichnen.

5) Je nach der Ernährung sind die vom *Micrococcus ochroleucus* erzeugten Zersetzungen sehr verschiedener Natur. In allen jenen Substraten, die reich an Eiweissstoffen sind, ruft der Pilz eine Zersetzung hervor, deren Endprodukte stark alkalisch reagiren, während derselbe in Lösungen von Kohlehydraten und gewissen Salzlösungen Zersetzungen mit saurer Endreaction veranlasst.

6) Zur Farbstoffproduction bedarf der *Micrococcus ochroleucus* reichlichst Stickstoff; doch ist es völlig gleich, ob derselbe in Form hochkomplizirter Verbindungen z. B. als Albumin oder in Form einfacherer z. B. als Ammoniaksalz dargereicht wird.

Von einigem Interesse dürfte es erscheinen, hier noch insbesondere hervorzuheben, dass feste und dünnflüssige Substrate als solche auf die Form und das isolirte oder zu Ketten verbundene Auftreten keinerlei Einfluss ausüben, nur die Grösse variirt in beiden beträchtlich, wie bereits oben hervorgehoben wurde.

Zweitens: Einfluss verschiedener Temperaturen.

Um das Verhalten des *Micrococcus ochroleucus* verschiedenen Temperaturen gegenüber kennen zu lernen, stellte ich folgende Versuchsreihen an:

1. Versuchs-Reihe: Einfluss einer konstanten Temperatur von + 6—8° C.
2. " " " " " " " + 22,5° C.
3. " " " " " " " + 36° C.
4. " " " höherer Temperaturen und zwar + 60—100° C.

Als Nährmedien wählte ich für die 1.—3. Versuchs-Reihe:

a) Hartgekochtes Hühnereiweiss,
b) Pepton-Gelatine resp. Agar-Agar mit Pepton,
c) Kartoffeln,
d) Stärkekleister,
e) Lösung von 5% Traubenzucker
0,05% Liebig'schem Fleischextrakt.

Bei der 4. Versuchsreihe dagegen nahm ich Kulturen auf Hühnereiweiss, die bei gewöhnlicher Zimmer-Temperatur erst soweit zur Entwickelung gebracht wurden, bis man makroskopisch die ersten Anfänge der Kolonien wahrnehmen konnte.

---

[1]) Hueppe verwendet die Formverbände zur Aufstellung von Untergattungen; vergl. Hueppe, Formen der Bacterien. 1886. pag. 141 und 144.

1. Einfluss constanter Temperatur + 6—8° C.

Die Versuche führte ich in einem durch Eis gekühlten Schrank aus. Da aber die Einrichtung derartiger Schränke das Licht nur sehr spärlich in das Innere eindringen lässt, so trat leider bei sämmtlichen Kulturen eine ziemlich geringe Farbstoffabscheidung ein.

a) Kulturen auf Hühnereiweiss.

Durch verdünntes Ammoniak wurde das Substrat schwach alkalisch gemacht.

Der Einfluss der niederen Temperatur machte sich dadurch geltend, dass der Pilz erst 4—5 Tage nach der Impfung merklich zur Entwickelung gelangte. Auch im weiteren Verlaufe des Versuches war das Wachsthum gerade kein üppiges zu nennen, denn am 12. Tage hatten die Kolonien erst die Grösse von 5 mm erreicht.

Die Auflösung des Substrats begann erst am 21. Tage und schritt nur äusserst langsam vorwärts. Während die Auflösung erfolgte, trat eine stark alkalische Reaction auf.

Die Kolonien wurden gebildet von beweglichen isolirten Coccen, Diplococcen und Streptococcen.

Eine weitere Folge der niederen Temperatur war die Grössenabnahme der einzelnen vegetativen Zellen.

Es betrug die Grösse der Coccen: 0,4 μ.

b) Kulturen auf Pepton-Gelatine.

4 Tage nach der Impfung begann an der Oberfläche des Substrats sich das Wachsthum des Pilzes dadurch zu äussern, dass um die Impfstellen vereinzelte Kolonien auftraten. Bis zum 10. Tage bedeckten die Rasen eine Fläche von 4—5 mm, von da an aber war beinahe keine Ausbreitung mehr wahrnehmbar.

Eine Verflüssigung des Substrats trat erst am 18. Tage ein, erreichte aber selbst bis zum 30. keine bedeutende Ausdehnung.

Bewegliche isolirte Coccen, Diplococcen und kürzere Ketten waren die hier auftretenden Formen und Verbände.

Grösse der Coccen: 0,4 μ.

c) Kulturen auf Kartoffel.

Durch Zusatz verdünnten Ammoniaks erhielt der Nährboden schwach alkalische Reaction.

6 Tage nach der Impfung fanden sich die ersten beinahe farblosen Kolonien auf dem Substrat ein.

Auf diesem Nährmedium ist das Wachsthum nur äusserst schwach, denn nach 30 Tagen bedeckten die Kolonien eine Fläche von nur 6 mm.

Die Schleimabsonderung war in diesem Versuch äusserst spärlich, in Folge dessen bei der mikroskopischen Untersuchung nur bewegliche isolirte Coccen und Diplococcen, dagegen gar keine Ketten anzutreffen waren. Bei alten Kulturen waren gleichfalls einige unregelmässig gestaltete Conglomerate von Coccen und Diplococcen wahrnehmbar.

Grösse der Coccen: 0,3—0,4 μ.

d) Kulturen auf Stärkekleister.

Auf diesem Substrat waren die Entwickelung und das Wachsthum des Pilzes in hohem Grade verzögert.

Am 8. Tage nach der Impfung traten die ersten Kolonien als schwach gelbgefärbte Pünktchen auf. Bis zum Schluss der Versuche erreichten dieselben eine Grösse von 4 mm und in Folge der geringen Schleimabsonderung hatten sie ein ziemlich trockenes Aussehen.

Als Wuchsformen erschienen Coccen, die zum Theil isolirt, zum Theil zu Diplococcen verbunden waren. Die Beweglichkeit dieser Formen war nur sehr schwach.

Grösse der Coccen: 0,1—0,3 μ.

e) Kulturen in einer Lösung von 5% Traubenzucker
0,05% Liebig'schem Fleischextract.

In der anfänglich ganz klaren Nährlösung entstand am 6. Tage nach der Infection eine schwach wolkige Trübung, die bis zum 16. Tage noch stärker wurde.

Während dieses Vorganges ging die anfänglich neutrale Reaction der Lösung in eine schwachsaure über.

Bei diesem Versuche trat in Folge des Mangels an stickstoffhaltigen Bestandtheilen, wie anderwärts von mir bei analogen Versuchen schon beobachtet und erwähnt, keine wesentliche, bemerkbare Pigmentbildung auf. Auch zeigte sich schliesslich die wässerige Nährlösung so dünnflüssig, dass offenbar kein oder nur sehr wenig Schleim abgesondert worden war.

In der getrübten Lösung fanden sich bewegliche isolirte Coccen Diplococcen und einige kurze Ketten.

Grösse der Coccen: 0,3 μ.

Das Ergebniss dieser eben geschilderten Versuchsreihe ist folgendes:

1. durch die niedere Temperatur wird das Wachsthum des *Micrococcus ochroleucus* ganz bedeutend verlangsamt.
2. Bei der niederen Temperatur erreichen die vegetativen Kugelzellen

nicht ihre volle Grösse, sondern bleiben oft über die Hälfte gegen die bei höherer Temperatur erhaltenen zurück.

Diese ungünstigen Einflüsse machen sich in verstärktem Maasse namentlich dann geltend, wenn gleichzeitig bei Mangel an Stickstoff die Ernährung eine dem Pilze nicht besonders zusagende ist; z. B. auf Kartoffeln, Stärkekleister.

2. Einfluss constanter Temperatur von + 22,5° C.

Ueber diese Versuche wurde bereits oben S. 421, 423, 424, 426, 428 berichtet. Ich bemerke hier kurz, dass diese Temperatur wohl als eine dem Optimum nahestehende zu betrachten ist, und dass der Pilz sich dabei überaus günstig entwickelt.

3. Einfluss constanter Temperatur von + 36° C.

Die Versuche wurden in einem Vegetationskasten ausgeführt, dessen Temperatur ein Soxhlet'scher Thermostat genau auf + 36° C. erhielt.

Der Vegetationsapparat besass vorn eine doppelwandige Glasthür, durch die Tageslicht in das Innere eindringen konnte. Ich umging also hier den Einfluss, den der Lichtabschluss hervorbringt, vollständig.

Als Nährböden benützte ich die schon oben erwähnten, nämlich:

a) Hartgekochtes Hühnereiweiss,
b) Agar-Agar mit 3% trockenem Pepton
0,5% Liebig'schem Fleischextrakt
0,5% Traubenzucker,
c) Kartoffel,
d) Stärkekleister
e) Lösung von 5% Traubenzucker
0,05% Liebig'schem Fleischextrakt.

Es zeigte sich bei diesem Versuch, dass der *Micrococcus ochroleucus* auf allen festen Nährböden bei gedachter Temperatur nicht zur Entwickelung gelangte.

In der Lösung von Traubenzucker dagegen entstand nach 4 Tagen eine schwache Trübung, die bis zum 10. Tage stärker wurde, dann aber wieder allmählich verschwand.

Untersuchte man am 5. oder 6. Tage die trübe Lösung, so fand man in ihr isolirte Coccen, Diplococcen und einzelne kurze Ketten.

Die Bewegung sämmtlicher Formen war äusserst schwach.

Die Grösse der Coccen betrug: 0,4 μ.

Neben diesen Coccen traf man solche, die ungemein stark angeschwollen waren und fast keine Bewegung zeigten. Dieselben erreichten eine Grösse von 1,78 μ und waren fast ausnahmslos sehr stark lichtbrechend. Offenbar lagen hier Dauersporen des Pilzes vor.

Um mich hiervon zu überzeugen, machte ich folgenden Versuch: Agar-Agar mit Pepton wurde mit dem Pilz infizirt und zur Entwickelung zunächst einer Temperatur von + 22,5° C. ausgesetzt.

Nach 2 Tagen hatten die intensiv gelb gefärbten Kolonien eine Grösse von 3 mm. erreicht und bestanden aus isolirten Coccen, Diplococcen und Streptococcen.

Die Coccen erreichten eine Grösse von 0,5—0,8 μ. Diese so zur Entwickelung gebrachten Kolonien setzte ich dem Einfluss einer Temperatur von + 36° aus.

Nach 2 Tagen fanden sich neben den gewöhnlichen Coccen wieder stark angeschwollene.

Diese Anschwellung erstreckte sich nicht allein auf die isolirten Coccen, sondern auch auf solche in Verbänden enthaltenen, und zwar war bei den Diplococcen entweder nur ein oder auch beide, bei den Kettenverbänden in der Regel nur ein Coccus angeschwollen.

Die isolirten verhielten sich durchgehends ruhig, während die mit anderen verbundenen oft noch schwache Bewegung zeigten.

Nach 4 Tagen traten in diesen Coccen scharf contourirte stark lichtbrechende Körperchen auf, die in ihrem Aussehen Aehnlichkeit mit kleinen Fetttröpfchen hatten.

Am 6. Tage erschienen die inzwischen völlig zur Ruhe gelangten Formen in ihrem ganzen Umfange stark lichtbrechend und scharf contourirt. Bei den isolirten fraglichen Zellen konnte man noch erkennen, dass eine schwach lichtbrechende, wenig scharf umgrenzte schleimige Masse (Reste der Mutterzellenmembran) sie umschloss.

Die Grösse dieser Coccen betrug 1,6—1,78 μ.

Auch bei der Darstellung gefärbter Deckglaspräparate zeigten die erwähnten angeschwollenen Formen den gewöhnlichen gegenüber eine Verschiedenheit, indem sie erst bei Anwendung höherer Temperatur Farbstoff annahmen.

Es zeigen also diese angeschwollenen Coccen alle Eigenschaften der sogenannten Dauersporen der Spaltpilze.

Neben diesen auf endogenem Wege entstandenen Sporen fanden sich stets noch vegetative Kugelzellen, die entweder isolirt oder in den bekannten Verbänden auftraten, vor.

Ganz dieselben Resultate erhielt ich auch bei Kulturen auf anderen Nährmedien, sobald nur erst die Kolonien bei + 22,5° C. zur Entwickelung gebracht wurden.

Meine fernere Aufgabe war, nun diese Dauersporen auch wieder zur Entwickelung zu bringen.

Zu diesem Zweck nahm ich auf Hühnereiweiss gezogene Kulturen, die auch sicher fertig ausgebildete Sporen enthielten, und tödtete durch ½stündiges Erhitzen auf + 100° — was in einem Wasserbade geschah — sämmtliche vegetative Coccen.

Von dem so vorbereiteten Material übertrug ich Spuren auf Agar-Agar mit Pepton und setzte die Gläser verschiedenen Temperaturen, die zwischen + 22,5° C. und + 35° C. gelegen waren, aus.

In zwei Fällen gelangten die Sporen bei + 27° C. zur Keimung und liessen normale Kolonien entstehen. Alle übrigen Versuche waren aber von negativen Erfolgen begleitet. Später nochmals angestellte Versuche, Sporen bei + 27° C. zur Keimung zu bringen, lieferten ein schlechtes Resultat, indem von fünfzehn angesetzten Kulturen nur drei zur Entwickelung gelangten. Leider gelang es mir nicht trotz der grössten Mühe, die ich mir gab, den Grund der Misserfolge aufzudecken.

Das Resultat dieses vorstehend beschriebenen Versuches ist folgendes:

1. Eine Temperatur von + 36° C. ist zur Weiterentwickelung der vegetativen Formen des Pilzes ungeeignet; unter dem Einflusse gedachter Temperatur besitzt der *Micrococcus ochroleucus* vielmehr das Vermögen auf endogenem Wege sog. Dauersporen zu bilden.
2. Die Keimtemperatur für diese Sporen liegt bei + 27° C.
3. Das Sporenbildungsvermögen, sowie die Keimung der Sporen bewegen sich innerhalb sehr eng gezogener Grenzen, zwischen + 27 und 36° C.

4. Einfluss höherer Temperaturen: + 60—100° C.

Diese Versuche führte ich so aus, dass ich Kulturen auf Hühnereiweiss bei + 22,5° C. zur kräftigen Entwickelung brachte und dann kürzere oder längere Zeit der Einwirkung der betreffenden Temperatur aussetzte.

Ich benützte bei diesen Versuchen ausschliesslich Wasserbäder, deren Niveau stets höher gehalten wurde als der Inhalt der Kulturgefässe war.

Durch eingesetzte Thermostaten wurde die Temperatur genau regulirt.

Die Ergebnisse dieser Versuche weisen darauf hin, dass nicht allein die Höhe der Temperatur, sondern auch die Dauer der Einwirkung derselben von wesentlichem Einflusse ist.

In sämmtlichen Versuchen brachte ich den Pilz zum Absterben und zwar erfolgte dasselbe

bei einer Temperatur von + 60° C. nach sechsstündiger,
bei einer Temperatur von + 75° C. nach zweistündiger,
bei einer Temperatur von + 90° C. nach halbstündiger

Einwirkung der Temperatur.

Bei sämmtlichen auf diese Weise getödteten Kulturen hatten sich die die Kolonien erzeugenden Coccen, Diplococcen und Ketten während des Absterbens zu unregelmässig geformten Haufen zusammengezogen.

Fasst man die Resultate der zweiten Versuchsreihe zusammen, so lassen sich folgende Schlüsse ziehen:

1. Für den *Micrococcus ochroleucus* liegt
   das Temperaturminimum bei + 6—8° C.
   das Temperaturoptimum bei + 22,5° C.
   das Temperaturmaximum bei + 36° C. oder wenig darüber.
2. Die niedere Temperatur von + 6—8° C. verzögert nicht allein das Wachsthum des Pilzes, sondern lässt auch die vegetativen Kugelzellen nicht ihre volle Grösse erreichen.
3. Bei einer constant einwirkenden Temperatur von + 36° findet ein Wachsthum des Pilzes nicht statt, sondern auf endogenem Wege bildet derselbe „Dauersporen", die ihrerseits bei + 27° C. wieder zur Keimung gebracht werden können.
4. Gegen höhere Temperaturen ist der *Micrococcus ochroleucus* ziemlich empfindlich.

Drittens: **Einfluss des Lichtes.**

In dieser dritten Versuchsreihe suchte ich den Einfluss des Lichtes auf das Wachsthum und die Farbstoffproduction des *Micrococcus ochroleucus* zu ermitteln. Zu diesem Zwecke traf ich die Versuchsanordnung so, dass ich in der 1. Reihe den Pilz bei völligem Lichtabschluss zur Entwickelung zu bringen suchte. In der 2. Reihe liess ich den Pilz unter dem Einflusse diffusen Tageslichtes wachsen und in der 3. Reihe endlich liess ich direktes Sonnenlicht auf die Kulturen einwirken.

Als Nährboden nahm ich in allen 3 Fällen hartgekochtes Hühnereiweiss, das durch verdünntes Ammoniak schwach alkalisch gemacht worden war.

Die Versuche selbst führte ich bei gewöhnlicher Zimmertemperatur (ca. + 20° C.) durch.

1. Einfluss gänzlichen Lichtabschlusses.

Um einen völligen Lichtabschluss zu erzielen, umklebte ich die betreffenden Kulturgefässe mit schwarzem Papier und ausserdem schloss ich sie in Holzfutterale ein.

24 Stunden nach der Impfung fanden sich farblose Kolonien ein, die sich in der Folge stark ausbreiteten und schliesslich als weisse Schleimmassen das ganze Substrat überzogen.

Am 8. Tage begann der Pilz das Substrat aufzulösen und bis zum Schluss des Versuches hatte er dasselbe in eine zähflüssige schmierige Masse umgewandelt.

Wurden Spuren dieses weissen Schleimes auf frische Stückchen Hühnereiweiss übertragen und dieselben dem Einflusse diffusen Tageslichtes ausgesetzt, so entwickelten sich Kolonien mit intensiv schwefelgelber Färbung.

In den ungefärbten Schleimmassen erschienen bei den mikroskopischen Untersuchungen lebhaft sich bewegende isolirte Coccen, Diplococcen und Streptococcen.

Grösse der Coccen: 0,5—0,8 μ.

2. Einfluss diffusen Tageslichtes.

Während der Ausführung dieser Versuche wurden die Fensterscheiben in dem betreffenden Arbeitszimmer mit weissem ölgetränkten Papier überklebt, wodurch erzielt wurde, dass in dem Zimmer ein mattes diffuses Licht herrschte.

Die ersten Wachsthumserscheinungen traten 24 Stunden nach der Infection ein und äusserten sich dadurch, dass farblose Kolonien die Impfstellen bedeckten.

Doch schon am 2. Tage begannen sich dieselben zu färben und jetzt schnell weiter wachsend überzogen sie als schwefelgelbgefärbter Schleim das Substrat, welches ungemein stark vom Pilz angegriffen, schliesslich zu einer zähflüssigen, stark alkalisch reagirenden Masse aufgelöst wurde.

Die Bestandtheile der Kolonien waren in diesem Versuche gleichfalls wieder lebhaft sich bewegende isolirte Coccen, Diplococcen und Ketten.

Grösse der Coccen: 0,5—0,8 μ.

3. Einfluss direkten Sonnenlichtes.

Die Zeit, in der dieser 3. Versuch zur Ausführung kam, zeichnete sich durch eine ununterbrochene Reihe sonnenheller Tage aus. (Mitte Mai bis Mitte Juni 1886.)

Die Aufstellung der betreffenden Kulturgefässe geschah derart, dass dieselben von ca. $10\frac{1}{2}$—11 Uhr Morgens an bis 7 Uhr Abends dem direkten Sonnenlichte ausgesetzt waren.

Anfänglich war der Verlauf des Wachsthums ein ebenso lebhafter, wie im vorhergehenden Versuche. Doch bald machte sich ein grosser Uebelstand bemerkbar; es trocknete nämlich das Substrat unter Einwirkung des direkten Sonnenlichtes bei vielen Präparaten ungemein rasch aus und dann gingen wegen Mangel an genügender Feuchtigkeit die Kulturen ein.

Ich wiederholte nun den Versuch, nahm aber an Stelle des Hühnereiweisses eine Lösung von 3% trockenen Pepton
0,5% Liebig'schem Fleischextrakt
0,5% Traubenzucker.

Diesmal war der Verlauf der Versuche von Anfang bis Ende ganz derselbe wie bei Einwirkung diffusen Lichtes. S. o. Seite 427.

An der Oberfläche der Lösung entstand eine dünne hellgelbgefärbte Schleimschicht und die Lösung selbst wurde durch die Thätigkeit des Pilzes ziemlich stark getrübt.

Die Schleimschicht sowie die Trübung der Lösung wurde erzeugt von beweglichen Coccen, Diplococcen und Streptococcen.

Grösse der Coccen: 0,5 μ.

Die Resultate dieser 3. Versuchsreihe ergaben:

1. Das Licht übt auf die Form, die Grösse und den Verband der vegetativen Kugelzellen keinen Einfluss aus.
2. Die Farbstoffproduction ist bedingt durch den Zutritt des Lichtes und zwar derartig, dass dieselbe bei diffusem Tageslicht und bei directem Sonnenlicht sehr energisch stattfindet, dass sie aber bei völliger Dunkelheit unterbleibt.

Es haben sonach die obigen Versuche ergeben, dass der *Micrococcus ochroleucus*

1. unter allen Ernährungsverhältnissen seine Kugelform beibehält;
2. dass derselbe bei Einwirkung einer constanten Temperatur von + 36° C. sog. Dauersporen bildet;
3. dass bei Lichtabschluss die Pigmentabscheidung unterbleibt.

Vorstehende Untersuchungen wurden im botanischen Laboratorium des Herrn Professors Dr. Harz in München ausgeführt.

Es sei mir gestattet, meinem hochverehrten Lehrer Herrn Professor Dr. Harz für das meiner Arbeit in reichstem Maasse zugewandte Interesse und für das mir stets erwiesene Wohlwollen an dieser Stelle meinen wärmsten Dank auszusprechen.

Figuren-Erklärung.

Tafel XVII.

Fig. I. Coccen und Diplococcen vom *Micrococcus ochroleucus*.

„ II[1]). Kettenverbände sog. Torula- oder Streptococcusform des *Micrococcus ochroleucus*.

„ III[2]). Haufenverbände des *Micrococcus ochroleucus*.

(Sämmtlich mit Seubert'schem Immersionssystem VIIb und electrischem Licht vom Verfasser aufgenommen und bei der Verlagsanstalt für Kunst und Wissenschaft von F. Bruckmann in München in Lichtdruck wiedergegeben.)

---

[1]) [2]) Die noch vorhandenen Schleimmassen lassen bei den meisten Ketten und Haufen die Zusammensetzung aus Coccen nicht erkennen.

Druck von Robert Nischkowsky in Breslau.

Lightning Source UK Ltd.
Milton Keynes UK
UKHW012239110219
337137UK00006B/1055/P